C0-AVZ-607

# 入門
# 廃棄物の経済学

Richard C. Porter
リチャード・C・ポーター｜著
石川雅紀＋竹内憲司｜訳
Ishikawa Masanobu　Takeuchi Kenji

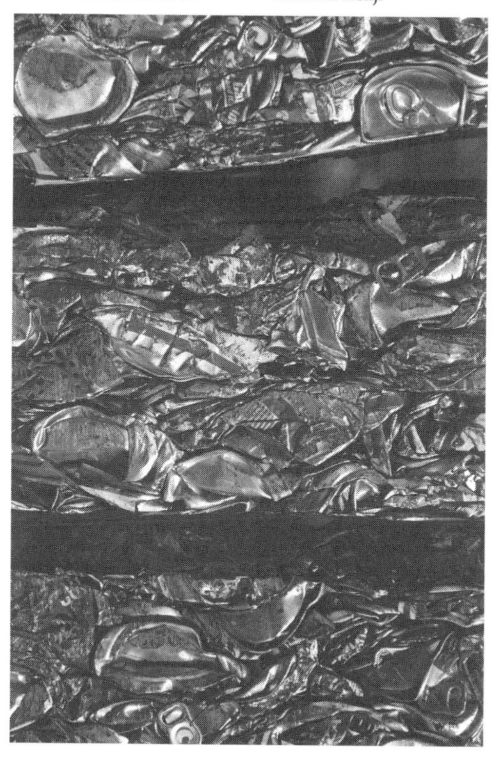

東洋経済新報社

Original Title:
*The Economics of Waste*
by Richard C. Porter


Originally published in the United States by Resources for the Future.
Japanese translation rights arranged with RFF Press, of Resources for the Future through The English Agency (Japan) Ltd.

# はしがき

経済学は難しすぎる．頭痛の種だ．だからわれわれは，経済がうまくいかないとき，狭い視野でしか対応ができずに，ポケットに丸まった5セントがないか探してしまう．

P・J・オルーク『イート・ザ・リッチ』1998年

私は，よく学生から「どうして廃棄物に興味があるのか」と聞かれるが，うまく答えられたためしがない．子供のころ，道ばたに落ちているびんのキャップを集めたり，ネズミとにおいと炎と煙がひどくなければ，ごみ捨て場で宝探しの探検をしたのを覚えている．鉄くずを（第二次世界大戦の）「戦時供出品」として集めたり，家のソーダの空きびんを集めて小遣いを稼いだりもした（返却すると2セント戻ってきたのだ）．当時は気づかなかったが，これらはリサイクルである．一方で，定期的にごみを僻地へ持っていき，不法投棄の意識もなく捨てたりもしていた．

1960年代後半に始まる環境保護運動に惹かれ，70年代半ばには，私は環境経済学を講義するようになった．大気汚染や水質汚染は，問題や対策に関して（私も学生も苦手な）自然科学の占める部分が多く，教えるのが難しかった．そこで私は，最小の自然科学的知識で理解し議論できる環境問題を中心に講義を組み立てた．つまり，自動車と廃棄物である．私は自動車に関する自分の講義ノートを大幅に拡張して，『自動車の経済学：クルマとドライバーのコスト』をアカデミック・プレスから1999年に出版した．いまあなたが手にしているのは，廃棄物に関して，学生や一般向けに使った講義ノートを大幅に拡張したものである．

学部生に環境経済学を教えるのがいつも楽しみな理由は，2つある．まず，学生は現実の課題を好む．彼らは，環境問題を重要でおもしろいと感じている．それから，政策は環境問題にうまく対処していないことが多いので，こうした政策の失敗を教えることで，学生は現実世界の問題を経済学的にどう考えればよいかを学ぶことができる．学部生にとって，抽象理論ほど退屈なものはない．本書には「……と仮定しよう．すると……」という議論も出てくるが，できるだけそれが目立たないように工夫した．理論的展開には，常に現実の背景を持たせるように心がけた．私は，廃棄物という現実問題を，経済学的な知識と分析能力へ「リサイクル」していると自負している．

3つほど注意点がある．第1に，本書は廃棄物についての本であると同時に経済学を教える1つの手段という性格を持っているため，経済学をしつこく強調し，廃棄物に関する文化，社会，政治，技術にはほとんど触れない．第2に，廃棄物の経済学はとても新しい分野であるため，知識には多くの不足があり，「一方ではこうである．しかしもう一方では……」という議論に頼らざるを得ないところが多々ある．第3に，廃棄物の問題や解決策は地理的・人口学的な条件に強く依存するため，一般化やどこでも通用する政策はほとんどない．

多くの章には，本文の議論を補う補論がついており，ミシガン州アンアーバーの環境問題が詳しく分析されている．ミシガン州アンアーバーのことを気にかけている読者はほとんどいないだろうが，補論の目的は，読者が他の市や州について独自の分析をおこなえるように，分析方法をおおまかに示すことにある．もしそれができたら，私宛てに送ってほしい．マイクロソフト・ワードのファイルをEメールに添付して送ってくれたら，必ずコメントを付けて返すことをお約束する．お互いに学びあえると思う．

先述のとおり，本書は講義ノートを元にしている．これまで私は，講義での受講者数を，質疑応答が可能な人数に抑えるようにしてきた．ここでもそのスタイルを踏襲したい．ときどき気分転換の軽い冗談もあるが，もしそれがあなたの気分を害したら，率直にお詫びしたい．ただ，本書で何度も触れるように，すべての廃棄物をあまりに深刻に考える必要はないことも，忘れないでほしい．

本書には，たくさんのコラムがある．お急ぎの読者は飛ばして読んでもかまわないが，そうすると損をするだろう．刺激的で，楽しいものばかりである．廃棄物にまつわるちょっとした情報が得られるだけでなく，理論と状況と課題と政策を関連づけて考えるきっかけになるだろう．

私の議論に同意できない場合や，課題についてもっと知りたい場合には，少なくともいくつかの参考文献を読むようお薦めしたい．数学や統計分析を含むものもあるが，ほとんどの読者は眺めて何かを学べるはずである．参考文献は，巻末にまとめてある．

### 本書の概要

本書は4つのパートに分かれている．第1部では，事業活動や家計から排出される通常の廃棄物について，それを収集・廃棄するさまざまな方法について扱う．問題を簡単にするため，第1部ではリサイクルの可能性を考えない．すべての廃棄物は，埋め立てられるか，焼却されるか，不法投棄されるか，（他の州や国に）移出される．廃棄物に関わる多くの主体は，社会的限界費用はもとより，私的限界費用より低い価格に直面している．つまり，廃棄物が過大に発生したり，不適切に処分される誘因がある．

第2部では，リサイクルの可能性が導入される．われわれは，さまざまな角度からリサイクルを見る．なぜ，市場では社会的に望ましい量のリサイクルが成立しないのか．リサイクルの社会的便益や費用とは何か．どのような政策が，最適なリサイクル量を達成するのか．最適なリサイクル目標は0%か100%であるとされがちだが，実はそうではない．経済学は，リサイクルに関して社会的に適切なシステムへとわれわれを導く．

第3部では，健康や環境に大きな害となる可能性のある，特殊な廃棄物につい

**コラム：価格と割引率について**

本書では金額を簡単に比較できるように，ほとんどのドル値が米GDPデフレータを用いて1997年価格に変換されている．例を挙げよう．1986年に100万ドルが支出されたとしよう．この数字を1997年のドル価値に変換するには，1997年デフレータ（1992年を100として112.4）をかけ，1986年デフレータ（同じく1992年を100として80.6）で割る．すると100万ドルは139万ドルになり，丸めて140万ドルと報告されるだろう．どの年の価格が使われているかはっきりしない資料を引用する際には，その資料が公表される1年前の年における価格であると想定した．

現在価値を計算する際には，（断りのない限り）4%の割引率を用いている．例を挙げよう．2009年における1000万ドルには $(1+0.04)^{-12}$ をかける，4% (0.04) が割引率であり，マイナス12乗は1997年から2009年までの年数を表している．2009年における1000万ドルは，1997年の現在価値で624.6万ドルである．おそらく丸めて625万ドルとか620万ドルといった形で表記されるだろう．

て扱う．それは，有害廃棄物と放射性廃棄物である．こうした廃棄物を不適切に扱うことの社会的費用は高く，適切に扱うことの社会的便益は高い．したがって，その最適な規制にあたっては，普通よりも多くの注意と費用が必要となる．有害廃棄物には，もう1つのカテゴリーがある．過去に排出された廃棄物で，将来にわたる健康・環境面のリスクをもたらすものである（有害廃棄物によって汚染された土地の一部は，スーパーファンド対象サイトと呼ばれている）．こうした廃棄物については発生をコントロールするには既に遅すぎるが，経済学を通じて，どのように，どれだけ，いつ浄化作業を実施するか，考えることができる．

最後の短い第4部では，「ごみの国ツアー」とも言うべき本書を通じて学んだことをおさらいする．私は，将来に向けた細かな政策を提案することはせず，政策に対する考え方をどう変えるべきかを述べる．そのことを通じて，私が提案しているのが単なる政策アプローチ以上のものであることが伝われば幸いである．

**謝辞**

これまで私の環境経済学を受講し，正しい質問や正しい答えをすることで，講義がうまくいっていると確信させてくれた学生たちや，間違った質問や間違った答えをすることで，分かりにくい箇所を気づかせてくれた学生たちに，感謝したい．何よりも，私は学生たちが提出したレポートを多く引用している（参考文献を参照されたい）．特に2000年秋学期の学生には，本書の草稿を丹念に熟読してくれたことを感謝したい．彼らは，議論やEメールやメモを通じて，誤りを修正し，矛盾を指摘し，ぎこちなくて分かりにくい部分を教えてくれた．

私が廃棄物を学ぶ手助けをしてくれた人はあまりに多く，すべての名前を挙げることはできない．ここでは特に手助けとなった，個人的にどうしても感謝しておきたい人のみを挙げる．フランク・アッカーマン，レイ・エアー，ビクター・ベル，マイケル・ブルーメンタル，ポール・ブラウン，ジャン・カンタベリー，ロバート・コロネイド，トルエット・デジャール，ブライアン・エジック，ヘンリー・ファーランド，カート・フリーハーフ，マイク・ガーフィールド，ジョージ・ガーランド，ジーン・グリッソン，リンダ・ゴブラー，ロビン・ジェンキンス，グラハム・ジョンソン，リチャード・カシュマニアン，イアン・カーニー，スティーブ・ケスラー，トム・キンナマン，キャサリン・クライン，デビッド・コンクル，スタンレイ・ランシー，アンジー・リース，ジェフ・マレット，ミッシェル・レイモンド，アダム・リード，ドン・レイスマン，スティーブ・サラント，スコット・サリスベリー，クリス・シェイファー，ウェス・シャーマン，ヒラリー・シグマン，ブレット・スナイダー，ジョン・トロッティ，デイブ・タイラー，ボブ・ワラス，ブライアン・ワイナート，ウォーレン・ワトレイ，そして多くの匿名の査読者や読者たち．第 15 章は，ミシガン・メモリアル・フェニックス・プロジェクトの資金から多くの恩恵を受けている．途上国に関する記述の多くは，アメリカ国際開発庁とフルブライト奨学制度からの資金によるものである．ポール・ポートニーは，本書の執筆を励まし，ワシントンで仕事をしている間，未来資源研究所の設備を使わせてくれた．

こうした助けにもかかわらず，誤りは残っているだろう．もし誤りを見つけた場合は，知らせていただければ幸いである．少なくとも，あなたは本を買ってくれた．他に買う人もいるだろう．そうすると第 2 版が出ないとも限らない．とすると，あなたの指摘で誤りが修正される可能性だってある．他にもコメント，揚げ足取り，苦情，アイデア，データ，逸話などなど，大歓迎である．E メールでの環境問答だって，いつ何時，誰の挑戦でも受ける．たまに 1，2 ヶ月ほど E メールをチェックできないときもあるので，遅れるかもしれないが，必ず返事は書くつもりだ．

ディック・ポーター（ミシガン大学）
rporter@umich.edu

# 目 次

## 第IV部　おわりに

# 入門　廃棄物の経済学

# 第1章　経済学と廃棄物：はじめに

> 問題が複雑な場合，分析が必要となる．直観や意志だけでは不十分である．分析にとって重要なのは，交渉過程に関わるすべての人に受け入れられることではない．情報は不完全かもしれないし，必要な仮定が当てはまらないかもしれないし，制約が不適当であるかもしれない．したがって，良い分析がいつも受け入れられるとは限らない．しかし分析は，価値の相異があり政治的判断が必要なとき，問題に焦点を当てるのに役立つ．分析は，優れた選択肢を提示でき，劣った選択肢を除去あるいは少なくしてくれる．体系だった分析は，議論を洗練して，大きく改善するのである．
>
> チャールズ・シュルツ『公共支出の政治経済学』1968 年

アメリカは世界でもっとも豊かな国であり，大量の財・サービスを国民のために生産している．これらの「グッズ（goods：財）」にともなって，「バッズ（bads：負の財）」がやってくる．「バッズ」の典型が，われわれの望まない，除去するのが危険で困難な廃棄物である．1960 年から 96 年の間に，アメリカの生活水準（1 人あたり GDP）は 2 倍になり，一般廃棄物（Municipal Solid Waste）の量は 1 人 1 日あたり 1.2kg から 2.0kg に増えた〔訳注：日本の法律用語である「一般廃棄物」と“Municipal Solid Waste”は正確に一致しているわけではないが，大ざっぱな区分が対応しているため，本邦訳では“Municipal Solid Waste”を「一般廃棄物」とし，“Business Waste（Other Waste）”を「産業廃棄物」とする〕．早くも 1970 年に，ある文献では，廃棄物が大気汚染や水質汚染と並ぶ「第 3 の汚染」として扱われている（Small 1971）．

これらの数が示すように，廃棄物の量は正の所得弾力性を持つ．つまり，所得が増えるにつれて，廃棄物の量は増える．北米の都市だけでなく，西ヨーロッパの都市でも，廃棄物の量は 1 世紀前より多くなっている．また今日における北米や西欧の一般廃棄物排出量は，途上国より多い（World Bank 1998, Data Table

**表 1–1　インド都市部とアメリカにおけるごみの組成（g/1人1日）**

| 物質 | インド都市部 | アメリカ |
| --- | --- | --- |
| 腐敗したもの | 308 | 752 |
| 紙 | 9 | 743 |
| プラスチック・ゴム・皮 | 5 | 186 |
| ガラス | 0 | 131 |
| 金属 | 0 | 163 |
| セラミック・ほこり・灰・石 | 77 | n.e. |
| その他 | 14 | n.e. |
| 総合 | 412 | 1,975 |

注：n.e.= 未推計（おそらくほぼゼロ）.
〔訳注〕原著のポンド表示を 1 ポンド=453g で換算した.
出所：Diaz et al. 1993; U.S. Bureau of the Census 各年; 1997 データ.

9-3）．良い知らせは，廃棄量の所得弾力性が1以下であることだ．つまり生活水準が2倍になったとしても，それに応じて廃棄物の量が2倍になることはない．その理由の1つとして，先進国における財（とそれに付随する容器包装）からサービスへの相対的なシフトを挙げることができる．ただし，途上国でも種類の違いはあるが廃棄物が多く排出されるようになったという事情もある（表1–1）．先進国の廃棄物に腐敗性の物が相対的に少ないのは，食品の加工や，衛生包装や冷蔵庫の使用が増えたためである．また灰が少ないのは，暖房や料理に石炭や木材が使われなくなったことを反映している．

豊かになると廃棄物が増えるだけでなく，都市が成長し，都市で排出される廃棄物が増えることで社会問題を引き起こす．廃棄物は，他の形態の汚染と同じように，量が少なく，薄く広がっていくのであれば，それほど問題ではない．しかし，国が豊かになればなるほど農業生産性は上昇し，農家が農業以外の新たな職を求めて都市へ流れ込む．結果として都市は成長し，廃棄物が景観や衛生にとって深刻な問題となる．早くも紀元前2500年のインダス川の都市モヘンジョ・ダロ（現在はパキスタン領）では，廃棄物がかなり問題視されていたものと思われる．そこでは飲み水が水路を通じて各家庭に引き込まれ，下水が別の水路から排出されていた．固形の廃棄物は戸外に積まれるか，街角の容器に出され，公的部門に雇われた労働者が都市の外へ持って行った（Niemczewski 1977）．紀元前500年のギリシアには世界最古の埋立地が登場し，その2世紀後にはごみの散乱を規制する布告が出されている．

現代における廃棄物問題は，スラムが拡大し，廃棄物と公衆衛生問題の関係が確立する 19 世紀後半に始まる（Melosi 1981；Alexander 1993）．水処理，下水システム，定期収集，パッカー車，ごみ処理，焼却炉はすべて，西欧・北米では 20 世紀前半に出現した．

20 世紀後半になると，新たな関心事が出現した．われわれは，あまりにも多くの廃棄物を生みだしすぎているのではないかと考えるようになった．実際ほとんどの国際比較が示すように，アメリカの 1 人あたり廃棄物排出量は，他のほとんどの工業国の 1.5 倍に達している（OTA 1989b；Weddle 1989；Alexander 1993）．われわれはまた，焼却炉や埋立の危険性についても認識し始めている．こういった関心は新しい廃棄物政策につながっており，本書の課題は，そうした新しい廃棄物政策を経済学的な視点から分析することとなっている．

## 1.1　廃棄物とは何か

廃棄物とは，われわれが要らないもの，つまり，除去したいものである．以下では，われわれがどれくらいの廃棄物を排出しているのか，われわれがどうやって廃棄物を除去しているのか，といった問題を考えていく．さらに，私的費用と社会的費用を区別していく（廃棄物処理の私的費用とは，廃棄物の排出者が支払っている金額である．社会的費用とは，社会がその廃棄物を処分するのに費やしている金額である．外部費用と隠れた補助金のために，2 つの概念は異なる．これらの概念になじみがない読者は，補論 A を読まれたい）．しかし，これらの大きな，そして興味深い問題に取り組む前に，いくつかの定義について確認しなければならない．

廃棄物には，ごみ，がらくた，くず，廃物と多くの名前があり，目的に応じて，これらの名称を正確に区別することが重要である．ここではとりいそぎ，所有者にとって利用・販売価値のないものを「廃棄物（waste）」，家庭から出る廃棄物を「ごみ（trash）」と呼ぼう．経済学的な見地からすれば，廃棄物の排出源や組成を正確に知ることよりも，廃棄物を処理する費用や，不適切な処理がもたらす健康・環境への影響の方が重要である

もちろん法律になると，正確な定義が重要になる．1976 年の資源保全再生法（Resource Conservation and Recovery Act：RCRA）では，廃棄物を「廃棄物

処理施設，浄水施設，大気汚染浄化施設からのあらゆるくず，廃物，汚泥および工業，商業，鉱業，農業あるいは自治体活動からの固形，液体，半固形，ガス状物質を含むその他の捨てられた物質」と定義している（http://www4.law.cornell.edu/uscode/unframed/42/6903.html）．

経済学者にとっては，次の2つの廃棄物の違いが重要である．1つ目は，一般廃棄物かどうかである．一般廃棄物は，家庭や小規模事業者のごみであり，行政か，行政が委託した民間業者によって収集される．行政の収集サービスはたいてい，排出者にとって低料金か無料（私的限界費用ゼロ）で提供されている．週に一度の収集で十分で，廃棄量が多くない事業者については，行政の収集サービスを受けても良いことになっている．腐敗性の物や大量の廃棄物を出す事業者は，いわゆる「その他廃棄物（Other Waste）」を生むということで，自社で処分するか，民間の業者を雇って処分しなければならない．この「その他廃棄物」については次章で扱い，その後，一般廃棄物に焦点を当てる（第1部・第2部）．

2つ目の重要な違いは，有害廃棄物かどうかである．資源保護・再生法では，すべての廃棄物は有害か無害のいずれかに定義されており，各廃棄物の取扱いや処理に関して，特別なルールがある．もちろん実際には，ほとんどすべての廃棄物は，不適切な取扱いや処理をおこなえば，環境や健康の危険を招くので，潜在的に有害である．有害性には，通りに読み捨てられた新聞のようなちょっとした景観悪化から，ダイオキシンが持つ恐るべき発がん性まで，さまざまなものがある．すべての廃棄物が有害性の連続線上にあることを認識した上で，ここでは構成上の理由から，資源保護・再生法の区分を受け入れよう（有害物質については，第3部で扱う）．

厳密な定義が必要なのは，法的な理由だけではなく，量的な理由もある．一般廃棄物の正確な定義がなければ，その総量を推計することはできない．しかし，推計は定義より難しい．収集・処分時における一般廃棄物の重量や体積の詳しい測定データがほとんどないので，概算値が必要になるのである．アメリカ環境保護庁（U.S. Environmental Protection Agency：以下EPA）は，経済全体のマテリアルフローを推計することで，一般廃棄物の総重量を推計している．つまり製品の量から，後に一般廃棄物になるものの量を推測している（これはもちろんそんなに簡単なことではない．投入量に関するデータは輸出入を調整しなければならないし，さまざまな製品についての平均寿命の推定も必要である．また，生産量のデータを入手できない廃棄物，特に食品廃棄物や剪定ごみは，サンプリングをおこなって推定しなければならない）.

民間が一般廃棄物量を推定する場合は，各州当局に対して，一般廃棄物がどのくらい排出されているかの調査をおこなう．EPA の推定値は，いつも民間よりずっと小さい．たとえば 1998 年の EPA の数字は 2 億 2000 万トンであったが，『バイオサイクル』誌の調査では 3 億 4000 万トンであった（Franklin Associates 2000；Glenn 1999）．この違いは，EPA が見過ごした廃棄物の存在によるものかもしれないが，おそらく産業廃棄物や鉱業廃棄物や農業廃棄物や商業廃棄物を州が間違えて一般廃棄物に含めていることによる過大評価の結果だと思われる．

廃棄物は，前の段落のようにたいてい重量で測られるが，容積も重要であり，両者は 1 対 1 の関係になっていない．典型的なアメリカ家庭が排出する廃棄物は，トンあたり $9.1\,\mathrm{m}^3$ の密度があるが，パッカー車はそれをトンあたり $3.7\,\mathrm{m}^3$ の密度に圧縮する（途上国では，先進国よりも紙が少なく食品廃棄物や灰が多いため，密度がより高い）．ごみは積み替え施設を経て，トンあたり $1.8\,\mathrm{m}^3$ 以下まで圧縮される（ごみがあるパッカー車から別のパッカー車へ積み替えられる理由については，第 3 章で述べる）．埋立場や焼却炉には，重量で課金するところもあれば，容積で課金するところもある．本書では 2 つの指標が互換性を持つものとして扱うが，その変換は単純ではないということは覚えておいてほしい．

**コラム：すべては定義次第か**

1997 年の秋，シカゴ市は，イリノイ州のリサイクル目標である 25%を達成したと発表した．「リサイクルされた」物質の半分は，ガラス等の破片を多く含んでいるためにコンポスト（堆肥）化が不可能な，剪定ごみであった．これらは剪定ごみの埋立処分を禁止する州法があるにもかかわらず，近くの埋立処分場に送られていた．市の担当者は，剪定ごみは埋立処分場に捨てられたのではなく，埋立処分場の被覆物として，上に置かれたのだと主張した．処分場の被覆物は，リサイクルとして認められている（Greenwire 1997a）．

1996 年 7 月 2 日，ニューヨーク市長は，市の法的目標であるリサイクル率 25%は不条理であり，無責任であり，不可能であると発言した（Toy 1996a）．ところが 1996 年 7 月 3 日，市長は一転して，市はリサイクル率 25%を達成していると述べた．この 2 日の間に，何が起こったのだろう．市長は，市が毎年回収して屑鉄商に売却している不法投棄車 3 万台と，市がフレッシュキル埋立地内の道路建設のために砂利に砕いて使用した建築破砕物を，リサイクルとしてカウントすることにしたのである．これら2つの再定義によって，リサイクル率は14%から目標の25%に押し上げられた（Toy 1996b）．

## 1.2　なぜ廃棄物を経済学的に考えるのか

廃棄物について実際に経済学的に考える前に，なぜ経済学的に考えるべきなのかを考えてみよう．もちろん，誰もがそれを好んでいるわけではない．多くの人は，環境を守り，地球を救い，未来を確かなものにしたいと考えているだろう．純粋な環境主義者にとっては，経済学について考えることは低俗にさえ思われるかもしれない．逆に真の市場信奉者にとっては，廃棄物市場はうまく機能しており，公共政策によって失敗を是正する必要はほとんどないので，経済学は不要だと思われているだろう．市場信奉者は，仮に廃棄物について市場の失敗があったとしても，それを是正しようとすると，より大きな政府の失敗を招く危険があるとも考えがちである．

私は，どちらの考えにも共感する．経済学がすべてではないし，ほとんどの市場はかなりうまく機能している．しかし経済学は，廃棄物市場がどんな場合に，どのようにして，どれほどひどく失敗しているのかを示し，廃棄物に関する市場の失敗を修正するさまざまな現実の政策や提案された政策の費用と便益を推計することで，廃棄物政策に道しるべを与えてくれると思う．

経済学的に考えるには，まず次の仮定から始めなければならない．それは，人々は基本的に合理的であり，自分が何を持っていて，何を欲していて，経済的選択を通じて自分の状態を良くするにはどうすればよいかを知っている，ということである．もし読者がそれをあまり正しいとは思わないなら，この段落で読むのをやめた方がよい．しかし読むのをやめる前に，人々の経済行動について，他にどんな仮定ができるのか考えてほしい．確かに知識や合理性の仮定はあまり良くはないかもしれないが，ウィンストン・チャーチルが民主主義について言ったように，それは「他よりはまし」な仮定である．また，もし人々が不完全な情報に基づいて非合理的な選択をしているとするならば，社会を良くする政策をどうやって準備しろと言うのか．それはまさに，消費者主権を放棄して，善意のある独裁者を登場させる考えにつながりかねない．経済学の考え方を好まないというのは，民主主義の価値に懐疑的であるのと同じである．

合理性と情報について上のような仮定に基づくと，他の消費者をより悪くすることなく，ある消費者をより良くすることは良いことである，と結論できる．「経済学的に考える」とは，人々をより良くすることにほかならない．ある人をより良くすることが他の誰かをより悪くしなければ不可能なとき，われわれは「経済的効率性」の状態に達成している．この状態こそが，政策やプロジェクトについて経済学的に考えることの目標である．

経済的効率性は，経済学的に考える際の目標であるが，特に廃棄物問題の場合には，その目標を達成する政策を選ぶための知識も望みもないことが多い．現実的な意味での「経済学的に考える」とは，たいていの場合，最善の方法を探すのではなく，平均的に見て人々をより良くするような，現状からの小さな変化を探すことになる．いま，アリスを9ドル分だけ良くし，ボブとカーラをそれぞれ3ドル分ずつ悪くする政策を考えよう．厚生変化の平均を見ると，この政策は成功だと言える．9ドル −3ドル −3ドル ＞ 0だからである（別の見方をすれば，アリスはボブとカーラにそれぞれ4ドルあげても1ドル分良くなり，ボブとカーラも1ドル分ずつ良くなるので，全員が1ドルずつ良くなる）．このように経済的効率性を潜在的に達成する政策を，われわれは「たいてい」歓迎するであろう．

ここで「たいてい」という言葉に注意されたい．経済学は，パイの大きさだけでなく，その分配にも関心を持つ．ある政策が人々を平均的により良くするとしても，そこには変化の恩恵を受ける人もいれば，被害をこうむる人もいる．先の例で言えば，3人のうち2人は変化によって悪くなっている．民主的な社会で投票をおこなえば，この変化は否決されるだろう．経済学的思考は，変化の恩恵を受ける人が誰であり被害をこうむる人が誰であるのか，恩恵を受ける人が既に金持ちだったり被害をこうむる人が既に貧しい人だったりしないか，恩恵をこうむる人が被害者の被害をどのように補償するのか，についても配慮しなければならない．

経済的効率性を追求すること，もっと控えめに言えば，経済的効率性に向かう筋道を追求することは，本書の1つの課題である．しかしそれ以外にも，さらに控えめだが，同じように重要な課題がある．それは，現在おこなわれていることが最小の費用でおこなわれているのかということである．これは，費用効果分析と呼ばれている．費用効率性は，明らかに経済効率性の必要条件ではあるが，十分条件ではない．ある政策が費用効率的に実施されていなければ，われわれはそれをもっと安くおこなって，浮いた資源で誰かをより良くできるだろう．しかし，できるだけ安く何かをしたからといって，われわれが正しいことをしている保証はない．単に最小限の費用で実施しているだけなのである．

つまり経済学的に考えていくと，市場や政策に関する次の2つの質問に行き着く．1つは，現状を変えることで人々を平均的により良くできるのかということ，そしてもう1つは，現状をより少ない資源で実現できるのかということである．この2つに関して，市場も政策もさまざまな形で失敗をする．特に廃棄物問題には，今後繰り返し見ていくように，2種類の失敗がある．

第1の失敗は，隠れた補助金である．たとえば，アリスにあるものを与える政策（つまり政府があるものを作り，それを無料でアリスに配分する政策）を考えてみよう．あるものの生産には5ドルかかるが，アリスはそれに2ドルしか支払いたくないとしよう．すると，これは非効率な政策と言える．生産するのをやめて，アリスに2ドルを支払い，余った3ドルをアリスやボブやカーラなどに配分すれば，社会は平均してより良くなるからである．この政策の失敗は，ある人がある製品を生産にかかるコストより低い価格で販売している場合には，いつも発生する．もちろん，民間企業は生産費用以下で商品を売っても利益が出ないと考えるから，この「ある人」とは，政府である場合が多い（隠れた補助金について，詳しくは補論Aを参照）．

第2の失敗は外部性である．誰かが他の誰かに対して直接悪くなることを補償なしでするとき，外部費用が発生する．この概念は今後よく出てくるので，もう少し詳細に言おう．生産者があるものを生産するのにかかる費用を，「私的限界費用」（MPC）と呼ぶ．社会があるものを生産するのにかかる費用を，「社会的限界費用」（MSC）と呼ぶ．この2つの費用の差が，「限界外部費用」である．それは社会にとっての費用であり，生産者にとっての費用ではない．

さらに次の例を考えてみよう．アリスは，ボブを毎週5ドルで雇い，ごみを持っていってもらっている．外部費用はない（ボブがごみを収集する際に騒音やにおいや渋滞を発生させていない限りは）．アリスにとってボブの提供するサービスに5ドルの価値がなければ，アリスはボブを雇わないだろうから，アリスはこの取引を通じて良くなっている．そして，余暇や他のごみ収集機会に5ドル以上の価値があればボブは仕事をしていないだろうから，ボブも良くなっている．これこそが市場の機能である．この単純な取引は2人を共により良くし，他の誰も悪くしていない．経済的効率性に向けた確かな一歩と言える．

ボブを雇う代わりに，アリスが毎日ごみをカーラの庭に投棄するとしたらどうだろうか．アリスはより良くなるだろう．木曜日まで台所やガレージにごみを置いておく必要もないし，ごみを収集ステーションまで持っていく必要もないからである．しかし，カーラはこの行為によって悪くなる．カーラの受ける被害は，アリスの行動がもたらす外部費用である．アリスは処分場としてカーラの裏庭を使うことで毎日1ドル良くなり，カーラはアリスのごみを見て清掃しなければならないことで毎日3ドル悪くなるとすれば，アリスがこの行為をやめれば，両者の状態は共に良くなる．つまり，3ドル－1ドル=2ドルをアリスとカーラに分配することで，どちらも幸せになれるのである．外部費用があると，経済的効率性が達成される保証はない．

外部費用には多くの対処方法がある．それらの方法が思いつかない読者は，補論Aを参照されたい．また思い出せる読者も，さらっと眺めていただきたい．EPAが好むのは，外部費用を発生させる活動を直接規制する方法であるが，これとは別の方法もある．本書でも後に触れる，課税である．限界外部費用に等しい金額の課税は，「外部性を内部化する」効果を持っている．これは，そのことを最初に記述した人物の名前にちなんで，ピグー税と呼ばれている（Pigou 1920）．ピグー税は，外部費用の発生者に，自分の行動についてより注意深く考えさせる．先の段落のごみ投棄の例では，不法投棄あたり（カーラが受ける被害に等しい）3ドルのピグー税をアリスに課せば，アリスは不法投棄をやめるだろう．アリスが不法投棄によって得る効用に相当する1ドルは，税の支払いで失う3ドルよりも小さいからである．

つまり経済学的に考えるというのは，基本的に，価格を適正にしようという話なのである．適正な価格とは，生産の社会的限界費用（MSC）である．人々は，ある財に対する自分の支払意志額（WTP）がその製品の価格（P）を上回ってはじめて，それを買おうとする．ゆえに，P=MSCであれば，WTP $\geq$ MSCとなる．もし支払意志額が社会的限界費用（価格）よりも低ければ，誰もその財を消費しないだろう．隠れた補助金とは，価格付けが低すぎること，つまり価格が私的限界費用（MPC）をカバーしないことを意味している（P<MPC）．外部費用

**表 1–2　補助金または外部費用による市場の失敗**

| | MPC と MSC の関係 | |
|---|---|---|
| P と MPC の関係 | MPC $<$ MSC（外部費用） | MPC $=$ MSC |
| P $<$ MPC（補助金あり） | $WTP \geq P$<br>$P < MPC < MSC$<br>$WTP \gtrless MSC$??? | $WTP \geq P$<br>$P < MPC = MSC$<br>$WTP \gtrless MSC$??? |
| P $=$ MPC | $WPT \geq P = MPC$<br>$MPC < MSC$<br>$WTP \gtrless MSC$??? | $WTP \geq P = MPC = MSC$<br>$WTP \geq MSC$!!! |

注：MPC=私的限界費用，MSC: 社会的限界費用，P=価格，WTP=支払意志額.

は，社会的限界費用が私的限界費用よりも大きい場合に存在する（$MSC>MPC$）．もし $P<MPC$ あるいは $MPC<MSC$ であれば，$WTP \geq MSC$ は保証されない．表 1–2 は，こうしたさまざまな市場の失敗を整理したものである．

最後に，人々の命に関わる環境問題について考えなければならない．環境問題が原因で死に至るという可能性がある以上，われわれはどれくらい環境を守るべきかについても考える必要がある．これに対する答えは，人間の生命をどれほど高く評価するかに依存している．生命の「価値」とは，1 人分の確率的生命を救うのにわれわれ社会が費やす意志のある最大額を意味している．「1 人分の確率的生命を救う」とは，たとえば，ある都市の 100 万人の住民の各々にとって，がんで死ぬ確率を 0.000001 だけ減らすことである（0.000001 という確率は 100 万人に 1 例であり，$0.000001 \times 100$ 万人で 1 人分の確率的生命となる）．もしあなたが人間の生命に値段は付けられない，生命が関わっている場合にはお金を出し惜しみするべきではないと思っているのなら，この章の補論 B を参照されたい（1 人分の確率的生命を救うのに費やすべき金額に上限を置く必要性を十分理解している読者にとっても，生命救済に関わる環境政策の分析方法を補論で概観することは，損ではないだろう）．

**コラム：「ハッピー村」のトラブル**

あなたが人口 1000 人の「ハッピー村」の村長だったとしよう．「ハッピー村」の飲料水は，自然の状態で，ある物質を含んでいる．この物質は科学者の一致した見解では無害であるが，住民たちはがんの発生原因だと信じている．住民たちの関心は非常に高く，市長であるあなたに対し，年に 100 万ドルかかる特別な水浄化システムを設置するよう求めている．あなたはどうすべきだろうか．考えられる答えは次の 3 つである（Portney 1992）．

1 つ目は，あなたが「住民は無知で非合理的である」と主張し，浄化システムの設置を拒否して，次の選挙で市長の職から退くことである．2 つ目は，（100 万ドルのコストをカバーするために）地方税が 1 人あたり 1000 ドル上がることを住民が歓迎するならそうすべきだろうということで，浄化システムを設置することである．3 つ目は，汚染について連邦議会に陳情して，EPA に（アメリカ国民 1 人あたり毎年約 0.004 ドルのコスト負担となる）浄化装置を設置してもらうことである．

合理的に考えれば，あなたは 2 つ目の行動を選択すべきである．しかし，ほとんどの市長は 3 つ目の行動を選ぶだろう．現実にもこういう問題はある．アメリカ国民は，スーパーファンド（詳しくは第 14 章で扱う）の対象サイト浄化を最優先の課題としているが，EPA の専門官は，アメリカが直面している 31 の環境問題リストのうち，それを 16 番目の課題としてランク付けしている（Clymer 1989）．

コラム：政府の出す廃棄物

誰が排出しようが，廃棄物は廃棄物である．廃棄物は，その限界便益が限界費用に等しくなるまで，処理・処分・リサイクルされるべきである．誰が廃棄物を生み出すかは，関係ないはずである．

にもかかわらず，政府が廃棄物を出す（警官が犯罪者になるようなものである）際には，連邦の規制やその他の政策はほとんど適用されていない（Armstrong 1999）．連邦当局は，州の環境法から完全に除外されている．1992 年以来，連邦当局は連邦環境法に従うこととされているが，従わない場合の法的責任はほとんどない．

たとえば 1988 年に EPA は，300 万にのぼる地下貯蔵タンクの所有者に，有害物の漏出を起きにくくし，起こったとしてもすぐに特定できるように，10 年の猶予期間を与えてタンクの廃棄や更新をさせた．ほとんどの民間の所有者は 1998 年までに更新を完了したが，多くの市や州の当局は，この更新を今までのところ，無視している．なぜ，市や州の当局は罰せられないのだろう．ある人はこれについて，「州警察に行くのか，それとも一般市民に言いつけるのか．…救急病院のタンクを閉鎖しても，馬鹿と思われるだけだ」と書いている（Zielbauer 2000）．

> 政府に対する EPA の特別扱いがいますぐ終結したとしても，連邦当局による過去の行為の遺産は大きい．国防総省によれば，軍施設における環境問題を解決するには，300 億ドル以上の費用がかかる．そして EPA によれば，他の連邦当局の過去の汚染を除去するには，さらに約 300 億ドルの費用が必要だと言う．政府の出す廃棄物の問題について本書ではあまり扱わないが，この問題が引き起こす非効率性を忘れてはいけない．

## 1.3　経済学はすべてか？

経済学がすべてではない．当然だ．読者は読み進めるにつれ，「確かに経済学の問題かもしれないが，それ以外のことも重要だ」とぶつぶつ言うに違いない．私が言いたいのは，経済学はすべてではないが，廃棄物のことを考える際に，経済学についても考慮しなければならないということである．さらに先へ進む前に，廃棄物問題に関して経済学の利点がどこで，弱点がどこかを明らかにしよう．

経済学が得意とするのは，関連する費用と便益が正確にそして容易に定量化できる，目前の小さな問題である．図 1–1 で考えよう．横軸にはある環境活動，ここでは汚染削減量をとっている．その範囲は 0%（削減なし）から 100%（完全削減）まである．経済学がなければ，0%削減か，100%削減かを求めたくなるところである．経済学がなければ，0%削減と 100%削減の間のどこで止まるべきかという判断基準がない．経済学があれば，限界削減便益と限界削減費用の両方を推定できる．限界便益はたいてい右下がりである．つまり，環境が良くなるにつれ，汚染をもう 1 単位削減するのにともなう便益は小さくなっていく．一方，限界費用はふつう右上がりである．つまり，環境が良くなるにつれ，汚染をもう 1 単位削減するのにかかる費用は高くなっていく．やがて限界削減便益が限界削減費用と一致するまで低くなったところで，最適汚染削減量（$A_{opt}$），別の表現をすれば，最適汚染量（$100\%-A_{opt}$）に到達する．最適汚染削減量は，ふつう 0%と 100%の間のどこかである（「ふつう」と言うのは，0%削減で限界費用が限界便益を上回るなら 0%が最適であり，100%削減で限界便益が限界費用を上回るなら 100%が最適だからである）．経済分析は，どこで止まるべきかを教えてくれる．

経済分析があまり役立たないのはどのような場合だろうか．まず，定量化でき

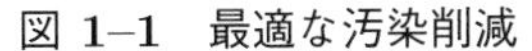

**図 1–1　最適な汚染削減**

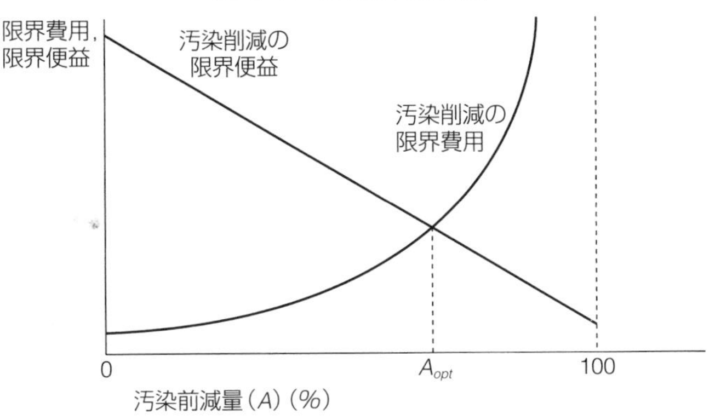


ないものが大きい場合，経済学はあまりうまく適用できない．われわれがおこないたいのは，政策の便益と費用を貨幣価値で定量化して，両者を比較することである．重要な便益や費用の貨幣換算が難しい，あるいは不可能なとき，比較は政策の案内役にならない．実際，まったく役に立たないかもしれない．これはエズラ・ミシャンが「馬とうさぎのシチュー」と呼んだ問題である〔訳注：「馬とうさぎのシチュー」の内容について客から尋ねられたウェイターが，肉の量を「半分半分」であると答えた．実はそれは 1 皿に半分半分ではなく，うさぎ 1 匹に対して馬 1 頭という意味であった，というジョークがある〕．つまり，

> あまりに多くの費用便益分析が，馬とうさぎのシチューを作る古典的なレシピ（うさぎ 1 匹に対して馬 1 頭）に従っている．どれほど注意深く，科学的な「うさぎ」が選ばれようと，結果としてのシチューの味は，「馬肉」に圧倒されるだろう（Mishan 1988, p.154）．

経済学者は，想像力を働かせて，一見定量化できなさそうな便益や費用を定量化する方法を見つけてきた．たとえば，オールド・フェイスフル（イエローストーン国立公園の間欠泉）を見ることに対する人々の支払意志額は，彼らがそこにたどり着くのに費やす費用から推計できる．安全な労働環境に対する支払意志額は，安全な工場とそうでない工場との賃金の差から推計できる．しかしそういった評価は，粗く，議論の余地がある．分析結果がそのような評価に依存するならば，経済学以外のことが意思決定にとっては重要になるだろう．

経済学が持つ弱点の2つ目は，将来の出来事についてである．人々は自分の欲求を知っており，合理的で，多くの情報を持ち，自分自身の効用増大を追い求めるという仮定を思い出してほしい．スーパーで今日の夕食をアスパラガスにするかブロッコリーにするか考えている人を扱っているなら，これはとても良い仮定である．しかし，何年も先の選択，特に，嗜好や技術が思いがけず変わるときや，その選択がめったには起こらないが破滅的な事態を招くとき，限界費用や限界便益の計算はさらに難しくなり，適切でなくなる．

経済学があまり役立たない第3の例は，人々は自分の欲求を知っていて，その欲するものを得る方法を知っているという仮定が成り立たない場合である．今日の夕食について，ブロッコリーかアスパラガスかという選択をするときには，その仮定はよいだろう．焼却で大気を汚染するか，埋立で地下水を汚染するかという選択については，その仮定はあまりよくない．科学的な不確実性・複雑性の度合が高いとき，経済学はその不確実性を克服できない．

本書を読めば，定量化できないものや，遠い将来のこと，科学的な不確実性や複雑性があるとき，信頼できる政策提言は得られないことが分かる．例を挙げれば，アメリカの高レベル核廃棄物貯蔵庫の立地決定に関して，費用便益分析や市場インセンティブはほとんど用いられないだろうし，ほとんどの経済学者は，それらを用いるべきであるとは主張しないだろう．

最後に，経済学者は，嗜好を所与とすることを好む．この本でもそうだが，教育を受けて，ごみのポイ捨てを減らし，リサイクルを増やすようになるとは想定していない．私は道徳教育に反対というわけではない．ポイ捨てを減らすためには，ポイ捨て禁止法の施行に資源を使うよりは，人々にポイ捨てをしないよう啓蒙するほうが安くつくかもしれない．しかし，啓蒙にすべてを委ねることは良い考えではないと思う．理由は次の2点である．第1に，啓蒙はうまくいかないかもしれない．わがままな人もいれば，頑固に「正しい」ことを拒絶する人もいるだろう．第2に，啓蒙はうまくいきすぎるかもしれない．人はいったんリサイクルが良いことであると教えられると，すべてをリサイクルしようとするかもしれない．価格や税の良い点は，利己的動機を使って，人々に社会的に正しい行動をとらせるところである．価格や税は，人々に正しいことをするよう頼んだり強制したりしない．価格や税は，人々に正しいことを「したい」と思わせるのである．

廃棄物処理のことで（環境に被害を与えるかもしれない行動のことで），正しい行動を促すのに経済的インセンティブを使おうと言うのは，経済学者だけである．他のほとんどの人にとって，汚染は道徳の問題である．環境的に正しいことをすべきなのは，それが「正しいことだから」である．私もこれに同意する．私は，てっとり早く簡単な方法だからといって，自分の近所の庭にごみを捨てたりはしない．そして，私がそうしない理由は，捕まって罰せられるのが恐いから（だけ）ではない．私は近所の人が好きであり，彼らに対して，それをするのは悪いことだと考えている．倫理はほとんどの人，少なくとも少人数の集団には機能するだろう．しかし，ジョージ・オーウェルはこう書いている．「過度に，あるいは常にというわけではないが，総じて，人間は幸せになりたいと思っている」（Orwell 1941）．非常に大人数で，協力や尊敬や信用や体面に頼れないような集団においては特に，価格や税は強力な補強手段になり得る．アルフレッド・マーシャルは次のように言っている．「進歩は主に，社会的な善の増大に役立つ人間特性のうち，もっとも気高い部分だけでなく，もっとも力強い部分によってもたらされるのである」（Robertson 1956, p.148 における引用）．

通常，経済的インセンティブ（すなわち価格や税）は，道徳による動機付けを補強するために考案される．しかし，それらが，道徳による動機付けを無効にしてしまうこともあり得る．いったん汚染の価格を支払ってしまえば，道徳心は薄れてしまうかもしれない（Weck-Hannemann and Frey 1995）．この本は廃棄物の経済学についての本であるが，非経済的インセンティブが経済的インセンティブと矛盾するかもしれない場合や，非経済的インセンティブが経済的インセンティブの使用によって変わるかもしれない場合には，非経済的インセンティブも考慮の対象としていく．

## 1.4　次章以降では

本書は，単純な話からスタートし，徐々に複雑になっていく．第 1 部（第 2 章から第 7 章）では，廃棄物の発生，収集，処分について，リサイクルはないものと仮定している．ここで注目するのは，廃棄物そのものである．企業がそれをどう発生させるのか，家計がそれをどう扱うのか，廃棄物を埋立に回すべきか焼却に回すべきか，不法投棄の可能性はどうか，廃棄物を他の州や国に移出する可能性はどうか．リサイクルについては，第 2 部（第 8 章から第 12 章）で詳しく検討する．

私がこのアプローチを採ったのは，その方が経済学的考え方を容易に理解できるからである．また，このアプローチは年代順でもある．1960年代や70年代に，アメリカ人は廃棄物の問題（や他の環境問題）に関心を持ち始めたが，解決策としてのリサイクル政策は実際のところ存在しなかった．第1部では，このリサイクル政策のなかった数十年間の状況について考える．1980年代や90年代になると，リサイクル政策が全米で始まり，廃棄物に関わる政策決定者は，過去数十年間の取組みに加えて，リサイクルを熱心に考え始めた．第2部では，リサイクルの到来がもたらした廃棄物処理の変化について考える．だから次章以降第6章までは，「リサイクルは？」と言わないでほしい．ただしそう思ったらそのページに印を付けて，第2部でその疑問がちゃんと答えられているか，確認してほしい．

## 補論A　外部費用と隠れた補助金

ある人のごみ箱は，別の人の住処である．

米国科学アカデミー『廃棄物の管理と制御』1966年

完全競争均衡では，短期的には価格が限界費用（MC）と等しくなり，長期的には価格が最小の長期平均費用に等しくなる．したがって，ある財を消費する個人の支払意志額は，その財の生産に要する最小の機会費用を上回っている．ある財に対する支払意志額が生産の機会費用を下回る人々のために，資源を浪費することはあり得ない．あなたがふつうのミクロ経済学入門コースを受けたことがあるならよくご存じだろうが，これらは完全競争均衡の大きな利点であり，完全競争均衡は，もっとも高く評価された利用に希少な資源を振り分ける．もし，すべての生産者が完全競争的な産業にあるならば，他の誰かを悪くすることなしに，誰かを良くする余地はないだろう．これが経済的効率性の意味するところである．

以上のことはすべて，ある仮定に基づいている．これから本書で経済学的な考え方を進めていくにあたって，これらの仮定について少し考えておいた方がよいだろう．人々は自分が欲しているものを知っていて，それを手に入れる方法を知っていて，消費の選択を合理的におこなうという基本的な仮定に加えて，完全競争均衡の達成には，ある大きな仮定が必要である．それは，すべての価値ある資源には，その希少性を反映した価格が存在するという仮定である．生産者であれ，消費者であれ，対価を支払うことなく希少な生産物や投入物を利用できるとなると，競争均衡における最適性はすべて崩れる．

## 外部費用

「食品」と「自分のごみを捨てる近くの川」の 2 財だけを消費する消費者を考えてみよう．消費者は食品には価格を支払っているが，規制のない環境では，川の利用に対して何も支払わない．川がたくさんある田舎であれば，多少のごみは人に迷惑をかけないなら，問題ではない（川の魚は迷惑かもしれないが，経済学はきわめて人間中心主義的であり，すべての価値は現在生きている人間が持つ支払意志額に依存している）．川がたくさんあって汚染が誰にも迷惑にならないなら，川は「自由財（free goods）」であると言える．自由財の適切な価格は，ゼロである．

しかし，川が希少であれば，消費者がそこにごみを捨てることで，下流の生産者や消費者には迷惑がかかる．場合によっては病気になったり，亡くなったりすることもあるかもしれない．漁業や釣りは被害を受け，川泳ぎもだめになり，飲料水を処理する必要が出てくるだろう．つまり，ごみ処分の手段として川を利用すると，その人にとってはコストがゼロであったとしても，社会には負担がかかる．社会的費用が私的費用を超過した分が，外部費用である．

私的費用は希少性を示すシグナルであり，消費者はそれを受けて反応する．川を利用することの私的費用が社会的費用を下回れば，消費者は川を過剰に利用するだろう．一般に，ある財の生産や消費に外部費用が存在すると，その財は過剰に生産・消費される．この例では，川にごみが過剰に生産されているとも，川の質が過剰に消費されているとも言える．

## 外部費用を是正する

資源の誤った利用を是正する方法にはいくつかある．1 つは，下流の住民が団結して，この消費者と交渉し，お金を払ってごみの投棄を減らしてもらうというものである．この方法は，ロナルド・コースによって提示され分析されたもので，コースの定理と呼ばれている（Coase 1960）．この交渉は，他の人を悪くすることなしにある人を良くする余地がある限り続くので，経済的効率性を達成する．

もし罪のない下流の住民が反社会的な上流の住民の汚染削減に対してお金を支払うという考えがお好みでないなら，下流の住民から許可を得ない限り川の汚染は違法である，とすればよい．このとき上流の汚染者は下流の住民と協議して，汚染するのをやめるか，お金を支払って汚染を続ける権利を買うという形で，決着をつけるだろう．しかし，コースの定理には重大な欠陥がある．それは，下流の住民が一致団結して交渉するためには，少数で組織化されていなければならないということである．ほとんどの廃棄物に関する外部性の場合，影響を受ける人数はとても多く，交渉は容易に成立し得ない．

2つ目に，もし汚染の被害者にきれいな水を使う権利があるなら，法廷に行き，汚染者を権利侵害で訴える方法がある．これも原則として問題を解決する．法廷が被害を貨幣価値で評価し，汚染者に賠償させるからである．どんな外部費用も賠償しなければならないとなれば，汚染者はこれらの外部費用を私的費用と捉え，汚染行動の価値が社会的費用を上回らないなら汚染をストップするだろう．現実は，そううまくはゆかない．裁判には時間がかかるし，判決がどうなるかも分からない．被害算定も単純ではないし，汚染者が多い場合には，誰がどの汚染に責任があるか判断するのは難しいだろう．ほとんどの廃棄物に関わる外部性について，法廷による解決はせいぜい不完全な解決策にしかならない．

3つ目の方法は，政府が，外部費用を発生するものを禁止したり規制したりすることである．これは，外部費用が深刻な問題として認識されたときにEPAが採る通常の方法であり，命令・統制（command and control）アプローチと呼ばれる．この方法は，被害者や加害者が多い場合に，交渉や裁判が持つ多くの問題を克服している．しかし，政治や法や官僚や敵対者同士のやりとりが決める命令・統制的な配分が，効率的なものになる保証はない．この非効率性を見るために，ABC社とXYZ社という2つの工場が川沿いにある場合を考えてみよう．両社は川に同じ廃棄物を同じ量だけ捨てている．ABC社には安くごみを減らす選択肢があり，XYZ社には非常に費用のかかる選択肢しかないとしよう．命令・統制アプローチによる規制では，公平のため両社が同じ量の汚染を減らすよう命じられるだろう．結果として汚染は半減する．しかし，ABC社が汚染を完全にやめて，XYZ社が以前と同じだけ汚染を続ければ，もっと安く汚染を半減できるだろう．この政策ではABC社の厚生が下がっているように見えるが，XYZ社がABC社に，ABC社のかけた総費用に少し上乗せした額を支払えば，両社の厚生は改善する．この例は非常に単純化したものであるが，命令・統制アプローチの非効率性が見て取れるだろう．

4つ目の方法は，川へのごみ廃棄1単位あたりの外部費用を推計し，廃棄行為にそれと同額の税をかけるものである．この方法は，もともとピグーによって提唱されたものであり，外部性を内部化することができる．消費者も生産者も新たな私的費用（汚染税）に直面し，これに反応して汚染を減らす．生産者や消費者がそのことを認識していなくても，汚染税率が限界外部被害に等しくなっていれば，汚染が引き起こす外部費用は私的費用として捉えられる．しかし，この方法には欠点が3つある．1）ピグー税は，不公平で不平等な税負担を課すものと見られるかもしれない．2）ピグー税は，外部費用を引き起こす行為そのものに正確に課税されなければならず，大ざっぱな関連のあるものや行政的にやりやすいものに課税してはならない．3）政府は外部性による被害を正確に測らなければならない．なぜなら，誤ったピグー税は非効率な汚染水準をもたらすからである．以上の欠点にもかかわらず，本書は廃棄物問題への対策として，ピグー税の可能性を考えてゆく．

（ピグー税について補足しよう．汚染の発生に課税する代わりに，汚染の削減に補助金を出すこともできる．汚染の削減は外部便益であり，外部費用の反対の概念である．補助金は，汚染への課税とほぼ同じ意味を持つ．合理的で最適化をおこなう企業や人々は，1単位の汚染発生にともなって1単位の補助金が失われることを認識しているはずだから，補助金は，汚染の機会費用という意味で，税のような効果を持つのである．しかし，重要な相違点が1つある．税が企業や人々の退出を促すのに対し，補助金は企業や人々の参入を促す．新規参入企業や新規移入住民が既存の企業や住民よりも汚染を多く発生するとすれば，削減補助金は，結局のところ汚染を増加させるだろう（Porter 1974）．）

5つ目の方法は，政府がすべての汚染者に対し，汚染物質を排出する「権利」あるいは「許可証」を（現在の総排出量よりもおそらく少ない分だけ）発行することである．汚染を安く減らせる企業や人々は，汚染を高い費用でしか減らせない企業や人々に，権利あるいは許可証を販売するだろう．これは排出許可証取引と呼ばれている．各主体は費用削減が可能なかぎり許可証を取引するので，目標の汚染削減量が最小の費用で達成され，費用効率性が達成される．費用のかかるコース的交渉は要らないし，命令・統制的な許可証配分による非効率は取引によって修正されるだろうし，ピグー税収の分配問題も避けられる．廃棄物についても，許可証取引制度の適用可能性はある．

6つ目は，汚染が企業活動によるものの場合に，その企業を国有化してしまって，私的には利潤がないが社会的には利潤がある形で経営するという方法である．イデオロギー的な理由で，アメリカではこの方法はほとんど選ばれない．しかし，廃棄物は例外的に「社会主義」的な世界である．ほとんどのアメリカの都市には自前の廃棄物収集処分サービスがあり，州は低レベル放射性廃棄物の処分を義務付けられ，連邦は高レベル放射性廃棄物を埋め立てて管理することとなっている．残念ながら，こうした政府主導の廃棄物処理サービスが，社会的利潤を最大化するという目的でおこなわれている保証はない．

### 隠れた補助金

外部費用がない活動（MPC=MSC）でも，補助金が存在すると，限界費用を下回る価格（P<MPC）がつけられ，需要が過大になるかもしれない．このことは，財政学で言う「応益原則」，つまりある行政サービスから便益を受けた人にその対価を支払わせるという原則に反している．応益原則は，行政サービスの費用を平等に分配する方法であると同時に，消費1単位あたりの人々の支払意志額が，少なくともそれを供給する費用を上回ることを保証する方法である（WTP≥P≥MPC）．（より正確には，P<APC（私的平均費用）であれば，常に隠れた補助金が存在する．いったん施設を建設すれば，特に施設が容量以下で利用されている場合，MPCは小さいかもしれないし，効率的な利用のためには価格を抑える必要があるかもしれない．しかし，施設に対する利用者の平均支払意志額が，施設の建設・稼動の平均費用を上回っていなければ，そもそも施設を建てるべきではなかったと言える．）

応益原則の適用が除外されるケースとして，次の2つを挙げることができる．1つ目に，純粋公共財は無料であるべきである．いったん純粋公共財が生産されると，純粋公共財の「消費」のMSCはゼロであるから，価格はゼロでなければならない．たとえば，きれいな空気は，集塵器や触媒式排気ガス浄化装置を取り付けたり，燃料転換をするという点では費用がかかるが，きれいな空気を吸うこと自体は社会に追加的費用を課さない．したがって価格をゼロにするのが適切である．2つ目に，効率性以外の目標がとても重要な場合，補助金が妥当かもしれない．すぐに思い浮かぶ例が，無料で提供されている診療所，投票所，初等・中等教育などである．例外はもちろんある．廃棄物分野の隠れた補助金には，純粋公共財も高次の目的も関係ない場合がたくさんある．それどころか，廃棄物処分への補助金によって，廃棄物の発生が奨励されていることさえある．

## 補論 B　確率的生命の経済的価値

われわれは，生命を救う無計画な社会的投資に莫大な金額を支払っている．
(Tengs and Graham 1996, p.180)

ほとんどの人は，「生命の価値」について考えるのを本能的に嫌う．ある特定の人の生命については，特にそうである．しかし，われわれが不適切な廃棄物処理によって起こり得る死について議論するときの「死」と，死刑判決を受けた人の「死」の間には，2 つの重大な違いがある．1 つ目に，死が誰の身に訪れるのかは分からないということであり，もう 1 つは，われわれが考察している政策変化は死の可能性を微少に減らすものであって，ゼロにするものではないということである．これら 2 つの違いを考えると，廃棄物処理のあり方がもたらす死亡率の微小な変化についての議論は，死刑判決を受けた人の死よりもはるかに議論がしやすい．

それでもほとんどの人にとっては，1 人分の救命あたり費用が x ドル以下ならある政策を採るべきで，それ以上なら採るべきでない，と言うことは難しい．確かに難しいが，次の 3 つの理由から，われわれはそのようなことを暗黙におこなっていると言える．

1. 自分の寿命に少しだけ影響を与えるような意思決定をするとき，人は自分の生命に無限の価値を置かない．われわれは，接触プレーのあるスポーツやスキューバダイビングやハンググライダーをする．通りを横切るし，水道水を飲む．自分の生命を危険にさらすのと引き替えに何らかの喜びを得ているのである．ということは，自分の生命に有限の価値を暗黙に置いているのにほかならない．そして，われわれが私的な行動において寿命の微少な変化を有限の値で評価しているのであれば，社会的意思決定において寿命の微少な変化を無限と価値付けることはない.

2. すべての生命の社会的価値が無限だとすれば，ある1人の生命を救う公共政策は，どんな政策でも費用を顧みずにおこなうべきとなる．たとえば，車の利用を禁止し，すべての家計に蒸留水を飲むよう要求することが正当化されるだろう．そして生命救済に関係のない政策は，公的な優先順位の下位に押しやられ，予算を考えると，考慮の対象から外されるだろう．10億人に1人がかかる病気を治すために，無料の初等教育をすべてなくすのは，妥当だろうか．こう考えれば，生命を救うための政策に有限の価値を置かなければならないことが分かる.

3. 生命を救う公共政策をおこなうには，それに対して税を支払うか，他の公共支出を削減しなければならない．これによって人々はより悪くなり，食べる量を減らし，多く働き，古い車を運転し，健康管理に費やすお金を減らさなければならない．これらの変化は，すべて期待余命に影響を与える．かなり大雑把な評価ではあるが，政府がおおむね500万円から1500万円を課税すると，人々が健康への私的支出を減らすことで，1人分の確率的生命を奪うことになる．この額は，正確には，税がどのように課税されるかによる（Wildavsky 1979；Keeney 1990, 1979；Viscusi 1996）[1].

「生命の価値」が必要だとして，どうすればそれを推定できるだろうか．保険外交員ならば，生命保険の金額から，人々が自分の生命にどれだけの価値を置いているかがある程度分かると言うだろう．しかし，パートナーや扶養者のいない人はほとんど生命保険を必要としないし入っていないので，未婚の人の生命を守ることは価値がないということになる．法律家は，将来所得の現在価値から生命の価値が分かると言うだろう．しかし，退職した人や，障害を抱えた人は，今後所

1) もっと直接的な影響を分析した例として，アメリカにおける建設支出1ドルにつき，傷害・致死の費用が平均4セントかかっているというものがある．もし建設支出1ドルによる傷害・致死関連の便益が4セント以下であれば，われわれは差し引きで生命を失っていることになる（Viscusi 1996）．これは，生命の危機に瀕した登山家を救おうとして救助者が亡くなってしまい，救助活動をおこなった方が損失が大きくなったというセンセーショナルな話を，統計的な話に変えたものと言える．ちなみに，「行かなければならないが，戻る必要はない」という無私の精神に長らく誇りを持ってきた沿岸警備隊でさえ，そのモットーを使うのをひそかにやめている（Berry 1964）.

得を稼ぐことが期待できないので，そうした人々の生命を守ることは価値がないことになる．

経済学者は，保険外交員のアプローチも，法律家のアプローチも拒否する代わりに，人々に対して，自分の生命のためにどの程度支払うつもりがあるかを質問する．ただし，耳元に銃を突きつけて「命が惜しけりゃ金を出せ」と脅迫するわけではない．それでは，特定の生命，ゼロか 1 の確率の話になってしまう．むしろ経済学者の関心は，死亡する確率が微少に減少することに対して，人々がどれだけ支払う意志を持っているかを知ることにある．

たとえば，風邪で死ぬ確率が年間 100 万分の 1 だとしよう．この確率をゼロに減らす予防接種があり，予防接種に対する人々の平均支払意志額が 5 ドルだとしよう．もし 100 万人の人が予防接種を受ければ，1 人分の確率的生命が救われ，支払意志額の総計は 500 万ドルになる．つまり，この 100 万人が 1 人分の確率的生命を救うのに支払ってもよいと考える金額は，500 万ドルと言える．

**コラム：確率的生命**

「確率的生命」という言葉の意味するものを簡単に見てみよう．100 万人の都市で，消防部門の毎年の予算が減少し，火事によって死ぬ確率が 0.00003 から 0.00004 に上昇したとすれば，結果として $(0.00004 - 0.00003) \times (1,000,000) = 10$ 人の「確率的死亡」数の増加が予想される．同様に，消防予算が同じ額だけ増大し，死ぬ確率が 0.00003 から 0.00002 に減少したとすれば，年間で 10 人の確率的生命が救われたと言える．

廃棄物問題を扱う際，確率は年ベースではなく，ある廃棄物関連リスクに曝露した結果がんによって死亡する「生涯リスク」について言われることが多い．生涯リスクを年リスクに変換するにはどうすればよいのだろうか．

がん死の生涯リスクを 0.01 と考えよう．もし，ある危険物質により，生涯を通じて，がんで死ぬ確率が 0.01 であるとすれば，死なない確率は 0.99 である．この危険物質によりがんで死ぬ年リスクを $p$ としよう．このとき，寿命を 80 年とすると，死なない確率は $(1-p)^{80}$ である．$(1-p)^{80} = 0.99$ より，$p = 0.00013$ である．この変換を簡便におこないたいならば，小数点を 2 つ左に動かせばよい．年リスクは生涯リスクのほぼ 100 分の 1 である．たとえば，ドライバーでない人が高速道路で事故死する確率は毎年およそ 0.0001 であるが，生涯の死亡確率は 0.01，つまり 100 分の 1 である（Porter 1999）．

これは，風邪の予防接種という政策に対する人々の評価を示している．$\Delta p$ を，(予防接種による) 各個人の死亡率減少，$N$ を予防接種を受けた人の数，$V_L$ を各人が自分の生命に暗黙のうちに置いている金銭的価値としよう．各個人の $V_L$ はもちろん異なるが，公共政策には，社会的に受け入れ可能である平均値を使わなければならない．このとき，この予防接種政策の社会的便益は，$(\Delta p)(N)(V_L)$ である．前の段落における予防接種の例では，$\Delta p$ は 0.000001（100万分の1）であり，$N$ は100万人，$V_L$ は500万ドルで，それらの積は500万ドルである．この予防接種プログラムの政策分析をおこなうには，プログラムの費用（$C$）が，確率的生命の救済による便益である500万ドルを上回るかどうかを考える必要がある．政策の純便益は，

$$(\Delta p)(N)(V_L) \gtrless C \tag{1.1}$$

に応じて正あるいは負である．$V_L$ はどれくらいの大きさだろうか．答えは身の回りにある．人々は死亡リスクを追加的に受け入れることに対してお金を求めたり，死亡リスクを減らすことに対してお金を支払ったりしており，ここから期待余命に対する支払意志額を推し量ることができる．これまで，さまざまな研究がなされてきた．危険な職の賃金率はどれだけ高いか．人々は煙探知機を買い求めているか．人々はどの程度のスピードを出して自動車を運転しているか．人々はシートベルトを使っているか．人々はがん検診にいくら支払うか．生命の危険を引き起こす大気汚染や犯罪のない地域では，住宅価格はどれだけ（そうでない場所より）高いか．安全性の低い中古車は，いくら割り引かれているか．

値は研究により異なるが，多くは1人の確率的生命あたり100万ドルから500万ドルと推定している（Dillingham 1985；Fisher et al. 1989；Viscusi 1996）．本書では，救命に関わる政策について量的に考えるときは，常にこの範囲で $V_L$ を考えている．

「このアプローチは理論的にしか役立たない」と思われないよう，現実の政策研究を2つ見てみよう．1つ目は，EPAのアスベスト禁止に関してである（Van Houtven and Cropper 1996）．どのアスベスト製品を禁止し，どれを禁止しないかを決める際に，EPAは，製品が禁止されないときのがんによる死亡の期待件数と，その製品を取り替える（あるいは販売中止にする）費用を算出した．図1–2は，がん死削減1件あたりの費用（縦軸）と，がん死の期待削減数（横軸）を示

**図 1–2　アメリカ EPA が禁止したアスベスト製品，禁止していないアスベスト製品**

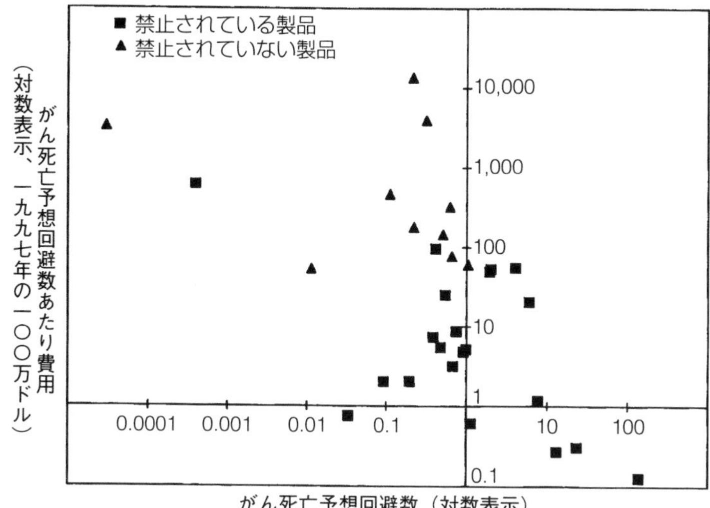


注：EPAの求めた値を1997年のドル換算している．

している．黒い四角は禁止された製品，三角は禁止されなかった製品を表している．費用の安い製品ほど，禁止されやすいという傾向が見て取れる．1 つの大きな例外と，2 つの小さな例外を除いて，がん死削減 1 件あたりの費用が 6000 万ドル以下の製品は禁止され，そうでない製品は禁止されなかった（がん死削減 1 件あたり 6 億ドル以上かかる「例外」に関心を持つ読者もいるかもしれない．これは自動車の変速機の部品で，EPA の計算によれば，取り替えには 20 万ドルしかかからないが，0.0004 人の死者しか回避できない）．6000 万ドルという値は政策立案者が使う生命価値の数値よりもかなり高いものの，この研究は，EPA が暗黙に費用を気にかけていることを示している．

2 つ目の研究は，生命を救うさまざまな政策の費用効率性について検討したものである（Tengs and Graham 1996）．この研究が連邦レベルの 187 の救命政策を調べた結果，費用が総額で 210 億ドルかかり，5 万 6700 人の命が救われていた．つまり 1 人の命を救うのに，平均 37 万ドルしかかからなかったことになる．この値は，生命価値に関する既存の推計値に比べて低いように思われる．次に彼らは，「救命あたり 750 万ドル以上かかる政策に対する支出をやめて，救命あたり750万ドル以下の費用でおこなえる政策につぎ込むとすれば，さらに何人の生命を救うことができたか」を分析した．答えは6万200人であった．すなわち，費用のかけ方を見直せば，2倍以上の確率的生命を救済できたかもしれないのである．救命あたり費用の高い政策にお金をつぎ込むと，ある所与の政府予算のもとでは，われわれは生命を失うことになる．

**コラム：救命あたりの費用**

(1.1) 式を用いた費用便益分析とは，別の見方をすれば，ある政策について，救命あたり費用（あるいは死亡回避あたり費用）を計算することと言える．これは，政策の総費用を予想される死亡削減数で割ることで求められる．政策が費用便益テストをパスするかどうかは，救命あたり費用と確率的生命価値の大小による．つまり，$C/(\Delta pN) \gtrless V_L$ である．少し手を加えれば分かるとおり，この不等式と，(1.1) 式の不等式は同じである．

**コラム：現在価値と年価値化**

経済学者は，異なる年次の価値を割引によって比較する．ある日の1ドルは，別の日には1ドルとは違う価値を持つ．なぜだろうか．1ドル（より正確には1ドル分の資源）は，うまく投資すれば，将来には1ドル以上の価値になるだろう．1ドル分の資源が1年後に1.04ドルになるように投資できるとすれば，今日の1ドルは1年後に1.04ドルの価値があると言える．別の言い方をすると，1年後の1ドルの現在価値は今日の $(1.04)^{-1}$ ドル（約0.96ドル）である．同様に，$T$ 年後の1ドルの現在価値は，今日の $(1.04)^{-T}$ である．いま多くのプロジェクトの費用が $C$ で，$T$ 年にわたって毎年便益を生むとしよう．$C$ に対して $B$ がどれくらい大きければ，このプロジェクトはおこなう価値があるだろうか．1つの方法は，現在価値を比較することである．費用の現在価値は，今日発生するから，単純に $C$ である．便益の流列の現在価値（$PVB$）は，

$$PVB = B(1+i)^{-1} + B(1+i)^{-2} + B(1+i)^{-3} + \ldots + B(1+i)^{-T} \qquad (1)$$

すなわち

$$PVB = \frac{B[1-(1+i)^{-T}]}{i} \tag{2}$$

である．もし

$$\frac{B[1-(1+i)^{-T}]}{i} > C \tag{3}$$

であれば，$PVB$ は $C$ より大きい．別の方法は，$B$ と $C$ の年価値を比較することである．$B$ は既に年価値であるが，$C$ は変換が必要である．$C$ の現在価値は，次の $T$ 年間にわたって毎年生じる年価値でいくらに相当するだろうか．次式の $x$ を計算すればこれは分かる．

$$C = x(1+i)^{-1} + x(1+i)^{-2} + x(1+i)^{-3} + \ldots + x(1+i)^{-T} \tag{4}$$

右辺をまとめ，$x$ について解くと，

$$x = \frac{iC}{1-(1+i)^{-T}} \tag{5}$$

となる．もし

$$B > \frac{iC}{1-(1+i)^{-T}} \tag{6}$$

であれば，$B$ は $x$ より大きい．(3) 式と (6) 式は，明らかに同じ問題を扱っている．われわれは場合によって，便益と費用の現在価値を比較する方法，便益と費用の年価値を比較する方法の，どちらかを使う．

# 第I部

# 廃棄物の発生，収集，廃棄

# 第2章　産業廃棄物

やつらにとっては金の臭いなんだろうが，俺らにとってはニワトリの糞の臭いだよ．

デラウェア州ローレルの住民，ジェリー・テイラー．すぐ隣にあるパデュー農場では，年間60万トンのニワトリの糞を肥料にしている（Clines 1999における引用）

とてつもない量の産業廃棄物がアメリカで発生している．その大半が鉱業廃棄物や農業廃棄物のように等閑視されていたり，発生事業者が処理していて情報公開や統計がないため，正確な量は推測するしかない．公式推計によると，産業廃棄物（これには鉱業廃棄物や農業廃棄物は含まれない）は一般廃棄物よりもずっと多い年間2億5000万トンが排出されている（Kesler 1994）．

ほとんどの産業廃棄物は，「今では」厳しく規制されている．ただし第14章で見るように，これまでずっとそうだったわけではない．本章では，相対的に規制がゆるく，深刻な外部費用をもたらしている2つの部門，鉱業部門と農業部門について検討する．これらの部門は，なぜ規制されずにいるのだろうか．また，どのような規制をすべきで，どのような規制が可能だろうか．

すべての産業では，製品の販売時に，顧客に対して使用済み製品や容器包装の処分義務も一緒に受け渡している．ふつう消費者がお金を支払うのは製品そのものと容器包装そのものに対してであり，それらの処分費用（自治体の廃棄物処理システムから隠れた補助金を受けている）に対してはお金を支払わない．生産者が容器包装の処分費用に気づき，結果としてもっと経済的な容器包装を使うようにするには，どうすればよいだろうか．

## 2.1　不必要な産業副産物

製造業者は，生産要素を投入して製品を作る．製品が売れるほど利益が上がり，投入物が増えるほど利益は下がる．製品にならない投入物は，明らかに不必要である．不必要な副産物は，購入時にも廃棄時にもお金の無駄となる．家計と違って，製造業者や営利企業は，私的限界費用ゼロで廃棄物を収集し処分してもらうことはまずない．つまり製造業者は，処分に費用のかかる副産物の排出量を削減すること（リデュース），再利用すること（リユース），再資源化すること（リサイクル），あるいは売却することに大きなインセンティブを持つことになる．たとえば，ニューヨーク市の自治体回収による紙廃棄物リサイクル率は18%だが，高額の埋立費用がかかる民間業者は，89%の紙をリサイクルしている（Hershkowitz 1997）．

製造業者は，投入物と廃棄物を常に減らそうとしている．製品のサイズはどんどん小さくなっている．たとえば，典型的な340リットルの冷蔵庫は，過去30年間で重量が134 kgから65 kgに，大きさが877リットルから707リットルに，月あたり電力消費量が136 kWhから45 kWhになった（Franklin Associates 1997）．

製造業者は投入物と不要な副産物を減らすため，工場内で出る廃棄物，いわゆる「消費前の廃棄物」のほとんどを，簡単に回収できるものや同質のものにして，安くリユース，リサイクルできるようにした．たいていの場合，各生産プロセスからは2，3種類の廃棄物しか出ないので，各々の工場は，自らの廃棄物の扱いに特化できる．アメリカでは消費者が廃棄するプラスチック廃棄物はいまだにほとんどリサイクルされていないが，生産段階で出る廃プラスチックの95%は，既に10年前からリサイクルされている．

**コラム：ライフサイクル・アセスメント（LCA）**

製品の環境影響をくまなく計測するにあたって，このところ流行しているのがライフサイクル・アセスメントという手法である．ライフサイクル・アセスメントは，原材料に始まり，工場での生産，家庭での使用，そして最終段階の焼却・埋立に至るまでの製品の一生を観察する．例としてコーヒーカップについて考えよう．紙とプラスチック（ポリスチレン），どちらのコーヒーカップが良いだろうか．消費者にとっての私的費用はほぼ同じである．ライフサイクル・アセスメントでどちらのコーヒーカップが環境にやさしいか，見てみよう．

紙のカップは再生可能資源である木材から作られるのに対し，プラスチックのカップは枯渇性資源である石油から作られる．紙のカップを作るにはプラスチックに比べて 36 倍の電力が必要で，580 倍の排水が発生する上，多量の大気汚染物質が排出される．しかしプラスチック・カップの製造には（紙に比べて）3 倍の冷却水が必要で，ペンタンガスも排出される（ペンタンには以下の有害表示が付いている．「危険！きわめて燃えやすい液体と気体です．気体は突然燃焼するおそれがあります．飲み込むと有害で命に関わります．吸い込むと有害です．中枢神経系に影響を及ぼします．肌，目，気道に炎症を起こします」；http://www.jtbaker.com/msds/p0737.htm）．

プラスチックのカップは組成が均質なのでリサイクルしやすい（紙のカップはプラスチックでコーティングされている）．どちらのカップもよく燃えるが，プラスチックのカップは紙の 2 倍のエネルギーを生む．埋立時には，紙のカップは分解され，二酸化炭素とメタンを放出する．しかしプラスチックのカップは紙の約 2 倍の埋立容量を必要とし（重量は軽いのだが），少しも分解されない（Franklin Associates 1990; Hocking 1991; Kamberg 1991; Passell 1991）．

ここからなにが言えるだろうか．りんごとオレンジ（木材と石油，メタンとペンタン）の数を足し合わせるには，どうしたらよいのだろうか．生産，消費，処分段階における製品の環境に与える外部費用をひととおり並べるライフサイクル・アセスメントは，社会的な費用効果分析の 1 つにすぎない．ライフサイクル・アセスメントは単位の異なる外部損害を貨幣換算するに至っていないので，足し合わせたり比較することができない．貨幣換算は，確かにやっかいで不確実なものだが，政策立案に役立たせるには不可欠である（Arnold 1995; Menell 1995; Portney 1993）．

ライフサイクル・アセスメントに関する他の課題として，「境界問題」がある．原材料による環境影響を確実に調べたいとき，原材料を作るための生産要素の環境影響は調べるのだろうか．さらにその生産要素の生産要素はどうか．さらには……（Arnold 1995；Portney 1993）．次の論文タイトルは，究極の境界問題を示唆している．「紙袋とビニール袋のどっちが良いかなんて気にするな，それよりもどうやって店に行ったんだ？」（Meadows 1999）．

では，製造業者はアメリカの廃棄物問題に関係ないのだろうか．2 つの理由から，答えは「いいえ」である．まず，多くの場合，製造業者は不適切な処分費用で不必要な産業副産物を処分できる．埋立等の処理過程で，社会的限界費用以下の価格付けがされており，結果として廃棄物を減らすのに十分なインセンティブが製造業者に与えられていない．2つ目に，ほんらい産業廃棄物であるものの多くが，消費者に手渡されている．容器包装はそのほとんどが購入後すぐに廃棄物となるし，製品の使用後には製品そのものが廃棄物となる．消費者・生産者のどちらにも処分費用（処分するための社会的限界費用）が課されないとしたら，消費者・生産者のどちらにも，小さくて軽くてコンパクトな容器包装や製品を選ぶインセンティブがなくなってしまう．

本章では，これらの市場の失敗を扱う．まず，無料による産業廃棄物処分がアメリカでは可能なことである．この問題は，量的には鉱業と農業でもっとも深刻である．次にわれわれは，消費者向け製品の製造業者が，容器包装の処分費用を，消費者やさらには容器包装を処分する自治体に転嫁できることをみる．

## 2.2　鉱業廃棄物

鉱業をはじめとする採掘廃棄物は，年間25億トンと，産業廃棄物や一般廃棄物よりも多く排出されている（Kesler 1994）．鉱業廃棄物のうちいくらかは採掘した鉱山に再び埋め返されるが，その大半はスラリー，微粉，廃土，選鉱くず，溶液，スラグ，泥，浮きかす，残渣，灰となり，そのすべてが地表水や地下水に浸出し得る酸や金属を含んでいる（Rampacek 1982）[1]．外部費用が生じるのは水だけではない．ほぼすべての炭鉱を対象とする1977年の露天掘り規制・埋立法には，露天掘り鉱山によって発生する可能性のある外部費用が列挙されている（http://www.osmre.gov/smcra/101.html）．

> ……多くの露天掘り作業は，表土に障害を引き起こす結果，商業，工業，居住，レクリエーション，農業，林業目的で使われる土地の有用性を破壊した

1）露天掘り鉱山の割合は，世界中の鉱山の約半分であるが，アメリカ国内の鉱山では90%である（Hartman 1987）．この差はなぜだろうか．鉱石の性質や埋蔵深度によるところが大きいが，経済的な問題も大きい．地下鉱山は労働集約的で賃金が低くなりがちだが，露天掘り鉱山は資本集約的で賃金が高いことが多い．たいていの場合，露天掘り鉱山では鉱石だけではなく鉱石のまわりにある無価値な石も掘り出す．その量は，鉱石の5倍から10倍の量がある．鉱石と鉱山廃棄物の割合はその金属の価値によって決まり，金の場合は時に35万倍にもなる．

り減じたり，侵食や地すべりを起こしたり，洪水の原因となったり，水を汚染したり，魚や生物の生息環境を破壊したり，自然の美観を損なったり，生命や財産に危険な災害を生み出したり，地域社会における生活の質を減少させたり，土壌や水やその他の自然資源を保護する政府の計画や取組みを妨げたりして，事業活動や公共の福祉に負担をかけ，悪影響を及ぼす．

これらの鉱業廃棄物による社会的費用はどのくらい重要だろうか．（第 14 章で議論されるように）アメリカでもっとも汚染された地域のおよそ 5％は鉱業によるものであり，それらは古い採掘方法による大昔の鉱山だけでなく，半数以上が現在も採掘中か 4 半世紀以内に閉鎖されたものである（U.S.EPA 1998d）．EPA の試算によると，これらの最悪の汚染地を浄化するだけで 200 億ドルかかり，汚染の度合いは低いが有害な約 2 万ヶ所を浄化すればさらに数十億ドルの費用がかかる．

なぜ，鉱山廃棄物はこれほど不用意に捨てられているのだろうか．答えは 1 世紀以上さかのぼる．南北戦争後，アメリカ西部の成長を促進するための一般鉱業法（General Mining Law）が 1872 年に成立し，公有地が安い採掘権料で貸し出された．ふつうの鉱山運営者にとって，鉱地の浄化，埋立，回復など環境保護に関する規制はほとんどなかった．改正後も，この法律はいまだ健在である（http://imcg.wr.usgs..gov/usbmak/anat1.html に法律の要約がある）．1970 年代後半には今日における廃棄物の処理と処分に関する法律が成立したが，ベビル改正法により，鉱業廃棄物の大半は法の適用を免除された．

1872 年の法律には 3 つの罪がある．1 つ目は，鉱区における過度の環境劣化を許したことである．鉱物に価値があり，環境を傷つけずに採掘することができない限り，こうした環境劣化は，いくらかは必要で望ましくさえある．しかし，同法律はあまりにも大きな外部費用を無視することまで認めてしまった．2 つ目に，私有地での採掘者はより高い採掘権料とより厳しい環境規制に直面するため，同法律によって費用効率的な鉱物採掘が妨げられてきた．これは，採掘者がより低い私的費用で採掘できる方を（その方がより高い社会的費用を生むとしても）好むために起こる．3 つ目に，公有地での採掘が過剰におこなわれ，バージン資源の価格が引き下げられてしまった．このせいで 2 つの非効率が起こる．人為的に低価格となった鉱物が過剰に生産されることと，人為的に低価格となったバージン資源がリサイクル資源よりも過剰に生産されることである（バージン素材とリサイクル素材の選択に関しては第II部でもう一度考察する）．

今日では，アメリカ西部には（水資源の制約を考えると多すぎるほどの）人が住んでいるので，公有地での過剰でいいかげんな採掘をなぜ振興し続けるのか，と聞きたくなるのも当然だろう．答えの一部はもちろん政治的影響である[2)]．西部選出の国会議員には，国有地への補助金投入を維持することしか頭にないものもいる．だが，大半の理由は費用面である．大量の廃棄物を排出する鉱山所有者が，他の産業と同じように廃棄物を扱わなければいけないならば，鉱山費用への影響は多大なものになるだろう．もしアメリカの鉱物資源が海外との競争から保護されているならば，費用上昇によってアメリカの大半の鉱物資源価格はおおいに上昇するだろう．保護されていないならば，アメリカの鉱業そして数千の鉱業地域は，終焉を迎えるだろう．環境以外の影響が大きいところでは，環境への影響は無視されがちになる（U.S.EPA 1985）．

これは，アメリカの廃棄物政策によく見られる問題である．われわれは生命の関わる問題に関しては費用便益分析を拒否しがちである．つまり生命が危険にさらされた場合には，生命を守るためにはいくら費用をかけてもよい，と考えてしまう．だが，もし実際にその費用を「高すぎる」と感じたからといって，生命が危険にさらされていなかったり，生命を守るための支出が必要なかったりするだろうか．公的な生命の評価を拒否し，「どこまでおこなうべきか」という選択を拒否することによって起こる，オール・オア・ナッシング的発想の例を，本書では見ていく．

われわれがすべきことは，鉱業廃棄物がどれくらいの被害を与えており，どれくらいの削減が求められているのかを評価して，浄化費用と救命による便益を比較

2) この政治的影響力は，ピグー税の忌避よりずっと遠くまで及ぶ（Humphries and Vincent 2001）．たとえば，たいていの鉱石は何パーセントかの減耗割引を受けていて，産出された鉱石の価値の一部が課税時に減耗分として計算される．たとえ鉱床の発見にまったく費用がかからず，減耗がなかったとしても，減耗分は計算されるのである．もしアメリカの鉱石産出が最適な水準以上であれば，アメリカの鉱山の過剰採掘が起き，世界価格は過度に下落し，アメリカにとっても世界にとっても非効率なこととなる．もちろん，他国の鉱山に対する環境規制がアメリカよりも緩ければ，国内の規制を強めることで国外での過剰な採掘が起こり，鉱山活動による環境破壊は増大することになる．

することである．鉱業汚染の最適な削減の結果いくつかの鉱山が破産してしまっても，それによって社会は改善されているのである（ただし失業者を再教育し再配置する移行的な政策も実行すべきだろう）．

**コラム：シアン化合物と金と野生生物**

すべての鉱山は環境問題を引き起こすが，金鉱山は青化法と呼ばれる技術を使用して，1 世紀にわたって問題を処理してきた．砂金を手で選り分けた時代は，はるか昔である．現在の金は，青化法などの化学工程によって回収される小さなフレーク状のものになっている．数トンの金鉱石から 1 オンス（約 28 g）の純金を，利益を出して採取することができる．再使用できないシアン化合物は池に捨てられ，空気や太陽や微生物による自然の生物分解によって，シアン化合物残渣へと分解されていく（OTA 1992；Clark 1997）．

分解途中のシアン化合物は，もちろん毒性の強い物質のままである．また，シアン化合物が捨てられる池は広大なものが多く，8 ha 以上になるものもある．シアン化合物によって汚染された池の水によって人が死亡したという例はこれまでないが，野生生物が池の水を飲んだり死骸をあさったりすることで死んだ例はよくある．鉱業廃棄物のシアン化合物が原因で，サウスダコタ州のブラックヒルズにあるリッチモンド鉱山では 1 万匹のマスが死に，ネバダ州にあるエコーンベイ鉱山では 900 羽の鳥が水を飲んで死に，アリゾナ州，カリフォルニア州，ネバダ州にある池では数百匹のコウモリが死んだ．

野生生物の死亡防止策には，音を出す装置や，色の付いた旗などあるが，池を網で覆う方法がもっとも効果的だった．しかし大半の池は広すぎて，全体を網で覆うのは難しい．池全体を網で覆うことができたとしても，風や雪や氷が網に負担をかけることになる．網は費用がかかるが，監視や報告も同じように費用がかかる．鹿や鳥やコウモリの生命を社会的に評価するのは難しいし，それらは鉱山経営者の利益にもならない．さらに悪いことに，アメリカでは 1 世紀前まで（人間にとって）とても危険な水銀が金を取り出す際に使用されていたが，多くの途上国ではいまだにそれが使用されている（UNIDO 1997；Schuman 2001）．

## 2.3　農業廃棄物

アメリカの水質汚染の約半分は，農業が引き起こしている（Lyon and Farrow 1995）．1年間に1億トンの動物の糞尿が排出され，それらは適切に処理されない場合，近隣の水を汚染する．化学肥料などの化学物質が使用されると，それらは地表水に流れ，地下水に浸出していく．農業廃棄物は，政府からの好意的な対応をあらゆる段階で受けてきた．それは農家が貧しいと思われているからでもあるし，農場が田舎にあるために人への影響があまりないからでもある．

糞尿はたいていラグーン（地表のくぼみ）に流され，そこで生物分解が進行する．最終的には土壌の養分になるが，その過程で地下水への浸出や地表への流失のリスクがあり，臭いも強烈である．嫌気性分解の代わりとなるものはたいてい資本集約的で高価なので，規模が小さく，近所に人がおらず，動物の数も少なく，土地あたりの動物比率が高いところでは，これはおそらく理にかなっている．

過去4半世紀で，家畜の生産は大きく変化した．鳥や豚や牛の生産に関して，集約的畜産（Concentrated Animal Feeding Operations：以下 CAFOs）が優勢になった．現代的技術によって規模の経済性がもたらされ，企業的な農場が有利になった．例として，集約的に飼養されている豚は年間22匹の子を産み，子豚は5ヶ月で大人と同じ250ポンド（約110 kg）に育つ．過去10年でアメリカの豚農家の数は72%も減少し，残ったうちの上位3%（1000頭以上の在庫を持つ）が，現在の豚肉販売量の60%を占めている（Copeland and Zinn 1998）．これは，農家あたりの畜産廃棄物がより多くなり，動物1匹あたりの糞尿撒布をする土地面積が減少することを意味する．

過去30年にわたるさまざまな連邦水質法では大半の動物による汚水が免除されたり無視されており，せいぜいEPAがCAFOsに航行可能水域への直接排出を禁止する程度であった（暴風雨の期間は除く）．規制は州にもあったが，同じくほとんど何もしなかった[3)]．一方で産業排水や自治体の下水処理場がかなり厳しく規制され，一方で動物の糞尿にまったく規制がないのは，アメリカの水質汚染

3)　たとえばミシガン州では，自主的な手段を奨励し，CAFOsが一般的な経営手法を実施できるように金銭的・技術的サポートを提供し，そうしたCAFOsをいわゆる迷惑訴訟（CAFOs近隣住民による悪臭や汚染による補償）から除外し，税の軽減と低金利の

政策において費用効率性への関心が欠如していることを示している．農業における汚水 1 単位削減による社会的限界費用は，工場や下水処理場における汚水 1 単位削減による社会的限界費用よりも，確実に低い．専門的でない言葉で言い換えれば，農業に対する規制が緩いことそのものが，アメリカの水路の約半数がいまだに水質基準を達成していないことを説明しているのである．

工業や自治体の外部費用に対して取り組むのと同じくらい熱心に，農業の外部費用の問題に取り組まなければならない．しかし，農業の水質汚染対策はとても難しいだろう．なぜならその大半は動物の糞尿ではなく，「非点源（non-point source)」で，どの農家がどの汚染を引き起こしているかを知ることが難しいからである．たとえばカリフォルニアには 80 万の農家があり，アメリカ全体の 4 分の 1 にのぼる量の殺虫剤を使用し，州内にある 58 の郡のうち 46 の郡で飲料水中に殺虫剤が検出されている（Martin 1999)．

誰が被害を起こしているかを知るのは困難なために，規制とピグー税のどちらを導入しても莫大な監視費用が必要となる．監視の問題は 2 種類ある．1 つ目は，全農家のすべての汚染物質の使用を追跡しなければならないことである．そして 2 つ目は，地表や地下水汚染に結びつく個々の投入物の影響を予測しなければいけないことである．化学肥料の使用量に対して一律に課税するのは，農家によって地下水への汚染度合が異なるため，適切でない．

理論的には，課税を通じて社会的に最適な投入物使用を達成することは可能である（Segerson 1988)．政府は，最適な河川汚染量（この最適な汚染を $P_{opt}$ とする）と，汚染水準が最適な状態を超過したときの限界被害（この限界被害を $D_{opt}$ とする）を推定する．$P_{act}$ を実際に観察される川の汚染水準とすると，各農家は $D_{opt}(P_{act} - P_{opt})$ に等しい金額を課税される．各農家が化学肥料の使用によって川の汚染にどれだけ影響があるかを知っているならば，追加的な化学肥料の投入を考えるときには常に $D_{opt}$ が考慮されるだろう．こうして外部費用は税によって内部化される．

ただし 1 つ問題がある．税（補助金）の総額は，関係する農家の数が多ければ莫大なものになり得る．理論的にすっきりしているとは言え，ある農家がある年に判断を誤り，わずかながら化学肥料を使いすぎてしまった結果，倒産するぐら

融資を用意している（http://www.ncsl.org/statefed/cafocht.htm)．

いの税金が課されてしまうこともあり得る．確かに効率的かもしれないが，「各」農家の払う税金が「全」農家の与える被害と等しいというのは公平とは言えないだろう．

農業から出る化学物質系廃棄物の過剰使用を抑えるために課税する場合，どの廃棄物がどの汚染を引き起こすか区別できないため，税を投入物そのものにかけざるを得ないかもしれない．これは，農家によって引き起こされる汚染量が違うにもかかわらず各投入物に同率の税を課しているため，もちろんセカンドベストである．仮にこのセカンドベスト方式を採るとしても，「どの」投入物に課税するかという問題は残る．化学肥料や殺虫剤は汚染を引き起こすが，化学物質の投入が地表水や地下水に流れ込まなければ，汚染は発生しないだろう．したがって，実質的な意味では，灌漑用水は化学肥料と同じように汚染の原因であると言える．灌漑用水に対する課税には，2つ大きな利点がある．1つは，化学肥料への課税は広大な地域が対象になるのに対して，水の使用場所は分かりやすいため，水質汚染が問題となっている場所で徴収すればよい．2つ目に，灌漑用水はメーターで計測されていることが多いので，監視と課税が容易であり，特に公的に供給されているものであれば容易に税を組み込むことができる[4)]．

このような政治的・経済的困難から，農業に関する大半の環境プログラムは自主的なものになってしまう．こうしたプログラムの不適切さは簡単に見ることができる．図2–1で考えよう．横軸には，実行可能な環境配慮プログラムが社会的費用1ドルあたり便益の高いものから順に並べられている．したがって，プログラムの社会的限界費用は常に1ドルであるが，右に行くごとに支出にともなう環境便益は小さくなっていく．図2–1には2本の限界便益曲線が引かれている．下の曲線が農家にとってのもので，農家は健康的で美しい環境に囲まれていること

4)　水と肥料のどちらに課税すべきかは，実際には生産に関するさまざまなパラメーターによる．ある研究では，カリフォルニア州サリナスバレーにおけるレタスの生産関数が推計され，3種類の税がもたらす1haあたり厚生費用が求められた．税は水質汚染を20%減らすように設定され，「水と肥料の税の組合せ」が6.67ドルの厚生費用，「水の税のみ」が6.83ドルの厚生費用，「肥料の税のみ」が90.16ドルの厚生費用となった(Helfand and House 1995)．ここで厚生費用とは，(a) 税がかけられていない状態における全農家の利益，(b) 税がかけられたときの全農家の利益に税収を加えたもの，の差である．生産要素への課税が利益を減少させるのは，生産量が減少するためと，課税されている生産要素と課税されていない生産要素の投入選択にゆがみが生じるためである．

**図 2–1　農場での自主的な環境プログラム**

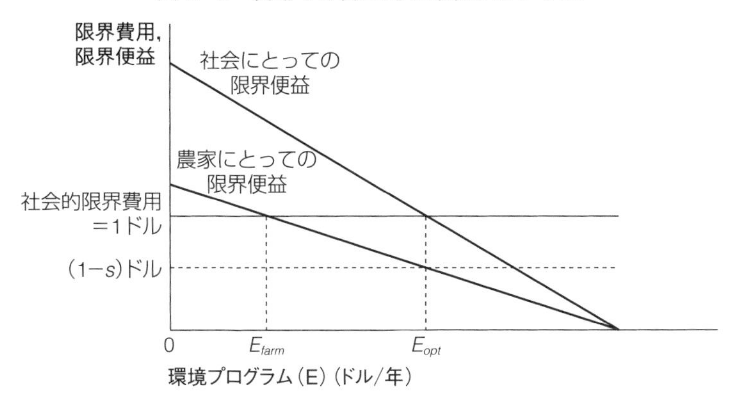


から便益の多くの部分を受けている．上の曲線は社会全体のもので，農家も含めた，水に触れる機会のある全員のものである．農場の環境改善による恩恵は近隣に住む農家以外の家族にも及ぶために，その支払意思額も考慮すると曲線は上方に位置することになる．

政府が何もしなければ，農家は環境保護による便益が費用を超えない $E_{farm}$ だけの環境プログラムを選ぶだろう．一方，社会全体として望ましいのは $E_{opt}$ である．農家の各環境プログラムに $s$ だけの補助金を与えれば，農家に $E_{opt}$ を選択させることができる．そうすると農家は最適なプログラム数を選択するが，$sE_{opt}$ の費用はおそらく高額である．もし政府予算の状況が厳しければ，補助金の水準は低くなり，$E_{opt}$ 以下の水準が達成されるだろう．

図 2–1 は，実際に「環境改善奨励プログラム」としておこなわれている，アメリカの自発的な農業環境プログラムにかなり近い．1999 年において政府はこのプログラムに 1 億 6700 万ドルを使用した．これはアメリカの農地 1 ha あたり 0.42 ドルに相当する．

鉱業や農業はたいてい人口密度の低い場所にあり，そのため（直接的な）影響を受ける人の数は少ない．だが，その影響を受ける人にとっては大きな問題である．次節では，より都市的な問題である，容器包装廃棄物について考える．容器包装廃棄物は，1 人あたりの影響は少ないものの，より多くの人に影響を与える．

コラム：豚と糞尿

1990年代に，ノースカロライナ州の豚の数は4倍になった．同州ではCAFOsに対する環境規制がほとんどない状態だったため，他州から大量に流入したのである（Warrick and Stith 1995；Copeland and Zinn 1998；Marks and Knuffke 1998；Kilborn 1999；Innes 2000）．新たな豚の大半は，池や井戸や川の多い同州南部の郡に集中していた．豚の糞尿は毎年1000万トンにもなった．

外部費用は大変なものだった．まず，においと害虫が発生した．続いて汚水が，付近の地表水や地下水に染み出した．最後に，畜産糞尿ラグーンから汚水が流出し続けた．1995年にはオンスロー郡にある7 haのラグーンが決壊し，1時間に7万5000 $m^3$ の糞尿がニューリバーに流れ，1000万匹の魚が死んだ．しかし過去最悪のものは，1999年のハリケーン・フロイドによる大雨で，糞尿だけでなく，豚そのものまでもノースカロライナ州の水路に流されたことである．汚水は地下水に漏れ出し，CAFOs付近の井戸では通常の3倍のバクテリアが観察された（バクテリアは下痢やコレラなど深刻な病気をもたらす．バクテリアの中には空気感染するものもある．水中の有機物も供給過多になる．水中の酸素濃度が減少し，魚などの水生生物が死ぬ原因となる）．ノースカロライナ州の豚肉協会は，竜巻による被害を受けた施設について，現在では代替的な技術が利用可能であるにもかかわらず，以前とまったく同じものを作るよう議会に10億ドルを申請した（Thompson 2000）．

一方で，連邦レベルでは動物糞尿の燃焼を非化石燃料エネルギーの生産と認めて税の軽減をしようとする動きがあり，いくつかの州ではこの連邦補助金を加えようと検討中である（Morris and Nelson 1999；Adams 1999；Snyder 2001）．提出された連邦法は，畜産電力法（Poultry Electric Energy Power Act：PEEP）と呼ばれるものである．こうした発電はラグーンを廃止し，嫌気性発酵でメタンを捕獲して，肥料生産の外部費用をなくすのだが，一方で大気汚染を生じさせ，糞尿に含まれる好ましい窒素や有機物を破壊してしまい，新たな外部費用を生み出すことになった．畜産廃棄物における市場の失敗に対処するのに，発電に対する補助金は奇妙で，おそらく間違った方法であると思われる．発電も糞尿による肥料生産も，外部費用を生み出す．最適な価格付けがなされていない場合に必要なのは両方に税金をかけることであって，一方に補助金を出すことではない．

デラウェア州では地下水を汚さないという制限付きで，家畜糞尿を肥料にする植物に補助金を与えている（Clines 1999）．なんらかの理由で外部費用をもたらす行動に課税することができないのならば，別の行動への補助金が必要となるかもしれないが，理想からはほど遠い．こうした補助金によって予算は少なくなり，鶏肉の生産が増え，遠方から家畜糞尿が回収されるようになるだろう．

## 2.4　容器包装廃棄物

容器包装廃棄物について議論する際，すべての容器包装がまったく無駄であるというよくある考えをまずやめる必要がある．容器包装には，保護，衛生，安全（盗難や異物混入），消費者の利便性など，さまざまな利点がある．

全容器包装の半数を占める食品の容器包装がもっとも分かりやすい．容器包装の量と食品の廃棄物量には強い「負」の相関がある（Alter 1989）．世界保健機関（World Health Organization：WHO）によれば，発展途上国では 3 分の 1 から半数の食べ物が消費する前に腐ってしまう（第 1 章に出てきた，国別の廃棄物組成を思い出すこと）．アメリカでは，その率がたった 2～3%である．前世紀におけるアメリカの胃がん発生率の劇的な減少に，食品包装（と冷蔵）の向上がかなり重要な役割を果たしたことはほとんどの研究者が認めるところである（Palli 1997）．

容器包装の生産費用はほとんどが価格を通じて消費者に転嫁されているので，容器包装は消費者にとって価値あるものに違いない．そうでなければビスケットはいまだに量り売りだろう．生産者は容器包装処理の問題を消費者に転嫁しており，次章で見るように，その容器包装を捨てる家計も費用を誰かに転嫁している．消費者は容器包装の生産費用を支払うが，処理費用は支払わない．かさばった容器包装を使う生産者や消費者に，彼らが社会に課している費用を認識させる必要がある．

**コラム：すべての容器包装をリサイクルするべきか**

リサイクルできない容器包装の問題についての 1 つの対処法は，単にその使用を禁止することである．その例として，ミネアポリス州セントポールの「環境的に容認可能な容器包装に関する条例」によるものがある（Fishbein and Gelb 1992）．だが，すべての容器包装をリサイクルするべきだろうか．答えは九分九厘「いいえ」である．理由を説明しよう．

飲料の容器包装には，ガラス，プラスチック，金属だけでなく，あまりリサイクルに向かない無菌紙パック（アルミ箔とポリエチレンフィルムと紙をくっつけたもの）がある．リサイクルできないために環境主義者はその使用に難色を示し，メイン州では一時使用禁止にさえなった．しかし紙パックは飲料1ccあたりの重量がびんや缶よりも軽いので，処分時の埋立容量も少なく済む．このため，紙パックは（資源純費用の現在価値という意味で）リサイクル可能だが重い従来容器より優れているかもしれない（Fierman 1991）．

紙パックの方が優れていることを証明するには複雑な計算がいるが，常識的な部分は明らかである．紙パックが金属缶より費用が低いのは，(a) 缶のリサイクル率が低く，(b) 金属缶に比べて紙パックの容積（あるいは重量）が小さく，(c) 埋立の社会的限界費用が缶のリサイクル費用に比べて低く，(d) リサイクルされた金属缶の社会的価値がリサイクル費用と比べて低い場合である．

必要な資源が少なくて済むことは紙パックを有利にするかもしれないが，ほんとうにそうなのだろうか．答えは第10章まで待たなければいけない（コラム『「紙パックとアルミ缶」再論』）．ここでのポイントはただ，リサイクルできない容器包装はリサイクル可能な容器包装よりも社会的費用が低いかもしれないということだけである．すべての容器がリサイクルされるべきというわけではない．したがって，すべての容器包装はリサイクル可能であるべきというわけでもない．

生産者の決定に容器包装の処理費用が内部化させるには，2つの方法がある．1つ目は，生産者に直接，使用済み容器包装を回収するよう義務づける方法であり，「生産者回収責任」と呼ばれている．もう1つは，生産者に処理の社会的限界費用に等しい税をかける方法であり，これは「処理料金前払制」とよく言われている．結論を先に言うと，1つ目の方法はあまり効果がなさそうだが，2つ目の方法は有効かもしれない．

## 2.5　生産者回収責任

回収責任とは，生産者が市場に投入したすべての製品とその容器包装に責任を持つことを意味する．正確に言うと，消費者から使用済み製品を回収して，自社であるいは委託をして処理（あるいはリユースかリサイクル）しなければならない．リード・リフセットが言うように，生産者回収責任は「生産者と消費者の取引を購入からリース的なものに転換させた」のである（Lifset 1998）．それは，生産者が容器包装の量や種類を決定する際に，処理費用を考慮するよう仕向けることをねらいとしている．確かに目的は果たす．問題は，費用がとても高くつくという点である．

費用が高くつく理由は，ごみ収集における規模の経済性である．ごみ収集を安くあげるには，1台のトラックで全家庭の廃棄物を収集した方がよい．2台のトラックを用いて，一方がごみを，もう一方がリサイクル可能物を集めると，費用は大幅に上昇する（これについては第2部で詳細に検討する）．しかも回収責任はそれ以上に費用を増加させる．なぜなら理屈の上では，あるトラックが空のキャンベルのスープ缶を回収し，別のトラックは空のクレストの歯磨きチューブを回収し，さらに別のトラックは空のリーボックの靴箱を回収し……となるからである．もちろん実際には，各生産者が自社製品だけの容器包装を回収することはないだろう．しかし回収責任の原則は，「誰か」がすべての容器包装を回収し，元の生産者のところか適当な処分場に持ち帰ることを要求しているのである．

実際に回収責任が実施されているところでは，生産者は容器包装の回収に莫大な費用がかかることにすぐ気づき，共同で廃棄物を回収しようとした．このことで費用は減少したが，経営状態の良い自治体の廃棄物回収システムと比べると，それほどでもなかった．なぜなら，生産者による回収システムはせいぜい既存の自治体回収システムへの追加的なもので，理由もなく重複したシステムを作ったにすぎないからである（容器包装以外の廃棄物がたくさんあるため，生産者による回収で自治体回収を置き換えることはできない）．たとえリサイクルを考慮したとしても，容器包装廃棄物はせいぜいその一部しかリサイクルできないため，やはり回収責任システムは自治体回収システムと重複してしまう．

さらに回収責任に関して，家計には容器包装の返却に参加するインセンティブがない．もし家計にとって手間がかかるならば，むしろ参加しない方がよい．（第6章と第13章で見るように）特別な処理が必要な製品には回収責任が望ましいものもあるが，家計のインセンティブをともなうことが必要である．

つまり生産者回収責任は，容器包装をデザインする際に処理費用を考慮させるという点では正しいが，莫大で不必要な費用をともなうのである．高い回収費用という面倒な副作用なしに容器包装の費用を内部化するには，別の方法がある．

その話に移る前に，実際に生産者回収システムを運営しているドイツのグリーンドット・プログラムを簡単に見てみよう．

## 2.6　ドイツのグリーンドット・プログラム

1991年，ドイツの生産者にその容器包装を回収しリサイクルする責任が課せられた．原則として，消費者は容器包装を小売店へ返却し，小売店が生産者へ返却し，リサイクルあるいはリサイクルのようなこと（たとえば焼却は当初リサイクルの手段としては許されていなかったが，後にプラスチックなどの物質については容認された）をすることになった（Shea and Struve 1992；Fishbein 1994；Scarlett 1994；Reynolds 1995；OECD 1998）．多数の小規模で独立したリサイクル・システムを作ることは費用が高くつくので，ドイツの生産者たちはすぐに代替案を用意した．参加メンバーのすべての容器包装廃棄物を回収し，リサイクルするデュアル・システム・ドイッチェランド（Duales System Deutschland：以下DSD）という会社を立ち上げたのである．参加企業は販売している容器ごとに使用料を支払って，DSDの黄色い回収箱に返却できることを消費者に知らせるための緑色のマーク（グリーンドット）を容器包装に付けた．

事実上，グリーンドット・プログラムは既存の自治体回収システムに新たな回収システムを付け加えた．この重複は非常に高くついたという見解が一般的である．さらに容器包装の容量はほとんど減少しなかった．開始時点ですでに容器包装が過剰ではなかったか，あるいは料金体系が生産者にとって減量のインセンティブとならなかったためだろう．プログラムは，廃棄物とリサイクル可能物を1つの回収箱から別の回収箱へ移しただけだった．新しい回収方法は既存の自治体プログラムよりも，高い費用がかかった．リサイクル可能物1トンあたり約2倍の費用がかかるという推計もある（Brisson 1993；Fisbein 1994）．ある研究は，グリーンドット・プログラムの費用をリサイクル可能物1トンあたり約500ドルと見積もっている（Boerner and Chilton 1994）．別の研究では，有害廃棄物1トンを処理するのに近い金額と見積もっている（OECD 1998, 33）．

参加企業に課されている料金は，容量（自己申告のため過小申告が多い）に対してかけられていた（Louis 1993）．料金は容量あたりの重さや物質のリサイクルしやすさの違いを無視しており，生産者にとってはより軽く，リサイクルの簡単な容器包装を使用するインセンティブがなかった．

自治体の廃棄物収集が有料化されている地域では，DSD の箱にいろんな廃棄物が混入されることも多い．ドイツ政府は，DSD 回収箱の中身の半分近くが容器包装以外のもので，多くはリサイクル可能物ですらなかったことを認めている（Gehring 1993）．黄色の箱を回収する契約を DSD と交わしている業者にも，支払いが回収物の重量単位でおこなわれていたため，容器の使用（悪用）を監視するインセンティブはなかった．最終的に，DSD が回収したものを売る（もしくは買い取ってもらう）企業はリサイクルすることを保証しなければならないが，倉庫に放置したり，秘密裏に埋立したり，輸出するなどの手抜きがあった．そうした輸出はヨーロッパにおけるリサイクル可能物価格を暴落させ，ドイツのリサイクル増加が近隣諸国におけるリサイクルの取組みを損なうことになった（*Economist* 1993a, 1993b；Genillard 1994）．

グリーンドットに良いニュースはないのだろうか．2 つある．1 つは，ドイツの生産者が容器包装を減量・簡素化する方法を多く見つけたことである．この知識は，やがて世界中で高く評価されるだろう．2 つ目は，ドイツでのリサイクル量が大きく上昇したことである．しかし，グリーンドットによるリサイクルはとても費用が高いという事実は残っている．処理料金前払制を用いれば，同じように望ましい結果が，費用を過剰にかけることなく達成され得るだろう．

## 2.7　処理料金前払制（ADF）

容器包装は，役割を終えたら処分される．しかし，容器包装を作った生産者はその費用を支払わない．その費用は，他者によって外部費用（容器包装のポイ捨て）という形か，隠れた補助金（税金でまかなわれる自治体の廃棄物収集）という形で負担される．生産者にこの費用を意識させるためには，使用後の社会的限界費用を推定し，容器包装ごとに税金をかける必要がある．処理料金前払制（Advanced Disposal Fee：以下 ADF）では，生産者は容器包装の処理費用を支払うが，回収責任と異なり，処理作業自体は引き受けない（Pearce and Turner 1992）．実際の処理プロセスは，従来の低コストな自治体の回収システムを継続して利用できる（お気づきのとおり，リサイクルを考えるとさらに複雑になる．しかしこの話は第10章までとっておこう）．

**コラム：フロリダの処理料金前払制**

1990年代はじめ，フロリダはADFを導入し，缶，びん，広口びん，箱，州内で販売している新聞に少額の税をかけた．収入はリサイクル・プログラムや埋立地の改善に使用された．50%以上のリサイクル率を達成すればADFは免除されるので，多くの企業が免除資格を満たすため，容器包装を切り替えたり，リサイクルを促進した．次の年には税率が倍になったが（容器あたり1セントから2セントへ），税収は半減した（Ackerman 1997; Scarlett et al. 1997）．

フロリダの法律は，ADFの難しさをいくつか示している．段ボールの税率は1枚あたり2セントだが，古新聞の税率はトンあたり50セントであった．つまり回収して廃棄あるいはリサイクルするのに，段ボールはトンあたり1000ドル以上かかり，古新聞はトンあたり1ドルもいらないことになる．生産者にインセンティブを与えたいのであれば，ADFはもっと実際の処理費用に合わせて調整されるべきである．また，リサイクル率50%を達成すれば税金が完全に免除されるので，廃棄費用やリサイクル費用を認識させるという考えからはほど遠い，二者択一的な税制度になってしまった（Alexander 1993）．（もし製品が過剰にリサイクルされているならば，ゼロではないにせよADFの料金を下げるべきではないのかと読者は思われるかもしれない．その答えは「いいえ」あるいは「必ずしもそうではない」なのだが，説明は複雑で，リサイクル政策を議論する第10章まで待たなければいけない．リサイクル可能物の市場については第12章で扱う．）

フロリダの政策は，容器あたり数セントで企業の容器包装の選択に大きな影響を与えたのだから，大成功と評価することもできる．あるいは数セントを節約するためではなく，環境に無関心な企業と見られることを避けるために変化が起きたと考えれば，そうではなかったとも言える．いずれにしろ，フロリダの容器包装は法が施行されていた2年間に大きく変化し，法律が効力を失った後も効果は続いている．

ADFは，大半の製品価格にさほど影響を与えないだろう．廃棄の社会的限界費用を推定すると，一般には製品価格の1～2%である（Pearce and Turner 1992；Little 1992；Ackerman 1997）．しかし，ADFは多額の政府収入となる．たとえば2%の税の実施は，州の売上税にとって大幅な上昇であり，そしてこのことが，不思議なことに大きな問題を引き起こす（州の売上税の平均は5%である．http://www.taxadmin.org/fta/rate/sales.html を参照）．大きな財源が欲しくてたまらない政治家は，単に歳入を増やしたいだけという誤った理由で高率のADFを受け入れるかもしれない．また増税に強く反対する政治家たちは，単にその理由から，望ましい社会目的を持つ妥当なADFであっても受け入れないかもしれない．もちろん，ADFは従来の売上税を相殺的に減少しつつ導入され得る．となると唯一の変化は，容器包装の多い製品の価格を上げ，少ない製品の価格を下げるだけである．

アメリカの州でADFを使っているところは（タイヤや車のバッテリーなど特殊な製品を除けば），ほとんどない．しかし，類似した制度がフランスで導入されている．ドイツのグリーンドット・プログラムを元にしていると思われるが，フランスのエコアンバラージュ・システムはADFにかなり近い．1992年，フランスの生産者は容器包装に関してさまざまな選択肢を与えられたが，ほとんどがエコアンバラージュを選択した．エコアンバラージュは半官半民の企業であり，参加企業から料金を徴収し，収入で自治体のリサイクル・プログラムや廃棄物発電施設への補助をおこなう．容器包装リサイクルの促進という点では弱いが，既存の自治体のプログラムを活用している結果，課される料金はグリーンドットに比べて5分の1から10分の1になっている．

## 2.8　容器包装の量的規制

ある行動が他者に環境コストをもたらすことへの対処として，ADFのように価格メカニズムを用いる方法と，大きさや形や材質などを数量的に規制する方法とがある．前節ではADFによるアプローチを考察した．では，容器包装の量的規制はどうだろうか．

まず，管理の複雑さがある．ADFをさまざまな種類の容器包装にかけるのは困難ではないが，各生産者に使うべき容器包装の種類と量を伝えるには大変な手間がかかる．また理論的にも，ADFを選ぶ十分な根拠がある．

単純化のため，容器包装は単一の素材でできていて，1gごとの回収・処理費用が$c$であるとしよう．2人の容器包装使用者がいて，1人は大理石を，1人は卵を包んで出荷している．それぞれが容器包装の使用量を減らせるが，卵の出荷人は高い費用をかけないと減らすことはできない（顧客の不満，汚れ，破損した卵の取り替え等）．大理石の方は容器包装を簡単に減らすことができる．量的規制をおこなう場合，最適な容器包装の量を決定するには，卵の出荷と大理石の出荷について，それぞれに専門的な研究が必要となる．いずれについても，容器包装の回収・処分の限界費用（$c$）と容器包装の限界削減費用が等しくなるような最適容器包装量を見つけ，これを促す規制をおこなう必要がある

1gの容器包装あたり$c$のADFをかければ，卵と大理石についての特別な研究をすることなく同じ結果を達成できる．各出荷人は，容器包装の私的限界費用の一部として$c$を考慮する．大理石の出荷人は容器包装を大幅に削減することで得をし，卵の出荷人は顧客に割れた卵を渡すよりもADFを支払った方が得になるだろう．各個人が自分で容器包装の最適量を見つけてくれるのである．

もう1点は，ADFによって大理石と卵の相対価格に影響が与えられるということである．大理石は容器包装の社会的費用が少ないために，相対価格は低下する．卵は容器包装を多く必要とするので，相対価格は上昇する（汚染削減による限界費用と限界便益が不確実な場合の理論については，Baumol and Oates 1988の第5章を参照）．

もちろん，現実世界は卵と大理石の話よりずっと複雑である．だが，価格規制と量的規制の違いは同じように当てはまる．むしろ，もっと当てはまると言ってもよい．現実世界では，何千もの製品と容器包装があり，最適な量的規制をおこなうにはそれぞれについて詳細な研究が必要だからである．ジョージ・パットン将軍はかつて，「どのようにやれというのではなく，何をすべきかを伝えよ．そうすれば，驚くような創意工夫が出てくる」と言った（Patton 1947）．ADFは基本的にパットン将軍のアドバイスに従っている．生産者に，容器包装を削減すればADFがどれだけ安くなるかを伝えれば，創意工夫によって最適な容器包装削減が実現するだろう（彼らにとっては，税を回避しているだけの話ではあるが）．

## 2.9　おわりに

部門別に廃棄物処理法を制定することはほとんど意味がない．もし農場や鉱山が周囲と十分な距離を保ち，人や水など特に影響を受けやすいものが近くになけれ

ば，廃棄物処理規制はほとんどなくてもよい．しかし，法律はあくまで距離によって適用を考えるべきなのであって，産業区分によって適用を考えてはいけない．費用効率的な汚染削減とは，限界削減費用が汚染者間で一致することである．水や人が付近にある鉱山や農家は，同じような廃棄物を生産する隣の工場と，（限界費用均等化の意味で）同じくらい注意深く廃棄物処理をおこなうべきなのである．

本章の後半部では，生産者が発生させる廃棄物として大きな問題である，容器包装についてみてきた．しかし，製品そのものもまた，いつかは廃棄しなければならない．特にすぐ捨てるようなものには，ADFを製品自体にかけるべきである（住宅のように製品寿命の長いものは，処理費用の現在価値が割引きのため低くなる．4%で割り引くと，50年後の1ドルの現在価値はたった0.14ドルである．$1.04^{-50}=0.14$）．製品そのものに課税すると，ADFの支払いを削減するため，企業は使用済み製品を回収するようになる．場合によっては，顧客にお金を払ってでも回収しようとするだろう（正確なADFは，処理費用に公的な費用で最終的に処理される製品の割合を掛けたものとなる）．現在，そのような税がなくても，多くの企業が過去に販売した製品や部品を回収し，新しい製品として再製品化している．コピー機のトナーカートリッジ，郵便料金メーター，事務用什器，自動車部品，使い捨てカメラ等がその例である（Deutsch 1998; Duff 2001d）．1950年以前のような再栓，再使用可能なびんが街にあふれる時代に戻ることはないだろうが（詳しくは第6章で取り上げる），ひとたびADFによって火がつくと，驚くほどの再製品化可能な製品が現れる．

だがADFの一番の功績は，容器包装の処理費用を「内部化」することと，生産者の利益のために容器包装の使用量を減らすインセンティブを与えることである．リースをして使用後に回収すれば，生産者にとってADFはゼロとなる．ゼロックスやピットニー・ボウズのような企業はリース後の製品を回収し再製品化することにより，費用を減らせることに気づいた．これらの企業にはADFによるインセンティブはなかった．

ADFはどれくらいの大きさにすべきだろうか．それについて考える前に，やらなければいけないことがある．たとえば，われわれはリサイクルをまだ議論に組み込んでいない．さらにその前に，家計も廃棄物を生み出していることをまず認識しなければいけない．次章では，家計の廃棄物排出行動と，政策によるその誘導について検討する．

# 第3章　一般廃棄物の収集

ごみの問題は・・・以前よりも複雑になってきた．今後，さらに複雑になるかもしれない．

アメリカ公衆衛生協会会長　ルドルフ・ヘリング，1913年（Melosi 1981, p.96 における引用）

多くのアメリカ人は，私的限界費用という意味でのごみ処理費用を支払っていない．ごみ収集サービスを提供している自治体の圧倒的多数は，一般財源か，定額の料金徴収（ごみの排出量に関係ない課金）で費用をまかなっている（Jenkins 1993）．一般財源であっても，定額の料金徴収であっても，家計のごみ排出に対するインセンティブはさほど変わらない．結局のところ，ごみ1単位の追加的な排出に関する私的限界費用はゼロである（Kemper and Quigley 1976）．定額制の

**表 3–1　アメリカのごみ発生量**

| 年 | ごみ発生量（kg/1人1日あたり） |
|---|---|
| 1960 | 1.21 |
| 1970 | 1.47 |
| 1980 | 1.66 |
| 1990 | 2.04 |
| 1994 | 2.04 |
| 1995 | 1.99 |
| 1996 | 1.96 |
| 1997 | 2.01 |
| 1998 | 2.02 |

注：現在は，フランクリン・アソシエイツ社が毎年アメリカ EPA のために，これらのデータを集計しているが，1960 年以前は公式の記録はなく，1960～1990 年の間は，国勢調査データから推定されている．
〔訳注〕原著のポンド表示を 1 ポンド = 453 g で改めた．
出所：Franklin Associates 2000.

料金が，ごみ収集の総費用をまかなう水準で設定されていようがいまいが，結果は同じである．ごみ1単位の追加的な排出に関する私的限界費用はゼロである．

アメリカ人はこの「無料」サービスに対応して，ごみを大量に発生させている（表3–1）．1人1日あたりごみ量は1960年から90年の間で2倍近くになっている．その後の10年間でリサイクルは大幅に増加したが，ごみの量はそれほど減っていない．すべてのごみが家庭に由来するものではない．小規模事業者もごみ収集サービスを利用しており，それは総収集量の40%を占めると推計されている．ただし，この推計には思いきった想定が多数置かれている（たとえばタイヤや家電製品は家計からの排出も多いが，小規模事業者からの排出とされている）．いずれにせよ，年間2億トン以上のごみがアメリカの都市で収集され，タダ同然で処分されている．

## 3.1　費用がかかるのに無料のサービス

実際にごみを収集し，処分するにはコストがかかる．賃金，燃料費，設備費，土地代などの私的費用については，アメリカの大部分の自治体は，これらを一般財源から支払っている．ごみ収集はまた，交通事故，道路騒音，渋滞，大気汚染など多くの外部費用を発生させる（ごみの廃棄に関する外部費用については次の数章を参照すること）．

ごみ処理に適切な価格付けがおこなわれていないとき，2つの市場の失敗が生まれる．価格が私的限界費用を反映していなければ，ごみ排出に対して莫大な意図せざる補助金を出すことになり，結果として家計のごみ排出量は過大になる．価格が外部費用（つまり社会的限界費用から私的限界費用を引いたもの）を反映していなければ，われわれは第三者にごみ収集費用を押しつけていることになり，結果として家計のごみ排出量は過大になる．

簡単な図でこれを示そう．図3–1には，ごみ収集に対する需要と，収集による私的限界費用および社会的限界費用が示されている（各費用は単純化のため一定と仮定している）．いま収集の価格（$P_0$）がゼロなら，家計はこの価格に反応して大量のごみ（$W_0$）を発生させる．もしごみ収集が私的限界費用をまかなうほどの価格（$P_1$）まで上昇すると，ごみ量は（$W_1$）まで減少する．価格がすべての社会的費用をまかなうほどなら（$P_{opt}$），ごみ量はさらに減少するだろう（$W_{opt}$）．

**図 3–1　安価なごみ収集による死荷重**

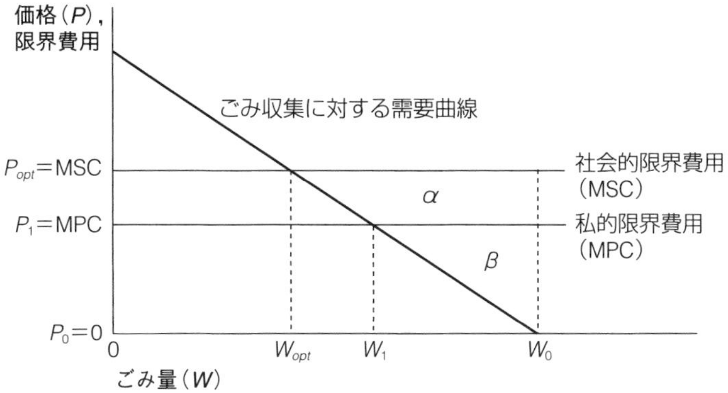

$W_{opt}$ は最適なごみ排出量である．$W_{opt}$ よりも多い $W$ について，家計は社会的費用より低い支払意志額しか持たない（需要曲線はごみ収集・処分に対する支払意志額を示していることを思いだそう）．$P_{opt}$ でなくゼロのごみ処理価格が設定されていると，死荷重（deadweight loss）が発生する．死荷重は $\alpha$ と $\beta$ の面積の合計であり，価格が $P_{opt}$ からゼロまで引き下げられたときの，社会的費用が支払意志額を超過している部分である．

これらの概念に数字を入れてみよう．それには，実際のごみ処理量，収集と廃棄の社会的限界費用，ごみ処理需要の価格弾力性という 3 つの実証的な情報が必要である．規模や所得やごみ排出量は，地域によって異なっているので，おおよその平均値を用いている．現在のごみ処理量は 1 人 1 日 2 kg，ごみ処理の社会的限界費用は 1 kg あたり約 10 セント（1 トンあたり 100 ドル）であり（Repetto et al. 1992；Stevens 1994），ごみ処理需要の価格弾力性に関する多くの研究の推計値はおよそ −0.2 である（Goddard 1994；Wertz 1976；Stevens 1977；Jenkins 1993；Skumatz 1990；Strathman et al. 1995；Reschovsky and Stone 1994；Miranda et al. 1994）．（第 10 章でおこなわれるリサイクルを考慮した議論では，適切なごみ処理価格がごみ処理の社会的限界費用より小さいケースも出てくるが，以下の推計は不適切な価格付けによる厚生損失がだいたいどの程度のものかを示している）．

図 3–2　安価なごみ収集による死荷重の実際

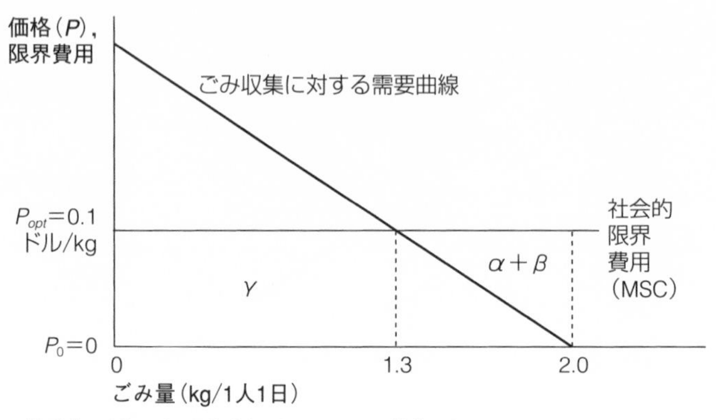


［訳注］　原著のポンド表示を1ポンド＝453gで換算した．

**コラム：もうひとつの外部費用？**

ごみ収集作業員の職業死亡率が高いことは，これまであまり注目されてこなかった．1995 年の死亡率は，10 万人のごみ収集作業員あたり 60 人だった．ごみ収集と同じくらい労働者数がいる職業のうち，これを上回っていたのは，飛行機のパイロット・ナビゲーター（97），漁師・ハンター・猟師（97），森林警備員・木こり（90），金属細工師（64）の 4 つだけである．ごみ収集者の死亡率は，全国の従業員平均の約 12 倍だった（http://www.bls.gov/oshcfoi1.htm# 1999, Table C2）．少し考えれば，死亡率が高い理由はすぐ分かる．収集者は重い容器を運び，危険な設備（圧縮機）を扱い，労働時間の大部分トラックから出入りし，道路の往来を行ったり来たりしている（誰もスクールバスに対するように注意を払ってはくれない）．

これがごみ収集の外部費用かどうかは，収集者が完全にこのリスクを理解しているかどうか，そしてリスクに応じて賃金が増加しているかどうかによる．ジョン・シルバーの次の皮肉は，何よりも本質を突いている．「私は，ごみ収集者の給与がなぜ教師より低いのか理解できない．とてもつらい仕事なのに……．」（*Newsweek* 1998）．実際のところ「暴力教室」はずっと安全で，教師の職業死亡率は 1995 年で 10 万人中 0.5 人だった．（出所：http://www.bls.gov/oshcfoi1.htm# 1999, Table A3；http://www.census.gov/prod/1/gen/95statab/labor.pdf）

図3–1に数字を入れたものが図3–2である．価格弾力性が$-0.2$のとき，ごみ処理価格が1kgあたり0セントから10セントに上昇すると，1人1日あたりのごみ排出量は2kgから1.3kgに減少する[1)]．0.7kgのごみはどこに消えたのだろうか．それについてはこれから考えていくが，ごみになる製品や容器包装の購入量を減らしたり，使用期間を延長したり，リサイクルしたり，(残念なことだが)不法投棄しているものと思われる．

無料の状態から最適な価格付けへの変化による厚生改善は，図3–1と同様に$\alpha+\beta$の三角形で表される．しかし，いまやわれわれはこの面積を測定することができる．最適価格を設定することによる厚生の改善は，1人1日4セント弱，年14ドル，すなわちアメリカ全体で年35億ドルである（$-0.1$の弾力性を使用すると，厚生損失は1人1日2セント，年7ドル，アメリカ全体で年18億ドルになる）．ここでの死荷重の推計値は他の推計値に比較するといくぶん高いが，無料収集が社会的に非効率であることは確かである[2)]．

ごみ処理が有料化された場合，平均的なアメリカ人が1人1日あたりで支払う金額は図3–2の面積$\gamma$に等しいことに注意してほしい．支払われるごみ料金の総額は1人あたり平均で年間50ドルを超えるが，これは必ずしも新しい費用負担にはならない．なぜなら，ごみ収集による外部費用が一部分減少するし，ごみ処理に必要であった税負担が完全になくなるからである．不法投棄やリサイクルを考慮すると，適切なごみ処理価格の設定はここでの想定以上に複雑になるが，本

---

1)　この価格の変動幅は需要の弧弾力性の方程式が，$-0.2 = (x-2)/(2+x) \div 2 \div (0.1-0.0)/(0.1+0.0) \div 2$で，$x$は，価格が1kgあたり0.1ドルの場合のごみの排出量である．この方程式を解くと，$x = 1.3$（kg/人・日）になる．もし，価格弾力性が$-0.1$なら，1人1日あたりの排出量は2kgから1.6kgに減少する．

2)　たとえばVan Houtven and Morris（1999）は，ジョージア州マリエッタにおけるごみ収集有料化計画によって，年間世帯あたり25ドルの死荷重が回避できると推計している．しかし，用いられている弾力性はやや低く（0.16），ごみの排出量は小さく（1「世帯」1日あたり2.6kg），有料化の水準も最適な価格より小さい（1kgあたり8.8セント，社会的限界費用の推計値は1kgあたり13.7セント）．本書よりも高い死荷重の推計値もある．たとえばMorris and Holthausen（1994）はごみ収集料金の変化，ステーション回収リサイクルの開始，ごみ収集回数を週2回から週1回へ，といった3つの同時的な変化をおこなった場合，平均で世帯あたり年間117ドルの厚生改善が生まれると推計している．

節の一般的な結論が示すとおり，いかなるごみ収集有料化であれ（たとえ価格水準がごみ処理の社会的限界費用よりも小さかったとしても），無料の状態に比べて死荷重を減少させ，総費用を節約する．

要するにアメリカ人のごみ排出量が大きいのは，それが無料で集められているからである．年間10億ドル以上もの厚生改善がすぐそこにある．それを実現するには，ごみ収集を有料にするだけでよい．官僚は命令・統制アプローチを長い間支持してきたが，それではほとんど問題の解決にならない．考えてみてほしい．各家計の出せるごみの量を直接的に制限できるだろうか．（ごみを多く出すと思われる）所得の高い家計に対して，ごみを出す権利を否定できるだろうか．あるいはより現実的に，裕福な家計に民間のごみ処理業者を利用するよう強制できるだろうか．大家族（「ごみ困窮」家計）に対してごみ排出許可量を多めに割り当てるよう，官僚機構を拡大すべきだろうか．価格インセンティブによる解決は単に効率性を達成するだけでなく，アメリカの一般廃棄物を減少させる唯一の方法なのかもしれない．

**コラム：おむつ論争**

使い捨ての紙おむつと再利用可能な布おむつの間で，30年にわたって断続的に論争が続いてきた．しかし，いまや大多数の親が使い捨ておむつを選んでいるようだ．森林保護，水質汚染，コスト，生分解性，エネルギー，埋立処分場など，関連する議題はさまざまであるが，問題は小さなものではない．赤ちゃんはトイレに行けるようになるまでに，1万回はおむつを付け替えるのである（おむつ1トン分）．本質とは関係ない議論が双方からまき散らされ，論争は延々と続いている（Little 1990；Tryens 1990）．実際のところ，問題はとても単純である．関係者それぞれについて吟味してみよう．

- 消費者（おむつを買う親，赤ちゃんの意見を代弁すると思われる人々）．彼らは紙おむつに1週間で20ドル支払うか，費用は半分で時間が2倍かかる布おむつ（使い捨ての約2倍の取り替え頻度）を使うかのいずれかである（簡略化のためにおむつを自分で洗う人々のことを無視している．この選択は，親の時間とお金の相対評価に依存しているからである）．親は，どちらが自分たちの厚生を改善するかを考えて，紙おむつと布おむつの選択をおこなう．
- 生産者．使い捨ておむつと再利用可能なおむつサービスの供給者は，利潤追求のため事業をおこなっている．彼らは常にお金を失いたくないと考え，競争に生き残ろうとしている．消費者が支払うお金は，生産しサービスを提供するための私的費用を少なくともカバーしている．

- その他．おむつが外部費用を発生させなかったら，ブロッコリーのような一般の商品と同じく，公共政策や論争の必要はない．問題は単純で，おむつの生産や消費の段階で消費者か生産者が支払っていない社会的費用はあるのかどうかである．エネルギー価格は低すぎるか（布おむつはより多くのエネルギーを使用する）．木材価格は低すぎるか（使い捨ておむつはより多くの木材を使用する）．水使用価格は低すぎるか（使い捨ておむつはより多くの水を使用する）．ごみ処理価格は低すぎるか（使い捨ておむつはより多くのごみを排出する）．最初の 3 つの質問に対する答えは「おそらくそう」，4 つ目の答えは「間違いなくそう」である．この 4 つの市場に正確に価格付けがなされるなら，おむつ論争の大部分は消滅するだろう．

ただしすべてが消滅するとは限らない．使い捨ておむつには人間の排泄物が含まれているため，地下水に特別な危険をもたらす．この外部費用はどれくらい大きいのだろうか．私の知る限り，それはかつて誰も計測したことがない．たとえば，使い捨ておむつの追加的な外部費用をトンあたり 50 ドルとしよう．これを 1 万枚で割ると，おむつ 1 枚あたり 0.5 セントになる（おむつ 1 トンは 1 万枚に相当する）．簡単な解決法は，使い捨ておむつに追加的な外部費用を内部化するような 1 枚あたり 0.5 セントのピグー税を課し（生産時でも販売時でもよい），消費者に好みに応じて購入させるというものである．もっともすべきでないのは，使い捨ておむつの使用を完全に禁止したり，保育所や養護施設での使用を禁止することである．こうした禁止は事実上無限大の課税（おそらく外部費用をはるかに超える）をおこなっているのと同じである．

いまのところ，使い捨ておむつに対する連邦税はない．州レベルでは，唯一ノースカロライナが課税している（価格の 1%）．もしおむつの使用総量が価格インセンティブの付け方に関係ないとすれば，再利用可能なおむつに対して補助金を与えれば，使い捨ておむつに対する課税とほぼ同じ効果が得られるだろう．実際，シアトルやオーストリアとドイツのいくつかの都市では，市のごみ処理部門が再利用可能なおむつの購入に対して，最大 100 ドルのクーポンを支給している．これによって節約される埋立処理費用は 100 ドルよりずっと大きい，と考えてのことである（McConnell 1998）．

コラム：生ごみ処理機

家庭の流し台の生ごみ処理機（ディスポーザー）は，環境面でいつもさまざまな議論を呼び起こしてきた．いくつかのアメリカの都市ではディスポーザーを禁止しているが，他の都市では（新規に建設される）住宅に備え付けなければいけない．基本的な論点は，生ごみを下水として処理するのと，従来どおりごみとして収集し埋め立てるのと，どちらが社会的に安価かである．原理的には，ディスポーザーを購入して使用することの社会的費用便益分析をおこなうのは難しくはない．

まず，ディスポーザーを購入し，使用するという私的な決定について考えよう．家計は，購入・設置・運転にかかる費用と，便利さとを見比べて，購入を決定する．問題は，ディスポーザーの運転に関するその他の費用や便益が，購入決定にあたって考慮されているかどうかである．

- 水．ディスポーザーを使用すると，1 人 1 日あたり追加的に 1 ガロン（約 3.875 リットル）の水が必要となる．水供給が補助金を受けているならば，ディスポーザー購入者の決定はゆがんだものとなるだろう．どのくらいだろうか．もし，水 1 $m^3$ につき 50 セントの過小な価格付けがあれば，毎年 1 人あたり総計で 183 ドルに達する．
- 下水．ディスポーザーの導入によって，下水処理システムへ流入する浮遊固形物と油分は増すだろう．ある研究によると，これによる費用は，ディスポーザー年間使用 1 台あたり 0.18 ドルになる（NYC, DEP 1997）．さらに家庭排水の固体含有量はほぼ 2 倍になり，これも処理しなければならない．この処理費用は，ディスポーザーがどの程度広範囲に使用されるか，また過去と将来の規制措置がどの程度かによって，大きく変わる．ある研究は，年間使用 1 台あたり 1 ドルから 10.23 ドル程度と推計している（NYC, DEP 1997）．下水料金はたいてい下水の量ではなく上水道の使用量に応じて課されるため，これら追加的な清掃，改修，修繕の費用がディスポーザー所有者に適切に課されることはおそらくないだろう（これらの費用は，ディスポーザーを設置しない人たちに押しつけられる）．
- ごみの収集．ディスポーザーは自治体が収集する生ごみの総量をおおむね半減する．生ごみは平均で 1 人 1 日あたり 150 g 出るため，収集費用が 1 人年間 1.52 ドル節約されることになる（ごみ収集の社会的限界費用をトンあたり 50 ドルと推計した場合）．しかし，大部分のアメリカの都市では，ごみ処理に限界費用に基づく価格付けが導入されていないので，ディスポーザーの購入者は社会的な便益を認識していない．

- 埋立．最終的に生ごみは埋め立てられる．しかし，生ごみの下水処理から発生する汚泥は，肥料として正の価値を持つこともあるし，重金属などによって有害廃棄物として扱われることもある．汚泥から有害物を取り除くことはできるが，それには追加的に費用がかかる．もちろん，いずれの経路で有害物や金属類が放出されるかは社会的な見地からは議論の余地があるとはいえ，どちらにしても家庭から出る汚泥の処理は高くつくのである．

要するに，誤った社会的費用を反映したディスポーザーの購入は多々あり，これは社会的な観点からは誤った決定となっているかもしれない．しかし，誤りはどっちの方向にもあり得るし，結果としてもたらされる純便益や費用はたいした金額ではない．ディスポーザーはおむつと同様，「細かいことに目くじらを立てるな」というたぐいの議論と言える．

## 3.2　誰がごみ料金を支払うべきか

前章では，ごみ処理費用は製品を製造している企業が支払うべきだと提案してきた（処理料金前払制）．本章では，製品を廃棄する家計が支払うべきだと主張している．しかしお気づきのとおり，これではごみ処理費用の二重取りになってしまう．どちらか一方が課税されるべきで，両方に課税すべきではない．議論を先取りすると，リサイクルを考慮しない限り，家計と企業のどちらに課税しても結果は（それほど）問題ではない．

ボールペンで考えよう．それは，まったくパッケージなしでも販売できるし，処理するのに 1 ドルの費用がかかるような見栄えの良い包装を施しても販売できる．もし見栄えの良い包装を施しているなら，ペンの製造業者に 1 ドルの税金を課すことができるだろう．そして，この 1 ドルの処理料金前払税はほとんどの場合価格に転嫁されて消費者に届くだろう．結局，消費者にとって見栄えの良い包装が施されたペンは，容器のないペンよりも 1 ドル多くコストがかかることにな

図 3–3　方法 1：生産者が将来のごみ処理費用を製品価格に上乗せして販売

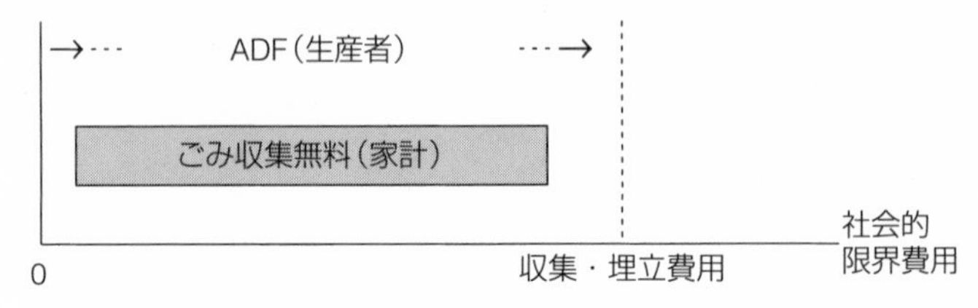


図 3–4　方法 2：製品廃棄時に家計からごみ処理料金を徴収

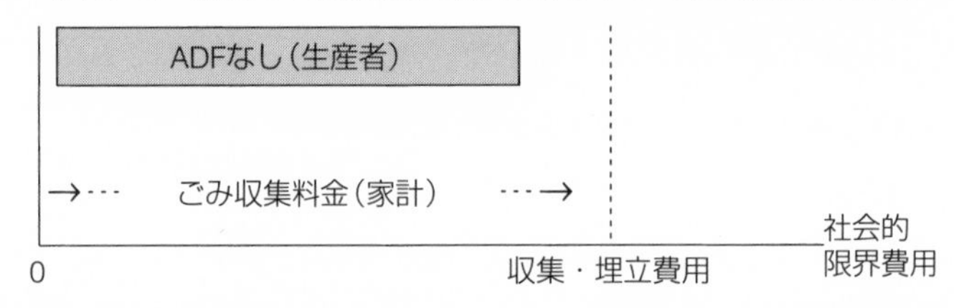


る．あるいは，ペンの容器を消費者がごみとして出したときに直接課税することもできるだろう．いずれにしても，合理的で情報を持った（あるいは単に観察力のある）消費者は，包装のないペンよりもあるペンの方が1ドル余分に費用がかかるということに気づく．そして，容器があることによる利便性に1ドル以上の価値がなければ，消費者は容器のないペンを選ぶだろう．

こうした単純な生産・消費過程，つまり財を購入し，使用し，廃棄し，埋め立てるという過程を扱っている限り，処理料金前払制（製造業者に課税）であっても，ごみ収集有料化（消費者に課税）であっても違いはない．結論は，経済学の入門コースで教えられている租税負担の理論にとてもよく似ている．消費税を供給側に課しても需要側に課しても，製品価格に及ぶ結果は同じである．

繰り返しになるかもしれないが，より複雑な事情（焼却や不法投棄や最終処分やリサイクル）を考慮に入れ始めたときに役に立つ図表を紹介しよう．ごみ処理の社会的限界費用を内部化するには，同じように適切な2つの手段がある（図 3–3, 3–4）．

ごみがいつ課税されるかは問題ではない（生産者と消費者が半々で負担してもよいし，それ以外の比率でもよい．先取りして言うなら，処理料金前払制を生産者に課すと同時にごみ処理料金を家計に課すことが適当な場合もある）．たとえ環境保護主義者が歓迎したとしても，生産者支払原則（Producer Pays Principle）に特別な長所はない〔訳注：よく知られているのは「汚染者支払原則（Polluter Pays Principle)」であるが，これを「生産者支払原則（Producer Pays Principle)」と言い換えるべきだと主張する人もいる〕. ごみになるまでには，生産・販売をおこなう生産者と，購入・消費・廃棄をおこなう消費者の両方がいるのである．はさみの刃のどちらで紙を切っているかを決めるのが困難なように，どちらか一方に責任を割り当てるのは不可能である．とにかく，ここでは罪を問うても仕方がない．ごみ処理費用がどこで課税されるにせよ，最終的には消費者がそれを支払う．

さて 2 つのアプローチは基本的に同じだと主張してきたが，実際にはいくつかの点が異なっている．これらの違いは，より複雑なごみ処理プロセスについて考えたとき，より重要になってくるだろう．

- 収集と埋立の費用は，賃金，人口密度，地価の変化と同じく地域ごとに異なる．処理料金前払制の場合，製品（あるいは容器包装）が最終的にどこで収集され埋め立てられるかを予測することは困難であるが，家計に対するごみ収集有料化では，この違いを反映できる．
- 処理料金前払制は，消費者がどんなに製品を長く使用したとしても，同じ生産費用を課する．ゆえに同制度の下では，消費者が製品を長く使用したり，再利用したりするインセンティブはない．しかしごみ収集有料化では，再利用することで料金の支払いが先送りされるため，そうしたインセンティブが家計に与えられる．埋立を先送りすれば資源コストの現在価値は低下するので，再利用は奨励されるべきである．
- 処理料金前払制の水準は製品ごとに変わるが，ごみ収集有料化はそのごみに（排出を禁ずるような）懲罰的な価格設定でもない限り，製品に関わらず，重さや容器や袋ごとに均一に課される．均一の料金は，処理費用の高価な製品にとっては安すぎ，処理費用の安価な製品にとっては高すぎる水準になってしまうだろう．
- 消費者の数よりも生産者の数の方が少ないので，ごみ収集有料化よりも処理料金前払制の方が，管理・監視費用はかなり低いだろう（Fullerton and Kinnaman 1996).
- ごみ収集有料化は不法投棄を招くが，処理料金前払制では家計が支払いを逃れることはできない．この問題が重要かどうか，もし重要ならどう対処すればよいかについては，第6章で詳しく考える．

理論はもうよいだろう（いまのところは．第6章では不法投棄を，第2部ではリサイクルを考えた上で，ごみ処理費用をどこで徴収すればよいかについて明らかにする）．さて，アメリカでは「廃棄時支払制（pay-as-you-throw）」や「単位価格制（unit pricing）」などと呼ばれている，ごみ収集有料化の実態について見てみよう．

## 3.3 ごみ処理料金の実際

近年アメリカでは，ごみ処分の限界費用を課税する自治体が急速に増加している．有料化をおこなっている自治体の数は，1986年以前はわずか126であったが（http://www.epa.gov/payt/comminfo.htm），今日では6000以上である（法律で全市町が導入しているミネソタ州を含む）[3]．

基本的に，自治体によるごみ収集有料化には3つの方法がある（Miranda et al. 1996）．

- 有料のタグを販売する．家計は特別なマークのついたタグを購入し，ごみ袋に付けなくてはならない．このシステムは多くの利点を持っている．タグ自体は安く生産できる．タグは小さいので，郵便で送ったり，小売店で売ったりできる．しかしタグは落ちたり，盗まれたりすることもある．また，袋の大きさが必ずしも均一であるという保証はない．
- 有料のごみ袋を販売する．家計は特別なマークがついた袋を購入し，その袋でごみを出さなくてはならない．このシステムも安く済む．もし袋がすでに使われているなら，追加的な社会的費用は印刷費だけである．しかし袋は破れたり，動物が破いたりする．また，タグよりも煩雑な配布システムが必要となる．

3) ほとんどのプログラムは最近導入されたため，まだ総括できる状態ではないが，こうしたごみ有料化実験については広範囲にわたる文書がある．EPAのウェブサイトを参照せよ（http://www.epa.gov/epaoswer/non-hw/payt/research.htm）．

- 収集箱を申込み制にする．各家計は特定のサイズと個数の収集箱について契約し，その限度内でごみを出さねばならない．短所は明らかである．初期投資が莫大であり，契約が多種多様であることからモニタリングと課金のシステムは複雑になり，家計にとっては契約した限度よりもさらにごみを減少させるインセンティブがない（Nestor and Podolsky 1998）[4]．しかし，長所は多くある．収集箱は整然としていて，収集日のごみの散乱を大きく削減する．また価格体系を工夫すれば，効率性と公平性の問題に同時に対処することができる．

これらすべてのシステムは，家計がごみ料金を立方メートルあたり，あるいはリットルあたりで支払うという意味で容積ベースである．実際に有料化されている袋やタグの価格は，1リットルあたり0.5セントから2.5セントと幅広い（Miranda and Aldy 1998）〔訳注：1ドル=120円とすると45リットルのごみ袋あたり30円から140円くらいである〕．こうした容積ベースによる価格設定の持つ問題が「シアトル・ストンプ」（これが最初に観察された都市の名にちなんでいる）と呼ばれる，容積を減らすために家庭用の圧縮機を購入して使用する行為である．これは社会的な非効率を生む．なぜならごみを収集するパッカー車が同じ仕事をよりうまくより安くおこなえるため，二度手間になってしまうからである．単にごみ料金を節約しようという理由で家庭圧縮機を購入することは，完全に資源の社会的浪費である．また家庭用圧縮機で圧縮された袋や缶で，収集人が怪我をすることもある．

しかも，圧縮は価格体系の最適性をだいなしにしてしまう．ごみの社会的限界費用は容積と重さに依存する．したがって，どちらか一方に価格を設定するだけでよいのは，時間や家計を通じて容積と重さの間に何らかの普遍的比率がある場合に限る．ある家計がときどきあるいは常に圧縮し，その他の家庭が圧縮しないとすれば，体積と容積の比例関係が成り立たなくなり，ごみの発生，減量，再利用について誤ったシグナルが送られる．もし価格が圧縮を想定したものなら，圧

---

4）この価格構造は，逆インセンティブをもたらす可能性がある．つまり，契約したコンテナがいっぱいでない限り，家計にとってごみ排出の限界価格はゼロである．申込制収集箱の場合にごみの総排出量が大きくなるかどうかという問題について，研究結果は一致していない（Nestor and Podolsky 1998；Van Houtven and Morris 1999）．ただしこの問題は，小さいサイズの箱を採用することである程度は解消できる（Miranda and Aldy 1998；Rathje 2000）．

縮をおこなっていない家計には過大な価格設定になり，もし価格が圧縮を想定していないものなら，圧縮をおこなっている家庭には過小な価格設定になる．

この問題を避ける方法は，もちろん，重量ベースの課金である．これはさまざまな都市で実践されている（McLellan 1994；Skumatz et al. 1994；Andersen 1998）．しかし，重量ベースの課金では収集トラックに計量機が必要となり，ごみ収集を遅滞させるし（シアトルではこのために10％遅くなった），課金システムも袋やタグのように簡単なものではなくなる．

ごみ収集有料制におけるタグや袋や申込み制収集箱は，いずれも基本的に固定価格のシステムである（しかし，申込み制収集箱はやや柔軟性がある）．「社会的限界費用と等しい価格を設定する」という効率性の観点から考えると，ごみ量が減少するに従って価格は低くすべきかもしれない．ごみを出さない家まで収集トラックを走らせるだけでも費用がかかるし，収集量が2倍になっても費用は2倍にはならないからである．しかし，固定価格の非効率性はおそらく小さいだろう（Johnson and Carlson 1991）．

ごみ収集有料化によって，低所得者が「無料」のごみ処理サービスを失うという，公平性への影響が懸念されることがある．しかしながらこの懸念は，大部分のごみ収集が自治体の一般会計を財源としていることを想い出せば，少なくなる．一般財源の多くは固定資産税から来ている．有料化にともなってこうした税金は引き下げられるため，低所得者の地代は減少し，結果として有料化による新たな費用負担を部分的に相殺する[5]．ここで「部分的に」と言うのは，固定資産税はごみ収集料金よりも累進的だからである．多くの研究で，住宅需要の所得弾力性はごみ排出の所得弾力性よりも大きいということが分かっている（Kemper and Quigley 1976；Fullerton and Kinnaman 1996；Miranda et al. 1996）．それでも公平性に固執するのなら，自治体は最初のタグ（あるいは袋や収集箱）をすべての人に無料で配布することで克服できるだろう[6]．

5)　固定資産税は国への所得税申告の際に控除できるが，ごみ収集料金は控除できない．それは特定の自治体に関わる問題であって，国全体の問題ではないのである．

6)　これを実践している都市には，無料配布分を補填するために，社会的限界費用を超えるような金額でのごみ有料化をおこないたいという考えが浮かぶ．この誘惑に負けてはならない．価格 > 社会的限界費用とすると，家庭に誤ったシグナルを送ることになる．そして，民間業者によるクリーム・スキミング（おいしいとこ取り）を発生させてしま本章の草稿を読んだある人から，「規模の経済性を持ち，ほとんど公共的に供給される財（たとえばガス，電気，水）は，消費量に応じて課金される．多くのごみ収集業者が有料化をおこなっていないのは，ごみ収集有料制を運営する費用が，限界費用価格付けによる便益を上回るほど大きいからではないのか」との指摘を受けた．しかし産業廃棄物の収集に見られるように，もし選べるのなら，多くの私的なごみ収集業者は量に応じて課金する．これまで，家庭ごみの収集については地方自治体が価格体系を決めており，そのために時間ベースの課金（月別定額制など）や，無料という形が一般的であった．ごみ収集サービスを入札にかける際には，収集業者にいくらの値段を付けたいか尋ねることはせず，どのくらいの費用で仕事としてやっていけるかしか尋ねてこなかった．業者はもし尋ねられたとしても，単に経験がないという理由や，早い段階で競り落とすと価格が低くなりすぎるリスクがある（入札に関する研究では，「勝者の呪い（winner's curse)」と呼ばれている）という理由で，ごみ処理料金制度には賛成しないかもしれない．

時間ベースの課金は，民間の競争的なごみ収集が妨げられている自治体でのみ，維持可能である．これを確認するために，民間の収集業者が参入可能で，ごみ収集の顧客獲得競争が許されている町について考えよう．ごみを収集するのに1袋1ドル費用がかかり，家庭が平均で月8袋のごみを出すという単純な例を想定しよう．この市場には，ごみ収集業者が2社参入している．1社は1袋1ドルで，もう1社は1ヶ月8ドルでごみを引き取ると提示している．どちらも売上げが費用をカバーすることを期待している．捨てるごみが1ヶ月8袋よりも少ない家庭は，1袋1ドルのごみ収集業者を選び，1ヶ月8袋よりも多い家庭は，1ヶ月に8ドルの収集業者を選択するだろう．1袋1ドルで回収する業者は収支が合うが，1ヶ月8ドルで回収する業者は収支が合わない．その結果，後者は1ヶ月あたりたとえば11ドルに価格を上げなければならないとしよう．1ヶ月に8袋から10袋のごみを出す家庭は，1袋1ドルの収集業者に切り替えるだろう．再び，1袋1ドルの収集業者は収支が合うが，1ヶ月11ドルの方は，さらに価格を上げなければならない．結局，月単位で課金する収集業者は，すべての顧客が別の業者に乗

---

うかもしれない．実際，価格 > 社会的限界費用となると，家庭や小規模事業者は（もし許されるなら）ごみ収集を民間業者に変えるだろう．その場合，民間のごみ収集に対する，外部費用に等しい（すなわち社会的限界費用と私的限界費用の差に等しい）課税が必要になるだろう．

り換えてしまうほど高い水準まで，価格を引き上げる．1袋単位で課金する業者と競争すると，月単位で課金する業者は生き残れない．1袋（あるいはタグ，収集箱）あたりで価格を付けることこそが，ごみ収集有料化に関して自由な市場がおこなう方法なのである．つまり時間ベースの課金がこれまで可能だったのは，自治体がごみ収集への参入を厳しく制限してきたからこそだと言える．

**コラム：ミシガン州ランシングのごみ収集有料化**

人口10万人のランシングはミシガン州の州都で，1975年からごみ収集有料制を導入している．多世帯住宅に住む人や，このサービスを利用したくない人は，民間のごみ収集業者と契約しなければならない．民間の収集業者は，市よりも低い料金を設定している（月に946リットル以上のごみを出す家庭の場合）．1世帯住宅に居住する全世帯のうち半分が，市のサービスを利用している．市のサービスを受ける場合，家計はスーパーやコンビニで110リットルの緑色のプラスチック製袋を1.5ドルで購入する（1992年以前は1ドルだった）．1リットルあたり1.3セントというのは，他の多くの市におけるごみ収集料金と同額である．料金が値上げされた後，市のサービスを選択する家計は減らなかったが，ごみ収集量はおよそ40%低下した．

1991年以降，市はリサイクル可能物と剪定ごみについても収集を開始し，同じ日に別のコンテナを置いて分別させた．このサービスは強制的なものである．家計は，収集用の箱にガラスとプラスチックと金属を出した．紙製品は紙袋に入れるか，束にして出した．剪定ごみは特定の袋に入れて出した．リサイクル可能物と剪定ごみについては，世帯あたり年間57.5ドルの料金が，固定資産税と共に徴収される．緑色のごみ収集袋料金は収集費用をカバーし，57.5ドルはリサイクル可能物と剪定ごみの収集・処理費用をカバーしている（収益を差し引いたもの）．市は，ごみ総量の30%がリサイクルされ，4%については不法投棄や自家焼却がおこなわれていると見積もっている．30%のリサイクル率は他の市と同等であり，4%の不法投棄，自家焼却は他の市よりも（あるいは他の市が認識しているよりも）ずっと高い（Miranda and Aldy 1998；Bauer and Miranda 1996）．

## 3.4　収集の物流

特に開発途上国の農村部や小さな町では，家庭ごみの収集はたいてい任意である．不適切な廃棄による健康上や美観上の損失の大部分は，ごみを排出する家庭自身が負う．しかし都市が大きくなるにつれて，所得が増え，人口密度が増え，ごみが増える．不適に廃棄されたごみによって，これまでになく大きな外部費用が発生しはじめる．やがて外部費用は都市の住民にとってあまりに大きくなり，適切なごみ処理が求められるようになる．自分でごみを捨てに毎週出かける家庭もいるが，競争的な民間のごみ収集業者も現れる．動物の飼料となるごみを得るために，無料で働くものもいる．結局，同じルートをいくつものごみ収集業者がまわるのは不合理だということになり（少なくとも大部分のアメリカの自治体では），公共か民間の，独占的な収集者が選ばれる[7]．

以上はよく耳にする都市廃棄物処理の歴史でありおそらく正しいと思われるが，実証的な研究成果はさまざまである．初期の研究では規模の経済性が確認されなかったし（Hirsh 1965），後のより洗練された研究では，それぞれに食い違う結果が得られている（Kemper and Quigley 1976；Kitchen 1976；Collins and Downes 1977；Stevens 1978；Tickner and McDavid 1986；Dubin and Navarro 1988；Tawil 1996）．とは言えやはり，ごみの収集はおそらく自然独占だろう（つまり費用逓減で規模の経済性がある）．ただしガソリンのコストと運転の時間コストが増えると，1軒あたりの費用は増大する．週2回収集と各戸回収は，それぞれ20%から50%コストが多くかかるという研究があり，大部分のアメリカの都市では，ここ数十年の間，ぜいたくなことだとあきらめられていた（Tickner and McDavid 1986；Stevens 1989；Ezzet 1997）．かつては生ごみも分別収集されていたが，都市化が進み，健康への関心が高まり，養豚場までの距離が遠くなったため，それもなくなってしまった．

次章で見るように，養豚場だけでなく，埋立処分場も遠くなっている．近年の

---

7)　多くの都市で見られるように，排出量が多量な事業系廃棄物を対象とする民間のごみ収集業者には，競争相手が多数存在する．これは一見すると矛盾のようであるが，実はそうではない．民間の収集業者は各場所でより多くのごみを収集し，より多くの頻度で埋立地に通うので，ルートの独占による経済性はほとんどないのである．

アメリカでは埋立処分場の巨大化と遠隔地化が進んできた．小さな町では，かつてないほどのごみ運搬費の高騰に直面している．アメリカでよく使われている標準的なごみ圧縮収集車は，輸送手段としては良い選択ではない．単に運転するだけなら，高価な圧縮機械はまったく必要ないし，燃費も悪いし，労働者（ふつう複数の乗員がいる）も働いてない状態にいる．

この問題の解決法は，積み替えステーションを用意して，そこで燃費効率の良い大型トラックや列車やはしけ船にごみを移し替えてから，埋立処分場へ輸送することである．もし埋立料金が容積（重量ではなく）で徴収されているなら，ごみ集積所には追加的なメリットがある．ごみが収集車から大型トラックに積み替えられる際に，さらに圧縮されるからである．

図3–5は費用の差を示している．実際のごみ処理費用は$C_0$である．破線は輸送費用であり，埋立処分場までの距離に比例して増加している．積み替えステーションが$D_0$の距離のところに設置されたとしよう．ごみは（$C_2 - C_1$）の費用をかけて大型トラックに積み替えられる．正確には，（$C_2 - C_1$）は積み替えの純費用（積み替え費用 − 追加的な圧縮によって節約された埋立料金）である．その後，1km あたりの費用は低くなる（実線）．$D^*$より遠いところになると，トンあたり総費用は，積み替えステーションがあった方が安くなる．経験的に言って，多くの都市における$D^*$の距離は，24km〜32kmである（Schaper and Brockway 1993；Rhyner et al. 1995）．

ごみの輸送が安くなるに従って，地域ごとの埋立費用の差は大きくなり，ごみはより遠くへ，ときには州境を越えて輸送されるようになってきた（第7章で議論する）．半世紀前のアメリカでは，積み替えステーションはほとんどなかったが，今日では大変多い．

**コラム：ごみ収集のインセンティブ**

ごみ収集を自治体直営にするか民間に委託するか．ごみ収集が無料のサービスなら話は単純で，どちらの方が安上がりかを考えればよい．これまでの経済学的研究によると，どちらとも言えない．半数の研究が民間委託は自治体回収よりも安上がりだとしているが，もう半数の研究は逆であるとしている（Viscusi et al. 1992）．

ごみ収集有料化が導入されると，新たな問題が発生する．競争的な民間業者

**図 3–5　ごみの積み替えによる費用の変化**

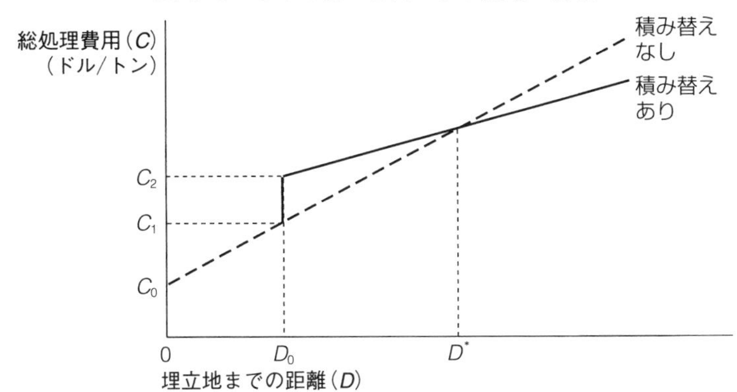


は，損失を回避するために平均私的費用に基づいて料金を決定するだろう．しかし本来は，社会的限界費用に基づいた課金をおこなうべきである．外部費用があれば社会的限界費用は私的限界費用よりも高いが，ごみ収集の限界費用は逓減するため，私的限界費用は私的平均費用よりも低いだろう．民間業者に適切な価格付けをさせるのは役所にとって負担なので，結果として自治体収集が選ばれるかもしれない．

しかし，自治体収集にはインセンティブの問題がつきまとう（Bailey 1995b）．いくつかの市では，労働時間内に収集が終わらなければ，収集労働者に残業手当が支払われる．当然ながら，労働者はゆっくりと仕事をする．また他の市では，収集労働者は早く収集が終われば帰宅でき，しかもその日 1 日分の賃金を得られる．当然ながら収集労働者は，騒音を出し，危険な運転をし，車のメンテナンスの手を抜いて，いそいで仕事を終わらせてしまうだろう．

## 3.5　発展途上国のごみ収集

発展途上国では，ごみの処理方法は大きく異なっている．まず，アメリカに比べてたくさんの家計がごみ収集に自ら取り組んでいる．特に最貧層の家計は，自治体によるサービスから除外されていたり，近代的なパッカー車による標準的なごみ収集サービスを提供できないような，密度が高くて道路のないエリアに住んでいる．貧しい都市ではごみの発生が少なく，かろうじて1人1日450g程度であるが，ごみが腐敗しやすいために切実な公衆衛生上の問題となっている．しかし，貧しい都市には問題に取り組むための資源がほとんどない．どうやって処理しているのだろうか．

ジャカルタでは，それぞれの小居住区で非公式に村の長が選ばれる．そして長は，どういうごみ収集をするのか，1人がどのくらい支払うのかといったことを決める．典型的な最貧地区では，低賃金の住民が手押し車で100人家族分のごみを収集し，市のトラックが来るすぐ近くの停車場まで運ぶ．このシステムの長所は，ごみをすぐにその場所から取り除くことができる点と，長がそれぞれの家庭の支払能力を考慮した料金を決めることができる点である．短所は，最貧地区では支払能力がとても低いのでサービスが悪化することである．いったんこれが起こると，支払いを拒否する人が出てくる．するとさらにサービスは悪化して，やがてサービスがまったく供給されない均衡点にまで達する（Porter 1996）．

たとえばガーナの首都アクラ，ジンバブエの首都ハラーレ，ボツワナの首都ガボローネといった多くのアフリカの都市では，政府はたいてい2種類のごみ収集サービスを提供している．1つはかなり高額の各戸回収，もう1つは近隣の収集箱で定期的に集める「スキップ」と呼ばれるサービスである．後者のサービスは無料だが，家計は自分でごみを近くのスキップまで運ばなくてはならない．家計（あるいは地域）は，好きな（そして支払可能な）サービスを選択する．すなわち，時間が貴重な場合はより多くお金がかかる方を，お金が貴重な場合はより多く時間がかかる方を選ぶ（Fischer and Porter 1993；Porter 1997）．資金のない市では，高額の価格を設定することでお金持ちが貧しい人たちのごみ処理を補助できるというメリットがある．さらに健康面の外部性を考えると，価格差があるシステムは効率的でさえあるかもしれない．

ブラジルのクリティバ市は，ごみ収集トラックも入れないほどの人口密度の高いスラム街であるが，政府はごみを運び出す新しいアイデアを考えつき，成功している．ごみ収集トラックが町はずれに車を止め，住民が自分でごみを運んできたら，食料やバス乗車券やノートと交換しているのである（Brooke 1992；Rabinovitch 1996）．ごみに補助金を与えることは道理に反すると思われるかもしれないが，人々が密集して生活している場所ではごみはあらゆる病気の原因となり得るため（直接的にも，ネズミや犬や鳥がごみをあさることで間接的にも），正の外部性を補助するのは適切である．

ごみの収集や埋立地への輸送は，途上国の都市ごとにさまざまであるし，そうあるべきだろう．資本がなく労働力が安価であれば，労働集約的な方法が採用される．多くの都市では，荷台付きトラックを使い，搭乗員が数人いて，ごみをショベルやかごやバケツで荷台に乗せる（Porter 1996, 1997）．それでも，2 種類の生産非効率があり得る．

1 つ目は，過度な資本集約性である．よくあることだが，都市ごみの管理者は，せいぜい 1 人か 2 人で操作できるような大型の機械化された圧縮車を輸入して，近代的ごみ収集の実現を急いでしまう．「ごみ収集を援助したい」という気持ちと「自国で生産した設備を売りたい」という気持ちとを持った援助担当官僚から，そう誘惑されてしまうのである．これは安価な労働力を放棄するだけでなく，新しい問題まで招いてしまう．発展途上国のごみは主に食品残渣からなり，紙が少ないため，ほとんど圧縮する必要はない．さらに，ごみの湿り気は故障の原因となり，圧縮機の修理代が高くついてしまうのである．

2 つ目の非効率は，過度な労働集約性である．多くの発展途上国の都市では，関係当局が市の予算を労働集約的な部分に過剰配分することで，失業問題に取り組んでいる．もしそれで結果的により良いごみ収集や衛生状態がもたらされるなら，まったく悪いことでもない．しかし，ごみ収集には高価なトラックが必要なために，道路清掃ばかりがおこなわれることになる（道路掃除には「ほうき」と「ちり取り」くらいしか必要ない）．しかし，道路掃除は，特に富裕層の居住地域に無料で供給されるような道路掃除は，市の予算優先度が高いものと言えるのだろうか．リサイクルも途上国によって大きく異なるが，話がそれるので後回しにしよう（第 8 章のコラム「途上国の都市におけるリサイクル」を参照）．

## 3.6　おわりに

アメリカでは，政府がごみの収集や処分に補助金を出す理由はない．開発途上国の都市なら，補助金を与える明白な理由があるかもしれない．そこでは，貧しい人たちがごみ収集のお金を払う余裕がなく，ごみを収集できなかったら深刻な伝染病が発生する．しかしそれは，アメリカの都市にあてはまる議論ではまったくない．

忘れてはならないのは，ごみ収集有料化は市の予算を調達するためでも，ごみを出すことに対する罰則でもないということである．ごみ収集有料化の目的は，生産者が廃棄物の少ない製品や容器包装を製造できるよう，そして，消費者が廃棄物の多い製品や包装物を購入しないよう，収集と処分の費用を「内部化」することにある．

# 第4章　埋立

世界中のどこにも，この国ほど無駄にごみを捨てているところはない．

オースティン・バーバー「アメリカはごみだらけ」
『オーバーランド・マンスリー』誌, 1907年4月号

都市化が進展するにつれ，個人でおこなわれてきたごみ捨てが自治体による計画的なごみ処理で置き換えられていく．だから，ごみ処理の歴史は都市の歴史とも言える．アメリカでは，19世紀末以降，自治体がごみの収集と処分の責任を持つようになった（McBean et al. 1995）．初期の処分地は，素掘りの穴で，自然発火がよくあり（容積を減らすための意図的な火入れさえあった），煙と悪臭と騒音とネズミとカモメにあふれていた．1970年代末までの典型は，大きな町が小規模の最終処分場を運営し，事業者や周辺の小さな町や村から，控えめな「最終処分料金」を徴収するというものだった．

その後の20年で状況は変わった．今日，最終処分場の数は少なく，大部分が巨大で，民間によって運営されている．数量や大きさに応じて徴収される実質最終処分料金は倍増し，全国平均で1985年に1トンあたり約12ドル（1997年ドル換算）だったものが，2000年には30ドル以上になった（Repa 2000）．

何が起きたのだろうか．基本的には，埋立がもたらす健康・環境影響に対する関心が増した結果，「衛生的な最終処分場」の建設・運営・閉鎖・閉鎖後の監視に関する新たな規制につながったのである．埋立には常に規模の経済性があったが，それは，遠く離れた大規模処分場に廃棄物を持っていくのにかかる追加的な輸送費用に見合うほどのものではなかった（Gallagher 1994）．1980年代の新たな規制は，次の3つの方法で規模の経済性を増大させた．1つ目に，これら規制の多くが，最終処分場の大きさにかかわらず，同じ追加的費用を課したこと．それは，新しい規制がもたらす1トンあたり費用が，小規模の最終処分場ほど高くなることを意味する．2つ目に，新たな規制の多くが，特別な専門知識を必要とするこ

とである．つまり，小規模の最終処分場にとっては修得が困難な，政治的，事務的，工学的，法的な専門知識が必要となった．3つ目に，新たな規制の多くが，新規処分場だけに適用されたり，より厳しい内容であったので，既存の処分場を拡張することがより低費用な選択肢となった．

## 4.1　最終処分場の残余年数と大きさと数

最終処分場の数にも，変化の大きさは見てとれる．1970年代はじめ，アメリカには2万ヶ所の最終処分場があったが，1980年代末には6000ヶ所，1998年には2000ヶ所あまりになった（U.S.EPA 1988；Repa 2000）．小規模な最終処分場は閉鎖され，大規模な最終処分場は数や大きさが増えた．1980年代末において，アメリカのごみ全体の半分がほんの数百ヶ所の最終処分場でまかなわれていた（U.S.EPA 1991b）．その理由は費用にある．EPAの推計によると，受入れ容量が1日25トン未満の最終処分場は，1トンあたり40ドル以上の費用がかかる（1997年ドル換算）のに対し，受入れ容量が1日400トン以上の最終処分場は，1トンあたり10ドルであった（U.S.EPA 1988, 1991b）．

最終処分場の所有者にも変化があった．小さな市は，次々と生まれる複雑な規制への対処には費用がかかりすぎるとすぐに気づいた．多くの大都市も所有していた最終処分場を閉鎖していき，現在ではアメリカの100大都市のうち最終処分場を持っているのは，38市しかない（Ezzet 1997）．一方，ブラウニング・フェリス（Browning-Ferris Industries：BFI）やウェイスト・マネージメント（Waste Management Incorporated：WMI）のような大手の民間廃棄物処理業者は，所有する処分容量を拡大していった（Bailey 1992）．1990年代はじめの時点で，これらの2つの企業は15億$m^3$以上の最終処分容量を所有していた．これは，アメリカ全土で排出される一般廃棄物3年分に相当する．1990年の半ばまでに，BFIとWMIの1日受入れ容量はアメリカ全土で排出される一般廃棄物の3分の2に達していた（Kravetz 1998a；Bailey 1998）[1]．

1）合併と買収によって，ここ数年で廃棄物産業の構造は再編成された．USAウェイスト・サービスとWMIが合併し，アライド・ウェイストとBFIが合併した（Gynn 2000a, 2000b）．これら2つの巨大企業は，アメリカの100大廃棄物企業のうち，4分の3の収益を占めている．

**コラム：世界最大のごみ捨て場**

過去半世紀，スタテン島にあるフレッシュキルズ処分場は，1 日 1 万 3000 トンのニューヨーク市のごみを受け入れてきた．広さ 1200 ha，高さ 150 m，7600 万 $m^3$ の廃棄物がそこに集められた（Walsh 1989；Magnuson 1996；*Big Apple Garbage Sentinel* 1998）．2001 年 3 月のごみ受け入れ終了時までには，地球上で最大の建造物である中国の万里の長城を追い越してしまっているはずである（Rathje 1989）．2002 年までに完了するフレッシュキルズの閉鎖計画には，井戸，パイプ，地下壁，処理施設等で 10 億ドル以上の費用がかかるだろう．

過去 10 年間にニューヨーク市は，民間収集業者がフレッシュキルズに持ち込む事業系廃棄物を削減することで，閉鎖を延期し，費用を先延ばしにした．1988 年には埋立料金が 36 ドルから 80 ドルに値上がりした．1992 年にはさらに 150 ドルに値上がりした（Gold 1990；Cairncross 1993）．これはうまく機能し，結果として事業系廃棄物はいまやどこか他の場所で埋め立てられるようになった．しかしその一方で，100 ほどの民間ごみ中間集積所が建設されるという社会的費用が新たに生まれた．ごみはこうした中間集積所から，トレーラーや貨物列車やはしけによって遠くの処分場まで運ばれる．新しいごみ集積所は，土地が相対的に安価で，都市計画法上の許可が得やすい，市内の貧困層の住む地域に建設された（McCrory 1998）．

これを回避するために，ニューヨーク市はごみを直接市外のごみ集積所まで運搬し，さらに数百 km 離れた処分場まで運ぶことにした．市にとっては輸送と埋立（収集を除く）でトンあたりおよそ 90 ドルの高額な負担が発生し，市外のごみ集積所と処分場付近の住民たちはますます不幸である（Konheim and Ketcham 1991；Walby 1999；Martin and Revkin 1999；Stewart 2000a）．

ニューヨーク市におけるごみの収集，積み替え，輸送は，安くはない．2002 年における衛生費予算は 1 日 1 万 1400 トンの処理予測量に対して約 10 億ドルで，平均費用にすれば 1 トンあたり 240 ドルである（Gynn 2001）．

## 4.2　私的費用と最終処分場の価格

理論的には，最終処分場の私的限界費用について考えるのは簡単である．追加的に 1 単位のごみが最終処分場に入ると，2 種類の費用が発生する．1 つは，ごみを埋めるのにかかる可変費用，つまり掘削，圧縮，遮水工，覆土などの費用である．もう1つは，（わずかではあるが）最終処分場の閉鎖が近づくという費用である．最終処分場を閉鎖し，閉鎖後の監視を始め，新たな処分場で埋立を開始しなければならない日が近くなる．

処分場の閉鎖と開始はずっと先の将来まで続くために計算が複雑になってしまうので，詳細は述べない（Ready and Ready 1995）．しかしながら，ここでは私的限界費用を簡便な方法で計算してみよう．いま最終処分場を閉鎖し，同時に新しい最終処分場を開始すると，費用は総額で $F$ ドルかかる．新しい最終処分場は $T$ 年間使うことができ，年間 $Q$ 単位のごみを受け入れる．言い換えると，処分場容量の $1/T$ が毎年使われていく．使用されてしまった $1/T$ について毎年取替えをおこなっていくと（少しずつ次の新たな処分場を作っていくと考えると），1年あたりの平均取替費用は $F/T$ になる（単純化のために規模の経済性を無視している．本来であれば小さな規模の取替えには $F/T$ よりも大きな費用が必要だろう）．1トンあたりの平均取替費用は，$F/(QT)$ である．投資される資本の利子費用（より正確には，機会費用）も考えなければいけない．利子率を $i$ とすると，これはごみ1トンあたり $iF/Q$ である．最後に可変費用 $V$ がある．これはごみを1単位受け入れるのにかかる維持管理費用であり，平均可変費用も限界可変費用も等しいものとする．最終処分場にごみを捨てることの私的平均費用（APC=私的限界費用：MPC）は次式のようになる．

$$\text{APC} = \text{MPC} = V + (\frac{F}{Q})(\frac{1}{T} + i) \tag{4.1}$$

減価償却費用（より正確には取替費用）と利子費用の両方を考慮しなければならないことに注意してほしい．

ごみの私的限界費用の実際の計算は，最終処分場の大きさ，地域の賃金率，地価によって大きく変動する．しかし，最近おこなわれた2つの念入りな研究は，紹介に値するだろう（それからもう1つの研究について，詳細を補論Aに記載した）．表4–1はそれら2つの研究で得られたデータであり，これを式(4.1)に代入して1997年ドル価格の平均費用を推計すると，それぞれ1トンあたり29.33ドルと24.88ドルになる（Gallagher 1994；Walsh 1990a, 1990b）．

アメリカ100大都市における最終処分料金はトンあたり平均36ドルで，上の

**表 4–1　埋立にかかる平均的な私的費用の推定値**

| 変数 | 推定値 | |
|---|---|---|
| | Gallagher | Walsh |
| ごみ量 $Q$(1,000トン/年) | 300 | 365 |
| 埋立地の寿命 $T$(年) | 20 | 20 |
| 利子率 $i$(パーセント) | 4 | 4 |
| 可変費用 $V$(ドル/トン) | 9.33 | 13.75 |
| 固定費用 $F$(現在価値，100万ドル/埋立地) | 66.68 | 45.12 |

注：上記の固定費用には，開設と閉鎖後にかかるすべての費用が含まれており，閉鎖後の費用は現在価値に割引されている．
出所：Gallagher 1994; Walsh 1990a, 1990b.

推計値と同等の水準である（Ezzet 1997）[2]．しかしこの平均値の元になった値には，デンバーのトンあたり9ドルからスポーケンの97ドルまで，大きなばらつきがある．州レベルで見た平均処分料金も，ニューメキシコ州の8ドルから，ニュージャージー州の75ドルまでと変動が大きい（Ackerman 1997）．国家間では，さらに大きなばらつきが見られる．土地が希少で高価なドイツや日本では，最終処分料金はトンあたり300〜400ドルにもなる（Hawken 1993）〔訳注：伝聞によれば日本における近年の管理型最終処分場の処分料金はせいぜい2万円前後なので，この数値はやや高すぎるように思われる〕．

先述したように，最終処分料金はこの20年間で実質2倍になった．新しい処分場や拡張された処分場がもたらした規模の経済性は，費用や料金の高騰要因（州や連邦の規制強化，周辺住民に対する補償，小規模処分場の閉鎖，近所の処分場が持つ独占力増大，州による埋立税）にうち勝てなかったと言える（Glebs 1988）．

2)　最終処分料金はトンあたりで価格が提示されているものもあれば，体積あたりで提示されているものもある．最終処分場を埋めるのは体積であって重さではないので，後者が理にかなっているように思われる．もし価格が体積あたりで提示されていれば，圧縮が促進される．これはたとえば，ごみを圧縮するための集積所を建設するかどうか，という意思決定にとって重要である．基本的に，ごみは家庭から最終処分場に届くまで密度を高めていく．家庭でごみを出すときは，1リットルあたり120gのものが，パッカー車で1リットルあたり360gまで圧縮され，ごみ集積所や最終処分場では1リットルあたり720gにまで圧縮される．

## 4.3　埋立の外部費用

昔からごみ捨て場は，におい，ごみの散乱，害虫，煙であふれ，常に不快な場所だった．しかし，そばに住まない限り，ほとんど関心を抱かないものでもあった．だが数十年前から，最終処分場による地下水汚染の危険性が認識されだし，古い処分場が健康や環境に有害であると分かってきた．実際，スーパーファンド法（第 14 章を参照）で指定された汚染の深刻なサイトの 5 分の 1 が，古い処分場である（OTA 1989b）．最終処分場は，爆発の危険性や温室効果を持つメタンガスも発生させる．アメリカのメタンガス排出の 3 分の 1 が最終処分場由来である（U.S.EPA 1998c）．もっとも近代的な最終処分場でさえ，悪臭，騒音，ごみの散乱といった問題は残っている．さまざまな外部費用を足しあわせると，ごみ 1 トンあたりおよそ 45 ドル～75 ドルになる（Repetto et al. 1992）．

（住宅や近隣の特性におけるその他の違いを調整した上で残る）資産価値の差から，周辺住民に及ぶ外部費用を計測する，より注意深い方法もある．近くに不快な最終処分場があるかどうか以外は，すべてにおいて同一の特徴を持つ 2 軒の住宅を考えよう．最終処分場が近くにある住宅の価格は，土地を購入しようとしている人が処分場の存在を嫌がる分だけ（正確には，処分場に対してもっとも嫌悪感を感じない人が，処分場が近くにないという住宅特性に対して持つ支払意志額の資本還元価値分だけ）低いだろう．こうした研究によると，確かに最終処分場の近くでは住宅価格が下落している．ある研究では，最終処分場が 10 分の 1 マイル（約 160 m）以内にある住宅は価格が 15%ほど低い（Skaburskis 1989）．別の研究では，最終処分場から 1 マイル（約 1.6 km）離れるごとに，住宅価格が数%高くなることが分かっている（Havlicek 1985；Nelson et al. 1992；Reichert et al. 1992）．ただし，最終処分場への近接性による影響はないという研究もある（Pettit and Johnson 1987；Bleich et al. 1991；Garrod and Willis 1998）．最終処分場に近いことで，道路が広くなったり，舗装されたり，冬に除雪されたりといったプラス面もあるからかもしれない．

資産価値による評価には難しさもある．住宅価格には，最終処分場の効果を圧倒するような，さまざまな決定要因がある．住宅はそれほど頻繁には取引されないため，資産価値を用いた研究にはデータとして査定額がよく用いられるが，査定額と実際の市場価値はあまり関係ない場合が多い．実際に査定者が（意識的にであれ無意識にであれ）所有者の地理的不運を査定額に反映させているとしたら，確かに査定額は最終処分場周辺で低くなるだろうが，市場的要因や外部費用によるものではなくなってしまう．

騒音，ほこり，ごみの散乱といった地表の問題以外には，地下水の問題がある．伝統的に水は無視されやすく，多くの古い処分場が沼地に作られてきた．機会費用が小さく，自治体にとって安価だからである．しかし現在では，最終処分場の浸出水は注意深く監視し，回収して循環させるか下水処理して，重金属や化学物質が地下に漏れないようにしなければならない．最終処分場に関する現在の政策のほとんどが，漏出に関することである．

これは，最終処分場に対する現代的アプローチが抱える皮肉と言える．最終処分場は，ごみの腐食が遅くなるほど，乾燥した状態に置かれる．生分解が進むと有害なメタンガスや浸出水が発生するかもしれないので，乾燥した状態を良いことだと考える人もいる（Rathje 1989）．しかし，覆土や遮水はごみの生分解が終わる前に消耗してしまうという指摘もある．もしそうならば，われわれは地下水に対する短期的な脅威を努力して減らしているが，結果として長期的な脅威が増えているだけなのかもしれない（Tenenbaum 1998）．幸いメタンガスによる発電収益性の拡大や，跡地再利用までの時間短縮という事情もあって，最終処分場の生分解を加速させることの重要性は徐々に認識されつつある（Hull 2000；Sullivan and Stege 2000）．浸出水を循環したり，新たに水を加えることで，生分解を速めた「生物反応器〔訳注：微生物による処理機能を最大化したような最終処分場のこと〕」ができあがる．

最後の外部費用は，地球温暖化である．すでに地球気温の上昇によって，北半球では積雪が減り，北極海では氷が溶け，海面が上昇し，豪雨がこれまで以上に増えている（Houghton et al. 1996）．最終処分場は，メタンガス排出を通じてこれに拍車をかけている．最終処分場に埋められたごみは，嫌気性バクテリアによって分解され，副産物として埋立ガスが発生する．その約半分はメタン，半分は二酸化炭素であり，両者はともに温室効果ガスである．また，埋立ガスは地域的な大気汚染にも寄与する．メタンは爆発の危険があり，他のガスは発がん性やその疑いがある．

社会的限界費用が私的限界費用を超過しているとき（MSC>MPC），外部費用が存在し，政策介入が必要となる（第1章の補論Aを参照）．最終処分場の外部性を解決するには，コース流の交渉や，法廷での解決は期待できないだろう．ピグー税は理論的に期待できるが，実際に税をかけるとなると最終処分場のさまざまな外部性を注意深く監視することが必要となる．

埋立トン数を基準とした課税は，ピグー的目標から離れてしまう．そうした課税は小規模処分場，高費用の処分場の閉鎖を早め，残った大規模処分場の処分料金を高くするが，ごみ収集が有料でない限り，家庭から出る廃棄物の量には直接影響しない〔訳注：有料であれば埋立税をそれに上乗せできるので，不法投棄を別にすればごみは減る〕．しかし，税収が地域のリサイクル・プログラムの財源として用いられるなら，間接的な影響はあるかもしれない．いずれにせよ，埋立トンそれ自体は最終処分場に関する外部費用の原因ではない．埋立トンあたりの課税は，最終処分場の経営者にとって，ごみの散乱，溶出，メタンを防ぐインセンティブにはならないのである．

にもかかわらず，およそ半分の州で何らかの埋立税が導入されている．ただしそれは最終処分場を原因とする外部性への対策というよりは，リサイクルのための税収目的であることが多い．アメリカ国内のこうした税の税率は，それほど高くはない．しかし，埋立税が広く導入されているヨーロッパでは，とても高いものもある．たとえばデンマークの埋立税は，1トンあたり50ドルである（Andersen 1998）．

市場インセンティブを用いる考えは理解されにくく，EPAが直接的な命令・統制アプローチを好むために，直接的・物理的な安全対策がこれまでとられてきた．しかしこれらの政策について考える前に，どのくらいの保護政策が最適なのか，という理論的な問題を見てみよう．

地下水への溶出の問題を考える．もし有害物質が地下水に流出したら，井戸水を飲用に使っている人々には健康上の危険がある．ここで話を単純にするため，あらゆる健康問題を「確率的がん死」と呼ぼう（実際に最終処分場の浸出水によって起きる問題のうち，がんはもっとも深刻なものだが，そうそう起こるわけではない．井戸水の汚染や下痢といった問題がむしろ一般的である．ここでいろんな問題をまとめて「確率的がん死」という言葉で表現するのは，理論を単純化するという目的でしかない）．図4–1に示すように，もし浸出水に対処しなければ，$C_{max}$

**図 4–1　埋立地の最適な使用**

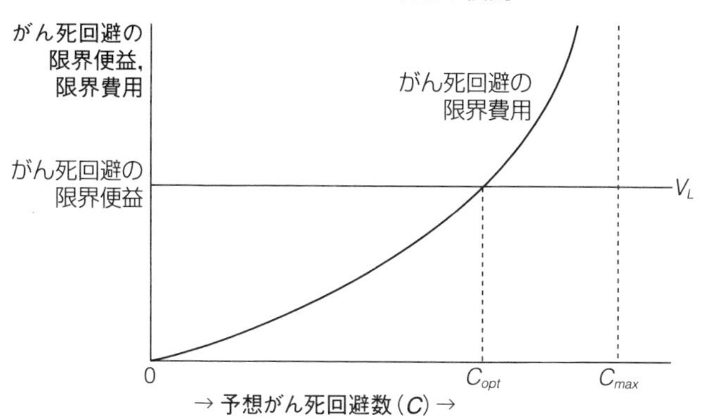


という数の確率的がん死が発生する．浸出水が漏れないようプラスチック製の遮水を施したり，浸出水が早期発見できるよう井戸の監視をしたり，被害の拡大を防ぐよう浸出水を浄化すれば，がん死は回避できるだろう．がん死を回避するのにかかる限界費用は逓増すると仮定する．政策決定にあたっては，もし $V_L$ 以下の費用で済むのであれば対策をとって死を回避するものと考える（第 1 章の補論 B を参照）．つまり，われわれは確率的生命価値を $V_L$ と評価している．$V_L$ は，追加的に 1 人分の期待余命を救うような予防策をとることの限界便益である．限界便益である $V_L$ よりも限界費用が小さい限りは，対策を進めるべきである．最適な対策水準は，$C_{opt}$ となる（図 4–1 では，$C_{opt}$ は $C_{max}$ より小さい．しかし，もし確率的がん死を回避することの限界費用が $C_{max}$ の点でも $V_L$ 以下であれば，がん死の可能性をゼロにすることが最適な政策となる）．

もし規制をおこなうなら，限界費用が $V_L$ よりも小さい対策はおこなわれるべきである．そして，確率的がん死は $C_{opt}$ まで回避されるだろう．ただし $C_{opt}$ が $C_{max}$ よりも小さければ，たとえ最適な規制でもがん死は発生する．$C_{opt}$ よりがん死が多くても少なくても，社会的には損失なのである．規制が過小であれば，本来ならその場所で使った方がよい資源が使われていないことになる．同じく規制が過剰であれば，本来なら他の場所で使った方がよい資源がここで使われてしまっていることになる．

コラム：イギリスの埋立税

イギリスでは，ごみ1トンあたり約20ドルの埋立税が課されている．これが最終処分料金に上乗せされることで，排出事業者にとってはごみを減量し，他の処理方法を模索するインセンティブが生まれた．しかし，ごみ処理がほとんど有料化されていない家計部門に対する影響はまったくなく，イギリスのリサイクル率は10%以下にとどまっている．それどころか家庭ごみの量は増加しているようである．これは，埋立税によるごみ処理費用の上昇に反応して，小規模事業者がごみを家庭ごみとして出す例が増えたためと思われる．

税はリサイクル促進も目的としていて，処分場は，特定の地域環境プロジェクトに献金すれば最大90%までが税控除として認められる．処分場にとっては差し引き10%の費用になるが，近隣へのPRになるというわけである．しかし，こうした税控除献金のうち3分の2は，公園や公共建築物など処分場周辺の環境整備に使われている．処分場の経営者が他の活動（リサイクルなど，埋立以外の廃棄物処理方法）を選ばないのは，当然と言えば当然である．

## 4.4　最終処分場政策

1976年まで，連邦政府は最終処分場の管理政策や基準設定にまったく役割を果たさなかった．その後も1991年まで，最終処分場の規制はほとんど州まかせにされ続けてきた．州によって最終処分場に対する規制は大きく異なっている．浸出水の管理を要求する州もあれば，メタン濃度を規制する州もあれば，最終処分場が建造物や地表水や地下水からとるべき最小限の距離を指示している州もある．国レベルの取組みと言えば，1976年の資源保全再生法（Resource Conservation and Recovery Act）のサブタイトルDが開放埋立（open dumping）を禁止し，1984年の有害・固形廃棄物改正法（Hazardous and Solid Waste Amendment）がEPAに処分場の健康影響に関する報告書の提出を要求したくらいだった[3]．

3)　ある意味で議会は，最終処分場に大きな影響を与えてきた．有害廃棄物が家庭から排出されるごみに含まれていても有害廃棄物として処理しない，ということを決めたのである．この間，定義上は有害でない廃棄物となった一般廃棄物が，資源再生利用法のサブタイトルDの下で引き続き未規制であった．逆に有害廃棄物は，厳しく，費用の高く

EPA の報告書は 1988 年に要求どおり作成され，立地規制，設計規制，地下水の監視，浄化措置，処分場の閉鎖手続き，閉鎖後の処置，財務上の責任について，国によるより強力な管理の必要性を訴えた．廃棄物設備基準（The Solid Waste Disposal Facility Criteria）と呼ばれるこれらの新たな規制は，1991 年に公布された（Rasmussen 1998）．多くの州にとっては，新しい連邦の規制は，すでに各州で導入している規制よりも緩やかなものだった．

1994 年以降，最終処分場の経営者は，閉鎖，閉鎖後の処置，閉鎖後期間の浄化コストについて，支払能力を明示しなければならなくなった[4]．その他にも，処分場の新規建設時や拡張時における地下水保全工事，環境影響を及ぼす場所での立地禁止，有害廃棄物の受入れ禁止．埋立作業終了時における 6 インチ（約 15.2 cm）以上の覆土，害虫害獣対策，メタンガスの漏出監視と燃焼防止，液状廃棄物の受入れ防止，関係者以外の侵入防止など，多くの規制が導入された．

最終処分場の約半数は小規模で，1 万人以下の自治体にある．こうした処分場のいくつかについて，RCRA の規制は除外することができる．控除対象となるのは，1 日あたり受入量が 20 トン以下で，地下水の汚染が見られず，他の最終処分場から距離が遠いあるいは年間降水量が 25 インチ以下である場合である．この除外基準のリストは非常に興味深い．「ほとんど降水量がない」とか「地下水汚染がない」というのは意味があるが，それは大きな最終処分場でも同じではないだろうか．また「小規模で他の最終処分場から距離が遠い」という基準は，最終処分場の外部性という観点からは，ほとんど意味がない．それらは現実には，小規模で遠隔地の最終処分場の費用を（非経済学的な理由で）低く抑える意味しかない．政治的な必要性はともかく，経済学的な観点からすれば，便益が費用を上回るかどうかが問題なのであって，誰が費用を負担するかは問題にすべきではない．必要なら国の補助金を出せばよいのである．

---

つく規制がサブタイトル C の下で義務付けられた．有害廃棄物の規制については第 13 章で取り上げる．

4)　処分場閉鎖後の被害を補償する能力である「財務保証」の準備は，簡単ではない．まともな保険会社はこうした仕事をしたがらない．期待コストの推計が非常に不確実で，責任の限度がないからである．多くの最終処分場は，必要な財務保証を，完全所有の子会社が提供する形で安く得ている．こうした子会社の資産は親会社の株式であることが多いので，保証が実際にどの程度あるかは疑問である（Arner et al. 1999）．

最終処分場は，閉鎖後どれくらいの期間にわたって対処をすべきだろうか．大部分の州は20～30年間を要求している．20～30年よりはるか長くにわたって有害な残留物もあるので，これは明らかにゼロと永遠の間の妥協案と言える．この決定の理屈を考えてみよう．処分場の閉鎖後にかかる費用には4種類ある．発見された汚染の浄化費用，発見された汚染の最適浄化後に残る環境被害，汚染をすばやく発見できるように最終処分場を監視するための費用，発見されなかった環境被害（最適でない汚染浄化）である．それぞれの費用は，とても不確実である．最適な選択に必要な情報を得ようとすれば，現代の科学水準を超えてしまうかもしれない．たとえ科学的な情報が得られたとしても，そのこと自体に費用がかかるだろう．これらの費用は閉鎖された処分場ごとに異なり，データを集めるプロセスにかかる費用が原因となって，費用便益テストをパスしないかもしれない．こう考えれば，20～30年という恣意的な規制は，できることの中では最善かもしれない．

多くの州が，特定の項目について最終処分場への受入れを禁止している．これには2つの理由がある．1つは，有害性があり，地下水に溶出して被害を与える可能性があるものである（第13章で再び取り上げる）．もう1つは，埋め立てるよりリサイクルした方がよいと思われているものである．代表なものに，堆肥化できる剪定ごみ，タイヤ，廃家電（ガスレンジや冷蔵庫）がある．これらが廃棄される際には家庭に対する適切な料金徴収がおこなわれていないが，埋立が禁止されているということは，排出量はゼロのほうがよいということなのかもしれない．しかし，完全な受入れ禁止は，禁止された項目のすべてをリサイクルするのが最適であるという，乱暴な方法ではないだろうか．

埋立に課税している州もある（イギリスでは国全体の埋立税がある．コラムを参照）．埋立税は処分料金に上乗せされるため企業には影響を与えるが，ごみ収集が有料化されていないかぎり，家庭にはほとんど影響を及ぼさない．ミネソタ州では，現在，埋立税ではなく，最終処分場の使用を一切禁止することを検討中である（Johnson 1999）．これは，事実上無限大の埋立税を課すことに等しい．目的はリサイクルを促進するためだが，こうした禁止は，焼却や移出や不法投棄をも同時に促進してしまう．ともあれ，埋立への最適課税水準は無限ではないだろう．

EPAの規制は，1993年以降に操業している処分場に埋立ガスの管理を要求している．しかし，それ以前に受入れを終えた処分場であっても，25 年間はメタンガスや二酸化炭素を排出しつづける．メタンは回収して燃やせば，温室効果が相対的に小さく，爆発の可能性のない二酸化炭素に変換できる．しかし，メタン回収はとてもコストが高く（補論 B を参照），経済的な理由（古い処分場はメタン排出が少ない）や，責任を負わせるべき主体を特定するのが難しいという理由で，古い処分場には設置が義務づけられていない．

1978 年以降，公益事業規制政策法（Public Utility Regulatory Policies Act）によって，限界費用に等しい価格による外部からの電力購入が電力会社に義務づけられた[5]．市場が保証され，埋立ガス回収が義務づけられることで，稼動中の最終処分場の多くが（いくつかの閉鎖した最終処分場も），メタンガスを回収して発電をしはじめた[6]．必要な設備が高価なため，大規模な最終処分場しか採算がとれない（補論 B は，小規模で閉鎖した最終処分場による試みを示している）．もちろん，最終処分場の生分解性が早まる傾向が続けば，埋立ガスの生産は加速し，発電の収益性は高まる．

埋立ガス発電に対する連邦補助金（過去に提案されていたが，再び検討されるようになった）を使う方法もあるだろう（Duff 2001b）．たとえ，化石燃料によるエネルギー生産の外部費用が，非化石燃料によるものより大きかったとしても，補助金は最善の方法とは言えない．どちらのエネルギーにも課税し，化石燃料エネルギーにより高率の税を課すべきである（第 1 章の補論 A を参照）．埋立ガス

5)　公益事業規制政策法は廃止され，代わりに電力会社に対して最低 15%の再生可能資源（埋立ガスもこれに該当する）による電力調達が義務づけられる予定である．この 15%という目標達成にあたっては，目標をクリアした電力会社が目標に達しない電力会社に許可証を売るという，許可証取引の形式が採用されるかもしれない．許可証価格は，埋立ガス回収に対する補助金のような機能を果たすだろう．その価格は再生資源ごとに変わるが，許可証システムを通じて費用効率的な目標達成が実現されるだろう（Darmstadter 2000）．

6)　メタンガス回収をやりたくない最終処分場は，少しの（おそらくあまりに少しの）ガス井を作ることで法的義務を満たすことができる．したがってメタンガスを回収して発電をしようとすると，回収システムに対する追加的投資が必要となる．いったんメタンガスが燃料として好ましいものとなれば，処分場の経営者は大量の水を処分場に注いで生分解性を促進させ，メタン生成を加速させるだろう．これによる副次的な利点として，閉鎖後の監視時間が減少することが挙げられる．

発電に補助金を与えるとゆがみが生じるため，化石燃料を使わない新エネルギーを好むはずの環境主義者も，強く抵抗している．補助金によって埋立が安価になり，リサイクルを阻むからである（Duff 2001e）．

**コラム：ニュージャージー州の処分場規制**

ニュージャージー州は，1971 年に公共施設として処分場規制を開始した最初の州である．その困難な歴史を振り返れば，規制が持つ落とし穴を発見できる（Kleindorfer 1988）．ニュージャージー州は，処分場に厳しい環境規制を課しただけでなく，埋立料金からの処分場経営者の取り分を非常に低い水準で固定した．しかし，ごみ処理料金全体は，さまざまな追加的な税によって増加した．州の埋立には，費用の増加，（税を差し引いた）価格の低下，需要の減少という 3 方向からの圧力がかかった．結果的に，EPA による規制が始まる前に処分場は閉鎖した（U.S.EPA 1987）．それらの処分場には，新しい規制に対応するための過去の収益蓄積も資金借入能力もなかった．ニュージャージー州には，操業中の処分場が 1972 年に 331 ヶ所あったが，1988 年には 13 ヶ所しかなくなった．州の一般廃棄物の半分が，他の州で処理されるようになったのである．

## 4.5 EPA による最終処分場規制の分析

もしゼロリスクを求めるのなら，地下水汚染の可能性がありそれが飲み水に影響を及ぼす可能性があるという情報を得るだけで十分である．しかし，もし目的がもっと控えめなものであれば，リスクの定量的な推計が不可欠である．また，政策によってリスクをどれくらい低減でき，それに費用がどれくらいかかるかという検討も必要である．実際にも，1981 年のロナルド・レーガンの大統領令 12291 号により，すべての主要な規制は規制影響分析がおこなわれなければならないとされている．ここでは，EPA が 1991 年の処分場規制についておこなった分析を紹介しよう（U.S.EPA 1991a, 1991b）．

EPA はまず，アメリカの処分場の 54%は 1 マイル（約 1.6 km）以内に井戸がない，としている．残りの 46%がもし，このまま規制されなければ，そのうちの 12%が $1\times10^{-5}$ 以上の，26%は $1\times10^{-5}$ から $1\times10^{-6}$ の，残りの 62%は $1\times10^{-6}$ 以下の生涯がん死リスクを引き起こす．ここで $1\times10^{-x}$ 以上とは $1\times10^{-(x-1)}$

を意味し，$1 \times 10^{-(x-1)}$ の生涯リスクは $1 \times 10^{-(x+1)}$ の年リスクを意味するものと仮定しよう．するとアメリカの平均的な最終処分場は，新しい規制がなければ，毎年 $0.46(0.12 \times 10^{-6} + 0.26 \times 10^{-7} + 0.62 \times 10^{-8})$ の発がん確率を発生させることになる．これは，計算すると 0.00000007 になる．毎年 1000 万分の 1 以下の確率である．言い換えれば，アメリカの高速道路を 9 時間走行する間に他の人を事故で殺す確率と同程度のリスクである．

ここから，最終処分場対策を何もしない方がよいかどうかが分かるだろうか．無理である．まず，最終処分場の浸出水がもたらす唯一の外部性ががん死だけであるとしよう．さらに，さまざまな最終処分場が引き起こすがん死の程度は同じであるとしよう．それでも，この 0.00000007 という数字からは，対策に使われてきたお金が多いのか少ないのか分からない．これに答えるには，対策がおこなわれなかった場合にどの程度のがんが発生したかを知る必要がある．もし 1 年間に $x$ ドルが最終処分場の予防対策に使われていて，年間 $y$ 人のがん死を防いだなら，がん死 1 件を避けるコストは $x/y$ となる．これは，他の分野における救命あたり費用（$V_L$）と比較できる．そして，処分場の安全対策が限られた資源の使い道として良いものかどうかを判断できる．0.00000007 という確率からは，$x$ も $y$ も分からない．

0.00000007 という確率から分かるのは，対策をさらに注意深くとるべきかどうかである．0.00000007 からゼロに確率を減少させれば，アメリカ人の生命を年間 18 人救える．もし，18 人のがん死だけが処分場のもたらす外部性で，すべての最終処分場が同じ危険性を持ち同じ予防対策がとられているとするなら，われわれはさらに対策をおこなうべきだろうか．つまりわれわれの社会は，アメリカの井戸水を原因としたがん死のリスクを完全に取り除くことに対して，どれくらい支払う意志を持っているのだろうか．再び，生命価値（$V_L$）を 100 万～500 万ドルで評価する公共政策について考えよう．すなわち，救命あたり費用が 100 万ドル未満なら政策を実施し，500 万ドル以上なら政策を拒否し，その間であれば慎重に考えるというものである．とすると，すべてのアメリカの最終処分場から完全にがん死のリスクを取り除くことに対する支払意志が，年間 1800 万～9000 万ドル以上なければならない（18 人のがん死 ×100 万～500 万ドル =1800 万～9000 万ドル）．

実際の EPA の処分場基準は，年間 4.5 億ドル，がん死 1 件回避あたり 2500 万ドルの費用がかかると推計されている（1997 年ドル換算）．これは上述の確率的生命価値よりも 1 ケタ高い数字である．そしてもちろん，最終処分場を完全に規制しても地下水が原因のがん死をゼロに減らすことはできない．この簡単な計算によれば，処分場対策を厳しくするよりも，他のことに資源を利用した方がよいだろうということが示唆される．

詳細な EPA の推計も，井戸水によるがん死の 18 件すべてを回避することはできないとしている．EPA の計算によれば，処分場に対する新しい「最終ルール」によって，今後 300 年にわたって 2.4 人の命を救うことができる（U.S.EPA 1991a, 1991b）．残念ながら，次の数百年にわたる救命と，今後数十年にわたる年価値化された費用とをそのまま比較することはできない．現在価値になおしてみよう．年価値化した処分場費用が今後 30 年（20 年間の操業と 10 年間の閉鎖後監視期間）かかるとすると，年間 4.5 億ドルの費用の現在価値は 84.6 億ドルになる（EPA が分析に用いた 3%の割引率を使用している）．また，次の 300 年で 2.4 人の生命を救うことは，1 年間に 0.008 人の生命を救うことに等しい．現在価値にすると，0.267 人の生命を救うことに等しい．EPA 自身の推計によると，新しい最終処分場ルールでは，1 人の生命を救うのに現在価値で 320 億ドルの費用がかかる（84.6 億ドル ÷0.267 人 ≒320 億ドル/人）．将来救われる生命の割引をしなかったとしても，1 人あたり 35 億ドルの費用がかかる（84.6 億ドル ÷2.4 人 ≒35 億ドル/人）．これは，ほとんどのアメリカの政策が判断している生命価値の大きさより 3 ケタ大きい．

ここで用いた方法についての余談を少ししておこう．生命を割り引く考えは，気味が悪いとまでは言わなくても，大部分の人々にとって奇妙かもしれない．しかし，もしこうした計算をしなければ，政策決定において来年救われる生命と遠い将来に救われる生命とを同等に扱うことになる．この点に関して，法律家と経済学者はなんと同じ意見を持っている．裁判所の判例には，現在価値化していない生命を現在価値化した費用と比較しているという理由で，EPA の規制を違法としたものがある（Augustyniak 1998）．また経済学者がおこなった街頭調査では，今年 100 人救うことができる政策と，今後 25 年間で 200 人救うことができる政策のどちらが望ましいかを選択させると，回答者の 70%の人が前者を好んだ（Cropper et al. 1994）．25 年にわたる 200 人救命の現在価値は，割引率が 2.8%のとき現在の 100 人救命と同等になるので，多くの人はそれ以上の割引率を将来の救命に対して適用していると言える．

EPAの研究から何が分かるだろうか．1つの可能性として，EPAは地下水を浄化する目的は生命救済以外にもあると考えているかもしれない．EPAの分析では確率的がん死を回避する便益だけが定量化されているが，湿地など生態系への影響，処分場に対する世間の信用（将来の立地が容易になるように），地下水は利用しないがきれいであってほしいと願う人々の価値観，病気や慢性的な健康障害の低減，爆発事故の低減，景観の保全などを考慮していたのかもしれない（Rasmussen 1998；U.S.EPA 1991b）．（EPAの分析では清浄な地下水が資産価値に与える影響も正の価値として言及されていたが，資産価値はせいぜい他の便益を測る1つの方法にすぎず，独立した便益のカテゴリーではない．）地下水浄化の唯一の便益ががん死の回避であれば，EPAの分析が示すように，その目的はボトル入りの水や上水道を使うことでより安く達成可能だろう．しかし，こう考えていくと疑問が浮かんでくる．なぜEPAは特に重要でないと考えている便益について事細かに説明したのだろうか．

2つ目の可能性として，EPAは規制影響分析の要求を「費用便益分析を貫徹せよ」という要求だと捉えてないかもしれない．だからこそ，便益については長々と形だけ検討する一方で，新しい規制によって強い影響を受ける人々に降りかかる費用については特に慎重に検討しているのかもしれない．

新しい処分場規制に関する規制影響分析をもう一度見てみよう（U.S.EPA 1991a, 1991b）．多くのページが，トンあたり費用，世帯あたり費用，自治体あたり費用の計算に費やされている．また費用の平均だけでなく，費用の分布，つまり規制の影響を強く受けるごみ量や世帯や自治体の割合が示されている．新しいルールによってもっとも強く影響を受ける処分場（あるいはそれを利用する低所得世帯）への影響を緩和したいという考えが国にあるなら，これは意味のあることだろう．しかし，影響の緩和は，何らかの直接的支払いを通じておこなうべきであり，ルールの方を緩めるべきではない．費用効率性の観点からすれば，処分場対策による救命の限界費用均等化が必要なのであって，最終処分場が大規模だからとか，裕福な地域にあるからという理由で限界費用を高くするのはおかしいのである．

**コラム：発展途上国における埋立**

腐敗性の高いごみを人口が過密な途上国の都市から取り除くことは，郊外の土地にそれを注意深く埋めることよりも，公衆衛生の点から見て重要な問題である．したがって，途上国の処分場規制がそれほど厳しくないのは当然である．途上国の処分場で，火災が度重なり，大量のごみぼこりや散乱ごみが舞い，覆土がなく，野ざらしの穴に液状廃棄物が捨てられ，地下水の監視がなされないといったやっかいな状況は，しばらくそのままだろう（Porter 1996, 1997）．

アメリカのマスコミは，マニラにあるごみの山のふもとの何百もの住民が生活している場所が，崩れ落ちたごみで埋まったという災害を好んで取り上げる（Mydans 2000）．こうした災害を見て，外国の人間は「衛生的な処分場の建設をすべきだ」と途上国に厳しく要請する（World Bank 1989, 1993）．最先端の技術を採用した処分場をフィリピンのような国に要請する前に，アメリカのごみ処分場の大部分が最近まで「粗末なごみ捨て場」だったことを思い出すべきではないだろうか．われわれの社会は経済的に豊かになるまで，処分場の改善をそれほど重要な課題とは位置づけていなかったのである．

## 4.6　おわりに

「ごみ捨て場」の時代に戻りたい人は誰もいないだろうが，EPA の分析結果を見る限り，現在の最終処分場対策は過剰かもしれない．EPA によれば，1991 年の最終処分場ルールによって，今後 3 世紀にわたって 2.4 人の生命が救われる．これには年間 5 億ドルという莫大な費用がかかる．他の見込みの高いものに 5 億ドルを使えばどれだけ多くの人々の生命が救われるだろうかと，考えずにはいられない．

## 補論A　アンアーバーの埋立費用はどれだけの大きさだったか

プロジェクト進行に関する,「90%と90%」の法則．まず仕事全体の90%に，90%の時間がかかる．そして残りの仕事10%に，さらに90%の時間がかかる．

作者不明

処分場に関する費用の推計は，とても容易にみえる．ミシガン州アンアーバーのように，最終処分場が既に閉鎖されている場合には特にそう思える．しかし，処分場に関する費用の多くは，間接的で，確率的で，帰属させるのが難しく，値段が付いていなかったり，値段を付けるのが困難である．ごみの受入れを終えて10年間たった今でさえ，これらの問題があるために，アンアーバー最終処分場における真の経済的費用の推計は困難である．

アンアーバー市は以前からいくらかのごみを受け入れていたが，1959年になってはじめて，市民のための最終処分場を建設し，公的資金によるごみの収集と処理を開始した．30年後の1992年，ますます厳しくなる規制のためにこれ以上の操業は難しいということが分かり，最終処分場は閉鎖された．どのくらい費用がかかったのだろうか．この質問に対する長い答えは，Bitar and Porter（1991）に書かれている．またHigashi（1990）とPyen（1998）は，アンアーバーの最終処分場問題の歴史を取り上げている．しかしながら，たとえ最終処分場が満杯になって閉鎖されても最終的な社会的費用は判明しないというのが，本補論の結論である．

「予算」としての費用は，1959年から90年の期間でおよそ8000万ドル，ごみ1 $m^3$ あたり7.85ドルかかっている（1997年価格)．（同市ではごみの重量を測っていないので，1トンあたりの費用を推計するにはごみの平均密度推計が必要になる．市がこの間に荷台収集車から圧縮収集車に変えたためや，ごみ組成が次々と変化しているために，推計はさらに困難であるが，1トンあたり25ドルくらいと思われる.）将来の閉鎖後費用，監視費用，汚染除去費用，除去されなかった環境被害の推計を含めれば，この数字は2倍になるだろう．

アンアーバー最終処分場に関する費用推計は，それが最初で最後の公共最終処分場であったために，理屈ほど難しくない．埋立によって新規処分場の開始日が近づくこともなかった．すなわち，最終処分場の大部分の私的費用は，単に予算であった．主な例外は，土地の費用である．

原則として，購入時の土地の費用は，それを他の最善の用途で利用した際に将来発生する地代の流列を現在価値化したものと言える．すなわち，取得時購入価格（1997年価格に調整したもの）は，1959年から将来にわたる代替的な資源利用をあきらめたことによる社会的費用の現在価値を反映していなければならない．後知恵だが，この期間にアンアーバー周辺の実質地価は劇的に上昇している．この情報を利用して，操業期間だけでなく，（土地が落ち着いて，公園やソフトボール場など価値の低い用途にしか使えなくなる）閉鎖後期間の費用も含めて，土地費用の推計をしてみよう．上昇していく土地の機会費用である1800万ドルを組み込むと，総費用はほぼ1億ドル，1 $m^3$ あたり9.16ドルとなる．

埋立費用は，最終処分場が閉鎖されても終わらない．3つの費用が残っている．1つ目が，遮水，覆土，将来にわたる監視に実際にかかる予算である．2つ目が，浸出が起きた場合に大気や表層水や地下水のような環境への被害を防ぐために必要となると予測される予算である．3つ目は，除去の努力をしたとしても発生すると予測される環境被害である．これらの3つの費用のうち，推計が容易なのは最初のものしかない．

アンアーバー最終処分場操業中の最後の10年間，地下水汚染によって井戸水が影響を受けた．最終処分場の閉鎖時に，市は，地中壁を建設して地下水の流れを変え，最終処分場の浸出水から距離をとることと，4つの水圧ポンプを取り付けて地下水の汚染を取り除き，下水場で処理することを要求された．市は，監視とこれらのシステムの維持を30年間続ける契約もしている．すべての費用の現在価値は，2000万～2500万ドルと推計されている（Pyen 1998；Bershatsky 1996)．これによって，埋立費用は1 $m^3$ あたり11.77ドルになる．

これらの予防措置にもかかわらず，環境への漏出は発生し，損害を引き起こしたり，追加的な除去のための支出が必要となるだろう．実際には新たな漏出がなかったとしても，閉鎖中や閉鎖済みの最終処分場に対する州やEPAの規制は，より厳しくなり，新たな支出が求められるだろう．こうした将来の損害や支出は予測しようがない．これらの高度に不確実な将来の莫大な費用は，ミシャンが言う

「馬とウサギのシチュー」の馬のようなものだ〔訳注：第 1 章 1.3 を参照のこと〕．ウサギであるアンアーバー最終処分場の費用は，1 $m^3$ あたりおよそ 11.77 ドルである．馬の部分は，今後 1 世紀中には明らかになるだろう．どのような最終処分場にも，こうした不確実な費用が存在する．

## 補論 B　アンアーバーにおける埋立ガス回収の費用便益分析

知識なき熱意は愚かさと紙一重である

ジョン・デイビス

アンアーバー最終処分場は 1993 年に閉鎖されたので，国は市に対して埋立ガス規制をほとんど要求できないでいる．それでも市は埋立ガスを回収して，発電することを決めた．市と契約を結んだバイオマス・エネルギー・システム社が処分場のメタンガスを抽出し，同じくミシガン・コジェネ社が電気に転換し，デトロイト・エジソン社（ミシガン州南東部の電力会社）に電気を売却している．電気は 1998 年の初めから供給されはじめた．アメリカの何百という最終処分場がすでに同じような決定をしている．そこで社会的費用便益分析を通じて埋立ガス回収の経済性を評価してみよう（Asarch and Cort 1995；および関連企業へのインタビューによる）．

アンアーバー最終処分場は，閉鎖して 5 年になるが，メタンの発生量がごみを投入していたときに比べて激減している．さらに，最終処分場の広さと廃棄物の蓄積量は，エネルギー回収のために最小限必要なものをようやく満たす程度だった．だから，このプロジェクトから上がる利潤はわずかだろうと予想されていた．

プロジェクトの社会的費用は 2 つある．1 つ目は，ガス回収システム，発電機，デトロイト・エジソンとの系統連結，必要な許認可（250 万ドル）といった初期費用である．2 つ目は，ガス回収と発電に関する維持費用である（現在価値で 122 万ドル，年間 15 万ドル）．（10 年にわたって続く 1 単位のフローの現在価値は，年 4%の割引率で $[1-(1.04)^{-10}] \div 0.04 = 8.11$ に等しい．これを 15 万ドルに掛けると，122 万ドルになる．）これら 2 つの費用の総現在価値は 372 万ドルになる（250 万ドル +122 万ドル）．

社会的便益は 3 種類ある．1 つ目はデトロイト・エジソンにとっての，回避された発電の限界費用である（年間 12 万ドル，現在価値で 95 万ドル）．2 つ目は，プロジェクト終了後のガス回収システムが 10 年後に持つ残存価値である（80 万ドルの価値があるが，現在価値に割り引くと 54 万ドル）．3 つ目は，発電システムが 10 年後に持つ残存価値（87 万ドルの価値があるが，現在価値に割り引くと 59 万ドル）．したがって便益の総現在価値は，208 万ドルになる（95 万ドル＋ 54 万ドル＋ 59 万ドル）．

（解説を 2 つ．まず，ミシガン・コジェネの発電機は年間 1400 万 kWh を発電できるが，最終処分場のメタンではせいぜい年間 600 万 kWh くらいしか発電できない．デトロイト・エジソンの「回避費用」は，1 kWh あたり 0.02 ドルである．したがって，年間の総回避費用は 12 万ドルになる．それから，ガス収集システムの費用は，新品で 30 年間使えるものだと 120 万ドルである．定額法で償却すればその 10 年後の価値は 80 万ドルで，これを現在価値に割り引くと 54 万ドルになる．）

費用（372 万ドル）は便益（208 万ドル）をはるかに上回っている．誰かが損をしているに違いない．これまでは便益と費用が「どれくらいか」を見てきたが，そろそろ「誰が」便益を受けて費用を支払っているのかを見てみよう．このプロジェクトから費用と便益を受けているのは，次の 5 つの主体である．

- アンアーバー市　市は発電所から使用料と税金を徴収し，一方で管理費用を毎年支払っているが，これらは無視できるほど小さい．市の主な利益は，プロジェクト終了時にガス収集システムを獲得できることである．これは市にとって現在価値で 54 万ドルの利益である．
- バイオマス・エネルギーシステム社　同社は，120 万ドルの初期投資費用と毎年 6 万ドル（現在価値で 49 万ドル）の操業・維持費用を支払っている．一方でミシガン・コージェネに毎年 20 万ドル（現在価値で 162 万ドル）のメタンガスを売却し，連邦からは毎年 7 万ドル（現在価値で 55 万ドル）の税額免除を受けている．同社にとって利益は現在価値で 48 万ドルである．
- ミシガン・コージェネ社　同社は 130 万ドルの初期投資費用と，毎年 9 万ドル（現在価値で 73 万ドル）の操業・維持費用を支払っている．また，バイオマス社に毎年 20 万ドル（現在価値で 162 万ドル）のメタンガス料金を支払っている．一方で，デトロイト・エジソンに毎年34万ドル（現在価値で275万ドル）の電気を売却している．これは，デトロイト・エジソンの回避費用の約3倍の大きさである（1kWhあたり0.0575と0.020）．それから，ミシガン・コージェネにはプロジェクト終了時に現在価値で54万ドルの発電機が残る．以上を差し引くと同社にとっては現在価値で31万ドルの損失である．同社はプロジェクトで損をしているのだろうか．いや，そうではない．デトロイト・エジソンとまとめて契約しているので，損失はどこかで補っているのだろう．

- デトロイト・エジソン社　同社は発電費用を毎年12万ドル節約する一方で，電気を毎年34万ドルで購入している．デトロイト・エジソンにこの公共サービスをおこなわせるために，ミシガン州は同社が赤字（毎年22万ドル）を回収するための電気料金の値上げを認めた．デトロイト・エジソンにとっての利益は現在価値で差し引きゼロ，プラス環境に配慮しているという信用の獲得である．
- 社会のその他　ミシガン・コージェネがアンアーバーでの損失をどこかで埋め合わせている分，誰かが少なくとも現在価値で31万ドルを払いすぎている．またミシガン州住民は，毎年22万ドル（現在価値で180万ドル）の電気代を追加的に支払っている（単純化のため，価格上昇による消費の減少は無視している）．さらにアメリカ国民は，税金を余分に支払ったり，他の行政サービスを減らして，毎年7万ドル（現在価値で55万ドル）の税額免除という補助金をバイオマス社に支払っている．社会のその他の部分にとっては，現在価値で総額266万ドルの損失である．

どちらの費用便益分析でも，全体の現在価値は164万ドルの損失である．しかし，便益や費用の受け手を明確にすることで，各主体がプロジェクトをどう受け止めているかが分かる．このプロジェクトを通じてアメリカ国民が受け取る損失は1人あたりにすれば年間数セントで，誰も気づかない．

これを「わずかな便益が少数に集中し，莫大な費用が多数に分散する」よくある悪いプロジェクトと結論づける前に，ここまで見落としてきた，評価のしにくい外部便益に気づく必要がある．最終処分場におけるメタンガスの取扱いが変わることで，爆発の可能性が減少するだろう．また，周辺のにおいが弱まり，地域の大気質が改善され，最終処分場で死ぬ鳥の数が減るだろう．最終処分場のメタンガスが相対的に温室効果の低い二酸化炭素に変換されることと，デトロイト・エジソンが毎年燃料として必要とする石炭の量が減少することで，温暖化ガスも削減される（これまで回避される私的費用は考慮してきたが，回避される外部費用については考慮してこなかった）．10 年間にわたる二酸化炭素削減量を現在価値で評価すると 17 万トンになる．損失の現在価値（164 万ドル）をこれで割ると，プロジェクトによって温室効果ガスを 1 トンあたり約 10 ドルで削減していることになる．これは二酸化炭素を削減する他の方法と比較して，かなり良い数字である．

**コラム：もう 1 つの温室効果？**

アンアーバーは発電だけしかおこなっていない．付近の民間企業であるミシガン州ベルビューのウェイン処分場では，埋立ガス回収をおこない，発電だけでなく，発生する熱を使って 4000 $m^2$ の温室を運営し，野菜やハーブを水栽培し，ミシガン州南東部一帯で販売していた（Graff 1989；水栽培は土を使わず，水に肥料を注入して植物を育てる）．一般的に，温室における野菜の水栽培は，土地と熱を必要とするため費用がとても高くつく．しかし，処分場周辺の未利用地を使い，メタンを回収すれば，ほとんど追加的費用なしで電気と熱が生産できるはずだった．にもかかわらず，収入は追加的な費用を上回らず，温室の水栽培経営は閉鎖された．

# 第5章　焼却

焼却とは青空の埋立である．

ミシガン州環境委員会　デイブ・デンプシー

埋立に代わる廃棄物処理の方法が焼却であり，これによって埋め立てられる容積を大幅に削減できる．廃棄物の焼却には長い歴史がある．1960年ころには，アメリカの家庭ごみの約3分の1が焼却されていた．1960年ころの焼却炉はエネルギー回収もおこなわず，汚染も規制されていなかった．1960年代や70年代には大気汚染や焼却灰の毒性に対する関心から焼却が抑えられていたが，70年代における石油価格の高騰と80年代における埋立費用上昇の懸念が背景となって，焼却（廃棄物を灰だけでなくエネルギーに変える新たな形態の焼却）が再び勢いを得ることとなった（Ujihara and Gough 1989；Curlee et al. 1994；U.S.EPA 1995b）．1990年代まで，エネルギー回収型ごみ焼却はアメリカにおける一般廃棄物全体の15%で安定して推移している．ただし，アメリカのバイオマス発電はすべて合わせても全電力生産の3%にすぎない（DOE 1998b）〔訳注：バイオマス発電とは，木くず，さとうきびの絞りかす，家畜糞尿など生物起源の有機物を使った発電方法のことを指す〕．

しかしながら，それは揺るぎない安定ではない．多くの環境主義者にとって，「焼却」は「埋立」と同様に禁句である．州政府によるごみ焼却炉に対する規制は，ますます費用のかかるものになっている．ウエストバージニア州では，焼却が禁止された（Murphy and Rogoff 1994）．しかし，多くの都市にとって焼却炉の撤去費用は非常に高いし，埋立費用の高い地域では焼却は常に魅力的な選択肢となっている．一般廃棄物の焼却率が人口密度の高い北東部では40%以上で，ミシシッピ川西部では2%以下であることは，偶然ではない（Glenn 1998）．

焼却への懸念が強いためか，埋立用の土地が豊富なためか，アメリカは他の工業国よりもはるかに少量しか一般廃棄物を焼却していない．スイス，スウェーデン，デンマーク，シンガポール，日本は，一般廃棄物の半分以上を焼却している（Bonomo and Higginson 1988；Alexander 1993）．こうした国が焼却に大きく頼っているのは，環境規制が緩いためではない．たとえばスウェーデンのダイオキシン排出目標は，世界でもっとも厳しい（OTA 1989b）．

リサイクルできない廃棄物は常に存在するため，われわれは焼却か埋立かという選択に立たされる．これら2つの処理方法には私的費用と外部費用の双方で大きな違いがあるため，どちらを選ぶかは難しい課題となる．

## 5.1　焼却と埋立の比較

焼却は「青空の埋立」ではない．経済学的に見て，焼却場は多くの重要な点で最終処分場とは異なっている．焼却と埋立の外部費用の違いについては後述するとして，私的費用には以下の5つの違いがあり，自治体による処理方法の選択に大きな影響を与えている．a）初期投資の費用は焼却が埋立よりもはるかに高い．b）焼却は埋立より規模の経済性がはるかに大きい．c）土地費用は，焼却場に関する費用のうち非常に小さな割合しか占めない．d）焼却炉はいったん稼働してしまうと，安定した可燃ごみの供給が不可欠である．e）焼却炉は埋立よりもすばやく多くのエネルギーを回収できるので，エネルギーからの収益を含めた純操業費用ははるかに低い．これらの特性について順に見ていこう．

### 資本

焼却炉の初期投資費用の推計値は，1日処理能力1トンあたり10万ドルから20万ドルまで，さまざまである（U.S.EPA 1988；Denison and Ruston 1990；Alexander 1993；Keeler and Renkow 1994；Rhyner et al. 1995）．実際の焼却炉は1日あたり焼却量が300トンのものから3000トンのものまであるため，焼却炉の所有者が初めに支払う（現実的には借りる）金額の幅は，3000万ドルから6億ドルになる．このような負債は焼却炉の寿命が尽きるまで（またはそれにともなう自治体の債券の償還期間が終わるまで），自治体の予算状況に深刻な影響を与える．これはふつう約20年間である．たとえ焼却場を民間が所有し稼働しているとしても，自治体予算への影響はある．ふつう自治体は施設稼働中に十分な量の可燃ごみを供給することを保証し，不足分についてはペナルティを支払わなければならないので（「供給保証契約」と呼ばれる），その意味で負債を負っているのである（Bailey 1993）.

焼却1トンあたりの費用に換算すれば，こうした資本費用の大きさを把握できる．上述した範囲の中間をとり，処理能力1トンあたり15万ドルの費用がかかる焼却場で1日1200トンを365日，20年間焼却することを考える．廃棄物1トンあたり焼却費用は30ドルとなる[1]．操業費用や維持費用を考慮しなくても，この焼却炉にはアメリカの多くの地域での埋立に匹敵するコストがかかることになる．

### 規模

大量に焼却をおこなう大規模な焼却炉は小規模なものよりもトンあたり費用が小さいが，それは多くの人が想像するような理由からではない．トンあたりの初期投資費用はほぼ同等で，実際のところ小規模焼却炉の方がやや低い（U.S. EPA 1995b）．しかし，大規模焼却炉の操業・維持費用は平均10ドルで，小規模焼却炉のそれよりも安い．両者の焼却灰の処理費用と売電収入はトンあたりで同額なため，純平均費用は大規模施設の方が低くなる．

処理能力あたりの初期資本費用が焼却炉の規模にかかわらず同等というのは，正確ではない．施設そのものにかかる初期費用だけでなく，運転許可を得るための費用というものが存在する．許可費用は，その地域の住民が施設の建設にどの程度反対しているかに依存する．建設予定の焼却炉が大きいほど反対も強くなる傾向があるが，ここにも規模の経済が期待できるので，能力トンあたりの許可費用は大規模な焼却炉の方が小さくなる．したがってさまざまな点から見て，大都市の方が焼却は適切であると思われる（Curlee et al. 1994）．ただし人口密度の低い地域では地域別焼却炉を検討すべきかもしれない（正式な分析についてはKeeler and Renkow 1994，実例については本章の補論を参照）．

### 土地

焼却場に必要な土地は最終処分場に比べて狭いので，土地費用には大きな開き

---

1）焼却場の初期費用は，トンあたり15万ドルに能力の1200トンを乗じて，1億8000万ドルとなる．これを廃棄物の年間流入量と比較するため，廃棄物流入量の現在価値を計算する．1日1200トンで20年間稼働すると，現在価値は約600万トンとなる（割引率を4%とする）．

がある．焼却を選ぶにあたって土地の希少性の影響が最も明確なのが，日本である．日本では全人口の半分以上が平方マイル（約 2.6 km$^2$）あたり 1 万人以上の人口密度の地域に住み，一般廃棄物について埋め立てられる量の 2 倍以上が焼却されている（Hershkowitz and Salerni 1987）．土地は，人口密度の高い都市では高価である．前述したとおり埋立処理費用には大きな地域差があり，アメリカ南西部の地方部ではトンあたり 10 ドルだが，アメリカ北東部の都市部では 100 ドルになる．

### 廃棄物の流入量

焼却炉には設計上想定されている能力があり，常に一定の流入量がなければ技術的に効率良く稼働できない．すべての焼却場では 1 週間に収集した廃棄物が備蓄されているが，長期間の保管場所を持つところは少ない．設計上の能力が廃棄物の流入量よりもはるかに小さければ，余剰分は焼却できずに他の方法で処理されることとなる．設計上の能力が実際の流入量よりも大きすぎれば，焼却炉の稼働が非効率になり，トンあたり資本費用が実際に上昇する．

このように焼却場は，柔軟性に欠けるという点で埋立よりも明らかに劣る．埋め立てられる廃棄物の量が増えれば，最終処分場の余命は短くなり，新しい処分場をより早く作らなければならない．逆もまた真なりで，埋め立てられる廃棄物の量が減れば，処分場の余命は伸びる．

### エネルギー

焼却は，生物分解（埋立地における腐敗）よりも迅速なエネルギー回収をおこなえる．焼却場では売電によって，運転・維持費用がほぼ回収できる（Keeler and Renkow 1994；U.S.EPA 1995b）．可変費用と売電収入は，それぞれ焼却される廃棄物 1 トンあたり 20 ドルから 40 ドルである．この点は，メタン回収がわずかばかりの収益になる埋立とはまったく異なっている（第 4 章補論 B を参照せよ）．

### 全体的な私的費用の比較

一般廃棄物はいずれにせよ収集されるので，私的費用の比較は焼却場と埋立場から始めればよい[2]．2 つの処理方法の利点と欠点を定性的にまとめよう．焼却場の利点は，広い土地がいらない，埋め立てられる廃棄物を大きく減容する，売電によって操業費用をほぼカバーできるという3点である．欠点は，初期資本費用が莫大にかかる，廃棄物流入量の変動に対応できないという2点である．

これらの利点と欠点を定量的に重み付けすると，焼却場はほぼ常に分が悪い．多くの研究で，廃棄物1トンあたりの総費用は焼却の方が埋立よりはるかに高いことが確認されている．最近おこなわれた詳細な研究によると，人口50万人の典型的な都市では，トンあたりの総収集費用と総処理費用の合計が，埋立で95ドル，焼却で147ドルと，焼却の方が約50%高くなることが示された（Franklin Associates 1994）．他のアメリカでの研究でも，埋立の方がかなり有利であることがわかっている（U.S.EPA, 1988）．ヨーロッパでの分析でも同じような結果が得られている（Cairncross 1993）．総平均費用の手がかりとして処理料金を見てみると，焼却の全国平均処理料金は埋立のそれの約2倍である．

## 5.2　焼却の外部費用

焼却の外部費用とは，焼却場が生み出す汚染，主に大気中に排出されるガスと埋め立てねばならない焼却灰による汚染である．

### 大気汚染

生ごみや紙くずを燃やすと，不完全燃焼が起きる．つまり完全に分解されないものや，まったく分解されないものがある．そして分解されなかったものの一部は，煙突から出ていく（U.S.EPA 1987）．煙突からの排ガスには，肺に到達して呼吸器障害を起こしたり死に至らしめることもある以下のような微粒子が含まれている．ダイオキシン：毒性や発ガン性，免疫減少，新生児奇形を起こす可能性が指摘されている．窒素酸化物，一酸化炭素：スモッグを形成する．二酸化硫黄，その他の酸性ガス：腐食や酸性雨の原因となる．砒素，カドミウム，鉛，水銀などの重金属：深刻な健康問題を引き起こす可能性がある[3]．

---

2)　収集地域からの距離は焼却場や最終処分場までの距離と同じく，都市部まで近ければ輸送費用が有利である点を考慮する必要がある．

3)　埋立も多くの汚染物質を大気中に放出するが，これらはほとんどの場合規制されていない．大気への放出物を捕捉するために最終処分場の表面を覆うのは非常にコストがかかるからである．生ごみの自家焼却は多くの地域で認められているが，これもダイオキ焼却場の大気汚染は，焼却条件の最適化と排出ガス中の不純物を取り除くことで，大きく削減できる．90年代にEPAは焼却場，特に新規に建設される大規模な焼却場に対して，それまでよりはるかに厳しい排出基準を課した（Berenyi and Rogoff 1999）．大気汚染の予防効果はむろん大きかったが，コストも高くついた．最高の技術による大気汚染管理は，焼却の費用を廃棄物1トンあたり40ドルまで押し上げる．そこまでする価値はあるだろうか．余命延長に関するEPAによる最近の研究はないようだが，80年代のEPAによる研究は，当時既に規制が過剰だったとしている（コラム「焼却場の大気汚染に関するEPAの分析」を参照）．

財政的な圧力によっても，焼却場の大気汚染は増大する．「枯渇するのではないか」と思われていた埋立のコストが80年代に下がり，焼却場にとっては処理料金を下げるか，能力以下で操業するかという圧力が加わった．新たなごみや収入の確保は絶望的となり，多くの焼却場は受け入れるごみを一般廃棄物から産業廃棄物へ転換していった．しかし産業廃棄物は有害化学物質を含んでいる可能性がはるかに高く，しっかり監視しなければ，それらは煙や灰に入り込む（Lipton 1998）．

**コラム：焼却場の大気汚染に関するEPAの分析**

EPAは，1986年時点でアメリカに存在する111ヶ所の一般廃棄物焼却施設における有機物，粒子状物質（PM）の排出をそれぞれ95%，99.5%削減する規制をおこなうことの健康影響を分析した（U.S.EPA 1987）．これらの焼却場は，主にダイオキシン吸入のために年間2人から40人ほどのがん死を起こすと推測されている．集塵機やバグフィルターを設置すれば，年間がん死者数を1人から35人ほど削減できる．このような規制を課した場合の年間費用は，（1997年のドル価値で）1億6600万ドルから2億7200万ドルとなる．

救命1人あたりで考えるとさらに結果の幅は拡大し，500万ドル以下（35人の生命あたり1億6600万ドル）から，2億ドル以上（1人の生命あたり2億7200万ドル）という範囲となる．低い方の値は救命政策の許容範囲内にあり，高い方の値はそれより2ケタ大きなものとなる．

シンとフロンの深刻な発生源であり，EPAによれば，管理の十分な焼却場に比べて1万倍もの排出がある．どの州や地方でも法制化の動きはまったくない（ENS 2000）．

## 灰の処理

すべてのごみが焼却されているわけではない．ガラスや金属は，焼却の前後どちらかで分別しなければならない．また剪定ごみは，1）排出量に季節的な変動があり効率的な焼却が妨げられる，2）多くは湿っているために焼却効率が悪い，という理由で焼却が困難である．たとえガラスと金属と剪定ごみを除去しても，焼却は残りの一般廃棄物の 70～80%を削減するにすぎず，残った灰は廃棄する必要がある．

焼却灰と一般廃棄物は，どう違うのだろうか．焼却の過程で有毒な物質が加えられることはないので，ある意味でそれは一般廃棄物となんら変わりのない，単に埋め立てるべきものである．しかし，非常に有害な物質（たとえばカドミウム，鉛，水銀など）は燃えずに灰に残留し，元の一般廃棄物の 4 倍以上に濃縮される．また，これらの有害金属が焼却前に処理されないのは，実行上の難しさと収集時に分別する際のコストが原因である．有害金属が焼却灰中に濃縮されてしまえば，慎重な取り扱いが「実行上難しい」とはもはや言えない[4)]．

しかし，それでもコストは高い．最終処分場や「専用最終処分場（Monofill：焼却灰のみを受け入れる最終処分場であり，通常の最終処分場よりもややコスト高になる）」での処理費用は，焼却灰 1 トンあたり 30 ドルであるが，焼却灰が有害で，有害廃棄物処理施設に送る必要がある場合，施設の場所や距離によって 200～500 ドルにもなる（Maillet 1990；Goddard 1994）．焼却灰 1 トンあたり 200 ドルとは元の廃棄物 1 トンあたりで 50 ドルだから（灰は重量で元の廃棄物の 4 分の 1 となる），焼却は埋立に対してまったく競争力を持たなくなる．

焼却灰は通常の処分場に埋め立てるべきか，専用最終処分場に埋め立てるべきか，有害廃棄物として処理されるべきか．それは，追加的なコストをかけて処理に手間をかけることで，健康影響がどの程度改善されるかによる．図 5–1 を見てみよう．この図は，確率的がん死数（$C$）だけが問題であると仮定して，このご

---

4）これは，第 3 章のコラム「生ごみ処理機」で扱った下水汚泥と同種の現象である．つまり，単なる行政執行上の理由で，ある処理プロセスでは課税される有害物が，別の処理プロセスでは課税されていない．どの処理プロセスにも課税しないと，有害物は過剰に発生してしまう．しかし，あるものには課税し別のものには課税しないという方法を採れば，処理プロセスの選択がゆがめられてしまう．ふつうはセカンドベストの政策として，課税可能な処理プロセスに対して，総外部費用よりも少ない課税がおこなわれる．

**図 5–1　焼却灰の最適な処理**

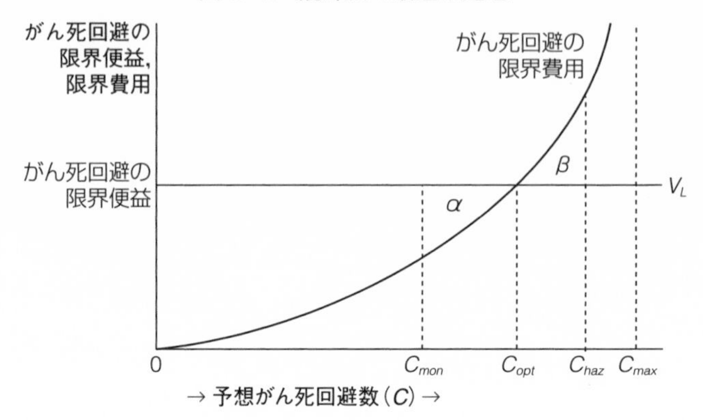


み処理問題を単純化している．

確率的がん死数の削減は，生命価値（$V_L$：1 人の人命を救うのにかけてもよいという社会的な合意のある最高金額）という社会的便益をもたらす．コストが安く簡単な方法は真っ先におこなわれてしまうので，処理を慎重におこない救命を進めるに従って，コストは増大していく．図 5–1 では，最適ながん死削減数は $C_{opt}$ で表され，$C_{max}$（何も対策がとられない場合の確率的がん死数）より小さい値になっている．

議論を分かりやすくするために，専用最終処分場による処理と有害廃棄物としての処理のどちらによっても，最適がん死削減数は達成できないものとした．専用最終処分場が達成するがん死削減数（$C_{mon}$）は少なすぎ，有害廃棄物処理のがん死削減数（$C_{haz}$）は多すぎる．がん死削減数が多すぎるとはどういうことだろうか．他に有効活用できる資源を，使いすぎてしまっているのである．図 5–1 に表されているように，$\beta$ で示される領域は，過度な削減によって限界費用が限界便益（$V_L$）を超過した分を示している．$\alpha$ で示される領域は逆に，削減不足のために実現されなかった純便益を示している．

図 5–1 では，$\alpha$ と $\beta$ はほぼ同じ面積である．この場合，どちらの処理がおこなわれるにせよ，最適な削減量を達成できないために同程度の損失が発生する．重要なのは，「安全な方がよい」わけではないことである．過剰な削減もまた費用をもたらす．

図 5–1 に示されているのはすべて仮想例である．3 種類の処理方法（通常の最終処分，専用最終処分場，有害廃棄物としての処理）のうち，どれが実際には優れているのだろうか．残念ながら，焼却灰の処理技術ごとに救命 1 人あたり費用を推定した実例は見あたらない（試みようとしているものは別として）．2 つの最終処分技術の費用に大きな差があることは確実に分かっているが，確率的がん死削減数の違いについては手がかりさえない．水源への近さや人口密度の違いによって，ある焼却場で最適な焼却灰処理が他の焼却炉では必ずしも最適とならないので，問題はさらに複雑である．

最近まで，焼却灰の処分方法は各州に委ねられ，多様な方法による対応がとられてきた．1993 年の調査では，一般廃棄物焼却場を持つ 23 の州のうち（これらの州は 134 あるアメリカの焼却炉のうち 104 を持っている），3 つを除くすべての州で灰の検査が，2 つを除くすべての州で灰の管理計画が，1 つを除くすべての州で何らかの輸送制限（トラックの遮蔽や防水など）が求められていた（Murphy and Rogoff 1994）．ただし専用最終処分場処理を求めていたのは 7 州で，焼却灰を有害廃棄物として処理していた州はなかった[5)]．

しかしながら 1994 年に，アメリカ最高裁は，焼却灰が有害廃棄物を本当に含有しているのであれば有害廃棄物処理の例外としないという判決を出した（DeWitt and Butler 1994）．その根拠は法的なものであり，経済学的なものではない（Abbott 1995）．この理屈でいくと，一般廃棄物はすべて有害廃棄物として処理しなければならず，その費用はとてつもなく大きくなるだろう．

**コラム：ヨーロッパにおける焼却**

ヨーロッパの北部や西部では，焼却への依存度が高く，最高で 80%の一般廃棄物が焼却処理されている．ヨーロッパとアメリカでの処理の方向性におけるこうした違いは，明らかに土地の希少性に原因がある．しかし，実はもう 1 つの理由がある．ヨーロッパでは行政区域全体で共通の熱源施設を持つことが多く，焼却場から発生した蒸気を売却するための市場が既に存在するのである．蒸気の生

5)　当時の連邦法における唯一の規制が，エネルギー回収をおこなわない焼却場は有害廃棄物規制の対象とするというものであった（Ujihara and Gough 1989）．この規制は明らかに焼却におけるエネルギー回収を奨励する意図を持っていたが，セカンドベストの選択であった．焼却過程におけるエネルギー回収は，結果として発生する焼却灰の毒性とはまったく関係がない．

産は発電と比較してエネルギー効率的で資本集約度が低く，このことが欧州における焼却の収益性に貢献している．非公共施設で発電された電力を送電網に流すことを許可している国が欧州にほとんどないことも手伝って，実際，発電をおこなっている焼却場は欧州にはほとんどない．典型的な欧州の焼却場には，最新の大気汚染防止設備が設置され，焼却灰は道路建設に使用されたり，通常の一般廃棄物として埋め立てられたりと，寛容に扱われている．

逆に東欧の焼却場は，老朽化したものが多く，十分な環境管理が施されていない．また一般廃棄物は水分を含んでいるため，多くの焼却場では追加的な燃料投入が必要である．大気汚染の懸念や，公営企業への補助金削減を背景として，東欧では焼却は魅力を失いつつある．

### 近隣への配慮

ごみ発電施設は，発電所と最終処分場を組み合わせたようなものであるが，近隣施設としての好ましさに関して言えば，住民にとってはそのどちらよりも悪いものと思われているようである．焼却場への近接性が資産価値に及ぼす影響についての研究例はほとんどないものの，間接的な証拠が示すところでは，発電所と処分場がもたらす最悪の外部性を足し合わせたものになる．

資産価値の下落は，近隣住民が負う外部費用の資本還元価値を表す指標であり，外部費用そのものではない．したがって大気汚染と有害な焼却灰による外部費用を測定し，資産価値下落にこれを加えると，ある程度はダブルカウントとなってしまう．ただし，焼却場の近隣住民が負担する大気汚染や有害焼却灰の外部費用は（ふつう）ほんの一部なので，焼却場付近の資産価値下落が反映しているのは，おそらく騒音や悪臭や粉塵や散乱といった他の外部費用である．

自分に降りかかる外部費用への恐れからであれ，他の人々が外部費用を危惧することによる資産価値下落への恐れからであれ，近隣住民になる可能性のある人々が焼却場の建設に反対すると，真の費用（交渉，会議，時間，法的費用）が建設計画に付け加わる．建設反対者が自らの時間を自発的に使っていたとしても，焼却場の所有者や労働者は自らの時間を自発的に使おうとはしないので，焼却場の初期私的費用は上昇する．

### 地球温暖化

焼却場は，化石燃料を燃やす工場と同様，地域的な大気汚染だけでなく，地球温暖化を引き起こす二酸化炭素を発生させる．これを廃棄物焼却の外部費用に加えることは，賢明だろう．しかしながら，実は焼却は埋立よりも地球温暖化に与える影響が小さい．埋立では二酸化炭素の21倍も温室効果が高いメタンが発生するためである（U.S.EPA 1998c）．また焼却は発電によって化石燃料を使用する発電需要を削減できるので，これを考慮すれば，焼却はほんのわずかしか地球温暖化ガスを排出しない（ICF Incorporated 1997）．以上より埋立と焼却の選択を地球温暖化という観点のみで決めれば，焼却が勝者となるだろう．実際，発電燃料としてバイオマスを利用している場合には優遇税制を措置すべきだという主張もある．

**コラム：焼却せずに廃棄物からエネルギーを得る**

埋立ガス回収システムの存在が示唆するように，焼却は，廃棄物をエネルギーに変える唯一の方法ではない．しかし，埋立ガスの回収は後知恵である．もう1つの方法として，ガラスやプラスチックや金属をリサイクルのために除去する特別な工場を作り，そこで残った廃棄物から燃料用のエタノールと工業用の二酸化炭素を得ることもできる．

こうした工場がニューヨーク州ミドルタウンで建設中である（Hayhurst 2000）．同工場は，トンあたり60ドルの処理料金を徴収して周囲の20自治体から一般廃棄物を受け入れる．インプット（廃棄物の受入れ）とアウトプット（リサイクル資源）の両方でお金がもらえるので，なかなかおいしい話である（硫黄と鉛の排出に対する不安感を持つ人もそれほどいない）．バイオマスからエネルギーを作るプロセスは古くからあるが，残念ながら一般廃棄物では試されたことがない．その工場は国から援助を受けているが（再生エネルギー資源であるという理由で），利益が出るかどうかはまだ分からない．

## 5.3　正しい決断はなされるのか

原理的には，埋立と焼却のうち正しい処理方法を選択するのは難しいことではない．しかし，理論と現実の間には大きなギャップがある．

焼却と埋立のどちらかを選ぶには，外部費用を定量化しなければならない．2つの処理技術の間で外部費用の種類が異なるため，定量化は非常に重要である．同じ目的を達成する2つの技術を考えよう．技術Aは$\alpha$ドルかかり$a$トンの汚染物質を排出する．一方，技術Bは$\alpha$ドルより安い$\beta$ドルですむが，$a$トンより多い$b$トンの同一汚染物質を排出する．汚染物質を削減することの限界便益が，汚染物質削減の限界費用，つまり$(\alpha-\beta)/(b-a)$より大きいか小さいかを考えれば，どちらの技術が良いかが分かる．しかし，地下水汚染や大気汚染のように2つ以上の汚染物質が関係する場合はずっと複雑で，費用と汚染のトレードオフだけではなく汚染どうしのトレードオフ（どちらの汚染がより深刻な影響を与えるか）も考慮しなければならない．

私的費用の推定も難しいかもしれない．その第1の理由は，私的費用の支払いが数十年先までわたるため，外挿（ある意味では推定）しなければならないからである．過去を振り返れば分かるとおり，予測の誤差は大きい．1970年代と80年代，都市部ではエネルギー価格と埋立料金が同時に上昇した．今後もこれらの傾向が強まるだろうと考えて，多くの都市では焼却が選択された．たとえば1988年にコネチカット州では廃棄物の62%が焼却されており，これを75%（残りはリサイクルされる）まで拡大する計画があった（Meade 1989）．今日では，埋立料金とエネルギー価格の両方が下がったことと，焼却に関する規制が増えたことから，多くの都市ではコストのかかる焼却場の閉鎖が検討されている．

私的費用がゆがめられる第2の理由は，補助金の存在である．もし土地が取得済みであったり，資本が自治体から市場金利より低い利率で借り入れられたり，事業者に対して高コストの処分場使用を義務づけることが可能だったりすると，決定はゆがめられる．実際，こうした補助金はさまざまな場面で「焼却」対「埋立」の選択に影響を与えている[6)]．補助金が廃止されると，かつて下された決定のゆがみが明らかになる[7)]．焼却場は，当初は安価な処理方法として期待されていた

6)　1978年の公益事業規制政策法は，発電所に対して，限界費用（「回避された費用」と呼ばれる）に等しい価格で外部から電力を購入するよう義務づけた．中には限界費用よりも高い価格で購入するよう求めた州もある．たとえばニューヨーク州のごみ焼却場発電に対する購入価格は，通常の発電費用のほぼ2倍だった（Maier 1989；価格が約3倍になった例が第4章補論Bにある）．

7)　年間200万ドルの現金や雇用や奨学金を見返りとして，イリノイ州ロビンズの貧しく

図 5–2　ごみ処理に関する価格政策

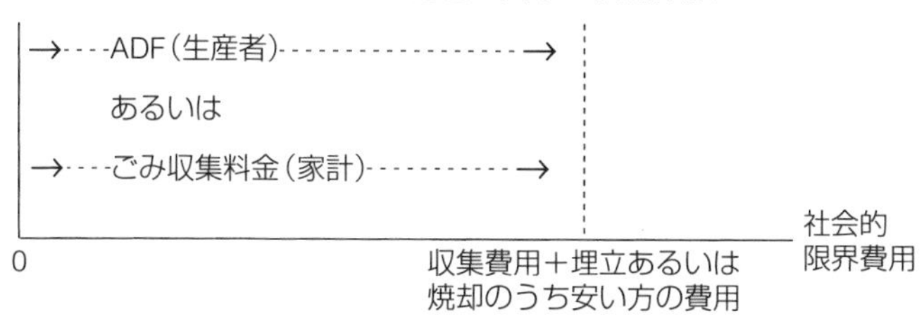


ものの，埋立費用が予想ほど上昇しなかったので，最近は高くつくことが分かってきた．埋立と焼却の双方をおこなっている州では，いまや焼却の方がコスト高になることが多い（U.S.EPA 1995b；Magnuson 1997）．

誤った価格付けによって埋立と焼却の決定に影響が与えられる場合もある．ごみ収集が有料化されていなければ，ごみの排出量は過剰になる．埋立よりも焼却にはるかに大きな規模の経済が働いている限りは，ごみが多ければ，焼却がより選択されるだろう．

これらの事情は，ごみ収集有料化の方が，処理料金前払制よりも好ましいという理由の 1 つとも言える．国や地域によって，焼却や埋立の社会的限界費用，収集・処分の費用は異なる．製造業者に課される前払処理料金は，製品が国のどの地域で販売されるか把握できないため，均一でなければならない．しかし，収集の有料化であれば地域ごとに適切な価格が設定できる．各都市は，廃棄物の処理方法として焼却と埋立のうち安い方を選択して，収集と処理の社会的限界費用に等しい金額を徴収すべきだろう．念のため，第 3 章の価格スキーム（図 3–3 と図 3–4）に，焼却に関する修正を加えて図 5–2 に示す．

埋立と焼却の費用の違いを推定する難しさを考えると，ほとんど研究例がない

---

さびれた町に，フォスター・ホイーラー社の 1600 トン/日の処理能力を持つ焼却場が誘致された（Jeter 1998）．焼却場の収益性は，電力会社に顧客向け料金に等しい価格での電力買取りを求めた 1987 年のイリノイ州小売り価格法（Illinois Retail Rate Act）に依存していた．ところが焼却場が建設段階に入ると，奇妙にも埋立ガスを使用するものを例外として，同法は廃止されてしまった．焼却場は損失を出しながら数年間稼働したあげく，倒産した（McMullen 2000b）．この間に焼却場の社会的収益性に影響を与える事態は何もなかったが，法律の変化によって私的収益性の採算が合わなくなったのである．

**表 5–1　オランダにおける埋立，焼却にかかる純費用の推定（ごみ 1 トンあたりの費用，1997 年のドル換算）**

| 費用 | 埋立 | 焼却 |
|---|---|---|
| 固定費・操業費の平均費用 | 49 | 155 |
| 発電[a] | −6 | −25 |
| 資源回収[b] | 0 | −3 |
| 土地利用 | 25 | 0 |
| 大気・水質管理 | 11 | 67 |
| エネルギーに関する外部費用の回避[c] | −7 | −32 |
| 物質に関する外部費用の回避[d] | 0 | −8 |
| 平均純社会的費用[e] | 74 | 153 |

*a*　埋立地ではガスからのエネルギー回収がおこなわれているが，発生するエネルギーは，焼却に比べてかなり低い．収益（や正の社会的便益）はこの表ではマイナスの費用で書いている．
*b*　アルミニウムと鉄は焼却前に回収される．0.5 以下はゼロと扱う．
*c*　化石燃料による発電が回避された．
*d*　バージン資源のアルミと鉄を採取しなくてすんだ．
*e*　端数のため総計は一致しない．
出所：Dijkgraf and Vollebergh 1997.

のも当然と言える．わずかに存在する研究の結果は，データの困難さ，先入観，場所や時間による技術や費用や規制の違いのために大きく異なっている．ここでは 2 つの興味深い研究を紹介しよう．1 つは，1990 年代初めにオランダのデータを使用したものである（表 5–1）．オランダの土地は比較的高価であるにもかかわらず，この研究は完全に埋立を支持している．

2 つ目は，4 ヶ国の既存文献を調査したもので，表 5–2 に示されている．ここでは土地の費用が入っておらず，埋立ガス回収はないものとされ，多くが幅のある値になっている．どの国でも，埋立と焼却のトンあたり費用推計はかなり重なる部分を持つ．表 5–2 からはっきりとした結論を導くことはできないが，社会的費用の観点からすると焼却の方が好ましくないものと思われる．

**表 5–2　オランダと他の 4 ヶ国における埋立，焼却にかかる純費用の推定（ごみ 1 トンあたりの費用，1997 年のドル換算）**

| 国と処理 | 私的費用 | 外部費用 | エネルギー回収 | 総費用[a] |
|---|---|---|---|---|
| ドイツ | | | | |
| 埋立 | 51 | 3–15 | n.e[b] | 53–66 |
| 焼却 | 104–192 | 5–14 | 58–106 | 52–100 |
| スウェーデン | | | | |
| 埋立 | 16–24 | 3–15 | n.e. | 19–39 |
| 焼却 | 57–65 | 7–15 | 35–42 | 29–37 |
| イギリス | | | | |
| 埋立 | 8–51 | 3–15 | n.e. | 11–66 |
| 焼却 | 84–96 | 24–33 | 63–77 | 46–62 |
| アメリカ | | | | |
| 埋立 | 15–57 | 3–15 | n.e. | 18–72 |
| 焼却 | 69–137 | 11–20 | 49–66 | 31–91 |
| オランダ[c] | | | | |
| 埋立 | 49 | 36 | 13 | 74 |
| 焼却 | 155 | 56 | 57 | 153 |

*a*　総費用 = 私的費用 + 外部費用 − エネルギー回収（エネルギー費用減少のため）
端数のため総計は一致しない．
*b*　n.e. = 未推計．
*c*　表 5–1 で使用されたオランダのデータの形式を，他国と比較のため変更して再掲した．
出所：Miranda and Hale 1997; Dijkgraf and Vollebergh 1997.

**コラム：焼却炉はどのように運転されているのか**

マサチューセッツ州郊外の 23 の自治体が構成する北東廃棄物組合が約 20 年前に設立されたとき，エネルギー価格は上昇し，最終処分場はあふれかえり，すごいスピードでインフレが進行していた．自治体はごみ焼却場の建設を決意した．焼却場で発電をおこなえば運営費をまかなうことができ，おそらくは自治体にとって利益さえ得られる．しかし現実は異なっていた．コンソーシアムの処理システムは全州で最も高価なものとなり，ありとあらゆる支援策が必要となった．

その大きな要因は，売電収入の急落である．当初は kWh あたり 10 セントにはなると思われていた買電価格は，現在 kWh あたり 2.5 セントにしかならない．

また，環境規制が強化されたために焼却炉の大幅な改良が必要となった．さらにリサイクルが進んで可燃ごみの流入量が減少したために，より低い処理料金しか払ってくれない他の発生源からごみを調達しなければならなくなった．焼却場を運営しているホイーラブレイター・テクノロジー社は，仲裁裁判で採算性を保証してもらう必要に迫られた．

プロジェクトに対して23の自治体は差し引きで廃棄物1トンあたり95ドルを支払ったが，今後5年間で焼却場に義務づけられた改良を終えれば，これはトンあたり160ドルに上昇する．赤字を改善し，有害廃棄物を阻止し，一般廃棄物の流入を促す対策をおこなうことで，費用は何とかこの程度で止まっている．

メンバーである自治体は，コンソーシアムから脱退しても費用から逃れられない．契約上，トンあたり55～65ドルで済む他の処理システムを利用しても，このシステムに対する費用は支払わなければならない．

下院予算では年間300万ドルに及ぶ州からの援助が組まれており，委員会で審議中である．上院では資金提供の予定はない．こうした救済措置には前例がある．州はサウガスの小規模焼却場にわずかながら援助をおこない，リサイクル・プログラムの資金を提供した．州や連邦の規制によって，焼却場の基礎構造が完成した時期にはまだ予測できなかった費用が課されたのである．この費用に対する援助は適切だと思われる．

（上記は論説記事（*Boston Globe* 1999）から全文を引用している．再掲を快諾していただいた『ボストン・グローブ』紙に感謝する．）

## 5.4　おわりに

アメリカにおけるごみ焼却は，1990年代に優位を失っていった．相対的なコストは都市によって異なるものの，焼却はふつう埋立に比べてコスト高になるようである．また焼却は，柔軟性のなさと不確実性という問題点を持っている．

柔軟性のなさとは，能力ぎりぎりで運転する必要のことである．このことは，焼却場における「処理料金のジレンマ」をもたらす．ごみの流入量が能力を下回ればトンあたりの平均純費用（売電収入を差し引いたもの）が上昇する．するとごみ処理料金を上昇させなければならない．しかし，処理料金を上げると，焼却場へのごみ流入量が減少し，平均純費用はさらに上昇してしまう．ジレンマへの対抗策として，一部の市や州が模索しているのは，たとえ処理料金が高くても焼却を選択するようごみ排出者に求めることである．これについては第7章でもう一度論じよう．柔軟性のなさはまた，リサイクルの予測（あるいは計画）を硬直化させてしまうという側面も持っている．

焼却場にともなう不確実性には，技術的なものと法律的なものがある．ダイオキシンの危険性についても，また大気中に重金属を放出することの危険性についても，一致した科学的見解は得られていない（Curlee et al. 1994）．排ガス，焼却灰，リサイクル義務などに関する法的規制にも不確実性がある．焼却場の巨額な初期投資を考えると，将来かかるかもしれない費用の不確実性は，現在における埋立と焼却の選択に決定的な影響を与える．廃棄物からエネルギーを回収する事業を始めた会社はかつて100社程度存在したが，1999年までに3社しか残っていない（Geiselman 1999）．

廃棄物からエネルギーを回収する際の不確実性の多くは，焼却の特性ではなく，環境保護主義者の強い反対によるものである．いくら話をしてみてもよく分からない理由ではあるが，彼らにとって「燃やす」という行為は生理的に受け入れがたい．もし廃棄物からのエネルギー回収に対して誤った補助金があり，結果としてリサイクルより焼却が促進されているのであれば，その敵意は道理にかなっているかもしれない．しかしながら，多くの廃棄物は埋め立てられ，エネルギー源はまったく無駄にされているのである（埋立ガスが回収されてエネルギーとして利用されていない限り）．したがって当面のところは，廃棄物の埋立によって，化石燃料の採掘と燃焼を減らすせっかくの機会が奪われてしまっていると言える．

## 補論　焼却場と都市規模：デトロイトとアンアーバーの比較

ショーウィンドーの商品値札はなぜいつもひっくり返ってるんだろう
キン・ハバード『エイブ・マーチンいわく世の中そんなもの』

埋立と焼却のどちらを選ぶかにとって，規模は大きく影響する．ミシガン州のデトロイトとアンアーバーの焼却に関する費用便益分析を以下に記そう．デトロイトには稼働中の焼却場があり，数値は実際のものである．一方，アンアーバーの数値は仮想的なものである．それは，アンアーバーが焼却場を持たない理由を示唆している．

### デトロイト

デトロイトの焼却場はごみ固形化燃料（RDF）を使用する施設であり，市内および周辺部にサービスを提供している．電池，ガラス，鉄をあらかじめ取り除き，1 日 3000 トン以上を焼却し，電気と蒸気をデトロイト・エジソン社に販売している．

資本費用は，後で不備が判明した既設の大気汚染防止装置の改良費用を含めて 3 億 8000 万ドル（1997 年ドル評価）である．30 年の耐用年数と 4%の割引率を仮定すると，年間資本費用は 2800 万ドル（(1/30 + 0.04) × (3 億 8000 万ドル) = 2800 万ドル）となる．操業費用は年間 3500 万ドルである．年間 25 万トン発生する焼却灰の（専用最終処分場における）処理費用がトンあたり 40 ドル，総計で 1000 万ドルになる．

デトロイトが年間 100 万トンの廃棄物をアンアーバーの最終処分場に持って行けば，年間 3000 万ドルかかるだろう．一方，蒸気や電気やリサイクル可能物の販売純益は，年間約 3800 万ドルである（デトロイト・エジソン社が発電回避費用以上の価格を払っていないかどうかは不明）．

これらを差し引くと，ほぼゼロに近い．年間総便益（3000 万ドル + 3800 万ドル）と総費用（2800 万ドル + 3500 万ドル + 1000 万ドル）の違いは，10%以下である．費用便益分析の結論をきちんと出すには，もっと注意深くデータを扱わなければならない．さらに，焼却場そのものの外部費用や焼却灰が送られる専用最終処分場の外部費用，埋立回避の外部便益やデトロイト・エジソン社が蒸気と電気を購入することによる大気汚染削減の外部便益についても調べなければならない．おおよその推計から言えば，この規模の焼却は何とか経済的に成り立ちそうである．

### アンアーバー

アンアーバーはリサイクルを積極的におこなっている小さな都市で，焼却を選ぶ場合に必要となるのは小規模な焼却場である．現在であればこれは毎日 150 トンの規模になり，リサイクルによってごみの増加を抑えられれば，1 日 200 トンの処理能力を持つ規格化された小規模焼却炉（モジュラー焼却炉）で十分である．その資本費用は 2000 万ドル，年間 150 万ドルとなる．焼却から得られる主要な便益は埋立費用の削減であり，現在の埋立比率と処理料金からすれば，年間約 130 万ドルの節約になる．

稼働には年間約 70 万ドルのコストがかかる．さらに約 1 万 3000 トン発生する焼却灰を，アンアーバーの現在の最終処分場で通常の廃棄物として処理すると，40 万ドルのコストがかかる．デトロイトの専用最終処分場で処理すればこれよりやや高くなり，有害廃棄物として処理すればさらに高くなる．

焼却場では年間約 2000 万～3000 万 kWh の発電がおこなわれる．デトロイト・エジソン社が電力を実際にいくらで買い取るかはともかく，社会的便益は同社が削減した費用である 1 kWh あたり 2 セントとなる．よって電力の社会的価値は，年間 50 万ドルである．

これらの計算は非常におおまかであるが（アンアーバーでは焼却の可能性について綿密な調査をおこなっていない），年間総費用（150 万ドル＋70 万ドル＋40 万ドル）は，外部費用を考えるまでもないほど，総年間便益（130 万ドル＋50 万ドル）をはるかに上回っている（Zisman 1995）．

## まとめ

表 5–3 は，2 つの焼却場のさまざまな便益と費用の要約である．表中のクエス

**表 5–3　デトロイト，アンアーバーにある焼却場の費用と便益（100 万ドル，1997 年ドル換算）**

| 便益 (+) 費用 (−) | デトロイト | アンアーバー |
|---|---|---|
| 資本費用（年価値） | −28 | −1.5 |
| 運営費用 | −35 | −0.7 |
| 焼却灰処理費用 | −10 | −0.4 |
| 回避された埋立費用 | +30 | +1.3 |
| エネルギーやリサイクル可能物からの収益 | +38 | +0.5 |
| 外部便益・費用 | ? | ? |
| 純便益[a] | −5 | −0.8 |
| 毎年のごみ処理量（トン）[b] | 1,100,000 | 64,000 |
| トンあたり純便益 | −4.50 ドル | −12.50 ドル |

*a*　外部便益・費用を除いた純便益．
*b*　施設を最大限，常に稼働した場合の毎年のごみ処理量（トン）．

チョン・マークに注意してほしい．これは，焼却炉における大気汚染や焼却灰処理の外部費用，デトロイト・エジソン社における石炭発電削減の外部便益が定量化されていないことを表している．外部性を除けば純便益は両方のケースで負になるが，アンアーバーに焼却場を作ればデトロイトの稼働中の焼却場と比較してトンあたり約3倍の費用がかかっていただろう．

# 第6章　不法投棄

ごみの散乱は，もっとも差し迫った課題というわけではないが，もっとも解決の難しい課題かもしれない．

ジョージ・R・スチュワート『思っているほど豊かではない』1967年

廃棄物処理の有料化について書くのであれば，不法投棄についても書かなければならない．もちろん，有料化がなくても不法投棄は発生する．近くのごみ箱まで持っていくのが「あまりにも面倒」という理由でおこなわれるポイ捨てもその1つである．しかし，この「面倒」に1リットルあたり0.5セントから2.5セントの有料化が加わると，不法投棄はちょっとした目障りや不快感の問題から大きな社会問題へと発展してしまうかもしれない．

不法投棄はさまざまな形態を取る．ポイ捨てはその明白な形であるが，家庭ごみをこっそり店のごみ箱に捨てたり，可燃ごみを暖炉や裏庭で燃やしたりするのも不法投棄の一種である．これらには外部不経済を新たに生み出すものもある．そしてそのほとんどは，収集および処理にかかる費用をステーション収集と比べて大きくし，トータルで見た社会的費用を上昇させる．不法投棄はごみ処理費用を他の人に負担させるものであるから，究極的には政府や民間が費用のかかる対策をとらなければならない．

不法投棄の可能性は，消費者にとって新たな選択肢となる．ここまでの議論では，ごみを減らして収集料金を回避するのに消費者ができるのは，製品の購入量を減らすことと再利用して購入を先延ばしすることの2つであった．いま第3の可能性として，不法投棄が加わった．

## 6.1　有料化と不法投棄

不法投棄は，一般廃棄物処理の社会的費用を増大させる．有料化によって不法投棄が増大するのであれば，社会はそれを防ぐ手だてを探さねばならない．

ごみ収集の有料化が導入されると，実際に不法投棄が問題となるのだろうか．その証拠はまだあまりに少なく，結論を出すことはできない．サンプル数は少ないものの詳細な検討をおこなった研究によれば，有料化以降に実現した一般廃棄物削減量のうち4分の1以上が，不法投棄によるものであった（Fullerton and Kinnaman 1995）．同じ著者によるその後の研究では，ごみ有料化をおこなっている114の都市を調べたところ，1袋あたり1ドルの料金導入によって収集量は半分近くまで減少したが，リサイクルによる削減はわずか10%程度であり，広範囲にわたる不法な焼却や廃棄の存在が示唆された（Kinnaman and Fullerton 2000）．ところが，ごみ収集有料化を導入している212の自治体を対象とした調査では，不法投棄の増加を経験したのは19%の自治体にすぎなかった（Miranda and LaPalme 1997）．Kinnaman and Fullerton（1995, 2000）以外のほとんどの研究は，不法投棄は初めのうち発生するが，深刻な問題として長く続くことはないとしている（Miranda et al. 1996）．

しかしながら次節以降では，不法投棄や散乱が問題になり得るものと想定して議論を進める．つまり，第2章と第3章で提示されたごみ収集有料化システムを再検討しなければならない．

## 6.2　有料化と払戻し

次の2つの目標を達成するごみ有料化（および払戻し）システムを考えよう．1つは消費者にごみ削減と再利用をおこなわせて埋立や焼却の費用を削減または先送りすること，もう1つは消費者に不法投棄をさせないことである．リサイクルの可能性については後ほど検討する．

1つ，はっきりしていることがある．処理料金前払制とごみ収集有料化は，もはや違った意味を持つ．後者は不法投棄のインセンティブとなるが，前者はならない．したがって処理料金前払制の方が望ましい．

前払いされるごみ処理料金の水準は，どの程度であるべきだろうか．2つの可能性がある．第1の可能性は，適正におこなわれる収集および埋立（あるいは焼却）の限界費用と等しくするものである．これにより不法投棄のインセンティブは金銭的なものではなく利便上のものとなり，元のレベルに戻る．家計にとって，

**図 6–1　不法投棄の被害が大きい場合の価格政策**

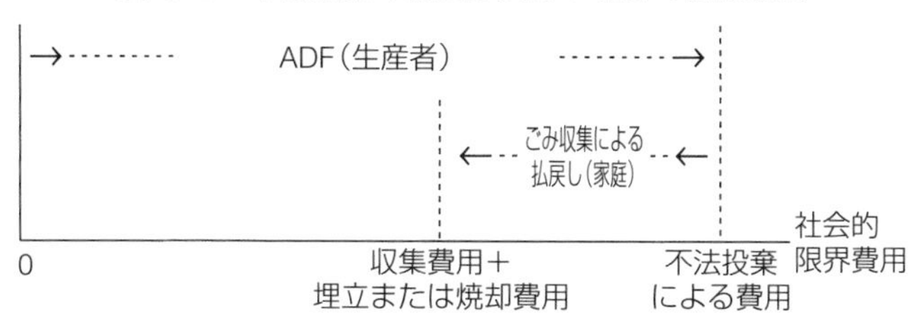


購入され廃棄を待つ製品の適正処分と不法投棄の費用は等しく，ゼロである．不法投棄の方が便利ならそうするし，ごみ箱を使う方が便利なら（または不法投棄で罰せられるのを恐れるなら），正しい処理方法を選ぶだろう．このごみ処理料金前払制はごみ散乱の状況に何ら影響を与えない．

しかし，少なくとも理論上は第 2 の可能性がある（Fullerton and Kinnaman 1995）．前払いごみ処理料金の水準を，不法投棄されたごみの収集・処理費用と外部費用を含んだ，不法投棄の社会的費用と等しくするものである．そして家計が適正処分を選べば，不法投棄と適正処分の社会的費用の差額を払い戻せばよい．これは，社会的に望ましい処分に対する実質的な補助金となる．この有料化スキームを図 6–1 に表す．

しかしながら，適正処分されたごみに対する払戻しについては，多くの運営上・管理上の問題が生じる．まず，費用のかかるシステムを管理しなければならない．各家庭のごみを収集時に何らかの方法で測定・記録し，定期的に払戻しをおこなう（または資産税を差し引く）必要がある．これは不可能ではないが，手間と費用がかかる．

ごみ料金払戻しの第 2 の問題は，処理料金がかからないごみを排出するインセンティブにある．たとえばほぼ無料で入手できる土や水や剪定ごみをごみにまぜれば，払戻金を水増しできる．ごみ収集者が注意深く検査すればこれは防げるが，やはり手間と費用がかかる．

このシステムは面倒なだけではなく，不法投棄の外部性に対する最良のアプローチでもない．第 1 章の付録 A でおこなわれたピグー税の議論を思い出してみよう．正しい税とは，外部性の発生行為そのものに課されるものであった．製品に税を課し，合法な投棄に補助金を与えるのは，間接的な方法なのである．では，不法投棄そのものに罰則を与える方法はどうだろうか．

**コラム：使用済みオイルの不法投棄**

アメリカで現在排出されている 4 億リットルの使用済みオイルのうち，13%は不法投棄されていると考えられている（Sigman 1998b；http://www.epa.gov/epaoswer/non-hw/muncpl/factbook/internet/mswf/mat.htm#9）．使用済みオイルは他の石油製品と同様に有害だが，アメリカ環境保護庁はオイルの回収が止まってしまうことを恐れてそのように分類していない．このため使用済みオイルの規制は州に委ねられており，そのアプローチはさまざまである．

約 3 分の 2 の州では特殊な処理以外の使用済みオイル廃棄が禁止されている．これが適正処分の費用を上昇させ，不法投棄の頻度を 28%上昇させているという推測もある（Sigman 1998b）．また同じ研究では，使用済みオイルの再利用価値が増加すれば，不法投棄は減少することが分かった．さらに，廃棄禁止の執行に多くの労力を投入した州では，不法廃棄が少なくなることが報告されている．

これらは不法投棄に対する 2 つのアプローチを示唆している．第 1 に，執行に関わる労力の増加である．明らかに，企業や個人は逮捕の可能性が少しでも増えると大きく反応し，少額の施行費用で大きな効果が発揮された（Harrington 1988）．第 2 に，オイルの購入時に税を課し適正処分に対して払戻しをおこなうデポジット制度である（本文中を参照）．前述した研究では，オイル 1 ガロンあたり 10 セント（1 リットルあたり約 2.5 セント）のデポジットによって不法投棄が 10%減少すると推測されている（Sigman 1998b）．

## 6.3　不法投棄への罰則

人は，適正処分に不便を感じたり費用がかかったりすると，不法投棄をおこない，外部費用を発生させる．こうした行為に対する理想的な政策は罰金である．罰金の金額は，ピグー流で行けば美観上の損害や散乱したごみの収集費用になる（ここでは「美観」という言葉を，美的な不快感だけではなく，手足の切り傷，農器具の損傷，野生生物の死など，ごみ散乱による損害の総称として使っている）．残念ながら，多くの州がごみ散乱や不法投棄に対する高額な罰金を喧伝しているものの，本当に逮捕されたり罰金を徴収されたりする人は非常に少ない．法を執行する役人は，ごみをポイ捨てする人を見つけだして違反切符を切るよりも，他に差し迫ってやらねばならないことがあるようだ．罰金の金額に捕まる確率と有罪になる回数を乗じたら，不法投棄の期待私的費用はゼロに近い．

もちろん，1000 ドルや 1 万ドルといった高額の罰金を設定して可能性の低さを相殺し，期待罰金額を高くすることは可能である．しかし，それはアメリカでは受け入れられない[1)]．不法投棄が滅多に捕まらないにしても高額の罰金で脅かされれば，裁判所は異議申立てであふれ，陪審員は有罪評決を拒み，裁判官は判決を躊躇するであろう．アメリカでは他の民主国家と同様に，罰は罪と釣り合わなければならないと考えられている．

罰金のもう 1 つの欠点は，所得に合わせた調整が難しいことである．すべての違反者に同額の罰金を課せば，負担は逆進的になる（逆進的負担とは，固定額の罰金をとると低所得者に対して大きな負担になるという意味である）．ごみ散乱にとって，労働奉仕など時間ベースの罰金はより比例に近い税制で，まだ受け入れられやすい[2)]．しかし，限界外部被害を反映した正しいピグー税は，時間による税金ではなく金銭による税金である．

理論的には，適正処分に対する補助金にも不法投棄に対する懲罰にも良いところはある．しかし，これら 2 つのアプローチは同じものではない．適正処分に対する補助金はごみにまつわる費用を低下させ，ごみの発生を奨励するが，不法投棄に対する罰則はごみにまつわる費用を上昇させ，ごみの発生を減退させる．適正処分に対する補助金は政府支出であるが，それは実際の資源ではない．一方，不法投棄に対する罰則は，調査官や弁護士や裁判所（場合によっては刑務所）といった資源を消費する〔訳注：ここで言う「資源」とは，財・サービスの生産に貢献する有益な投入物のことを指している．生産をおこなうにあたって，労働力や資本設備などの希

1)　法外な罰金が受け入れられている唯一の国は，罰金の街と呼ばれているシンガポールである．ポイ捨ての初犯で約 500 ドルの罰金，再犯で 1000 ドルの罰金と数時間の労働命令（公園のごみ拾い）が課される．この労働命令では，特製の派手な色のジャケットを着用しなければならず，時にはマスコミ報道にも耐えなければならない．ごみの散乱はシンガポールでは問題になっていない．(http://www.expatsingapore.com/general/law.htm)

2)　比例式の罰金とは，貧富に関わらず収入に対して同じ割合を徴収することである．すべての人が賃金収入で週 40 時間労働しているならば，「2 時間分」の罰金は時給に関係なくすべての人にとって 5%の税となる．ここでは簡素化のために，労働時間の違いや賃金以外の収入を無視しており，文中でも「より比例に近い」と表現している．

少な資源をいかにうまく使うかは，経済学の大きな課題の1つである．］．どちらのアプローチも，ある種の収穫逓減性を持つ．つまり調査官を2倍にしても，発見される不法投棄者はふつう2倍にならない．また補助金率を2倍にしても，適正廃棄者がレントを無駄に受け取るだけである．収穫逓減を考えると，2つのアプローチを組み合わせるのが理論的には最適なのかもしれない．

理論はともかくとして，不法投棄に対する罰則を続けていけば，適正処分に対する補助金よりもおそらく確実に機能するだろう．それでも，ごみ収集有料化の導入時や拡大時には，散乱防止をおこなう資源の投入を増やさなければならないだろう．具体的には，1）すでにごみが散乱している場所では新たなポイ捨てに対する罪悪感が減少するので，不法投棄現場をすぐに清掃すること，2）五大湖で沿岸警備隊がおこなっているように，覆面車で不法投棄が起こりそうな場所を見回ったり，不法投棄物に犯人を特定する証拠が残っていないか探すこと，3）ごみ散乱110番を開設したり，ニューヨーク市のように告発者に罰金の半分を分け与えることである（U.S.EPA 1998b）．

**コラム：補助金と罰金**

「適正処分に対する補助金」対「不法投棄に対する罰金」の理論づけは複雑であるが，ヒントだけでも示しておこう（Sullivan 1987）．単純化のためにごみの総量を1単位とし，補助金や罰金によって影響を受けないものと仮定する．適正処分の費用を $C$ とし，不法投棄の費用は非常に高いものとする．不法投棄者が逮捕される確率を $P$ として，単純化のため $P = \alpha r$ と置く．ここで $r$ は執行に要する資源，$\alpha$ はパラメーターである（もちろん $r$ の値は $1/\alpha$ より小さいものとする）．不法投棄者が捕まると，決められた $F$ の罰金が課される．不法投棄を止めるには，適正処分の費用を不法投棄の期待費用と等しくしなければならない（そうすれば誰も不法投棄をしないと仮定する）．不法投棄の期待費用は $PF$ で，罰金の期待値である．適正処分の費用は $(1-s)C$ で，$s$ は適正処分に政府から支払われる補助金の率である．数式で表すと下記のようになる．

$$PF = \alpha r F = (1-s)C \tag{1}$$

政府の不法投棄対策予算は $B$ に固定されている．よって，

$$B = r + sC \tag{2}$$

である．

さらに単純化のために（ただし現実的な仮定ではあるが），執行当局は罰金から収益を得ないものとする．また $B$ は $C$ よりも小さいものとする（ごみ総量が 1 で固定されているため，さもなくば政府の補助金は適正処分費用全体をカバーしてしまう）．式 (1) と式 (2) より $r$ と $s$ の最適値が得られる．

$$r_{opt} = \frac{C - B}{\alpha F - 1} \tag{3}$$

そして，

$$s_{opt} = \frac{(\frac{\alpha BF}{C} - 1)}{\alpha F - 1} \tag{4}$$

である．

$r_{opt}$ と $s_{opt}$ は最適な $r$ と $s$ である（外生的に与えられる罰金が，$F > C/(\alpha B)$ と十分に大きいものとする）．これらの最適値 $r_{opt}$ と $s_{opt}$ から，4 つのことがわかる．1）予算（$B$）が大きければ，担当省庁は執行活動（$r$）から補助金（$s$）へ移行すべきである．2）適正処分の費用（$C$）が高ければ，当局は補助金への依存度を減らし，執行に重点を置くべきである．3）不法投棄の罰金（$F$）が上昇すれば，当局は執行から補助金へ移行すべきである．4）執行による摘発がより効率的になれば（$\alpha$ が大きくなれば），当局は執行から補助金に移行すべきである．もちろん，これらすべての結果は仮定や関数形に大きく依存している．

## 6.4　デポジット制度による不法投棄の防止

製品によっては，不法投棄の誘惑や不法投棄の外部費用があまりにも大きく，条例や罰則に頼れない場合がある（Dinan 1993；Palmer and Walls 1997）．1 つの例が公共の場での飲料容器のポイ捨てであり，多くの州が容器購入時に料金を課して適切に返却されればそれを払い戻すというデポジット制度を導入している．不法投棄の外部費用が大きい製品についてのデポジット制度も登場しはじめている．廃バッテリーや使用済みモーターオイルなど，どれも不用意に捨てられると地下水に深刻な影響を与えるものばかりである．

デポジット制度と，払戻しを組み合わせたごみ処理料金前払制の違いは2点あり，1つはあまり重要でなく，もう1つは非常に重要である．重要でない違いは，前払いごみ処理料金の「インパクト」，つまりそれが生産者か消費者のどちらにどれだけ課されるかである．最初のインパクトがどう起きようと，結果としての「負担」はほとんど変わらない[3]．生産者の負担分だけ製品価格は上昇し，誰に料金が課されようが，最終的には消費者がすべてを支払うことになる．

重大な違いは，製品が最終的に回収されるかどうかにある．適正処分への払戻し制度では廃棄された製品は通常の一般廃棄物収集システムで集められるが，デポジット制度では収集ルートが特別に構築される．デポジットの目的が埋立を避けることであれば，特別な収集ルートの整備は不可欠かもしれない．しかし，単にごみ散乱を防ぎリサイクル率を高めるためであれば，特別な収集システムは費用がかさむだけである[4]．

廃棄物がかさばるために特別な収集システムが必要な場合には，デポジット制度導入の意義がある．たとえば自動車や冷蔵庫である（Lee et al. 1992）．また，定期収集システムがない場所でも意味がある．たとえばエベレスト山では何十年もの間，頂上付近に登山者が放置した空の酸素ボンベが積み上げられていたため，ナイキがごみ回収プログラムに出資して，空容器を持ち帰ったシェルパに奨励金を出した（Krakauer 1997）．これによって空容器は一掃され，新しい容器には頂上部を美しく保つのに十分なデポジットが課されている．デポジット制度は，メイン州が1本あたり5セントのデポジットを少しだけ検討したたばこの吸い殻のように，埋立に影響しないような小さな製品にはあまり意味がない（McMullen 2001）．

---

3)　「インパクト」と「負担」の定義を思い出そう．料金の「インパクト」は実際に支払う人にかかる．料金の「負担」は消費者価格が上昇する分だけ消費者に，かつ（または）生産者価格が下落する分だけ生産者にかかる．

4)　リサイクルにはまだ触れていないが，デポジット制度には見逃せない副次的効果がある．デポジット制度では特別な回収システムが用意されるので，回収物はかなり均質であり，リサイクル市場で売却可能である．デポジット制度の回収費用には3つの要素があり，（回収費用が通常の家庭ごみ収集費用を超過する分）マイナス（回避された埋立費用）マイナス（リサイクル可能物の売却収益）となる．

デポジット制度の理論は明快である．不適正処分と適正処分の社会的費用の差額に等しい金額で，デポジットを設定すればよい．もしある人が製品を不適正に廃棄すれば，その人は払戻しを諦めることで外部費用を支払っていることになる．払戻しがないという脅しが，限界外部費用と等しいピグー税になるのである[5)]．

デポジット制度は，ピグー税と補助金の組合せと見ることもできる．デポジットは，残余物が不法投棄されるという前提で製品購入時に課される税である．また製品返却時の払戻しは，本人には楽であるが社会的に好ましくない選択肢である不適正処分を防ぐための補助金と言える．

理論は分かりやすいが，実際のデポジット制度は複雑になることが多い．アメリカで約 30 年間おこなわれてきた飲料容器のデポジット制度について見てみよう．

**コラム：税がデポジット制度と等しいとき**

時には，バージン原料を使用した製品にかかる税金が，製品デポジット制度と等しくなることがある（Sigman 1996a）．たとえば，鉛を使用した自動車用バッテリーを考えてみよう．バッテリー生産に関して，バージンの鉛と再利用の鉛が完全に代替関係になっているとする．バージン鉛の費用がゼロで，バッテリーを製造するのに $p$ の費用がかかるとする．競争市場で生産がおこなわれているとすれば，バッテリーの価格も $p$ となる．

バージン鉛を使用したバッテリーに政府が $t$ を課税したとする．バッテリーの費用は $(p+t)$ に増加し，価格も $(p+t)$ に増加する．税金は購入者に転嫁され，バッテリーの購入価格は税の分だけ上昇する．バッテリーの使用後，購入者は費用ゼロで廃棄できる．ただしバッテリーを生産者に返却することもできる．生産者は，使用済みバッテリー中の鉛に対していくら支払うだろうか．再利用の鉛を使用したバッテリーには課税がないので，$(p+t)$ で販売できるバッテリーを $p$ で製造できる．競争があるため，生産者は使用済みバッテリーを $t$ で買うだろう．

5)　デポジット（預り金額）とリファンド（払戻し金額）の水準は必ずしも等しくなくてもよい（Dobbs 1991；Fullerton and Wolverton 2000）．たとえ製品が正しく返却されても，処理費用がかかるので（埋め立てられるにせよリサイクルするにせよ），適正処理の費用分だけリファンドはデポジットよりも低くすべきである．しかしながら，適正処理がリサイクルを意味し，リサイクル費用が回収された素材の価格でほぼ相殺されてしまえば，適正処理の純費用はゼロになる．この場合，デポジットとリファンドは等しくすべきである（Ackerman et al 1995；Dinan 1993）．

結局，バッテリーの消費者は購入時に $p$ を支払い，$t$ を預け，バッテリーを返却したときにその $t$ が払い戻される．つまり，$t$ の課税は $t$ のデポジット制度とまったく同じ効果を持つのである．ただしこの整然とした結果が出るのは，バージン鉛と再利用の鉛が生産にとって完全代替財で，バージン鉛と再利用の鉛で製造されたバッテリーが消費にとって完全代替財である場合である．

2 つのシステムが異なる点はどこだろうか．税の下では，生産者は使用済みバッテリーを買い戻したいと考える（たとえ買い戻すのに $t$ の費用がかかり，バージン鉛が無料だったとしても）．しかしデポジットの下では，生産者は使用済みバッテリーを買い戻したいわけではなく，法律で払戻しが義務づけられているだけであり，むしろ引き取らずに無料のバージン鉛を使いたいと考える．もし払戻し義務を怠るのが簡単であれば，課税の方が適切かもしれない．

最後にもう 1 つ．「山猫銀行」という言葉をご存じだろうか．19 世紀にアメリカの銀行は，金で裏付けられ，銀行券の持ち主が制限なしに金に替えられる，独自の銀行券を発行していた．多くの銀行は，保持している金より多い銀行券をやっきになって発行し，やがてつぶれていった．銀行券の持ち主が金と兌換しようとするのを制するために，銀行は，人が容易にたどりつけないような「山猫がいるような場所に」払戻し窓口を設けていた．

## 6.5　飲料容器のデポジット制度

歴史的に，飲料容器には常にデポジットが存在してきた．しかし，それは法律により強制されているものではなく，飲料メーカーが相対的に価値の高いびんを再利用するために，自発的に導入したものであった．つい最近まで，びんは捨ててしまうにはあまりに貴重なものだった．重くて耐久性があり，割れたり紛失したり最終的に廃棄されるまで，15 回から 20 回ほど再利用された．スチール缶は，第二次世界大戦中にビールを戦地の兵隊に届けるために登場し，戦後まもなく消費者市場に登場した（Bingham et al. 1989）．「デポジットも返却もない」缶やびんへのトレンドが急速に浸透していった．ワンウェイ容器は消費者にとって便利なだけでなく，ビール業界やソフトドリンク業界の寡占的な企業がマーケティングに利用した．ワンウェイ容器は着実に安く軽くなっていき，流通コストを軽減し，使用済み容器にまつわる分別や洗浄や検査といった労働集約的な作業を不要とした．1980 年までに，デポジットのリターナブル（返却可能）容器，リフィラブル（詰替可能）容器はほぼ消え去った（Franklin 1991；Saphire 1994）．

自発的デポジットが消滅したことで，飲料容器の公共の場でのポイ捨ては劇的に増加した．ポイ捨ては 2 種類の外部費用を生んだ．つまり，1）誰かが代わりにごみを処理しなければならないというフローのコスト，2）ごみ散乱が処理されるまでの間，美観の悪化や設備の損傷や健康上の不具合に耐えなければならないという意味でのストックのコスト，である．蔓延する飲料容器の不法投棄に歯止めをかける 1 つの方法として，デポジットへの回帰，政府によるデポジット制度が見つめ直された．また 1973 年にはエネルギー危機が到来し，飲料 1 単位あたりエネルギー消費が少ない再利用可能容器の返却を促進する方法としてもデポジット制度は注目を浴びた．さらに 1970 年代初頭は資源枯渇への懸念もあり，容器再利用を促進する手段としての期待も高まった．1972 年のオレゴン州での成立を皮切りにデポジット法が各州で成立しはじめ，最終的には全部で 10 州に拡大した[6]．

この 10 州の経験から，飲料容器デポジット制度の影響を検討しよう（Porter 1978, 1983b；Bingham et al. 1989；Franklin 1991；Saphire 1994；Ackerman 1997）．なお本章の補論では，ミシガン州におけるデポジット制度の費用便益分析を紹介している．

---

6）　9 つの州とは，バーモント州，メイン州，ミシガン州，コネチカット州，アイオワ州，マサチューセッツ州，デラウェア州，ニューヨーク州，カリフォルニア州である．デポジット制度はこれ以外に，ミズーリ州コロンビア市とカナダの 8 つの州でも実施されている．バーモント州は，飲料容器法が成立した最初の州であった．ごみ散乱が家畜や農機具に損傷を与えたと農家が苦情を申し立てたため，バーモント州は 1953 年に再利用できない容器の利用を禁止した．もちろん，こうした禁止が容器の散乱を減らすことはなく，数年後に同法は廃止された（Bingham et al. 1989）．デポジット制度の対象となる飲料容器は州によって異なる．すべての州がビールと炭酸飲料を対象としている．いくつかの州ではミネラルウォーターやワインクーラーが対象となっている．メイン州ではジュースとお茶も対象である．デラウェア州ではアルミ缶を対象から除外している（U.S.EPA 2001b）．各州の詳細については，http://www.bottlebill.org/USA/States-ALL.htm を，カナダのデポジット制度の詳細については，http://www.geocities.com/RainForest/Vines/6156/cdndepos.htm を参照のこと．

- **返却率とごみ散乱率**　デポジットの払戻しを目的として，飲料容器は返却される．どの州でも5セントや10セントといった水準のデポジットが課され，85～90%の飲料容器が返却された（Michigan Consultants 1998）[7]．容器ごみ散乱は約80%減少し，全体のごみ散乱は約半分になった．家庭ごみにも数%の減少が見られた．デポジット制度は当初の目的を達成している．
- **飲料の価格と費用と消費**　デポジット制度導入の結果として，ビール，ソフトドリンクともに消費が5～10%ダウンしたと報告されている．これは消費者価格の上昇に対する合理的反応である．ここでの価格とは，1）実質の小売価格，2）未返却デポジット額の期待値（良心的な消費者でも容器を紛失したり破損したりする），3）空容器を返却する手間，の合計を意味している．デポジット制度では，これら3つの要素がすべて上昇する．ただし，リサイクル収入と未返却デポジット額によって流通コストの上昇分がある程度相殺されるため，実質の小売価格の上昇は小さいかもしれない．飲料業界が寡占状態である場合，価格上昇がどの程度コスト上昇を反映しているのかは不明である．
- **再利用可能容器への回帰**　デポジット法で期待される副次的効果の1つが，詰替可能なガラスびんの復活である．このことから，かつてデポジット制度は「ボトル法案（bottle bills）」と呼ばれていた．飲料メーカーやビールメーカーは，容器回収を義務付けられれば，使い捨て容器よりも再利用可能容器を回収する道を選ぶだろうと思われた．しかし，大した影響はなかった．デポジット制度はワンウェイへの流れを抑制したかもしれないが，それほどの効果はなかった．たとえば詰替可能なビールびんのシェアはデポジット法を施行している州で13%，そうでない州では3%しかない（Saphire 1994）．

---

7）いくつかの州では当初2セントのデポジットがおこなわれていたが，現在はミシガン（10セントのデポジット）とカリフォルニア（2.5セントのデポジット）を除いて，すべて5セントのデポジット（10～16オンスの一般的な容器対象）が実施されている（これらはもっとも小さい容器に対するデポジット率であり，大きな容器に対してはふつうデポジットも大きくなる）．ヨーロッパのデポジットも同じような金額で，同程度の返却率を達成している．スウェーデンでは，最低75%の返却率があれば民間企業がアルミ缶のデポジット制度を運営でき，6セントのデポジットで85%の返却率を達成している（Bohm 1994）．

この失敗はある程度予想されたものだった．デポジット制度の導入以前，新しい容器の費用（$b$）は，容器回収費用（$c$）に洗浄費用（$w$）を加えた値よりも小さかった（「洗浄」には検査や補充が含まれている）．デポジット制度の導入以降も，新しい容器の費用（$b$）から容器のリサイクルによる収益（$r$）を減じた値は，洗浄費用（$w$）よりも安かったのである．記号で表すと，デポジット制度以前は $b < c + w$，デポジット制度以降は $b - r < w$，または $b < r + w$ となる．収集コスト（$c$）はリサイクルの価値（$r$）よりも大きいが，結果から見ればその差は使用される容器を左右するほど大きくはなかったのである[8)]．

- **リサイクルの影響**　当初のデポジット制度はリサイクル率の向上を意図していなかったが（再利用可能容器に戻ることが目的だった），ワンウェイ容器を回収しなければならなくなると，卸売業者は埋立費用を節約する方法を模索した．リサイクルは 1970 年代にはまだ普及していなかったが，アルミとガラスのリサイクル市場は急速に拡大していった．今日では，デポジットをおこなっている 10 州で，アメリカでリサイクルされているアルミ缶，ガラスびん，プラスチック容器の約半分を担っている（http://www.container-recycling.org）．しかし，生産者による容器回収は非常に高くつくリサイクル方法だということを忘れてはならない（第 2 章で議論したドイツのグリーンドットを参照）[9)]．要するに，デポジット制度は効果的なごみ散乱防止プログラムであるが，コストのかかるリサイクル政策でもある（これについては第 11 章で再度述べる）．

---

8)　カナダのニューブランズウィック州が定めているデポジット法では，容器が詰替可能であれば消費者は 10 セントのデポジットを完全に取り戻すが，詰替可能でない容器（プラスチック，缶，使い捨てガラスびん）の場合は半分しか戻らない．しかし，この政策に使い捨てを食い止める効果はなかった．法が効力を持っている間も，リフィラブル容器は減り続け，全体の数パーセントからほぼゼロになってしまった（Ezeala-Harrison and Ridler 1994）．

9)　ある研究によれば，デポジット制度下の飲料容器リサイクルにはトンあたり 320 ドルの費用がかかり，他のあらゆるリサイクルの平均費用であるトンあたり 120 ドルを大きく上回る（Flynn 1999）．別の研究によると，デポジット制度はリサイクルされる容器を 30%ほど増加させるものの，リサイクルの限界収集費用がトンあたり約 1200 ドルかかる（1997 年ドル評価；Criner et al. 1991）

これらがデポジット制度の主たる効果である．さらに予期していなかった便益として，空き缶拾いがホームレスの収入になることを付け加える人もいるだろう．デポジット導入州で週末に早起きしている人はよく知っているが，ホームレスの拾い集めによって，測定される散乱容器の量は元々の量よりも少ない（金属には強力なリサイクル市場があるため，アルミ缶はデポジットが導入されていない州でも拾われている．これについては第12章で詳述する）．これらはデポジット制度の大きな便益と言えるだろうか．時間の機会費用がもっとも低い人々によって，より多くの容器が集められた．問題は，ポイ捨てされた容器が多くの「羊飼い」が参入する「コモンズ（共有地）」となってしまったことである．つまりコモンズである容器は過剰に拾い集められてしまった[10)]．個人的にはアメリカの貧困を救うにはデポジット制度よりももっと良い方法があると考えたいところだが，空き缶拾いには官僚制もホームレスの組織化も必要ないという利点も確かにある．

2つの論点について軽く触れておこう．デポジット導入各州は，未返却デポジット金（容器が返却されなかったために手元に残ったデポジット金額）を飲料業界に留保するか，州に戻すかについて，入念な検討をおこなった．また，卸売業者が小売業者に容器回収コスト支援のため手数料を払うかどうかについても，検討をおこなった（デポジット導入州のうち，卸売業者から小売業者への手数料支払いを求めていないのはオレゴン州だけである．また，多くの州が未返却デポジット金を州政府に納めるよう求めており，通常は散乱ごみ対策に使っている）．どちらの議論もポイントを外している．手数料が義務づけられている州では，卸売価格が手数料分だけ高くなり，結果として手数料義務づけによる小売価格への影響はないだろう．手数料義務づけの有無にかかわらず，小売価格は回収コストをカバーするのに十分な額だけ上昇するはずである．また未返却デポジット金が政府に納められている州では，これを回収コストに充てることができなくなり，その分だけ小売価格は上昇するだろう（McCarthy 1993）．

最後に，議論があるべきだったがほとんどなされていない側面について紹介し

---

10)　適正処分の社会的限界便益に等しい水準のデポジットが課され，労働力の限界費用とデポジットが等しくなる点までごみ拾いがおこなわれるのが理想的である．しかしごみ拾いという行為に誰でも参入できる場合，総費用を総収入が補う限り参入が続くため，ごみ拾いは平均費用がデポジットに等しくなる点まで拡大する．限界費用は逓増するため，平均費用 $<$ 限界費用であり，ごみ拾いの水準は過剰になる．

よう．払戻しセンター（空き缶が返却され，デポジットが払い戻される場所）はどの程度の数を設置するのが最適だろうか．カリフォルニア州以外のデポジット導入州は，特定ブランドのビールや飲料を販売する小売店に，空容器の返却を受け入れるよう義務づけている．つまり暗黙のうちに，州は最適な払戻しセンター数が製品の販売店舗数に等しいと主張しているのである．しかしながら，市場競争の結果として $X$ 種類のブランドが $N$ ヶ所の店舗で販売されているからといって，$X$ 種類のブランドの空容器を受け入れるのに $N$ ヶ所の払戻しセンターがあるべきだという話にはならない．

カリフォルニア州は例外的に，必ずしもすべての小売店が払戻しセンターになる必要はないと考えた[11]．そして州が認可した払戻しセンターが店舗の2分の1マイル（約805メートル）以内にあれば，当該店舗は空容器を回収しなくてもよいと決めたのである．これは消費者に大きな不便を強いることなく，払戻しセンターの数とコストを大幅に削減した．カリフォルニア州の回収率は他のデポジット導入州に比べてはるかに低かったが，これは払戻しセンターの数が少なかったこと以外に，デポジット額がわずか2.5セントだったことにも起因している（Saphire 1994）．多くのデポジット導入州でもこの考えが採用され，認可された払戻しセンターが近くにある場合，小売店は払戻しを拒否できるようになった．

**コラム：ニューヨーク市とミシガン州の容器払戻し率**

デポジットが義務となっている州では，払戻し率はおおむね75～90%の範囲にある．興味深い例外が，ニューヨーク市とミシガン州である．

ニューヨーク市では，容器は半分しか返却されない．他の場所の消費者意識が高く競争にもまれている小売店ではあまりないことだが，小売店が受け取らないのである（Lasdon 1988）．ニューヨーク市は自動車所有率が低く道路混雑がひどいため，他の都市よりも地域独占力が強いのかもしれない．この結果，興味深いことに，デポジット払戻しの民間市場が存在する．民間の払戻しセンター

11）カリフォルニア州は，長く運営されているカナダのブリティッシュコロンビア州の飲料デポジット制度を多かれ少なかれ模倣している．なおブリティッシュコロンビア州では払戻しセンターや輸送やリサイクルが民間企業により運営されている（Truini 2000a）．この民間企業は，未返却デポジット金，リサイクル収益，容器1本ごとに製造業者に課される料金によって費用をカバーしている．料金は，払戻し率，ガソリン価格，リサイクル可能物からの収入に応じて，費用を確保するよう調整される．

「ウィ・キャン（We Can）」では，デポジットを払い戻して，流通業者から支払われる手数料で利益を出している．24時間営業の金券ショップでも，お金に困ったり小売店で払戻しを断られた容器収集者たちに半額を払い戻している（Kaufman 1992；Pogrebin 1996）．

ミシガン州の払戻し率はほぼ100%で，特に州の南部（デポジットのないオハイオ州とインディアナ州の州境）の店では100%以上の払戻し率を達成することもよくある（Michigan Consultants 1998；1990年から1996年の平均で98.5%）．わがミシガン州の住民は他州の住民よりもきれい好きなのだと思いたいところだが，他にもっとよい説明ができそうである．まず第1に，ミシガン州の払戻し金額は10セントと他州の2倍であり，価格弾力性のせいで払戻しが盛んなのかもしれない（合法的な払戻し率は100%を超えることがないため，必然的に容器の払戻しは価格に対して非弾力的になる．5セントのデポジットが2倍になったとき払戻し率が85%から100%になるのに必要な弧弾力性は，たった0.24である）．第2に，10セントのデポジットは州外からの（デポジットのかかっていない）非合法な容器流入を促すのに十分大きい額と言える．たとえば，ミシガン州南部の小売店で返却された容器を調べたところ，ビール容器の3分の1とソフトドリンク容器の4分の1は州外からのものだった（Michigan Consultants 1998）．第3に，逆自販機（空容器を入れると自動的に払戻しがおこなわれる）の導入によってこうした非合法な払戻しが容易になり，コメディードラマ『サインフェルド』のエピソードで取り上げられたとたん，逮捕者が出るほど大規模におこなわれた．第4に，1990年以来，州政府が未返却デポジット金のうち75%を受け取ることになっているため，店側が払戻しで失うのはたった2.5セントとなり，店にとっては返却された容器が合法かどうかを検査するインセンティブはほとんどない．

またカリフォルニア州の制度は，払戻しセンターが各ブランドの卸売業者からデポジットを取り返すために容器をブランドごとに分別するという，デポジット制度の非効率性を是正した．最終的にすべての容器は同じリサイクル工場へ行くのだから，社会的観点からすればこれはまったく不必要なコストである．カリフォルニア州では，生産者ではなく州が効果的にデポジットの輪を断ち切っていると言える．州やリサイクル業者にとってはどのブランドが返却されても同じなのだから，払戻しセンターでの分別は必要ないのである．こうして他州では1本あたり 2.3 セントかかる回収費用が，カリフォルニア州では 0.2 セントとなっている (Ackerman et al. 1995).

## 6.6　おわりに

通常の経済的手段で不法投棄に対処するのは困難である．厳格な執行，高額の罰金，適正処分への補助金，どれも満足できるものではない．頼りになるのは，2 つの文化的な変化である．1）われわれは，過去 50 年間，ごみ散乱をするのはいけないことだと学んできた[12)]．2）われわれは，たった数セントのごみ収集料金を逃れるためにこの傾向に逆らったりしない．要するに，とりあえず不法投棄は問題でないという前提で，廃棄物に関する価格政策を考えるべきである．もしこの仮定が間違っていると分かれば，その時に別の手だてを考えればよい．

デポジット制度は不法投棄に効果的だが，回収コストがかさむ．ただしデポジットには，ここまでで触れられていない 2 つの重要な特徴がある．1 つは，回収された飲料容器が埋立でなくリサイクルに向かうことである（第 2 部で取り上げる）．もう 1 つは，有害性を持つため埋め立ててはいけない製品の，一般廃棄物処理ルートへの流出を防ぐことである（第 3 部で触れる）．

**コラム：リフィラブル容器に戻れるか**

詰替可能（リフィラブル）で再利用可能なガラスびんを使えば，エネルギーと原料を節約できることを指摘する論文は少なくない（Saphire 1994；Ackerman 1997）．そのような容器に戻ることは本当にできるのだろうか．再利用びんはヨーロッパではまだ広く利用されているが，物流距離が短い，人口密度が高い，消費者の環境意識が高い等，条件の違いも大きい．

飲料容器には，100%リフィラブル容器と 100%ワンウェイ容器という 2 つの均衡があり得るが，アメリカでは 100%ワンウェイ容器の均衡だけが安定しているようである．100%リフィラブル容器だった 1950 年代のような均衡から考え

12）年配の読者は，半世紀前のアメリカでのごみ散乱がいかに深刻だったか，覚えておられるかもしれない．われわれが過剰包装に慣れはじめたころである（そのひどさから本章冒頭に引用した文章が書かれた）．50 年前の記憶がない方は，国民 1 人あたり GDP が 5000～1 万ドルくらいの国を訪れれば，道端に散らかったごみを見られる．十分な数のごみ箱を設置して人々がその使い方を学ぶまで，数十年はかかるだろう．

を始めてみよう．消費者が新しく発売されたワンウェイ容器に入った商品を買いはじめると，多くの店がリフィラブル容器とワンウェイ容器の両方を扱いはじめる．スペースの関係でリフィラブル容器を置くのをあきらめる店が出てくる．リフィラブル容器を返却する場所の数は減っていき，返却する不便さが増してくる．リフィラブル容器の利用をやめる消費者が多くなり，置くのをやめる店もさらに増える．最終的な安定均衡は1990年代のように，100%がワンウェイ容器となり，もはやリフィラブル容器を買うところも返すところもない状態となる（Schelling 1978）．

この流れを逆転させることは可能だろうか．最善の方法は，エネルギーと原材料の価格を正しく設定することである．次に最善な方法は，詰替えできない容器に税をかけることだろう（たとえばベルギー，デンマーク，フィンランド，ドイツなどのヨーロッパの一部ではこうした税が課されている）．しかし，現在の均衡の安定性を打ち破るには，この税は非常に高率でなければならない．返却する場所がないのに，リフィラブル容器を購入する人はいないからである．もちろん，アメリカにはデポジット制度を実施している州があり，そこでは飲料容器を容易に返却することができる（カリフォルニア州の払戻しセンター方式は例外であり，ワンウェイ容器の存在を認めている）．これらの州では，ワンウェイ容器に対する税によって過去半世紀の傾向を逆転できるかもしれない．

しかし，1つ問題がある．リフィラブル容器に充填する機械のほぼすべてが役目を終えて撤去されているか，旧式の自発的デポジット制度が存続している途上国に売られてしまっているのだ．ビールやソフトドリンクの製造業者に近代的なワンウェイ製造設備を廃棄させるには，ワンウェイ容器に莫大な税をかけなければならない（アンホイザー・ブッシュ社（アメリカのビール製造業者）は，費用削減的なリフィラブルびんをニューイングランド地方で使用しようとした．そこでは，ほぼすべての州でデポジット制度が導入されている．しかし，消費者がリフィラブルびんに入ったビールを買おうとしなかったために，アンホイザー・ブッシュは最終的にこれを諦めた；Ackerman 1997）．

## 補論 ミシガン州デポジット制度の社会的費用便益分析

ポイ捨てのない街の通り 世界はきれいに元通り・・・ごみを拾って正しく生きよう 世界をみんなで明るくしよう

ウェンディ・イリザリー（ニュージャージー州パサイック，ジェファーソン第1小学校6年生）

1978年12月に，ミシガン州の「ボトル法（Bottle Bill）」がスタートした（Porter 1978, 1983b）．デポジットの払戻しを求めて約95%の容器が返却され，飲料関連のごみ散乱は85%ほど低下した．これによってリフィラブル容器の復活が期待されたが，それは起こらなかった．大部分の流通は缶入り飲料であり，びん入り飲料はほとんどがワンウェイびんのままだった（1980年代に入ると，詰替えできず，リサイクルにコストがかかるプラスチック容器の流通が増加する）．ビールとソフトドリンクの価格は，すぐにはっきりと上がった．

デポジット制度の社会的費用便益分析は，2つの評価に大きく依存する．1つは，ミシガン州住民が道路や公園や海岸のごみ散乱が減少することをどう評価するかである．そしてもう1つは，飲料価格の上昇がどのくらい真の社会的費用を反映しているのか，すなわち寡占による影響をどの程度と見積もるのかである．

公共の場でのごみ散乱を除去する費用の削減分と，飲料容器の埋立費用の削減分（当時はリサイクルや焼却がほとんどなかった）を評価するのは簡単である．ミシガン州住民1人あたり約5ドルになる[13)]．ミシガン州住民のごみ散乱除去に対する年間平均支払意志額は，とりいそぎ$x$としておく．

飲料価格が高くなったことと手間が増えたことで消費は減退し，法の導入後1年でデポジット容器のビールは8%，ソフトドリンクは5%消費が減少した．消費者余剰の損失はミシガン州住民1人あたり約2ドルであった．

---

13) 元の分析ではすべての推計を1979年ドルでおこなっている（Porter 1983b）．数値はGDPデフレーターで1997年ドルに換算され，四捨五入されている．元の分析に幅がある場合，中間の値を用いている．それ以外に変更点はない．しかし，分析の基本的な結論はその後の変化で強まった．

図 6–2　デポジット制度導入による飲料容器の需要

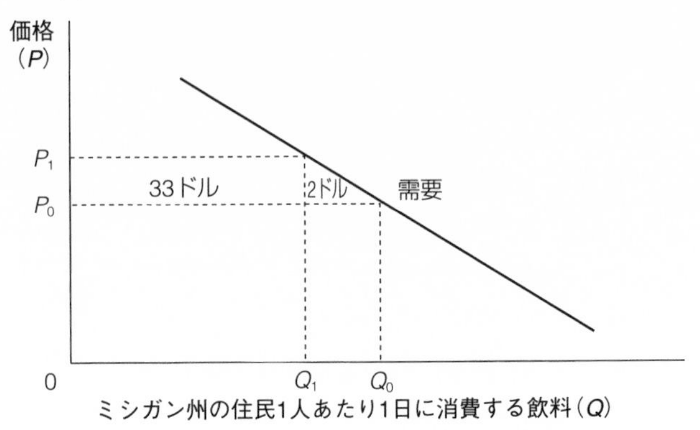


新法の影響で，ビールとソフトドリンクの価格は 1 本あたり平均 7.5 セント上昇した．これが容器に特別なラベルを貼ったり，消費者から流通業者へ収集運搬したりするために増加する費用を表しているのであれば，7.5 セントはこの法律がもたらす社会的費用と言える．しかしながら，もしこの価格上昇が費用上昇の反映でなければ，7.5 セントは消費者から生産者への単なる所得移転であり，社会的費用としてカウントすべきではない．7.5 セントのうち真の費用増加を表す部分を $m$ としておこう．デポジット法による社会的費用は，ミシガン州住民 1 人あたり年間約 $33m$ ドルであった[14)]．

ここまでで推計した費用（2 ドルと $33m$ ドル）が，図 6–2 に示されている．デポジット法は飲料価格を $P_0$ から $P_1$ に押し上げ，飲料の消費を $Q_0$ から $Q_1$ に下

14)　最近の研究は，7.5 セントという価格上昇が大きすぎることを示唆している（Criner et al.（1991）や Ackerman et al.（1995）では，1997 年ドル換算で容器 1 本あたりの社会的費用が 3.0 セントと推計されている）．ミシガン食料品店協会は容器あたり 5.5 セント（Mathis 2001），Michigan Consultants（1996）は容器あたり 5.8 セントと推計している．筆者は，$7.5m = 3.0$，$7.5m = 5.5$，$7.5m = 5.8$ ということで $m$ が 0.4 から 0.8 の範囲なのだと考えたい．しかし一方で，これは過去 20 年間にデポジット導入州で起こった容器回収に関わる技術改良によるコスト低減を示していると考えたい気持ちもある．たとえば，ミシガン州でデポジット制度が導入された当初，ビール製造業者はラベルを特別なミシガン州用のものに代えるために充填ラインをいちいち止めようとしたが，いまではすべての容器ラベルにすべてのデポジット導入州名とデポジット額のリストが表示されている．

図 6–3　容器返却にかかる不便さの費用

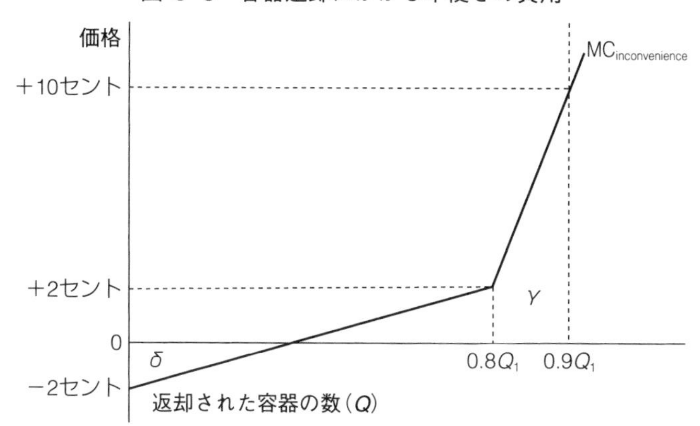


落させる．飲料消費を減らした人々の消費者余剰の損失は 2 ドルと記された三角形で，飲料消費を続ける人々の追加的支出は 33 ドルと記された四角形で表されている．33 ドルのうち $(1-m)$ の部分は消費者から生産者への単なる所得移転だが，$m$ の部分は新たな回収作業に必要な真のコストを表している．社会的費用は $33m$ ドルとなる．

最後に，消費者が空容器を集めたり，それを店まで返却したりする手間も金銭評価する必要がある．ある消費者，特に分別収集がおこなわれていない地域の消費者は，リサイクルの機会があることに価値を見いだすため，この「費用」は負の値となる．1 本あたりの手間を 10 セント以上と考えている消費者はいない．というのは，そのような消費者は容器を返却しないからである[15)]．他の州の 2～5 セントのデポジットがミシガン州の 10 セントのデポジットとほぼ同じ返却率を達成しているという事実からすると，不便さの限界費用曲線は 2～10 セントのデポジット額の範囲でほぼ垂直になっていると思われる．このように検討した結果，消費者の手間はミシガン州住民 1 人あたり年間約 5 ドルと推計された．

この 5 ドルが図 6–3 に示されている．$\delta$ と表示されている領域は，リサイクル

15)　容器返却費用がデポジット額を上回っている人々は，容器をポイ捨てするかごみ箱に捨てる．捨てられた容器が低賃金の人々に拾い集められる場合，社会的費用としてカウントすべき費用は，拾い集める人のコストであり，容器を返却しない人のコストではない．

のために空容器を返却する機会に対して支払意志を持っている人の負のコスト（便益）を表している[16]．$\gamma$ と表示されている領域は，返却を面倒と考える人の正の費用である．不便さの純費用は $\gamma$ から $\delta$ を引いた面積である．図6–3のように，不便さは屈曲した直線であると仮定しよう．また，他の州の経験からかなり控えめに考えて，2セントのデポジットで80%の容器が返却されると仮定しよう．すると，$0.8Q_1$ より左の正と負の領域は相殺しあってゼロとなる．領域 $\gamma$ の残りがデポジット容器返却の不便さの純費用であり，ミシガン州住民1人あたり約5ドルである[17]．ミシガン州デポジット制度の社会的純便益は $(5+x-2-33m-5)$ であり，$(x \gtrless 2+33m)$ に従って正にも負にもなる．デポジット制度について論争が続く理由が理解いただけると思う．もし $m=0$ であれば，ミシガン州のごみ散乱減少に対して1人あたり年間2ドルの支払意志額さえあれば十分である．法律はほぼ確実に費用便益テストに合格するだろう．しかしもし価格上昇がすべて費用増大を反映したものであれば（$m=1$ であれば），費用便益テストに合格するために必要な1人あたり支払意志額は年間35ドル以上になってしまう．

まとめよう．デポジット制度の社会的費用便益分析の結論は，最近の分析を見てみても，はっきりとしない．デポジット法の擁護者と批判者の両方が長い間反目しているのも当然と言える．経済学がはっきりしないときには，感情論や利己心が幅を利かせる．とはいえ，デポジット導入州の投票では，住民の多数が政策を支持し続けている．そしておそらくさらに重要なことに，デポジット制度を採用した州はこれまでその姿勢を翻したことがない．

16)　$Q_1$ は1979年に販売された容器の数である（1人あたり390個で，ビールとソフトドリンクがほぼ半々であった）．これらの容器のうち約 $0.9Q_1$ が返却された．

17)　$\gamma$ の残りの部分は，$\frac{[(0.9Q_1-0.8Q_1)(0.10+0.02)]}{2}$ の台形になる．図は1997年価格に直すと2倍になる（ミシガン州のデポジット額はこの期間で変化していないため，2倍まではいかないとも言える）．

# 第7章　廃棄物の移動

> 完全な自由貿易の下では，各国は自然にその資本と労働を自国にとってもっとも有益な用途に向ける．……勤勉を称え，創意に報償を与え，天賦の才を効果的に使い，労働をもっとも有効に配分する．……まさにこの原理によって，ぶどう酒がフランスとポルトガルで造られ，穀物がアメリカとポーランドで育てられ，機械設備やその他の財がイギリスで製造されるのである．
>
> デビッド・リカード『経済学および課税の原理』1817年

ほぼすべての経済学者が同意する数少ない命題の1つに，「自由貿易は良いことだ」というものがある．アダム・スミスやデビッド・リカードが最初に比較優位説を述べ，各地域は得意な分野に特化し不得意な分野は輸入に頼ることで自らの状況を改善しうることを示してから，はや200年以上が経過した．このことに関して廃棄物を特別扱いする理由はないように思える．もちろん，廃棄物は「グッズ」ではなく「バッズ」であり，他地域にごみの「輸出」を受け入れてもらうためには代価を支払わなければならない．しかし，このことで比較優位説がくつがえるわけではない．廃棄物処理に優れている地域はそれに特化し，得られた収益で不得意な分野の財を輸入すればよい．本章の目的の1つは，貿易を良いことだと考える人の多くが，廃棄物を例外にしたがるのはなぜかを考えることである（もちろん，自由貿易は悪いことだと考える人が廃棄物貿易に反対するのは一貫性がある）．

実際，廃棄物は人口密度の高い発生場所から人体や環境への悪影響が少ない場所へ移動させなければならないため，遠隔地との取引は不可欠である．かつては生ごみを町なかの土手にでも投げ捨てれば十分だった時代もあったが，いまやそうもいかない．美観，規模の経済性，輸送の低コスト化によって，遠方での廃棄物処理が可能になり，望ましくなった．ごみの輸送こそが廃棄物取引である．す

図 7–1　埋立地までの最適な距離

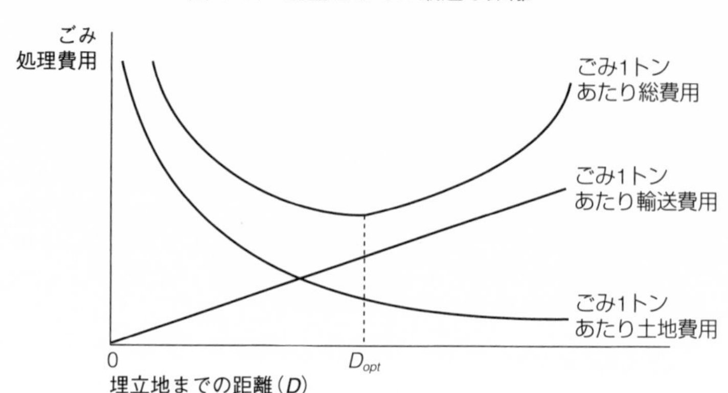


べての廃棄物は，取引されている．

ごみの輸送がどれくらいの距離になるかは，土地と輸送の相対価格に依存している．図 7–1 において，地価は大量のごみが出る人口密度の高い都市から遠ざかるほど下落する．逆に，輸送費用は距離におおよそ比例して上昇する．図 7–1 には，埋め立てられるごみ 1 トンあたりの総費用が示されている．これは地代と輸送費用の合計である．最適な輸送距離は 1 トンあたりの総費用が最小になる距離（$D_{opt}$）となる（よくある図とは異なり，最適点はこれら 2 つの曲線の交点ではない．最適点は，地価の限界的な下落と輸送費用の限界的な上昇の絶対値が等しくなる点である）．都市の地価が上昇したり輸送費用が低下すると，最適輸送距離は遠くなる．実際，近年のアメリカでは都市（および郊外）の地価が農村に比べ高騰し，輸送費用は低下している．その結果，現実的に廃棄物はより遠くへ運ばれるようになっている．国や州や郡といった区分が張りめぐらされた大地の上で，経済の論理は廃棄物の取引を促していく．

アメリカの一般廃棄物のほぼ 10%が，州間で取引されている（Repa 1997；Duff 2001c）．1997 年において州間移動した一般廃棄物のうち，半分近くが人口の多いニューヨーク州とイリノイ州とニュージャージー州から持ち出されていた．しかしながらごみが持ち込まれた先は人口のまばらな西部の州ではなく，ペンシルバニア州，バージニア州，インディアナ州，ミシガン州といった北東部に近い州だった（McCarthy 1998）．トラックが軽量化し，ごみの圧縮が進み，燃料費や

図 **7–2**　ごみ移出の利益と損失

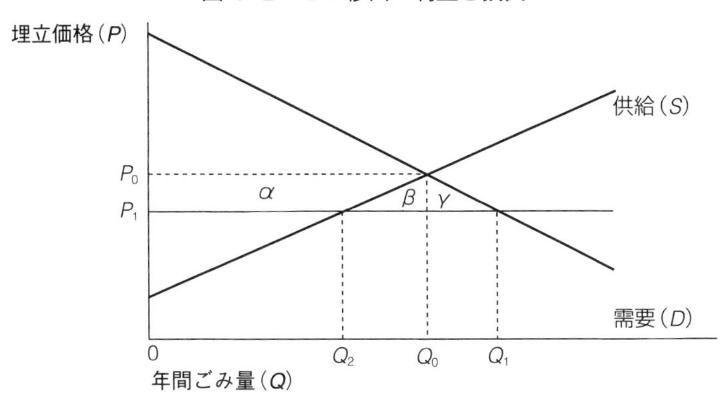


トラック税が低下したとはいえ，輸送費用は廃棄物処理における輸送距離の決定にとって依然として重要な要素なのである（Bader 1999b）.

輸送費用が低くなり，ある地域が最終処分料金の安い他の地域へ廃棄物を移出できるようになったら，誰が得をして誰が損をするのだろうか．まず，地元の処分場の処分料金は下落するだろう．料金の安い遠方の処分場と競争しなければならないからである．たとえ処分場が満杯になっても，移出が可能で安価であれば，別の処分場を建設する必要はなくなる．もちろん地元の処分場所有者は損害をこうむるが，当該地域のごみを排出するすべての企業や家計は利益を得る．

ごみ発生者の利益が処分場所有者の損失を上回ることは，容易に証明できる．図 7–2 には，移出元地域の処分場の供給曲線（$S$）と需要曲線（$D$）が示されている．廃棄物取引がない状態での価格は $P_0$，需要量は $Q_0$ である．輸送費用が下落して，遠方の処分場料金がより低くなれば（$P_1$，これには輸送費用も含まれている)，地元の処分場もその価格に応じなければならない．発生する廃棄物の総量は $Q_1$ へ増加するが，地元で埋立処分される廃棄物の量は $Q_2$ へ減少し，$(Q_1 - Q_2)$ の量が移出されるようになる．地元の処分場所有者は $(\alpha + \beta)$ の面積に等しい利益を失うが，地元の企業や家計は $(\alpha + \beta + \gamma)$ の面積に等しい消費者余剰を得る (Ley et al. 2000)．

廃棄物を移入する地域も利益を得る．直感的には，ある地域が得をすれば他の地域が損をするように思われる．図 7–3 には移出先地域の処分場の供給曲線（$S$）

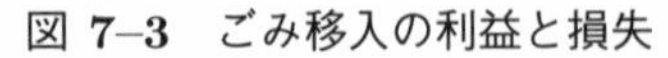

図 7–3　ごみ移入の利益と損失

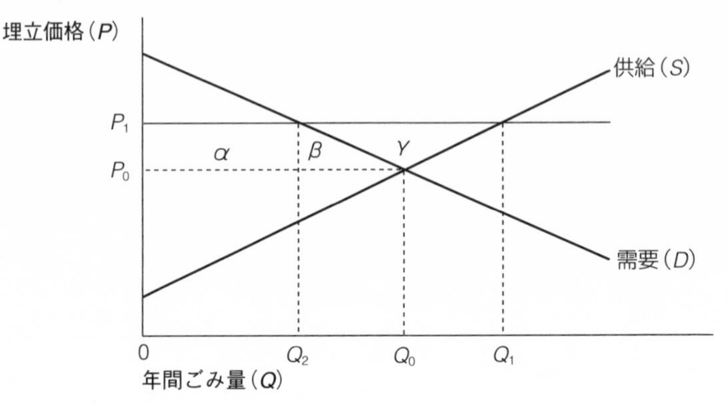


と需要曲線（$D$）が示されている．廃棄物取引がない状況では，価格と量は $P_0$ と $Q_0$ になるだろう．（輸送費用の下落などによって）廃棄物取引が始まると，この地域の処分場に対する新たな需要が発生し，価格は $P_1$ まで上昇する．廃棄物の総量は $Q_1$ まで上昇し，$Q_2$ が地元の廃棄物で $(Q_1 - Q_2)$ が移入廃棄物となる．廃棄物排出者である地元の企業や家計にとっては $(\alpha + \beta)$ だけ消費者余剰が減少するが，地元の処分場所有者はそれよりも大きい $(\alpha + \beta + \gamma)$ の利益を得るのである．

廃棄物を移出する地域も移入する地域も，取引から利益を得ている．では，廃棄物の移出入に反対する理由などあるのだろうか．取引が反対される原因を詳しく検討してみよう．図 7–2 に戻ってみると，廃棄物取引によって処分価格が低くなったことで，移出元の地域ではより多くのごみが発生し，リサイクルのインセンティブがそがれてしまう．この結果を逆効果とみなす人は，移出に反対するだろう．また図 7–3 で言えば，移出先の地域には以前より多くのごみが埋め立てられる．ごみを健康に対する危険物質と考える人は，移入に反対するだろう．

しかし，廃棄物取引への批判はセカンド・ベストの反応である．もしごみ削減やリサイクルが良いことなのであれば，ごみ削減やリサイクルに補助金を与えればよい．廃棄物の埋立が悪いことなのであれば，廃棄物移入ではなく廃棄物に課税すればよい．また廃棄物取引はたとえ社会全体の純便益がプラスであっても，不利益をこうむる人からは反対される．ごみを移出する地域の処分場所有者，移入する地域のごみ排出者は，廃棄物取引に反対するだろう．議論をさらに詳しく眺めてみよう．

**コラム：輸送費用と廃棄物取引**

廃棄物の輸送にはどれくらい費用がかかるのだろうか．ある研究では，ニューヨーク市のごみ輸送の私的費用と外部費用が入念に計測されている（Konheim and Ketcham 1991）．1 マイルあたりのトラック輸送費用は以下のようになる（1997 年のドル価値）．

| 私的費用 | |
|---|---|
| トラックの減価償却費 | 0.22 |
| トラックに対する保険 | 0.07 |
| トラックの道路税 | 0.05 |
| タイヤ，燃料，人件費，維持費 | 1.19 |
| 合計 | 1.53 |

| 外部費用 | |
|---|---|
| 渋滞，追加的な道路の摩滅 | 0.34 |
| 保険に未加入の交通事故 | 0.04 |
| 騒音，大気汚染，その他の汚染 | 0.05 |
| 合計 | 0.43 |

上で推計されている 1 マイルあたり約 2 ドル（1 km あたり約 1.2 ドル）という総社会的費用は片道分である．したがって，もしトラックがほぼ同じ費用をかけて空の状態で戻ってくるとしたら，1 マイルあたりの片道分の費用は倍になる．典型的なトラックは 22 トンを運搬するので，トン・マイルあたりの往復分の社会的費用は 0.18 ドルになる（これらのデータは 2 つの仮定がある．すなわちトラックの道路税は道路摩滅の一次近似として使用されていることと，道路の摩滅は道路税より数倍大きいと正確に仮定されていることである）．

この研究ではさらに，ニューヨーク市における最適輸送距離についても推計している．以下の表は，さまざまな輸送距離の下での一般廃棄物 1 トンあたり総処理費用（ドル）の推計値である．

| ニューヨークからの距離（マイル） | 埋立 | 輸送 | 合計 |
|---|---|---|---|
| 100 | 72 | 18 | 90 |
| 200 | 54 | 36 | 90 |
| 300 | 36 | 54 | 90 |
| 400 | 34 | 72 | 106 |
| 500 | 29 | 90 | 119 |

これらの値から，ニューヨークからの距離が 300 マイル（約 480 km）までは総費用は上昇しないことが分かる．ニューヨークから 300 マイルという距離は，バージニア州中央部，インディアナ州東部，ペンシルバニア州西部あたりまでになる．300 マイルを超えると，鉄道輸送の方がたいていの場合は費用が安くなる（ウェイスト・バイ・レイル・コム社（鉄道を利用した民間の廃棄物運搬業者）のロバート・ウォーレス氏との私信より）．もし計画が「脱線」しなければ，ニューヨーク市は 700 マイル（約 1120 km）以上離れたサウスカロライナ州やジョージア州まで廃棄物を鉄道で輸送するようになるかもしれない（Geiselman 2001a）．

## 7.1　廃棄物移入の制限

地域 A における真の廃棄物処理費用が地域 B におけるそれよりも（両者間の輸送費用以上に）高いとしたら，A 地域の廃棄物を B 地域に輸送して処分すれば両者の総費用はより低くなる．A 地域が地元の処理費用よりも低く B 地域の処理費用よりは高い金額を支払えば，両地域の状況は取引を通じてより良くなるだろう．もし廃棄物処理において独占や外部性のような市場の失敗が存在しなければ，こうした取引に反対する理由はまったくない．

しかし実際には廃棄物による市場の失敗があり，このことから廃棄物移入への抵抗が生じてしまう．廃棄物取引に対する姿勢に影響を与える市場の失敗の 1 つが，処分場や焼却場における安全対策である．図 7–4 は安全対策（$S$）のさまざまな水準に対する社会的限界費用（MSC）と社会的限界便益（MSB）を示している．単純化のため，安全対策は処分場における地下水保全や焼却場における大気汚染防止による，確率的がん死数の抑制のみと考えよう．安全対策は低費用のものから実行されるため，限界費用は逓増していく．安全対策の MSB は一定で

**図 7–4　ごみ処理施設の最適な安全対策**

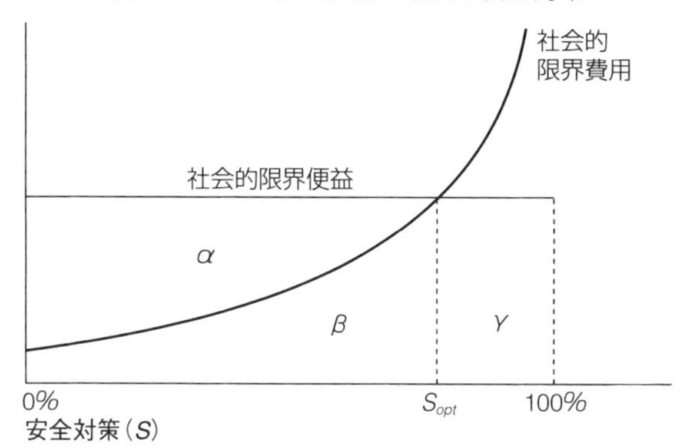


あり，確率的がん死数の抑制をわれわれがどう評価するかに依存している．最適な安全対策は $S_{opt}$ である．

単純化のために，最終処分場のケースを考え，廃棄物はすべて他地域から移入されるとしよう．この地域は域外の廃棄物を受け入れて，$R$（安全対策以外の埋立に関する費用を差し引いたもの）の収入を得ている．$R > 0$ であればこの地域はごみを喜んで受け入れるべきだろうか．あきらかに否である．

まず，安全対策がまったく不備（$S = 0\%$）であるような最悪のケースを考えてみよう．このとき，確率的がん死による損失額は $(\alpha + \beta + \gamma)$ となる．処分場の便益をこの地域の便益と考えてよいのであれば，この地域は $R > (\alpha + \beta + \gamma)$ である限り廃棄物を受け入れるべきである．しかし地域住民でない処分場所有者が $R$ を得て，地域住民ががん死という被害をこうむるとしたら，この地域の住民への純便益は $-(\alpha + \beta + \gamma)$ になってしまう．

いま処分場に最適な安全対策（$S_{opt}$）を義務付けることができるとしよう．処分場の管理者は安全対策費用を負担しなければならないので，利益は $(R - \beta)$ となる．処分場の管理者が廃棄物を受け入れたいと思うのは $R > \beta$ のときだが，地域全体にとって廃棄物を受け入れるべきなのは $R > \beta + \gamma$ のときである．処分場の管理者が地元住民でないなら，地元にとっての純便益は $-\gamma$ であり，やはり負となる．つまり市場メカニズムに基づく廃棄物移入によって，受入れ地域の住民の状態が悪化してしまうことが理論的にはあり得るのである．

処分場が地元の廃棄物と移入廃棄物の両方を扱っている場合に，地元住民が移入廃棄物の受入れを少なくしたがるのには多くの理由がある．ここでは3つを取り上げてみる．

- 自治体所有の処分場の場合，不法投棄を抑制する目的で価格が故意に低く設定されているかもしれない（つまり価格 < 社会的限界費用）．このとき助成された価格と同価格で廃棄物を移入するのは，地元にすれば馬鹿げている．他の地域のためにわざわざそのようなことをする必要はない．おそらくセカンド・ベストの政策として良いのは，廃棄物移入を禁止するか，社会的限界費用を請求することだろう（Copeland 1991）．
- 処分場が廃棄物移入に関して市場独占力を持っているなら，移入廃棄物に対してより高い料金を請求することで，地元の厚生は高まる．さまざまなサービスに対して対象地域外の人々により高い料金を請求することは，地域の視点からは意味のあることである．公園，狩猟権，漁業権，大学教育など，これらが長い間容認されてきた事例もある（Porter 1982）．（自治体の処分場は地元の廃棄物に対して独占力を持ちうるだろうか．もちろんその可能性はあるが，適切な価格設定がされていれば，住民が食い物にされることはないだろう．）
- 地元処分場が私的に所有されてる場合に他地域からの廃棄物移入が許可されれば，処分料金が高くなったり，処分場がすぐ満杯になって閉鎖されるかもしれない．たとえ移入廃棄物による物理的損害が問題でなかったとしても，地元住民は金銭的損害を懸念するかもしれない（Ley et al. 2002）．

人々が他地域からの廃棄物移入を禁止したり，高い料金を請求しようとする理由は他にもたくさんあるだろう．しかし，アメリカ最高裁はこうした禁止や価格差別が憲法第1条第8項の州際通商条項に違反すると判断してきた（U.S. EPA 1995b）．裁判所の決定は国家的な厚生という観点で首尾一貫している．廃棄物が歓迎すべきものでないなら，地元の廃棄物も移入廃棄物も同じように歓迎すべきものでないはずであり，等しく価格付けすべきである．

移入廃棄物がもたらす（実際のあるいは誤って認識された）リスクのため，地元の不快感は深刻である．そこで，通商条項を免れようとする努力が常におこなわれてきた．その中には有害なものもあり，現在よく知られている5つの回避策は特に有害である.

- 連邦議会は，廃棄物の州間取引を規制する権限を州に対して認めることができる．この権限はめったに与えられないが，それは可能なのである．ハワイ州とアラスカ州以外の 48 州は，輸送したり埋立できるごみの種類や量について数多くの規制を作り上げた．このため輸送費用が大きく上昇し，不適切で費用のかかる場所での埋立が増加して，廃棄物処理費用は劇的に上昇してしまった.
- 州は，通商条項のいわゆる「市場参加の例外」を利用できる．すなわち，州自身が市場に参加している場合，州間取引に生じる不利益が深刻にならない程度であれば地元市民を優遇できるのである (Walls and Marcus 1993).(上述の公園や大学などの価格差別は，この例外によって認められている.) 公的に所有される処分場は，例外の対象となる可能性がある．しかし，民間の処分場が公営のものより社会的に見て操業費用が安く，かつ廃棄物取引の拡大がごみ処理にとって最善の方法であれば，この例外の適用は 2 つの非効率を招くことになる (Podolsky and Spiegel 1997).
- 州間取引に干渉する正当な理由として最高裁が認めている健康や安全の見地から，州は廃棄物の輸送方法を制限し，輸送距離が長くなるような経路を排除することができる．たとえばバージニア州は，ニューヨーク市からの廃棄物移入を抑制するために，はしけ船による廃棄物輸送の禁止をたびたび検討している (Timberg 1999)．このためにニューヨークは，他地域の処分場へ輸送するか，他の輸送手段を用いるか (渋滞や事故だらけのバージニア州までの高速道路を，補助金漬けで大気汚染をまきちらすトラックで輸送するか)，いずれもはるかに社会的費用の高い方法を選ばなければならない．はしけ船は廃棄物 1 トンあたりの輸送について，トラックの 9 分の 1 の燃料しか使用しないし，7 分の 1 の汚染物質しか排出しない (Timberg 1999)．ニュージャージー州エリザベスでは，廃棄物輸送トラックを停止させて厳密な検査をおこない，テールライトのひび割れなどに罰金を科すことで，ニューヨーク市からの廃棄物移入を削減しようと試みたことがある (Brown 1999b). すべてのトラックが平等に厳しく検査される限り，このことは合法なのだろう．しかし，ニューヨークからの廃棄物を阻止する方法としては明らかに社会的費用が高い（テールライトのひび割れに対しては既に適切な罰則が科されているものとする）．もしニューヨーク市がペンシルバニアへ廃棄物を送るためにニュージャージーを迂回するようなことになれば，明らかに社会的費用は増す．

- 州は，特定の廃棄物品目の埋立を禁止できる．こうした禁止措置を実施している処分場を使用する際に，禁止品目を普段から埋立処分している州は，新たに選別をする必要が出てくる．たとえば，マサチューセッツ州の処分場や焼却場では，剪定ごみ，バッテリー，タイヤ，大型家電製品，金属，ガラス，プラスチック，紙類の投入が禁止されている（U.S. EPA 1999b）．もちろん，禁止措置を実施している州自身も，同様の負担をこうむる．ただしその禁止品目が既に完全にリサイクルされている場合，それは追加的な負担にはならない．たとえば飲料容器デポジット制を導入している州では，飲料容器の埋立禁止が可能だろう．リサイクルが既にほぼ100%達成されているからである．これは単なる理論ではなく，アイオワ州では実施中，ミシガン州では検討中である（Truini 2001e）．移入を防ぐ賢明な方法ではあるが，国全体の視点からすれば効率的な行動とは言えない．
- やっかいな規制の存在によって処分場の処分料金が上昇し，廃棄物は外部へ追いやられる．事実，さまざまな規制は廃棄物の移出を「作り出している」かもしれない．たとえばトロントでは唯一の処分場が急速に満杯になりつつあり，しかも新たな処分場の建設は禁止されている．まもなくすべての廃棄物は，焼却されるか輸出されなければならない（Brown 1999a）．的はずれな理由で規制が厳しすぎると，ろくなことはない．そのような政策は，廃棄物処理の総費用を上昇させてしまうだけである．

幸い，これらに対処するうまい方法がある．廃棄物移入に対してNIMBY（not in my backyard）感情〔訳注：施設の必要性は認めるが，自分の家のそばに建設されるのはごめんだという気持ちのこと〕が起きるのは，処分場や焼却場の周辺住民が（たとえ適切な安全対策がとられても）補償されない外部費用をこうむるからである．処分場や焼却場は，環境問題の起こり得る場所に住むことで地元住民が感じる不快感を補償するのに十分な住民補償を支払うべきである（住民補償は，図7–4で言えば，最適な安全対策の下でも生じるがんリスクの期待費用である$\gamma$以上でなければならない）．こうした住民補償は廃棄物処理費用の一部分であり，地元の廃棄物であれ移入廃棄物であれ単一の処分料金に組み込まれる．どこから来た廃棄物であれ，環境被害を同じ程度発生させるのだから，同一料金が請求されることになる（本章の補論は住民補償の事例である）．なお図 7–4 で，処分場が $\beta$ の費用をかけて最適な安全対策をとり，$\gamma$ の費用をかけて近隣住民に残余がんリスクに対する住民補償を支払っている場合，処分場は収入 $R$ が $\beta+\gamma$ より大きいときのみ運営される．

**コラム：廃棄物受入れ自治体と住民補償の入札**

隣接する 5 つの自治体があり，最終処分場が建設されれば各自治体に年間 $A$ ドルの費用節約が発生する状況を想定してみよう．規模の経済性から言って，5 つの自治体が共同で 1 つの処分場を建設する方がよいものとする．問題はどこに処分場を建設するかである．各自治体は，自分以外の場所に建設されることを望むだろう．各自治体はこの処分場について，操業期間の 5 分の 1 は立地場所を提供してもよいという評価をしているが，全期間にわたって立地されることは望んでいない．しかし，この新しい処分場はいったんできあがれば動かすことができず，どれか 1 つの自治体に恒久的に設置されることになる．

ここで処分場受入れに対して支払われるべき補償金額について，入札がおこなわれるものとする．付け値の低い自治体は処分場の立地先に選ばれ，入札額分の補償金を毎年受け取る．この補償金は，残り 4 つの各自治体に対する入札額の 4 分の 1 ずつの課税によって集められる．各自治体は入札に際しジレンマに直面する．付け値を低くしすぎると，処分場を受け入れる可能性が高まり低い補償しか得られない．付け値を高くしすぎると，立地先に選ばれることは回避できそうだが高い税負担を負ってしまう．

実験によると，このような状況において人々はたいてい「マックスミニ戦略」（起こり得る最悪の結果を最善にするような付け値）を選択するらしい（Kunreuther et al. 1987）．処分場受入れに対する必要補償額が年間 $B$ ドル（以上）の自治体を考えよう．この自治体がいま $X$ ドルで入札すると，処分場が立地されれば毎年 $(X+A-B)$ の純便益を得て，立地されなければ $(A-X/4)$ の純便益を得ることになる．マックスミニ戦略に従えば，この 2 つの結果を等しくするような入札が選択される．マックスミニ戦略の入札額は $4B/5$ となり，処分場の立地にかかわらず $(A-B/5)$ の純便益が保証される．注目すべきは，この $(A-B/5)$ が，もしこの自治体が 5 年おきに処分場を受け入れたとしたら得られていたであろう純便益に等しいことである．*X* についてこれ以外の選択をおこなえば，便益はより小さくなる可能性があり，損失さえあり得る．

この入札プロセスを使えば，処分場はそれに対する不快度がもっとも小さい自治体に建設される．受入れ自治体は不快度の 5 分の 4 だけに相当する住民補償を通じて，残り 4 つの自治体は課税を通じて，受入れ自治体が感じる不快度の 5 分の 1 を支払うのである．5 つの自治体の状況は，共同処分場の建設によって改善される．さらに進んで，こうした税や住民補償を環境教育などに使うこともできるだろう．

すべての廃棄物に同一料金が請求されていたとしても，住民補償がある場合，廃棄物処理 1 トンあたりの純支出は各地域で異なってくる．処分場や焼却場の立地地域にとって，純費用は廃棄物に対する支払いから住民補償を差し引いたものである．遠方の廃棄物排出者が支払うのは現金のみだが，近隣住民は現金だけでなく将来起こり得る健康被害や環境被害という形でも支払いをする．住民補償はこのことを踏まえ，現金での支払いを減らしてくれるのである（住民補償は一括方式か年賦方式で支払われるのが望ましく，廃棄物の量やそれにともなう収入と関連を持たせてはいけない．さもないと，近隣地域にごみを過剰に発生させるインセンティブを与えてしまう）．

正しい水準の住民補償を実行するのは難しいが，そうした賠償の例は増えてきている．住民補償を手厚くすれば，焼却場や処分場の建設や操業に対する地元の反対を和らげることができる．廃棄物処理施設にとって地元の反対は時間のロスであり財源の支出でもあるので，住民補償は利益さえ付け加えてくれる（Simon 1990）．費用便益分析は「ある施設のもたらす便益が，それにともなう費用を補償するほど大きいか」を考えるが，それを確信できるのは実際に補償が支払われた場合以外にない．住民補償について地元との交渉が成立すれば，周辺住民の大多数の状況は実際によくなるだろう（貧困層やマイノリティが廃棄物処理施設の近くに住まざるを得ず，結果として生じる健康リスクによって苦しみを一方的に受けるという環境上の不平等については，第 13 章で再び触れる）．

**コラム：ウィスコンシン州の補償法**

ウィスコンシン州には，処分場の建設申請者がそれに関わる社会経済問題について地元住民と交渉するよう定めた法律がある．住民補償も交渉の一部であり，処分場のある場合とない場合の資産価値が鑑定された後，どの資産がどの程度の補償を受けるべきかについて，交渉がおこなわれる．資産価値の変化は，処分場がないことへの支払意志額の資本還元価値を表すことを思いだそう．また，騒音，渋滞，生態系破壊による生活の質への影響についても補償は請求できる．

地元住民と建設申請者が合意に達しない場合，州の廃棄物施設設置委員会が仲裁役を果たすことになる．地元住民と建設申請者は，補償と運営方法に関する最終提案をそれぞれ提出し，委員会はどちらか公平なものを選ぶ．メジャーリーグの年俸交渉に詳しい人にはおなじみの仲裁手法である．初期の 55 件の交渉のうち，合意に達しなかったために仲裁を求めて委員会に提出されたのは，わずか 3 件であった（Bacot et al. 1998）．

## 7.2　廃棄物移出の制限

矛盾するようだが，廃棄物の移入を抑制しようとする地域がある一方で，廃棄物の移出を抑制しようとする地域もある．なぜか．簡単に言えば，「責任」を果たすために廃棄物が必要だからである．この責任には，焼却場とリサイクル施設に関する 2 種類のものがある．

1970 年代後半から 80 年代前半にかけて，処分場の枯渇という懸念が特にアメリカ北東部で持ち上がり，多くの自治体は焼却処分への切り替えを決定した．将来のごみ発生量が見積もられ，適切と思われる規模の焼却場が建設された．莫大な初期資本はたいてい地方債の発行によって融資され，元本と利子の償還は高額な焼却場使用料金でまかなわれることとなった．焼却場を低コストで運営するには，継続的にフル稼働で操業しなければならない．しかし，使用料金が高額なためにごみの排出者はより遠方での処理機会を求めるようになり，1980 年代におけるリサイクルの進展もあって，当初の廃棄物発生量の見積もりは高すぎることになった．過度な焼却場容量と公債を抱え，負債の返済が満足にできない自治体は，地元のごみを地元焼却場に送り込ませる提案，いわゆる「フローコントロール」に解決を求めたのである．

フローコントロールは，リサイクルが発展した 1980 年代に，リサイクル費用を低く保ったり，リサイクルを拡大する手段として一般的になった．処分場やリサイクル施設において高額な料金が課されることで，高いリサイクル費用がまかなわれ，リサイクルはあまり利益の見込めない地域にも拡大していった．その際に，地元のごみ排出者が廃棄物を域外に送らないようにするために，フローコントロールが必要となったのである．

言うまでもなく，ごみ排出者はフローコントロールを好ましく思わなかった．これによる追加的な費用は，処分場や焼却場における使用料金の変化から分かる．たとえばニュージャージー州のいくつかの郡では，フローコントロールの法律が廃止されると，処分料金が1トンあたり約42ドル～61ドル下落した（Greenwire 1997b；Smothers 1997）．

いずれにせよ，フローコントロールはいまや過去のものである．1994年にアメリカ最高裁は，廃棄物の流入規制と同じく，流出規制も憲法の州際通商条項に違反するという判決を下した．裁判所は，廃棄物のフローを他のあらゆる移出入と同じものと見たのである．つまり州政府は，健康や安全上の理由なしに廃棄物フローを制限してはならないし，そのような理由があったとしても地元のごみと州外のごみとを区別してはならない．

フローコントロールについて経済学的に考えてみよう．まず典型的な自治体の焼却場があり，これは予想される焼却場へのごみ流入量（$W_{incin}$ トン/年）を処理できるように設計されているものとする．運転費用は電力の販売でまかなわれるが，莫大な初期投資（$K$）のために高額な年利（$iK$）が存在している．自治体は利子費用に対処するために，処分料金を1トンあたり $iK/W_{incin}$ に設定するとともに，フローコントロールをおこなって地元ごみ排出者が $P_{landf}(< iK/W_{incin})$ の処分費用（輸送費も含む）がかかる域外処分場を利用しないようにする．現実的に焼却場は解体できず，売却不可能で，焼却場そのものは事実上のサンクコスト（埋没費用）であると想定しよう．

この状況では，フローコントロールは意味がありそうに思われる．域外の施設を利用することの社会的限界費用は $P_{landf}$ であるのに対し，この焼却場の社会的限界費用は，十分な電力が生産され運営費用をまかなっているために，ゼロである．したがって移出廃棄物1トンにつき $P_{landf}$ の社会的費用が発生しており（しかも移出廃棄物はこの町の負債返済能力を危うくしている），フローコントロールはこうした浪費を防いでいるのである．

**図 7–5　ごみフロー抑制による死荷重**

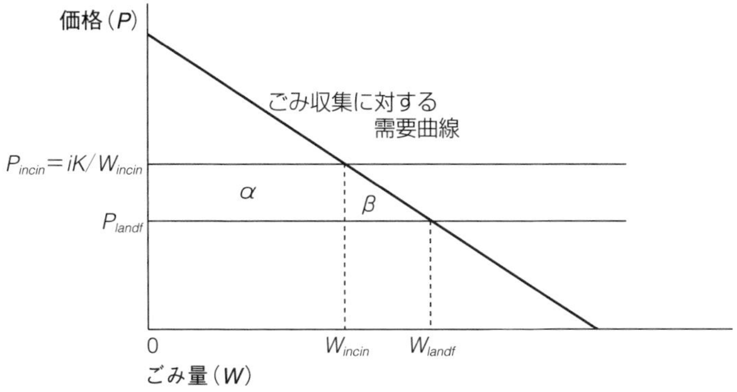

しかしながら，フローコントロールは移出を防止する最善の策ではない．最善の策とは，焼却場の使用料金を $P_{landf}$（以下）に値下げし，必要な返済金額を町の一般財源で補うことである．図 7–5 で検証しよう．フローコントロールが存在し，$P_{incin}$ の使用料金で焼却場へ向かう廃棄物が $W_{incin}$ だけ発生している状況から始める．いま焼却場使用料金を $P_{landf}$ まで値下げすると，廃棄物は $W_{landf}$ まで増加し，$W_{incin}$（受入れ能力に等しい量）が地元焼却場で受け入れられ，残りが移出される．消費者の状態は $(\alpha + \beta)$ の面積分だけ改善する．ここで $\alpha$ は域内焼却場へ送る廃棄物に関する支払い節約分であり，$\beta$ は新たな移出廃棄物による消費者余剰である．焼却場は $\alpha$ の面積だけ損をしており，これは町の一般財源から補塡しなければならない．しかしこの町の市民は納税者としての損失 $(\alpha)$ よりも，廃棄物処理について多くのもの $(\alpha + \beta)$ を獲得するわけである．価格切り下げによって $\beta$ の純便益が生まれることになる[1]．

なぜ自治体は，限界費用による価格付けよりもフローコントロールを好んだのだろうか．それには 3 つの理由がある．1 つ目に，課税には死荷重がともなうため，焼却場の損失を補うために一般財源を増やせば死荷重も増す．加えて，市民

1)　焼却場の純社会的限界費用がゼロなので，焼却料金をゼロに設定すればさらに収益が得られると思われる方がいるかもしれない．しかし，焼却場の容量が $W_{incin}$ であることを忘れてはいけない．その量を超えるごみはすべて移出され，それには $P_{landf}$ の社会的限界費用がかかる．

が焼却場の費用が高いことに気づいてしまうという政治的コストもある．2つ目に，図7–5はこの町の住民を同じ量のごみを排出し同じ金額の税金を支払う同質な個人として扱っている．実際には，フローコントロールは産業にもっとも重い負担を課し，一般財源税は家計にもっとも重い負担を課す．地元の産業に対するサービスの料金が高くなるという形でのコスト上昇は，フローコントロールか一般財源かという議論においては認知されにくい．しかし限界費用価格付けによって資産課税が高くなるのは認知されやすい．3つ目に，こうした議論が生じるのはたいてい自治体がリデュース，リユース，リサイクルを促進しようとしているときであって，焼却場使用料金を下げるのはこれに逆行している[2]．

リデュース，リユース，リサイクルの促進は好ましいことではないのか．そう，「ある程度は」好ましい．こうした行為は，その純社会的限界費用が焼却や埋立のそれよりも小さい限り，促進すべきだろう．いったん莫大なサンクコストである焼却場が建設され，焼却場の純社会的限界費用がほぼゼロになってしまうと，もはや誰もリデュース，リユース，リサイクルという費用のかかる行為をやりたいとは思わなくなる．だからといってリデュース，リユース，リサイクルを忘れて大規模焼却場を建設すべきだ，というわけではない．焼却場を建設する前には注意深く検討しなければならない．しかしたとえ誤って焼却場を建設してしまったとしても，フローコントロールはこれに対処する最善の策ではないのである．いずれにせよ，フローコントロールはもはや許されていない．

## 7.3　廃棄物の国際取引

廃棄物の国際取引には特別な問題がある．取引の過程で生じる被害を防ぐための国際的な法律，裁判所，立法機関がほとんどないからである．しかしながら，工業国が廃棄物を他国へ輸送しても世界はたいして問題にしない．さらに工業国

2)　フローコントロールは，リサイクル可能物の移出を抑制することで，自治体のリサイクル施設がより高い処分料金を請求し，規模の経済でトンあたりリサイクル費用を低めるためにも用いられている．これはもっとも費用の低い場所でのリサイクルを抑制するという点で，焼却場の場合と同様に死荷重を課すので，非効率である．さらに，リサイクルの目標は「どれをどれだけおこなうか」であって，リサイクル可能物のトンあたり費用を最小にすることではない．

は，お互いに輸出廃棄物の大半を輸送しあっている（これには第 13 章で取り上げる有害廃棄物さえ含まれる）．ドイツは世界最大の有害廃棄物輸出国であり，フランスは世界最大の輸入国である（OECD 1997）．タイトルである「廃棄物の国際取引」が問題となっている原因は，豊かな工業国から貧しい発展途上国への（特に有害性の高い）廃棄物の輸出である．

本章の前節で見てきたように，経済学は国内外の自由貿易にとって強力な根拠となる．しかしながらある条件の下では，富める国から貧しい国へのある種の廃棄物輸出を制限するもっともな経済学的理由が存在し得る．

- 途上国は，輸入すれば利益になる廃棄物とそうでない廃棄物を見分ける能力がないことを自ら認識している．特に，輸出国が廃棄の代わりにおこなう「偽リサイクル」などによって知らないうちに食い物にされているのではないかと途上国が思うならば，輸入制限という対応もあり得るだろう．
- 途上国は，輸入廃棄物の取り扱いや処分について適切な安全対策を保証する能力がないことを認識している．こうした国々が，リサイクルに携わる労働者の生命と健康を危険にさらす「汚れたリサイクル」の防止を検討するのは当然である（コラム「一日一隻，一日一死」を参照のこと）．
- 輸出廃棄物は，不正に海洋投棄される可能性がある．海洋投棄はコモンズ（共有資産）として海を利用し，投棄者に利益（処分費用ゼロ）をもたらし，他の沿岸国に莫大なコストをもたらすので，特に悪質である．1972 年にはじめて締結されたロンドン海洋投棄条約（London Dumping Convention）は，多種多様な廃棄物の海洋投棄を禁止したり，許可証による規制をおこなっている．しかし，廃棄物の国際取引禁止は，海洋投棄を規制するセカンド・ベスト的な方法にすぎない．

これら 3 つのうち，最初のものは有害廃棄物の全輸出を禁じた 1989 年の「有害廃棄物の国境を越える移動及びその処分の規制に関するバーゼル条約」の議論であろう（バーゼル条約については，Krueger（1999）を参照）．バーゼル条約の問題は，廃棄物それ自体が有害なものとそうでないものに分けられないことである．結果として，バーゼル条約のテクニカル・ワーキンググループはどこからどこへ何が輸出可能かを決めるようになって以来，非常に多忙となっている．これまで，ワーキンググループは世界を OECD 諸国か否か，バーゼル条約加盟国か否か，バーゼル条約の実施国か否かの6つのグループに分類し，潜在的に有害廃棄物を3つのリスト（緑，黄，赤）に分類した．分類上の技術的な問題以外にも，バーゼル条約には2つの問題がある．1つ目は，ある国で有害だと考えられているものが他の国ではそうとは限らないことである．2つ目は，ワーキンググループの官僚が非対称な損失関数を持つために，非常に多くの品目を禁止事項にリストアップする誘惑に常にかられていることである．たとえばリサイクル目的で回収された銅も，禁止項目に載ってしまっている（Buchholz 1997）．

繰り返しになるが，アメリカや他の工業国から途上国へ輸出される廃棄物のすべてが，目的地にとって廃棄物であるとは限らない．豊かな国のごみが貧しい国のリサイクル可能物になるという事例はたくさんある．たとえば，アジアの国々が1995年初頭に輸出向けポリエステル繊維製品を増産していたころ，ポリエステル樹脂が不足した（Miller 1995b）．するとアジアの業者は，アメリカで廃棄され収集されたソーダ飲料のプラスティック・ボトル市場に参入し，アメリカの供給量の4分の1以上を購入して価格をつり上げたのである．アジアではかつて，プラスティックびんが小企業によって労働集約的な工程で収集，洗浄され，ポリエステル製造用化学製品に生まれ変わっていた．25本のボトルでセーター1着が生産できたのである．1988年には，アメリカでリサイクル活動によって集められた古紙の4分の1近くが，主に台湾や韓国やメキシコに輸出された．それらの国々では，安価な労働力が存在するためにより注意深い分別が可能であり，結果として品質が高まって古紙の価値は上昇した．

豊かな国の廃棄物が，輸出を通じて貧しい国の廃棄物になる．これは悪いことだろうか．多くの貧しい国では，自国でのごみ発生は少なく，良質な処分場用地がたくさんある．ラリー・サマーズの失敗を繰り返す危険を冒せば，貧しい国は処分場が少なすぎると言えるかもしれない（*Economist* 1992）〔訳注：世界銀行副総裁であったラリー・サマーズが書いた，汚染集約的産業の途上国への移転促進を示唆するメモがかつて公開され，議論を呼んだ〕．貧しい国への廃棄物輸出規制は，豊かな国への労働集約的な最終財に対する輸出関税のようなものである．

**コラム：「一日一隻，一日一死」**

コラムのタイトルは，現在，世界最大の船舶スクラップ工場があるインドのアラン（Alang）でよく耳にする言葉である（Noronha 1999）．それは，廃棄物リサイクルに関する鮮明なストーリーを表現している．船は25〜30年で耐用期間が終了し，スクラップとなる．その95%はリサイクル可能な高品質の鉄であり，およそ100万ドルの価値がある．残念ながら残り5%は，アスベスト，砒素，鉛が主成分の塗料，PCB（ポリ塩化ビフェニール），その他の発がん性物質である．最近までこのような船舶解体は，工業国のドックで資本集約的な方法でおこなわれていた．しかし今日では，世界の廃船の半数以上がアランの海岸に集められ，大勢の労働者が単純な器具だけで解体している（Burns 1998；Langewiesche 2000）．

なぜ急激な移行が起きたのだろうか．アランの低賃金も原因の1つである．しかし，工業国における環境・安全・健康規制の遵守費用が，インドに比べてはるかに高いことも原因である（正確に言えば，インドではそうした規制の執行はほとんどない）．インドにとっての利点は，未熟練労働の雇用（アラン海岸で約4万人），収益（年間5億ドル），鉄スクラップ（年間250万ドル）などである．インドにとっての不利な点は，環境コスト（海岸や付近の水源における有害物質），安全性（火災，事故，爆発），健康（アランで働く労働者の4人に1人ががんになると予測されている）などである．

何をすべきかは，はっきりしない．現在，アメリカの船舶はすべての有害物質が除去されるまでアメリカから出港できないが，こうした除去作業が困難で，危険で，費用がかかる場合，たやすく免除されてしまう．しかし，すべての船をアメリカで解体するように戻させるのが答えとは思えない．人間だって，生まれた町で埋葬されるわけではないのだから．

「リデュース・リユース・リサイクル」の3本柱のうち，リユースについてはこれまであまり論じてこなかった．リユースの環境上の利点は明らかである．ある耐久消費財の価値が現在の所有者にとってゼロになっても，その財をプラスに評価する人は他にいるかもしれない．中古市場，ここでの文脈で言えば国際間の中古市場には，2つの社会的便益があり得る．つまり，1）生産物の寿命を引き延ばすこと，2）中古市場がなければ起こらなかったリサイクルを実現することである．これらは，いずれも廃棄物の埋立や焼却を延期させる．中古市場はこれら2つの便益を考慮に入れており，価格が現在の所有者のWTPより高く，将来の購入者のWTPより低ければ，取引が生じる．しかし，廃棄物処理費用の延期は考慮されていない．またも，処分に関する不適切な価格付けによって市場の失敗が発生するのである．使用済みの財は，社会的に有益なリユースがしつくされる前に処分されてしまう（Aagaard 1995）．

中古市場やリユース用の販売は，住宅や自動車などの耐久消費財でよく発達している．潜在的な市場は他にもあるが，所有者にとって処分が無料なために，非効率あるいは非公式に運営されていたり，まったく運営されていない．衣類が顕著な例である．再利用可能な衣類は，悪名高い使い捨ておむつの何倍もの処分場容積を占めているという批判がある（Kahlenberg 1992）．アメリカにおける衣類のリユースの多くは，慈善行為に頼っている．グッドウィル・インダストリー（古着の売買を通じて障害者に雇用と職業訓練の場を与えるNPO）では，年間30万トン以上の繊維製品を加工処理している（Todd 1993）．

耐久消費財のリユースは，たいていの場合，高所得者から低所得者への生産物の贈与や販売である．したがって，多くのリユースが，使用済み財の豊かな国から貧しい国への輸送をともなうのは当然である．毎年アメリカからだけでも20万トンの使用済み衣類が輸出されている．発展途上国の村々で，私は1970年代や80年代のローズボウル（ミシガン大学がよく試合をし，たいてい負けていた）の記念Tシャツをよく見かける．実際，こうした国では繊維製品は簡単には廃棄物にならない．Tシャツがぼろぼろになるまで使い古されたとき，マットレスの詰め物用に販売されたり，洗濯・再利用可能なおむつとして利用されたりして，もしかするとあと10年使われるかもしれない．

これらすべてのリユース促進は何を意味するのだろうか．1つ目に，ごみ収集有料化は社会的に有益な中古市場を活性化する．2つ目に，豊かな国から貧しい国への「廃棄物」の輸出禁止は望ましくないだけでなく，困難である．「廃棄物」が途上国で非衛生的に廃棄されるか，途上国で再活用されるかを見極めるのは難しいからである．

これらは，廃棄物の国際取引を自由化すべきだということを意味するのだろうか．そうではなく，単純な規制体系などないと指摘しているのである．これまで世界は，通常のごみ取引には制限を置かず，有害廃棄物の取引は完全に禁止する体制へと移行してきた．しかしこれまで見てきたように，すべての物質がきちんと容易にこうした分類に収まるとは限らない．ある物質はある輸入国では廃棄物であるかもしれないが，別の国ではリサイクル可能物かもしれない．またある物質はある時代では廃棄物かもしれないし，別の時代ではリサイクル可能物かもしれないのである．

## 7.4　おわりに

廃棄物取引は，どの程度おこなうべきだろうか．明らかに，最適な量はゼロ以上である．各家計が自分のごみを自分の土地に埋めるのは間違いなく非効率である．とは言え，全世界の処分場を 1 つに集約すると輸送費用が高くなり，規模の経済性から見ても大きすぎるものになってしまう．

処分場の最適数とそれらの間の最適距離が判明すれば，州や国の境界線の存在は問題になるだろうか．もし境界ごとに処理費用や廃棄物の外部費用に対する許容の程度が異なっていれば，境界の問題は重要だろう．しかし，国際輸送の規制や州の廃棄物税が気まぐれに設定されると，最終処分の形態は最適な状態とはかけ離れたものになる (Deyle and Bretschneider 1995)．

**コラム：バーボンとラム酒**

バーボン・ウイスキーはアメリカで，ラム酒はバルバドスで生産される．原材料の違い（トウモロコシとサトウキビ），水の違いなど多くの理由により両者の風味はまったく違っている．実は樽にも違いがある．

ウイスキーは年季の入ったオーク製の樽から多くの風味を吸収する．いったんウイスキーが十分に成熟してびん詰され販売されてしまうと，樽はごみになり，植木鉢か燃料用木材としてしか使い道がない．しかし，バルバドスのラム酒はバーボンを成熟させるのに使用された樽で寝かせることで，独特の風味がつくのである．たとえばジムビーム・バーボンの使用済み樽は，解体されバルバドスに輸送された後，再び組み立てられコクスパー・ラム酒を寝かせるのに利用される (Cowdery 1995)．

アメリカの法律で廃棄物輸出を規制すれば，バルバドス最大の輸出品が消滅するかもしれない．少なくとも品評家によるラム酒の評価は著しく落ちるだろう．似たような話はこれ以外にもたくさんある．

# 補論　アーバーヒルズ処分場での住民補償

1つの困難を解決せよ，そうすれば他の100の困難が遠ざかる
中国のことわざ

アーバーヒルズ資源管理センター（アーバーヒルズ処分場）は，ミシガン州サレム群区のブラウニング・フェリス・インダストリー社（Browning Ferris Industries：BFI）によって運営されている．サレム郡区の人口は4000人以下，ほぼ全員が白人で，年間世帯所得の中位数がほぼ6万ドルの町である．BFIは1980年代後半に現行の処分場を購入し，拡大・運営プランや来世紀の郡区の補償を盛り込んだサレム郡区住民協定を結んだ（Bates 1990；Kilbourn and Mandell 1992；Pyen 1992,1997；Rzepka 1992；Bui 1995；Kathleen Kleinとの私信）．

アーバーヒルズは小規模ではない．全ミシガン州のごみの10%がここで最終処分され，それ以上のごみがカナダからやってくる．処分場近隣の住民は，1日あたり数百台のトラックが発生する騒音，ほこり，悪臭をこうむっている．長期的な健康問題が常に心配されており，BFIは汚水を収集し処理する水路や貯水池を建設しているが，以前の所有者の下では地下水汚染が発生した．これらすべての外部費用や懸念を相殺するために，住民補償が登場した．

住民補償には，BFIとサレム郡区との協定を見れば分かるとおり，さまざまな規模や形態がある．

- サレム郡区は，処分場の全収入の2.5%およびコンポストによる全収入の4%を受け取る．BFIは年間305万$m^3$の廃棄物を受け入れ，1$m^3$につき平均16ドル近くを請求する．これにより郡区の年間収入はおよそ120万ドルになる（BFIは，サレム郡区のあるワシュテナウ郡の廃棄物には1$m^3$あたり13ドル以下しか請求せず，他の郡の廃棄物には16.3ドルを請求している．ワシュテナウ郡からの廃棄物はアーバーヒルズの廃棄物の4分の1以下であり，コンポストによる収入はアーバーヒルズの収入のごく一部分でしかない）．
- サレム郡区は，処分場から出るガスやその加工物の販売による収益の半分を

受け取る．BFI は，契約上こうしたガスを回収しなければならない．これによって，現在では住民補償にさらに 30 万ドルが付け加わる．

- BFI は同郡区の廃棄物を無料で，制限なしに受け入れなければならない．またリサイクル可能物やコンポスト可能物の回収施設を提供しなければならない．これは，この程度の規模の町では少なくとも 10 万ドルの価値となる．これら 3 つの便益を合計すると，年間 1 人あたり 400 ドル以上になる．
- BFI は，処分場を利用する顧客が大型トラックで郡の中心部を通らないようにする（もし顧客がこの制限に繰り返し違反するようであれば，処分場へのトラック進入を止めさせる）．
- BFI は，さまざまな方法で郡区の住民に対して環境保護サービスを提供しなければならない．住民合意では，BFI は連邦や州の規制に加えて，悪臭やほこりの抑制，雑草の防止，「現実的な意味で利用可能なあらゆる装置」による騒音の低減，風によって吹き飛ばされた散乱ごみの迅速な収集（あるいは郡区が拾い集めてその費用を BFI に請求する）を義務付けられている．
- BFI は，処分場によって郡区住民に生じた被害を完全に補償しなければならない．たとえば，地下水が処分場のために汚染されるなら，BFI は影響を受けている住民すべてに対して，ボトル入りの飲料水か上水道を提供しなければならない．
- BFI は，ワシュテナウ郡に年間 100 万ドル以上を支払う．同郡に属する自治体には，アーバーヒルズ処分場への 15%以上の割引価格による 20 年にわたる家庭ごみ受入れが保証されている．

2 つ補足したい．まず，支払いの詳細が興味深いことである．郡は，域外の廃棄物受入れによる全収入の 3%を受け取る．またサレム郡区に住民補償を支払い，他郡から入ってくる廃棄物に対して $1\,\mathrm{m}^3$ あたり 0.65 ドルの追加料金を加える．家庭ごみからリサイクル可能物を取り除いても，直接的な環境被害に影響を与えないので，こうした追加料金請求は慈善家のおせっかい以外の何者でもない．2 つ目に，割引価格が生み出す環境上のインセンティブについてである．もし通常の処分料金が実際の処理費用を表しているなら，割引は郡に所属する自治体のリサイクル活動を抑制してしまい，アーバーヒルズには過剰な量のごみが送られてしまう．均一料金によってこのゆがみを防ぐべきだろう．

サレム郡区のような住民補償合意を見ていると，近隣住民を処分場立地決定の際に幸福にし，しかも処分場で利益を得ることが可能であることが分かる．そのような方法は他にもたくさんあるだろう．

# 第II部
# リサイクル

# 第8章　リサイクルにおける市場の失敗

洗濯室へ入ったものすべてが，きれいになって出てくるとは限らない……

ラドヤード・キップリング『ステレンボッシュ』

ようやく（待ちくたびれたという人もいるだろう），リサイクルの話をする段階になった．これまで議論してきた政策や価格や税や補助金は，リサイクルがおこなわれていない世界の話だった．1960～70 年代のようなものだ．当時のリサイクル量は，アメリカの家庭ごみ全体の 10 分の 1 以下だった．しかし 2000 年におけるリサイクル率は平均で 3 分の 1 近くであり，それはすでに多くの家庭にとって単なる選択肢ではない．リサイクルは生活の一部であり，市民の楽しみあるいは不快な雑用になっている（Franklin Associates 2000；Glenn 1999）．

リサイクルに関する書物はたくさんあるが，極端な立場から書かれる傾向がある．ある人にとっては，リサイクルは良いことづくめで，やればやるほど良い．一方で，リサイクルをまったくすべきでないという人もいる．書物のタイトルがこの両極を反映している．『リサイクルをすべき理由』（Ackerman 1997），『リサイクルはがらくた』（Tierney 1996），『反リサイクル神話』（Denison and Ruston 1996），『リサイクルの再検討』（Black 1995），『良いものだから捨てられない』（Hershkowitz 1997），『リサイクルは心を癒すが利益は乏しい』（Bailey 1995a），『リサイクルを捨てるとき？』（Hendrickson et al. 1995）など．次の 5 つの章では，より冷静で慎重なアプローチを試みたい．私にとってリサイクルは，救世主でもなければ悪魔でもない．明らかなのは，すべてをリサイクルするのは最適ではなく，まったくリサイクルしないのも最適ではない，ということである．次の数章では，なぜリサイクルをおこなうのか，いつリサイクルを始めるべきか（より正確にはいつ再開すべきか），何をどのようにどれだけリサイクルすべきか，といった疑問に答えていく．

まず，「なぜリサイクルするのか」から始めよう．つまりリサイクルを促進する

（ときには助成したり要求したりする）特別な政策がなぜ必要なのかを考えていこう．なぜ「市場」はブロッコリーのようなふつうの生産物のように，リサイクル可能物を扱わないのか．なぜこの点で廃棄物は異なるのだろうか．簡単に答えると，廃棄物市場には「市場の失敗」があり，公共関与が特に必要なのである．

## 8.1　市場の失敗

本質を理解するために，ブロッコリーとコーラの空きびんを生産する農家を考えてみよう．農家はブロッコリーについて，市場に持っていくか捨ててしまうかを決めなければならない．この決定は簡単である．農家はブロッコリーの市場価格 $(p)$ を調べ，ブロッコリーの輸送費用 $(t)$ を差し引き，販売による純利益 $(p-t)$ が廃棄による純利益 $(-d)$ より大きいか小さいかを調べる（$d$ は処理費用である）．これら $p$，$t$，$d$ は，たいていの生産物（ブロッコリー）や生産者（農家）にとって社会的に意味のある数字である．競争市場であれば $p$ は需要と供給の交点で決まり，ブロッコリーに対する消費者の限界支払意志額とそれを生産する農家の限界費用の両方を示すことになる．このように $p$ は，追加的 1 単位のブロッコリーが持つ社会的価値を表している．$t$ についても同じく，競争市場であれば，輸送に必要となる費用を反映することになる．さらにもし農家がブロッコリーを捨てることを選べば，競争市場で廃棄物処理業者を雇わなければならないため，この $d$ も社会的費用を反映するだろう（ブロッコリーが運ばれていく最終処分場が社会的限界費用を含む受入れ料金を請求するのであれば）．これらは，入門編の経済学から明らかである．

次に，コーラの空きびんを考えてみよう．農家はそれを自治体のごみ収集サービスに出すか，自治体のリサイクル可能物収集サービスに出すか決めなければならない．いずれのサービスも無料である．廃棄する場合は，自治体の収集費用も最終処分費用も，私的費用も外部費用も考慮されない．そしてリサイクルする場合も，収集や分別の費用は反映されないし，回収された素材の社会的価値も考慮されない．したがってブロッコリーと空きびん，これら 2 つの市場には計り知れないほどの相違がある．一方の市場では，農家にさまざまな活動や資源の社会的費用に関するシグナルが送られるが，他方ではそのようなシグナルが送られないのである．

リサイクルが埋立や焼却に比べて社会的純便益をもたらすとき，市場が機能していれば，家計にその効果のシグナルが送られるだろう．しかしながらリサイクルにおける基本的な市場の失敗は，そうしたシグナルが送られないことにある．各家計によるリサイクルや廃棄の選択は，経済的な私利私欲や，社会的便益と費用についての正確なシグナルに基づいてではなく，気まぐれや習慣や信念に基づいておこなわれている．人々がリサイクルを道徳的に正しいと信じればリサイクルは進展するだろうが，それが自分の利益に結びつけばなおいっそうよいだろう．

捨てるよりもリサイクルする方が安くつくのなら，「市場」を通じて家計はそれに気づく．しかし，現実はそうではない．ごみ処理サービスが無料で提供されている限り，（たとえリサイクルが無料であっても）家計はリサイクルする経済的なインセンティブを持たない．道徳などの非経済的インセンティブに頼ったとしても，社会的に正しいリサイクルの水準はほぼ確実に達成されないだろう．第 10 章では，廃棄物処理とリサイクルについて，有用と思われる価格スキームや他の政策を考える．

正しい市場シグナルが送られないという失敗のほかにも，リサイクルに関連した市場の失敗を 4 つ挙げることができる．

- ほとんどのリサイクル施設は自治体が所有・管理しており，営利目的で運営されていない．多くのリサイクル施設の目的は，トンあたりリサイクル費用を低く保ち，収入を増やしつつも，利益に関するある制約の範囲内でできる限りリサイクルをおこなうこととなっている．制約とは，収支をとんとんにすることや，自治体補助金の規模である．こうしたリサイクル施設は，私的利益も社会的利益も考えず，リサイクルの内容や時期や場所や方法を決めてしまうだろう．社会的に正しい量や種類のリサイクルは実現しそうにない．
- 市場は，安定的なときにもっともうまく機能する．急激に変動する市場は，効率的な配分をしない．自由主義者といえども，総力をあげて戦争をする場合には徴兵や市場以外の非価格的な調達方法の必要性を認めるだろう．リサイクルは倫理的には戦争と同じように論じることができないが，需給や価格の急激な変化が起きやすいという点では似通っている．こうした状況の下では，安定した非市場的な手段が適切なのかもしれない．第 12 章で，リサイクルにおける価格と市場について詳しく見ていこう．

- リサイクル以外の市場にも，不適切な価格や外部費用は存在している．不適切な価格や外部費用を直接的に是正できないセカンドベストの世界では，リサイクル政策によってそれらに対処するのが適切かもしれない．たとえば $X$ と $Y$ という2つの代替財が消費されており，$Y$ の生産について外部費用が発生しているとしよう．本来は $Y$ に課税すべきだが，何らかの理由でそれができないのであれば，$X$ に対して補助金を出した方が何もしないよりはましだろう．本章の次項では，こうしたセカンドベストの議論を展開していく．
- 家計だけが誤った価格シグナルを受け取っているわけではない．生産者も然りである．すでに第2章で議論したように，生産者は製品や容器包装の廃棄費用に関して関心を持っていない．生産者は，製品や容器包装のリサイクル可能性についても考えていない．生産物や容器包装を廃棄しやすくしたりリサイクルしやすくしても，生産者にとっては利益にならないのである．

まとめよう．リサイクルは廃棄に代わる選択肢である．リサイクルをするまっとうな根拠とは，それが廃棄に比べて良い選択肢だということである．つまり，廃棄とリサイクル各々のすべての社会的便益と費用を考慮した上で，リサイクルの社会的純費用が廃棄のそれよりも低いという意味で「良い」のである．これを踏まえた上で，リサイクルをする根拠としては変なもの，あまりまっとうでないものについて見ていこう．

**コラム：古タイヤの処分**

アメリカ人は，乗用車やトラックの古タイヤを毎年1人あたり1個以上廃棄している．第二次世界大戦時までは，使い古された純ゴム製タイヤは溶かされ再利用されていた．しかしスチールベルトや合成ゴムが登場して以来，再利用は費用が高くなり，古タイヤはたいてい埋立処分されるようになった．タイヤは最終処分場でも場所をとるし，すぐには分解されないので，たいていの州は地元処分場へのタイヤ投棄を禁止したり，シュレッダー処理をするよう求めている．また地表への投棄は，火災の危険性やネズミや昆虫の繁殖場所になるという点でも望ましくない．根本的な問題は，古タイヤを堆積する私的費用が低い限り，代替的な処理やリサイクルの方法を見つけ出すインセンティブはほとんどない，ということである．

社会的費用が低く，便益さえ生み出すような古タイヤの処理方法は確かに存在する．たとえば古タイヤは再生できるが，この方法はここ数十年間ずっと減少している．新タイヤの実質価格が下落し，スチールベルトを用いるラジアルタイヤの再生に費用がかかり，廃棄処分に私的費用がほとんどかからないからである．タイヤはとても燃えやすく，重量あたりの燃料価値が石炭より高い．現在，アメリカの廃タイヤの約 3 分の 2 が燃やされている．タイヤはゴム入りアスファルト道路にも利用できる．この道路ははじめにおよそ 2 倍の費用がかかるが，乗り心地がよく，騒音も少なく，耐熱性を持ち，2〜4 倍長持ちする（Serumgard and Blumenthal 1993）．（現在価値という意味では，2 倍費用がかかり 2 倍長持ちするものは高価であるが，2 倍費用がかかり 3 倍長持ちするのであれば，長期的にはほぼ確実に安価であるだろう．）では，なぜこのような有益な方法で野積みされている廃タイヤをもっと利用しないのだろうか．たいていの場合，古タイヤを有益な形で再利用するには，依然として費用がかかるのである．

1991 年の総合陸上輸送効率化法は，ゴム入りアスファルト道路の利用を求め，全国道の 20%にこれを用いることを目指した．しかし，同法は施行されぬまま 1995 年に廃止された．タイヤ 1 個あたり，自動車 1 台あたりにつき少額の課税をおこない，その収入を野積みされた古タイヤの処分や古タイヤの利用に関する研究に当てている州もある（U.S. EPA 1993；Jang et al. 1998）．しかしこうした課税は，社会的に適切なタイヤ処分を直接的に促すものではない（Acohido 1999）．実際，すでに野積みされている古タイヤを減らすのに補助金を与えても，短期的には，新しく廃棄されるタイヤが再利用される市場を縮小させて，それらの埋立や野積みを増やすだけである．

未来のタイヤ鉱山を造っている州もある．こうした州は実行できるリサイクル方法がなく，通常の処分場への投棄を嫌がって，タイヤ専用処分場への投棄をおこなっている．近い将来，こうしたタイヤは掘り返されリサイクルされることになっている．残念ではあるが，汚れの多いタイヤは低品質のゴムしか生み出さない．さらに採掘には費用がかかるため，専用処分場がすぐに掘り返される可能性は低いだろう（Blumenthal 1998）．

## 8.2　リサイクルに関する屁理屈

屁理屈なんかは，放っておけばよいと思う人もいるだろう．しかし，屁理屈を正すのには一理ある．屁理屈はまっとうな理屈から注意をそらし，リサイクル政策をゆがめてしまうかもしれないのである．

よく耳にするのが，資源を保護し，この惑星が『成長の限界』(Meadows et al. 1972；Ruston and Denison 1996）に至る「ドゥームズ・デイ（地球最後の日)」を阻止するためにリサイクルをすべきだという議論である．ドゥームズ・デイの議論は以下のとおりである．私たちの惑星は有限であり，その資源もそうである．限りある資源を使い終ったとき，私たちの生活水準は破滅的に下落するだろう．リサイクルによって私たちの資源，そしておそらく私たち自身，あるいは私たちの生活水準は，より長く持続する．したがってドゥームズ・デイ仮説からすれば，リサイクルは必然である．ドゥームズ・デイ仮説が何度も繰り返されるのは，それが簡単に示せるからだろう．ある資源の確認埋蔵量（$X$）とこの資源の現在の使用量（$R$）という2つの情報があればよい．$X$を$R$で割ると，(現在の使用割合で）$X/R$年で使い果たすことが分かる．この資源なしでは現在の社会生活は考えられないなら，資源がなくなれば大変な事態になるだろう．こうした計算のばからしさを明らかにする一例を挙げよう．1973年における世界のアルミニウムの確認埋蔵量は，世界の年間消費量の23倍であった．つまり世界はアルミニウムを1996年に使い果たしてしまうことになる（Simon 1981)．

ドゥームズ・デイ的な考え方の危険性を書いたものは数多くあるので，そのすべてを詳述する必要はないだろう．ここでは，リサイクルへの含意を見るにとどめる．実際に，われわれが何らかの資源を使い果たしつつあると想定してみよう．もしそれが不可欠で代替不可能であれば，ほど遠くない将来に非常に希少になり，貴重になるだろう．そうなれば，その資源は確実にリサイクルされるだろう．しかし将来，何かが広くリサイクルされるようになるからという理由で，いまそれをリサイクルすべきだというのは変である．「低くぶら下がっている果実を最初に摘め」という古い農家のことわざを思いだそう（このことわざは1960年代に初めて資源利用に適用された；Herfindahl 1967)．私たちは安価に採掘されたバージン資源を使い，捨てているが，処分場はそれらを将来の再利用のために貯め込んでいるのである．

処分場にある大半のものはゆっくりと劣化するか，まったく劣化しない．処分場では，半世紀前の新聞や，干からびたニンジンが転がっているのを目にすることも多い．「処分場は不滅です」と言ってみても，ふつう自慢にはならない．しかし，処分場は将来のためのリサイクル可能物の倉庫と見なすこともできる（Dickinson 1995）．現在ではリサイクルが技術的に不可能で，経済的に費用のかかるような製品であっても，後にリサイクル可能になって利益を生むかもしれない．そのとき，リサイクル可能物を採掘すればよい．実際に，すでに採掘がおこなわれている処分場もある．ただしその目的は，リサイクル可能物の採取よりもむしろ，処分場の寿命延長や，安価な覆土の獲得や，長期の監視や安定期間なしに土地を再利用することにあるが．

では資源や処分場を使い果たすぎりぎりまで，リサイクルを考えるべきではないのだろうか．そうではない．数学的な証明をコラム「いつリサイクルを始めるか」で示しているが，基本的な考え方は簡単なものである．リサイクルされた資源は，バージン資源の代替物と考えることができる．それはアルミのように安価な場合もあれば，プラスティックのように高価な場合もある．もう一度，低くぶら下がっている果実のことわざを思いだそう．これを資源に当てはめれば，バージン資源が安価な限りリサイクルはしないということである．しかしバージン資源がやがて高価になれば（残っている果実に手が届きにくくなると），リサイクルはバージン資源に比べて社会的に費用効率的になり，リサイクルを始めるべきとなる．

これでも十分だが，さらにこの過程で生活水準がどうなるかに注目しよう．バージン資源が安価なとき，われわれはそれをふんだんに利用してぜいたくに暮らしている．しかし安価な資源を使い切ってしまうと，資源を発見するためだけに時間を費やすようになり，生活水準は下落していく．高価な資源を利用しリサイクルを拡大せざるを得なくなれば，われわれの生活水準は非常に低くなるだろう．もし世代間で生活水準を均等にしたいなら，絶対的に必要になる前にリサイクルを始めなければならないのである．

リサイクルを促進する理由として他によく挙げられるのが，バージン資源の使用を促進してしまうような政策（バージン資源に対する税優遇措置，社会的費用以下の価格による公有林材の販売，スクラップ鉄よりも低く抑えられたバージン鉄の輸送費，採鉱の外部費用の放置など）を相殺する必要性である（Schall 1993；Denison and Ruston 1996；Hershkowitz 1997）．

不適当な理由でバージン資源の使用を支持する公共政策があるのなら，除去すべきである．これについては疑いようがない．税優遇は補助金と同じであり，採掘を過大に，バージン資源価格を過小にしてしまう．また，もしある活動が外部費用を発生させているなら，課税すべきである．しかし，バージン資源が補助を受けているからという理由で，リサイクル資源に補助金を与えるのは変である．採掘が外部費用を発生させているからという理由で，リサイクルに助成するのもやはり変である．

ところが，セカンドベストの議論が浮上する．外部費用が発生しているにもかかわらず，何らかの理由でバージン資源への課税が不可能だとしよう．そのときリサイクルのような代替的活動への助成は，セカンドベストの政策になり得る．しかしそれは最善（ファーストベスト）の政策ではない．影響を与えようとしている活動から政策が離れるほど，「二階から目薬」になる可能性は大きくなる．たとえば，バージン資源への課税はリサイクル資源への代替だけでなく，資源利用量の削減も進める．しかしリサイクルに対する補助金は，バージン資源のリサイクル資源への代替を促進するが，生産におけるバージン資源による資本と労働の代替も進めて，バージン資源の総利用量を増やしてしまう[1)]．

セカンドベスト的な政策は回りくどいだけでなく，効果が疑わしい．バージン資源に対する税優遇措置のほとんどは，1980年代の税制改革で消え去った（Koplow and Dietly 1994）．それ以前でさえ，税優遇措置はバージン資源に関する生産者の選択にたいした影響を与えていなかったと思われる．たとえば，銅採掘の減耗控除によるバージン銅価格下落への影響はほんの2%であると推計されている（Geiger 1982）．

---

1)　逆に，リサイクルに外部便益があるが，何らかの理由でそれに対する補助金が不可能だという状況もある．この場合，バージン資源に対する課税はセカンドベスト的対応であるが，資源利用全体に対して誤った方向の意図せざる影響がある（Fullerton and Kinnaman 1995）．つまり，外部費用がある状況でのセカンドベストの税や補助金は，意図せざる（場合によっては悪い）結果をもたらす（Dinan 1993；Palmer and Walls 1997）．

エネルギー利用，汚染，地球温暖化なども，リサイクル促進の根拠として持ち出される．リサイクルを批判する研究者でさえ，リサイクルがエネルギーを節約することは認めている（Bailey 1995a；Tierney 1996）．しかし，あらゆる生産技術は，さまざまな量のエネルギー，労働，資本，その他の生産要素を必要とする．ある特定の生産要素の利用が少ないという理由で，技術を選ぶべきではないだろう．

エネルギーの議論は，エネルギー価格が低すぎて過剰に利用されており，エネルギー集約的な生産プロセスが不適切に選ばれていることを前提にしている．確かに，少なくとも経済学者の間では広く認められているとおり，アメリカにおけるエネルギー価格は低すぎる．しかし，ここでも最善の対応が存在する．もしエネルギー利用の社会的費用がその私的費用を上回っているなら，エネルギー利用そのものに課税すればよい．エネルギー集約的な生産物や活動に課税したり，エネルギー効率の良いものに補助金を与えるのは，まどろっこしいセカンドベストな政策と言える．低すぎるエネルギー価格がどの程度の影響をもたらすかについても，疑問がある．ある研究によれば，バージンのアルミはリサイクルされたアルミに比べて莫大な量のエネルギーを使うが，人為的に低く設定されたエネルギー価格の結果生じたリサイクルへの不利は，わずか7%だという（Koplow 1994）．

ある1つの側面に注目すれば，リサイクルを補助する理由はいくらでもある．たとえば，リサイクル資源を使う新聞印刷用紙工場では原材料の80%以上が製品になるのに対し，バージン資源を使う工場ではわずか25%しか製品にならない（Hershkowiz 1997）．……だからどうしたと言うのだろう．廃棄物の最小化は，経済の唯一の目標ではない．もし廃棄物処理が過少に価格付けされているのなら，最善の対応は適切な有料化であって，廃棄物を発生させない活動の促進ではない（実際，上の例で製品にならない部分のほとんどは廃棄物ではなく，焼却され，工場にエネルギーや熱を供給している）．もう1つの例は大気汚染である．リサイクル可能物の収集トラックは，一般廃棄物の収集トラックよりも大気汚染の原因にならないと言われている（Hershkowiz 1997）．またも，大気汚染の削減は社会の唯一の目標ではない．この議論に従えば，ごみ収集車やパッカー車を捨てて，荷馬車へ戻らなければならなくなる．もし大気汚染が社会的に見て過大なら，大気汚染を出さない活動に補助金を与えるのではなく，大気汚染の発生そのものに課税すべきなのである．（ところで，リサイクルによる汚染がバージン資源によるそれより少ないことは必ずしも自明ではない．Palmer and Walls (1997) を参照.）次に具体的に，紙リサイクルと森林伐採についてこのような議論を見てみよう．

**コラム：いつリサイクルを始めるか**

とても単純な例で考えよう．処分場が枯渇しつつある（処分場の枯渇はドゥームズ・デイ仮説のようにやや時代遅れではあるが，少し前までは一般的だったし，簡単な議論には役に立つ）．2 期間の無人島生活で，1 単位の労力が 1 単位の消費を生み出し，1 単位の消費が 1 単位のごみを生み出す．1 単位の処分場容量が利用でき，費用ゼロでごみを投棄できる．また，1 単位の労力で 1 単位のごみをリサイクルできる．各年の消費とごみのリサイクルに，労力をどう配分すべきだろうか．$C$ を消費，$L$ を埋立，$R$ をリサイクルとし，下付きの添え字で期を示すと，これらを数学的に表現できる（Highfill and McAsey 1997）．

$$1 = C_1 + R_1 \quad \text{（1 期目における } C \text{ と } R \text{ への労力の配分）} \tag{1}$$

$$1 = C_2 + R_2 \quad \text{（2 期目における } C \text{ と } R \text{ への労力の配分）} \tag{2}$$

$$R_1 + L_1 = C_1 \quad \text{（1 期目のごみの } R \text{ と } L \text{ への配分）} \tag{3}$$

$$R_2 + L_2 = C_2 \quad \text{（2 期目のごみの } R \text{ と } L \text{ への配分）} \tag{4}$$

$$1 = L_1 + L_2 \quad \text{（処分場容量の各期への配分）} \tag{5}$$

これら 5 つの方程式（および 6 つの変数）から 3 つの変数（$R_1$，$R_2$，$L_2$）を消去するよう代入すると，3 つの変数を含む 2 つの方程式が残る．

$$C_1 = (1 + L_1)/2 \tag{6}$$

$$C_2 = (1 + L_2)/2 \tag{7}$$

$L_1$ が決まれば両期の消費経路が決まる．1 期目で処分場を利用しつくして，2 期目で必要になるまでリサイクルを延期するというのも 1 つの方法だろう．つまり $L_1 = 1$（そして $L_2 = 0$）である．この決定によれば消費経路は $C_1 = 1$，$C_2 = 1/2$ となる（2 期目は半分の時間をリサイクルに費やすので 1/2 になる）．もし消費の限界効用が逓減するなら，2 期目に生活水準が半減するのは非常に望ましくない見通しと言える．しかし 1 期目でリサイクルを始めれば，これは回避できるだろう．処分場を半分ずつ利用すれば，消費を均等化できる（すなわち，$L_1 = L_2 = 1/2$，$R_1 = R_2 = 1/4$，$C_1 = C_2 = 3/4$）．総消費量は先ほどと同じだが，2 期にわたって均等化されている．

要するに，処分場容量が安価なうちからリサイクルを始めるのは，有意義かもしれない．しかも実はまだ，リサイクルを早めに始めるべき主な 2 つの理由を考慮していないのである．それは，「学習効果」と「リサイクルされた財の消費」である．もしリサイクルを通じて学習ができるなら，2 期間で消費を均等化するだけでなく総消費を増加することさえできるかもしれない（1 期目にリサイクルを実行すれば，2 期目で 1 単位の消費をリサイクルするのにもはや 1 単位の労力を必要としないから）．さらに，1 期目にリサイクルしたものは 2 期目に消費できる．ここまではモデルを単純にしておくために，リサイクルの「ちょっとした」ボーナスと言えるこれらの要素を無視してきた．

いまや，これら 2 つの要素をモデルに入れるのは容易である．もし 2 期目において（1 期目に学習したために）リサイクルが半分の労力しか要せず，さらに 2 期目に $R_1$ を消費できるなら，(2) 式は (8) 式のようになり，(6) 式は変化しない（1 期目には学習の効果も追加的な消費も生じない）が，(7) 式は (9) 式のようになる．

$$1 = C_2 - R_1 + {}^1\!/_2 R_2 \tag{8}$$

$$C_2 = (4 - 2L_1)/3 \tag{9}$$

各期で消費を均等化するために $L_1 = 5/7$ に設定すると，以前より大きい $C_1 = C_2 = 6/7$ が生み出される．

## 8.3　紙リサイクルと森林資源

森林伐採を減らして森林ストックを増やすために，紙のリサイクルをおこなう．それは正しいことだろうか．話はそう単純ではない．まず，木材の輸出入のない国を考えてみよう．そこでの紙の需要は，再生紙とバージン・パルプで満たされている．紙の回収が増えると，再生紙の価格は下落する．これはリサイクル製紙業に大規模で安価な投入が起こることを意味している．再生紙は，バージン・パルプから生産される紙よりも安くなる．結果として，紙の平均価格が低くなり，全体の紙の購入量は増え，再生紙はより多く，バージン・パルプ紙はより少なく購入される．バージン・パルプ紙の需要が減るので，原材料供給のために森林が伐採されることも少なくなる．

森林伐採は少なくなるが，このことは森林ストックの増大を意味するだろうか．必ずしもそうではない．バージン・パルプは天然林と人工林という 2 種類の森林から生まれる．天然林は樹齢の高い木々からなっており，いったん伐採されると非常にゆっくりとしか回復しない．人工林の木々はニンジンのようなもので，森林の経営者によって植林され，育成されて，たいていは木材の大企業に売られていく．天然林の伐採が減ると，より多くの老木が残される．したがって紙リサイクルは，確かに天然林ストックの減少を抑制する．しかし人工林の木材需要が減ると，定常状態における人工林の植林も減り，そのストックは縮小する．紙リサイクルは，人工林のストックを減じてしまうのである[2)] (Darby 1973)．

もし目的が森林ストックの拡大であれば，紙リサイクルの拡大がそれを達成するとは限らない．もし目的が天然林伐採の抑制であれば，紙リサイクルはそれをなし得るが，これは非常に間接的な，セカンド・ベストの政策だと言える．天然林には，レクリエーション，保水機能，種の保存，地球温暖化の抑制など，多くの場合に価格付けされていない外部便益がある．このような天然林の社会的価値を，森林所有者は私的に把握していない（ちなみにアメリカにおける主な天然林の所有者は，私的利益より社会的利益を考慮するはずの連邦政府である）．公共政策によって天然林の外部便益に直接立ち向かうのが，最善の政策なのである．天然林の伐採を抑制する直接規制，伐採量を制限する許可証取引やピグー税などによって，望ましい目標をより効率的に達成できるだろう．

ところがアメリカでは，天然林伐採に課税するどころか，国有林材を大量に売り出したり，林業のリスクを政府で負担したり，公的支出で林道を建設したりして，伐採を補助している (Koplow and Dietly 1994)．天然林伐採に課税すれば，バージン材の価格が上昇するだけでなく，リサイクルも促進される．つまり価格を外部性を含めるように価格を正しく調整することで，紙の利用を抑制し，天然林から人工林への代替を進めるのである．ちなみに森林全体のストックは，天

2)　現実はもちろんもう少し複雑である．収益率低下に対する林業家の反応はいくつか考えられる．農業に戻る人もいるだろう．林業は続けるものの，あまり熱心には運営しなくなる人もいるだろう．木材価格の低下で需要が喚起された，家具や建築目的の木材に切り替える人もいるだろう．

**図 8–1　日本とカナダで木材製品の輸出入がある場合とない場合**

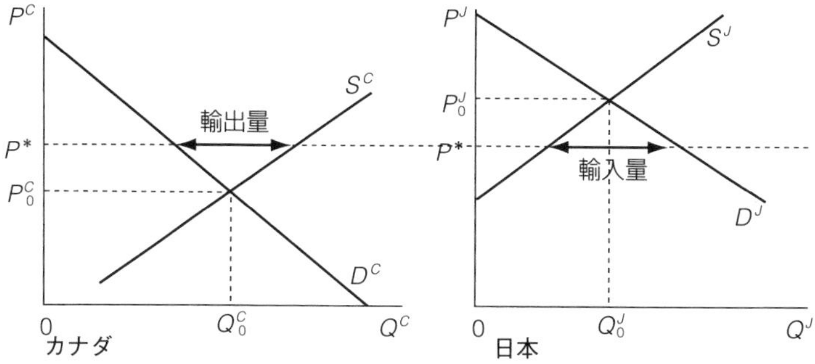

然林ストックの伐採抑制と，人工林ストックの増大という 2 つの理由で上昇する．

ここで，木材貿易の効果を考えよう．近年シアトルで開催された世界貿易機関（WTO）の会議では，木材の自由貿易が世界の森林伐採を加速し，バージン材の価格下落やリサイクルのインセンティブ減少を招くという反自由貿易派の懸念が表明された（Carlton 1999）．木材貿易と紙リサイクルの関係について検証していこう．

単純化のため，木材輸出国（カナダ）と木材輸入国（日本）を 1 つずつ考える（カナダは世界の木材輸出の約 5 分の 1，日本は世界の木材輸入の約 7 分の 1 を占めている．各国ともこの分野では主導国と言える；FAO（1996））．図 8–1 には，木材の需要曲線（$D$）と供給曲線（$S$）が各国について描かれている．もし貿易ができないなら，カナダにおける価格は $S^C$ と $D^C$ を等しくさせる $P_0^C$ となり，日本は同様に $P_0^J$ となる．カナダは低費用の生産国で需要も低く，低価格である．自由貿易になれば，営利を求める貿易業者が登場し，価格差は取り除かれる．価格は（輸送費用を無視すれば）両国で $P^*$ になり，カナダは日本へ輸出をおこなう．

木材生産に何が起きるだろうか．カナダの生産量は増大し，日本の生産量は減少する．どちらの変化が上回るかは実証的な問題である．しかし多くの研究は，木材の関税率の下落，つまり貿易の上昇によって，全世界の生産量はわずかしか上昇していないと結論づけている（Barbier 1999；Sedjo and Simpson 1999）．現実には，木材の関税率は既に低い傾向にある．ゆえに現実世界の将来の選択は，非常に低い関税率かさらにもっと低い関税率かだろう．そのような変化は，当然ながらわずかな影響しかもたらさない．

紙リサイクルには何が起こるだろうか．カナダにおける木材価格の上昇はカナダにおける紙リサイクルを促進し，日本における価格の下落は日本における紙リサイクルを抑制する．再び，どちらの効果が勝っているかは実証的な問題である．しかし，両国を差し引いたリサイクルの純効果は，それほど大きくなりそうにない．

おそらくシアトル会議の抵抗グループは，アメリカのみを考えていたのだろう．アメリカは年間170億ドル分の木材を輸出し，230億ドル分の木材を輸入しており，わずかに純輸入国である．もし上述の理論でアメリカを日本に近いと考えれば，木材の自由貿易は木材価格を少し下げ，天然林や人工林の生産量を少し減らし，紙リサイクルをわずかに抑制させることになる．

まとめると，木材とリサイクル，伐採，森林，貿易の関係はそれほど単純ではない．森林全体のストックを増やし天然林の伐採を減らすかもしれないという理由でリサイクルを支持したり，木材貿易に反対しても，影響は非常に間接的であり，方向さえも明らかでない[3]．二階から目薬となるのが落ちである．

まだまだ続けられるが，そろそろやめておこう．リサイクルに関しては，根拠の薄い議論や，おかしな議論が多い．最後に1つだけ，特に有害な議論を取り上げよう．「リサイクルは雇用を生む」というやつである．

## 8.4　雇用創出

リサイクルの支持者は，利点の1つとして雇用の創出をよく取り上げる．

> 研究によれば，リサイクルは雇用に強い正の影響を与える．ノースカロライナでリサイクルの雇用が100人分創出されるごとに，一般廃棄物やバージン資源の採掘について失われる雇用はたった13人分である……．ボルチモア，リッチモンド，ワシントンの3都市の研究では，ごみ処理業で約1100人の人々が雇われるのに比べて，リサイクル事業では5100人以上の人々が雇われることが分かった……（CEQ 1997）．

3)　EPAによる研究は，紙リサイクルが増えれば森林ストックは短期的に増えるが，レントの低下によって新しい人工林の植林が減ると結論づけている．長期的には，紙リサイクルは森林ストックにほとんど影響を与えない (U.S. EPA 1998a).

> リサイクルが創出する雇用は注目に値する．1万トンのリサイクルをおこなえば36人分の雇用が生み出されるが，同量の埋立処分では6人分の雇用しか創出されない（Cohen et al 1988）．

EPAは以下のような発表を定期的におこなう．「リサイクルは埋立処分の5倍の雇用を創出すると見積もられる」（U.S. EPA 1994a, 1997a）上に，「リサイクル関連雇用が100人分生み出されるごとに失われる雇用は，ごみ処理産業でわずか10人分，木材産業でわずか3人分である」（U.S EPA 1995a）．

リサイクルの便益として雇用を挙げるのは，3つの点で間違っている．第1に，リサイクルに多くの人間が必要となるという事実は，リサイクルが高くつくということ，他の公共政策目標を追求するのに用いられたかもしれない労働（や資本）を多く必要とするということにほかならない．第2に，リサイクルによって創出された雇用は，失業を減らすのではなく，単に経済の別の仕事を置き換えるだけである．雇用がどこから生まれるかは定かではない．それは，リサイクルに対する政府支出が増大した際に，どの部分の政府支出が減ったか，どの部分で増税がおこなわれたかによる．新しい支出が増税によってまかなわれる場合は，消費者がそれによってあきらめた買い物が何だったかに依存する．第3に，確かに雇用が生まれ，失業率がリサイクル・プログラムの結果として実際に下がったとしても，これを達成するのにリサイクルが最良の方法だったかどうかを考えなければいけない．1972年の大統領選挙で，候補者のニクソンとマクガバンは，ベトナム戦争が労働集約的な歩兵の活用で雇用を拡大したか，資本集約的なヘリコプターへの投資で雇用が縮小したか，論争をしていた．この論争が悲しいのは，上の問題を解決すればやがてはベトナム戦争の是非がはっきりするだろうと当時の両陣営が思っていたところである．

リサイクルと雇用について，巧妙ではあるが根拠の弱い議論をあと2つ取り上げよう（取り上げても処分場容量が減らないのは良いところだが，こういった議論はすぐにまたリサイクルされて復活してしまう）．反リサイクル論者は，リサイクルの雇用創出効果は認めるが，そうした職業はあまり良いものではなく，低賃金のものが多いと指摘する．アメリカの誰もが同じ賃金を得られたら，それは素晴らしいだろう（年10万ドルくらいになる）．しかし，そうではないというのが資本主義の原則である．リサイクルの現場で働いている低所得者だって，自らの仕事にまったく価値がないという烙印を押されたくはないだろう．一方，リサイクル賛成論者は，リサイクルによる低技能・低賃金労働力の活用を，思いがけない幸運と考える．

> ニューヨーク市のリサイクルと廃棄物管理は，原材料加工やその他の産業で，やがて4万4000人から6万人の雇用を生み出すだろう．……1960年以降ニューヨークで70万人の雇用が失われ，……高技能職のグループとマイノリティや不利な立場にある人々からなる，低質で臨時雇用扱いのグループとに街が二層化していることを考えると，その意義は大きい（Gandy 1994）．

もちろんニューヨークは，低技能の職業を創出する他の方法を考えても損ではないだろう．要するにリサイクルについて，それが雇用する労働者の数や種類によって，社会的観点から見て望ましいとか望ましくないとか言うのはおかしいのである．失業者がいるという事実は市場の失敗であるが，リサイクルはそれを正すためにあるのではない．

## 8.5 おわりに

リサイクルの市場がうまく機能しない理由は，リサイクルへのインセンティブが欠けていることにある．あるものをごみ箱に入れるかリサイクルに出すかという選択において，ほとんどの家計にとって限界費用はどちらもゼロである．ごみはいずれにせよ出るのだからよいとして，リサイクルは追加的な容器，追加的な分別，追加的なスペース，追加的な時間を必要とする．家計にリサイクルするよう教育したり強く求めることもできるだろうが，リサイクルへの経済的インセンティブを効かせるには，ごみ収集を有料化するほかない．がむしゃらな，「やればできる」式のリサイクルは，そうそう長続きはしない．実際にも，多くの都市のリサイクル率が減少しつつある．

**コラム：途上国の都市におけるリサイクル**

非市場的な活動や政策に基づくアメリカのリサイクルとは違い，途上国の都市におけるリサイクルは，市場駆動型の，営利を目的とした活動である．家計がごみを出すやいなや，袋や荷車とともに一匹狼のスカベンジャー〔訳注：路上廃棄物から有価物を探して集め，リサイクル業者や中古品業者に売却することを生業とする人たち〕たちが現れ，リサイクルやリユースすれば価値を持つものを，生活のために集めていく．

その数や，ごみから彼らが取り除く資源の量は大きいが（ある研究によれば，ジャカルタには4万人のスカベンジャーがいて，一般廃棄物の5分の1の量をリサイクルしている），政府がその活動を支援することはあまりない．実際，ジャカルタでは最近まで，スカンベンジャーたちは乞食や売春婦とともに「街のやっかいもの」と位置づけられ，警察にいじめられてきた（Sicular 1992；Porter 1996）．スカベンジャーはまじめに働いていて，自治体が処理しなければならないごみの量を減らしてくれていると認識している途上国の都市もある．ボツワナのハボローネには，スカベンジャーを正規に雇い，時間給を払っている紙リサイクル工場がある．これは一見すると高くつき，インセンティブという点からも良くなさそうだが，この企業は，そうした方が再生紙の量が増えて，安定化し，より収益があがると考えたのである（Porter 1997）．

先進国ではリサイクルを促進するのに政府介入が必要なのに，途上国では営利目的のリサイクルが活発なのはなぜだろうか．答えは，相対的な要素価格にある．多くの原材料は世界市場で取引されており，価格は国ごとにあまり違わない．しかしながら，賃金は国ごとに多く異なる（リサイクルは労働集約的な産業である）．したがって賃金の低い途上国では，リサイクルによる原材料の回収が，賃金が高い先進国よりも私的利益を生みやすいのである．

# 第9章　リサイクルの経済学

ホットドッグの包み紙や，猫の寝わらをリサイクルしたいですか．もちろんリサイクルしようと思えばできますが，どれだけのコストをかけてもよいと思われますか．

EPA 前副長官・水政策センター現所長　J・ウィンストン・ポーター　Booth (2000) より引用

もしごみを捨てるのが無料であれば（あるいは安ければ），リサイクルは少ししかおこなわれない．ごみを捨てるのが無料でリサイクルに報償がなければ，人々にとってはリサイクルをするよりもごみを捨てる方が容易なのである．こうした「市場の失敗」があるときは，公共政策の出番となる．アメリカでは実際に，都市域で往々にして強制的かつ補助金を受けたリサイクル活動がおこなわれている．本章で検討される課題は，こうしたリサイクル・プログラムが，社会的費用よりも大きな社会的便益をもたらしているかどうかである．

## 9.1　リサイクルの主な費用と便益

アメリカでリサイクルをすることの費用便益分析の決定版を1つ実施して，（少なくとも経済学的な視点から）リサイクルが良いことか悪いことかを決めればよいのかもしれない．しかし後述するように，リサイクルの費用と便益は地域によって大きく異なる．したがって一般的にできることとして，費用便益分析の手順について概略を説明する（分析例については本章の補論を参照されたい）．

すべての費用便益分析は，関連する費用と便益のリストを作り，それを貨幣単位で測る方法について考えることから始まる．リサイクルについても同じである．リサイクルには3つの主要な便益がある．1）物質の回収と再利用，2）埋立量（あるいは焼却量）の削減，3）ごみ収集の必要が減ること，である．一方，リサイクルには２つの主要な費用がある．1）リサイクルできる物質を収集すること，2）物質を再利用のために加工すること，である．その他にも費用や便益があるが，後で扱うことにして，まずはこの５つに注目しよう．

## 便益（1）資源の回収

それまで捨てられていた物質を回収し再利用することは，重大な便益である．結局のところ，これこそがリサイクルをする理由であると言ってもよい．問題は，リサイクルされたさまざまな物質をどのように貨幣換算するかである．わかりやすく，よくおこなわれるのが，売却から得られる収益を用いた評価である．回収された物質には，利用者がそれらに支払ってもよいと思う金額分の価値がある．

市場価格に関する問題は，それらが大きく変動するために，費用便益分析の結果自体がどの年の価格を用いるかに大きく依存してしまうことにある．数年間の平均価格を用いれば，この問題はある程度回避できる．しかしもしそうした価格にトレンドがあれば，別の問題が発生する．私たちは毎年毎年リサイクルするかどうかを決めるわけではない．関心があるのは，ある程度の期間にわたる将来の平均収益なのである．現在の価格は，将来の平均価格をうまく近似するとは限らない．

２つ目の問題は，市場価格には買い手にとっての物質の私的便益しか反映されていないことである．リサイクルの追加的な社会的便益として，エネルギーの節約や，資源採掘・木材伐採の抑制を含めたがる人もいる．前章で見たとおり，他の市場での失敗はその市場で修正されなければならないのだが，そうした別の市場での失敗に対処する方法が次善の策ではあれリサイクルしかないという場合も考え得るだろう．これは，費用便益分析の教科書が出始めた1970年代初頭以来の悩ましい問題である（Dasgupta et al. 1972; Little and Mirrlees 1974）．ある部品がＡという場所では１ドルで作れるにもかかわらず，政治的な理由で，同じ部品の製造に２ドルの費用がかかるＢという場所に工場が立地されたとしよう（そこには補助金が支給されているか，競争からの保護があるだろう）．ここで，部品の製造に1.5ドルかかるＣという場所に工場を建設することの費用便益分析を考えよう．それは場所Ｂよりも0.5ドル分コストが少なくて済むのだから，費用便益テストに合格するだろうか．それとも，場所Ａより0.5ドル分コストが高いのだから，費用便益テストに不合格なのだろうか．リサイクル可能物やリサイクルされた製品の価格における変動やトレンドは，どのようなリサイクルの経済分析にとっても重要であるので，第12章で別個に検討する．

### 便益（2）埋立量・焼却量の削減

リサイクルされた物質は捨てる必要がいったんなくなるので，廃棄にともなう社会的費用が回避される．回避された処分の私的平均費用は簡単に推計できる（第4章の補論Aを参照）．残念ながら，私たちが必要としているのは社会的限界費用であり，それを推計するのは容易とは限らない．

埋立について考えよう．第4章で見たとおり，埋立の限界費用や平均費用は，アメリカの北東部では高く，南部や西部では低い．問題はそれらが外部費用を含んでいない点だけである．しかし焼却については第5章で見たとおり，エネルギー生産から得られる収益が可変費用をほぼ相殺するため，（焼却できる）製品がリサイクルされてもそれによって回避される私的限界費用はほぼゼロである．したがってリサイクルの便益は，埋立をしている北東部の都市でもっとも高く，どこであれ焼却をしている都市でもっとも低い．埋立や焼却にともなう現在や将来の（期待）外部費用の回避も，リサイクルの追加的便益としてカウントされなければならない．どの程度正確にそれを測れるかは，また別の問題としてある．

### 便益（3）ごみ収集量の減少

リサイクル可能物として収集されるものは，通常のごみ収集システムで集める必要がなくなる．そこには明らかに費用節約があり便益があるわけだが，それはどの程度の大きさだろうか．またも平均費用は簡単に推計できるが，限界費用は平均費用よりも明らかに低いだろう．ごみのうちいくらかが分別されリサイクルされて収集する量が減ったとしても，ごみ収集車は以前と同じように走り，各家庭の前で停まらなければならない．リサイクルを擁護する論者でさえ，この点での節約はわずかかほとんどないとしている（コラム「リサイクルの費用便益分析」を参照）．節約された限界費用はおそらく平均費用よりもずっと小さいだろう．

ごみ収集の費用は，世帯人員数や全体の賃金水準に依存するため，地域によって大きく異なる．当然ながら同じ要因がリサイクル可能物の収集費用にも影響するため，リサイクルが進むと両者の総計がどう変わるかを考えるのがよいだろう．

### 費用（1）リサイクル可能物の収集

リサイクル可能物の収集費用を上述した便益（ごみ収集費用の減少）と一緒にして，相殺しあうものと考えてしまえれば話は楽である．残念ながら，そうはいかない．まずリサイクルを始めることによって，これまで1つで済んでいた固定費用が2つの収集システム分について必要になる．ただし運搬に用いられるトラックは小さくてよいので2倍にまではならない（費用はまったく高くならないという事例がAnderson et al. (1995) にある）．さらに可変費用については，通常のごみ収集よりもリサイクル可能物を収集する方が高くつく．この違いはなぜか．収集するにあたって，同じ1トンが違うものになるのはなぜなのだろうか．

リサイクル可能物を収集するにはごみ収集の2倍から3倍もの費用がかかる（通常，ごみ収集がトンあたり50ドルかかるのに対してリサイクル可能物収集にはトンあたり100ドル以上がかかる）．それは，驚くべきことではない．以下の簡単な話を考えてほしい．ある都市で，容量・費用・人員については同じ条件の2台のトラックが走り出す．1台のトラックは容積トン4分の3のごみを収集し，それを元の3分の1の大きさに圧縮する．もう1台のトラックは，容積トン4分の1のリサイクル可能物を収集し，圧縮しない．2台のトラックは，同時に満杯となる．そして2台は荷を降ろす場所まで行き（どちらにとっても同じ距離にあるものとする），積み荷を空にし，収集ルートに戻る．（各収集場所での停止時間の差やトラック重量の違いによるガソリン消費量の差を無視すると）どちらも総費用は同じだが，ごみを収集したトラックは，リサイクル可能物を収集したトラックに比べて，3倍の内容物を収集している．こうしたトンあたり費用の差は基本的に，リサイクル可能物を圧縮することはできないという事実から発生している．結果として，各収集場所でより多くのリサイクル可能物が収集されればリサイクル可能物の平均収集費用は低下するが，ごみとリサイクル可能物を含めた全体の平均費用はリサイクルされるものの割合が増えれば増えるほど，上昇していく．圧縮の不利は決して乗り越えることができない[1]．

---

1)　これは，ちょっとした計算で分かる．各家計が毎週ちょうど $1\,\mathrm{m}^3$ の廃棄物を排出するものとしよう．$C\,\mathrm{m}^3$ の容量を持つ収集トラックがその家庭まで廃棄物を集めに行くのに，1ドルかかる．リサイクル可能物を収集するトラックは各家庭で $r\,\mathrm{m}^3$ のリサイクル可能物を集め（$r$ は全体のうちリサイクルされる比率と考えてよい），満杯になるまでに $C/r$ だけの家庭を回れる．その後，トラックはリサイクル施設まで $Z$ ドルで行って

いくつかの実証研究でも，リサイクル可能物の収集費用が高くつくということは示されている（Stevens 1994，本章の付録も参照のこと）．したがって，リサイクル可能物の収集費用は，ごみ収集費用の節約を上回ってしまう（Denison and Ruston 1990; CWC 1993; Scarlett 1993; Powers 1995; Ackerman 1997）．しかしある研究（Stevens 1994）によれば，リサイクル可能物の収集が増えるにあたって，その平均費用の低下速度はごみ収集の平均費用の上昇速度よりもずっと速いため，総収集費用はそれほど急激には上昇しない．リサイクル率が5倍になっても（約5%から25%になっても），総収集費用の上昇は35%ほどである．

エコデータ社は無作為に選ばれたアメリカの60都市を1993年に調査し，リサイクル率ごとにトンあたり平均収集費用を計算している．

| リサイクル率 | ごみ収集費用 | リサイクル収集費用 | 加重平均費用 |
|---|---|---|---|
| 0-9% | 46 | 312 | 59 |
| 10%-19% | 58 | 112 | 66 |
| 20% | 72 | 102 | 80 |

これらの推計は，Stevens（1994）の値を1997年ドルに換算したものであり，加重平均は5%，15%，25%というリサイクル率で計算されている．

リサイクル可能物の収集費用は，作業員数，収集場所間の平均距離，収集が民営化

---

戻ってきて，再び収集を始める．このトラックに関する総費用は，家庭に収集に回るのにかかる可変費用 $C/r$ と施設まで行くのにかかる固定費用 $Z$ を足した $(C/r+Z)$ である．$1\,\mathrm{m}^3$ のリサイクル可能物あたりの平均費用は $(1/r+Z/C)$ であり，$r$ が高いほど低くなる．

一方，ごみ収集トラックは各家庭で $(1-r)\,\mathrm{m}^3$ のごみを集め，それを3分の1（$(1-r)/3\,\mathrm{m}^3$）に圧縮する．満杯になるまで，トラックは $3C/(1-r)$ だけの家庭を回ることができ，その後，$Z$ の費用で処分場あるいは焼却場へと移動する（リサイクル施設までの距離と同じだけ離れていると仮定している）．ごみ収集トラックの総費用は $3C/(1-r)+Z$ である．ごみ収集トラックは満杯になるまでに $3C$ のごみを集めるので（$C$ は圧縮される前の容量である），平均費用は $[1/(1-r)+Z/(3C)]$ となり，$r$ が高いほど高い．両方の種類の収集にかかる平均費用は加重平均である $[r(1/r+Z/C)]+(1-r)[1/(1-r)+Z/(3C)]$，整理すれば $[2+(1+2r)Z/(3C)]$ となる．全体の平均費用は，$r$ が高くなるにつれて高くなる．リサイクル可能物収集の平均費用は $r$ が高くなれば低くなり，ごみ収集の平均費用は $r$ が高くなれば高くなるが，収集全体の平均費用は $r$ が高くなれば高くなるのである．

されているか等の条件によって，都市ごとに大きく異なる（Miller 1993; Stevens 1994）．リサイクル可能物の平均収集費用が全般的に高く，都市ごとに大きく変動するのは，1世紀にわたって費用の低い収集技術が進化してきたごみ圧縮に比べ，リサイクルは始まったばかりだからである．

### 費用（2）再利用のための加工

リサイクル可能物は，雑多な収集物を均質で市場化可能なものにする資源再生施設で加工される．資源再生施設では資本費用と操業費用がかかる．もっとも近い資源再生施設がもっとも近い埋立地よりも遠くにある場合は，その輸送費用の差も考慮に入れなければならない．このため人口密度の低いアメリカ西部の州では，ほとんどリサイクルがおこなわれていない（Truini 1999）．

資源再生施設は高くつく．その建物の中では，さまざまなことがおこなわれている．収集したものを機械で破壊して小さく均一の大きさにする，破砕．異なるサイズの破片が分けられる，ふるい選別．密度の異なる破片を分別する，水浮遊選別．鉄を分別する，磁選．そして単純な手選別．最初の4つは非常に高価な設備を必要とし，最後の1つは労賃が高くつき労働集約的である．ただし，資源再生施設に関わる技術はまだ若く，近いうちに大幅な費用節約が（特に労働節約的な）技術革新によってもたらされるだろう（Williams 1991）．

資源再生施設にはどれくらいの費用がかかるのだろうか．資源再生施設は比較的新しく，さまざまな施設がさまざまな方法でさまざまな事業をしているため，費用推計は変動が激しい．費用推計をおこなった研究例を概観すると，加工されたリサイクル可能物トンあたり30ドルから80ドルとなっている（1997年ドルによる評価・Francis 1991; Miller 1992; Scarlett 1993; CWC 1993; U.S.EPA 1995a; Ackerman 1997）．またこうした研究のほとんどで，資源再生施設の費用は，リサイクル可能物の売却から得られる収益を上回っている．資源再生施設は単独で見た場合（つまりリサイクル可能物の収集費用を無視しても），現在のところ，受入料金を課したり補助金を受けたりしない限り経済的に存立不可能である．

資源再生施設には規模の経済性がある．規模が大きくなるほど，トンあたりの資本費用や操業費用は明らかに小さくなる（Chang 1992）．小さな都市には小規模な資源再生施設もあり得るが，完全な資源再生施設には少なくとも30万人の人口が必要である（WIlliams 1991）．しかしここで言う「規模」という言葉遣いには注意すべきである．資源再生施設の規模および処理量を倍増すれば，同じ物質を加工するのに，トンあたりの操業費用は小さくなる．しかし違う物質を扱うことで処理量を増やしても，トンあたり費用は下がらない．実際，すぐに見るとおり，リサイクル可能物にはヒエラルキーがあり，加工コストが安いものも，高いものある．要するに，資源再生施設には規模の経済はあるが，範囲の経済はないのである．

使用済みパソコンやテレビの廃棄について考えるのがよいだろう．ほとんどの自治体リサイクル施設は，パソコンやテレビを受け入れていない．これらの品目は日常的に廃棄されるものではないため，他のリサイクル可能物からそれを分別して破砕し，市場で売却できる均一な資源にするには，少なくとも1台20ドルほどのコストがかかってしまう（Jung 1999; Salkever 1999）．パソコンを例にとれば，それは金，銀，銅，パラジウムといった有価物を含んでいるが，1台のコンピュータにそれが含まれている量はほんのわずかである．たとえば数百ドルの価値を持つ金1オンスを採取するには，約90 kgの回路盤と手間のかかる作業が要る．ある文献によれば，1台のパソコンから回収できる資源はおよそ6ドルの価値にしかならない（Hamilton 2001）．要するに，使用済みパソコンをリサイクル品目に加えても範囲の経済は働かないため，収入以上の費用がかかってしまう[2)]．

私たちはパソコンを埋立地へ捨て続けるしかないのだろうか．2つの理由から，そうではないことが分かる．まず，パソコンには鉛などの有害物質が含まれており，自治体は通常の埋立地にそれらを投棄することを禁止しはじめている．そして第2に，施設が十分大きければ，コンピュータ解体作業そのものについて規模の経済が働く．つまり全国規模の（あるいは州規模や地域規模でも）コンピュータに特化した資源再生施設を作るのである．すでに民間によるそうした取組みは

---

2)　費用に関して3つの逸話がある．第1に，IBMは，顧客が30ドルの代金と共に返却しさえすれば（返却費用も顧客負担である），コンピュータを再利用あるいはリサイクルすることを約束した（Truini 2000b）．第2に，ロードアイランド・リソース・リカバリー社は，顧客が自分で持ち込むことを前提に，廃コンピュータの無料回収を始めたが，そのような持ち込み収集でさえトンあたり1500ドル以上の費用になると推計されている（Truini 2000c, 2001g）．第3に，ヒューレット・パッカード社は製造業者にかかわらずコンピュータ関連機器を集めてリサイクルする予定である．費用は回収量によるだろうが，アンアーバーでの1台の古いパソコンとモニターについて言えば，46ドルかかる（Truini 2001d）．

現れはじめているし，収益を挙げつつある（Paik 1999）．そのうちコンピュータは通常の自治体リサイクル・ルートで収集され，すぐに近くのコンピュータ専用資源再生施設へ搬送され，それぞれの規模の経済性が活用されるだろう．テレビにはパソコンよりも有価物が少なく，有害物が多く含まれているため，収益性のあるリサイクルはもっと難しいだろう（Ramstad 2000）．

**コラム：費用便益分析の一例**

リサイクルの費用と便益を推計した例を紹介しよう．あるリサイクル賛成論者による，慎重で，バランスのとれた研究では，アメリカにおけるリサイクル可能物1トンあたりの費用と便益が以下のように推計されている（Ackerman 1997）．

| 便益（＋） | 費用（−） |
|---|---|
| 資源の回収 | +??? |
| 最終処分の削減 | +31 |
| ごみ収集の削減 | +0 |
| リサイクル可能物の収集 | −123 |
| リサイクル可能物の加工 | −50 |

この研究（リサイクル導入によるごみ収集費用の節約はないという非常に保守的な仮定を置いている）は，次に，リサイクルの費用便益における収支を合わせるには，資源回収の価値がどの程度なければならないかを問うている．答えは，トンあたり142ドルである（つまり123ドル +50ドル −31ドル −0ドル）．

研究は結論として，資源回収の利益は142ドル以下になりそうだが，平均的な家計におけるリサイクル可能物発生量は年200 kgくらいなので，「たとえ利益がゼロだったとしても，平均的な家計にとっての負担は年間31ドルと，たいした額にはならない」（Ackerman 1997, 71）．費用便益テストには合格しないが，たいした差ではないから，やった方がよいというのだろうか．家計あたり31ドルとは，アメリカ全体でリサイクルの費用が便益を年間30億ドル超えているという意味である．もっとも，アメリカ国民がリサイクル・プログラムに参加するという名誉に対して毎年31ドルを支払ってもよいというのであれば話は別だが．

最後に1つ．家計あたり費用は不適切な指標である．リサイクルの費用が便益をトンあたりで上回るとすると，家計あたり費用は，リサイクル量が少ないほど少ない．かといってリサイクルは少ない方がよいわけではない．上述した研究の著者の肩を持てば，彼が言いたいのは，推計には不確実性があるので，費用便益テストをパスしそうであるという状態は，正確なデータがあればパスする可能性は十分あるということなのかもしれない.

## 9.2　その他の費用と便益

前節で議論した費用と便益には確定的な金額が与えられていなかったが，ここまでのところどうやらリサイクルは分が悪いようである．リサイクル可能物の平均収集費用は通常のごみ収集の2倍から3倍ほど高く，費用便益を差し引くとマイナスである．資源再生施設の費用は売却収入よりも大きく，ここでもマイナスが出る．回避された埋立費用がこれらを相殺しなければ，全体の費用便益をプラスにできない．アメリカのほとんどでは，埋立費用は現在のところそれほど高くない．

こうした否定的な結論を避けるには，2つの方法がある．1つは，直接修正することはできないような，他の市場（エネルギーやバージン資源など）における市場の失敗を認識することである．外部費用の無視によってバージン資源が社会的に見て安すぎる場合，リサイクルはある意味で税のように働き，バージン資源の生産者が受け取る価格を引き下げる．こうした他の市場における間接的便益が十分あるとすれば，リサイクルの純便益は正になるかもしれない．

第2の方法は，家計を分析に含めることである．ここまでの話で出てきたすべての費用と便益は，ごみ収集所にごみが集められて以降のものであった．つまり私たちは，分別収集のためにリサイクル可能物を分けるという家計の費用（手間）も，持続可能な経済へとつながるかもしれない活動に参加することで得られる家計の便益も，無視してきた．これらのうち費用については容易に推計が可能であり，実際の推計例もある[3]．リサイクルすることそのものについて人々が感じる

3)　リサイクルに反対する論者は，リサイクル可能物トンあたり最高で3000ドルまで，この費用を非常に高く見積もることが可能である（Tierney 1996）．逆に，リサイクルを好む論者は，市民の義務に金銭的価値を付けようとすること自体を非難する．「人生はビジネスではないし，社会における参加はビジネスにおける出費とは異なる」という言葉は聞こえは良いが，リサイクル活動がもたらす真の費用を無視してよいという理由にはならない（Ackerman 1997, 13）．筆者はこうしたコストを原則として計上すべきであると考えているものの，標準的なアメリカの家計にとってリサイクル可能物1トンあた

便益を貨幣換算するのは難しいが，不可能ではない．ある研究は，リサイクルすることの価値は平均的家計にとって年間 16.27 ドルと推計している（Kinnaman 1996）．私は，これら費用と便益がほぼ相殺しあうので，費用便益分析にあたってそれらを無視しても結果は変わらないのではないかと考えている．ただしこれを否定する研究もある（コラム「ペンシルバニア州ルイスバーグでのリサイクル」を見よ）．いずれにせよ，市民の環境意識は，コミュニティがリサイクルをするかどうかに大きな影響を与える（Tawil 1996）．

端的に言えば，アメリカの「平均的な」自治体では，社会的な費用便益の見地からしてリサイクルは割に合わない．方法論は様々だが，これまでの多くの（すべてではない）実証分析では，アメリカの「平均的な」都市においてリサイクルの純便益が負であることが示されている（Deyle and Schade 1991; Specter 1992; Scarlett 1993; Curlee et al. 1994; Franklin Associates 1994; Kinnaman 1996; Shore 1997）．ただしリサイクルの純便益は自治体ごとに大きく異なるし，自治体自身もリサイクルを実施するかどうかを決定するにあたってそれを認識していたと言えるかもしれない．マサチューセッツ州の 80 の町について調べた研究では，リサイクルをおこなっている 31 の町は導入することで 7 万ドルの費用節約を達成し，リサイクルをおこなっていなかった 49 の町は導入しないことで 8 万 8000 ドルの費用節約を達成した（1997 年ドルによる評価・Tawil 1996）．

したがって，リサイクルが費用便益テストに合格するかという問いに対する答えは，「イエス」であり「ノー」である．それは，どんな自治体を考えているかによるのである．アメリカ合衆国の多くの場所で，リサイクルはこのテストに合格している．本章の付録が示すとおり，アンアーバーではほぼ合格しそうなところまで来ている．ごみとリサイクル可能物の収集費用や埋立処分料金はアメリカの各自治体で大きく異なり，これがリサイクルの費用便益分析を左右する重要な要因となる（Apotheker 1993; Tawil 1996）．ここから，国全体のリサイクル目標を立てて，面積や人口密度や各種廃棄物処理施設への距離の違いを考えずにすべての自治体に適用することの馬鹿馬鹿しさが分かる．

今後，リサイクルはより多くの自治体でおこなわれるだろう．リサイクルはまだ「試運転」の段階にある．やがて自治体が費用効果的なリサイクル政策を学習

---

り純費用が数ドル以上になるとは思えない．

し，優れたリサイクル技術を使うようになれば，リサイクル可能物の収集・分別費用は下がるだろう．また，リサイクルされた資源やそれを用いた製品の市場も現段階では未熟であるが，リサイクルの発展やリサイクル可能物の供給に対応して，急速に成長しつつある（これについては第12章で触れる）．

時が経つにつれてリサイクルの便益は増し，その費用は低下する．おそらく，リサイクルは近い将来，普通に費用便益テストに合格するようになるだろう．そのような時は，リサイクルを実施していればそれだけ早くやって来るのである．したがって今日リサイクルに投資することの主な便益の1つとして，「将来時点でコスト効果的なリサイクルがおこなわれる」という純便益をカウントすべきだと言える．

**コラム：ペンシルバニア州ルイスバーグのリサイクル**

ペンシルバニア州ルイスバーグは，住民6000人の小さな町で，リサイクルが経済的にうまくいきそうにない場所である．にもかかわらず，1991年に州の要求に対応して，1ヶ月に1回，新聞，アルミ，ガラスを回収するステーション回収方式のリサイクルを導入した（他の金属，雑誌，プラスチック類については，持ち込みセンターが設置された）．ある詳細な研究が，1995年におけるルイスバーグのリサイクルによる費用と便益を推計している（Kinnaman 2000）．われわれが用いてきた形に整理すると，以下のようになる（単位は1997年の1000ドル）．

| 項目 | 便益（+）あるいは費用（−） |
|---|---|
| 資源の回収 | +9.5 |
| 最終処分の削減 | +16.3 |
| ごみ収集の削減 | +1.6 |
| リサイクル可能物の収集 | −4.2 |
| リサイクル可能物の加工 | −11.5 |
| 運営上の費用 | −13.9 |
| リサイクルに対する純支払意志額 | +234.1 |
| 総計 | +231.9 |

もしルイスバーグの人々はリサイクルが大好きで（盲目的に好きすぎて），本当にいくらでも支払いたいと思っているのなら，純便益は正である．もしルイスバーグの家計が本当は年100ドルも支払う意志がないのであれば，純便益は負になる．

## 9.3　どれだけリサイクルすべきか

ここまではリサイクルを「する・しない」で考えてきたが，実際には自治体はリサイクルを「どのくらい」おこなうかも決定しなければならない．「どのくらい」と言っても，ある1つの物質についてどのくらいの量のリサイクルをおこなうかという意味ではない．規模の経済性があるとすれば，いったんリサイクルすることに決めたら，できるだけ多くの量を集めるのがよい．問題は，「どれだけの種類の物質をリサイクルにまわすか」である．

「リサイクルが成功したか」は，自治体のリサイクル率で測られるものではない．アメリカ環境保護庁への報告書で，地域自立研究所（Institute for Local Self-Reliance）は，アメリカの18自治体を「トップ自治体」とし，彼らがリサイクルしすぎているかどうかを問わずに，「こうしたトップ自治体から何が学べるか」と書いている（U.S. EPA 1999b, 1）．これは誤った質問である．範囲の不経済があるとすれば，より多くの種類の物質をリサイクルすれば限界費用はより高くなる．より多くの種類の物質が収集されると，収集担当者や選別担当者の仕事はより煩雑になる．

ではいったい，どれだけの種類の物質を集めるべきなのか．理論的には簡単である．すべての物質について，取得の方法には，バージン資源を採掘するか，リサイクルするかという2つの方法があると仮定しよう．もしこれら2つが完全に代替的であれば，社会は，毎期においてバージン資源を採掘して廃棄するか，いったん採掘したらそれ以降はずっとリサイクルし続けるかの選択をしなければならない（考えを明確にするためではあるが，この議論は選択を非常に単純化している．特に重大な単純化は，100%リサイクル可能な資源などないという事実を無視していることであろう）．バージン資源を生産するのにかかる社会的限界費用は $MSC_v$ であり，リサイクルによってこれが回避される．リサイクルはまた，使用後のバージン資源を廃棄する費用 $MSC_d$ も節約する．リサイクルの社会的限界費用（$MSC_r$）は逓増する．このようにリサイクルをすればするほど高くなるのは，同じ資源をたくさんリサイクルしているからではなく，より多くの種類の物質をリサイクルしているからである．すなわち範囲の不経済性が存在する．

リサイクルは，$MSC_r = MSC_v + MSC_d$ となる点まで拡大すべきである．もし $MSC_r < MSC_v + MSC_d$ ならばリサイクルすべきであるし，$MSC_r > MSC_v + MSC_d$ であればリサイクルをやめるべきである．リサイクルには，おそらくゼロ以上ではあるが技術的に可能な最大量よりは少ない，最適な水準がある．最適なリサイクル量より大きくても小さくても，浪費である．リサイクルが少なすぎれば，バージン資源があまりにも多く採掘され廃棄されているという意味で，資源が浪費されている．リサイクルをやりすぎても，やはり資源が浪費されてしまう．

こうした最適リサイクル量が，都市や時代を通じて同じであるという理由は何もない．だからこそ，リサイクルを始めようとする自治体は，どれだけリサイクルするかも決めなければならない．リサイクルの実態調査をしてみると，こうした決定は都市によって大きく異なる．たとえばアメリカの600都市を対象にした調査では，ほぼ全都市がガラスびん，鉄，バイメタル，アルミ缶を集めていた．古新聞はほぼ全都市が集めていたが，段ボール箱を集めていたのは3分の2，その他の紙を集めていたのは5分の1以下だった．1号プラスチック（PET）や2号プラスチック（HDPE）は4分の3以上の都市で集められていたが，その他のプラスチックは5分の1以下の都市でのみ集められていた．5分の1の自治体では上記以外の物質も集められていたが，その内容は多様であった（繊維，アルミホイル，自動車部品，スプレー缶など；Skumatz et al. 1998）．

収集するコストが安く，高い値段がつく物質はリサイクルの第一候補である[4]．たとえばアルミ缶は，市場から消えたバイメタル缶と同じくらい選別しやすく，トンあたり最高1000ドル（12オンスの容器あたり2セント）で売れる．新聞も同じく選別しやすく，トン100ドルで売れる．プラスチックは逆に費用がかかる．種類が多く，家計や，収集車や，選別者の仕事を複雑にする．プラスチックはかさばるが軽量で，収集車の場所をとる（Lamb and Chertow 1990）．そしてほとんどのリサイクル可能なプラスチックはトンあたり数ドル以上では売れない．ま

4）1種類の物質だけがリサイクルされているとき，リサイクル施設は必要なく，費用は非常に低く済む．実際に，リサイクルをまったくおこなっていないマサチューセッツ州イーストロングミードウと，新聞（と少量の段ボール）だけをリサイクルしている隣接のロングミードウとを比較してみると，1997年時点のごみとリサイクル可能物総トンあたりの純費用（リサイクル可能物の収益を引いたもの）は，後者の方が77ドルと前者の83ドルより安かった（Powell 1989）．

た「混合家庭紙（mixed residential paper)」のような物質は逆有償となっており，お金を払ってリサイクル施設から持っていってもらわなければならない．

何をリサイクルするかはともかく，リサイクルするものの数によって費用は違ってくる．範囲の不経済を思い出そう．収集者は収集作業中に選別をおこなって質の確保をする必要があるため，種類が多いとそのスピードは落ちる．また，より多くの種類の物がリサイクル品目に挙がると，真面目に取り組んでいる家計でさえ分別を間違う．たとえばアンアーバーでは，透明な2号プラスチックは収集されるが，黄色いものは収集されない．リサイクル可能物がリサイクル施設に届くと，さらに他種類の選別が必要となり，コンベヤの動きは遅くなり，選別容器の数は増え，選別作業員の数も増える．

こうした費用体系は，数量的に見てどれほど重要なのだろうか．限界費用を推計するのが難しいために，これを知るのは容易ではない．リサイクルに関わる収集や処理の総費用ははっきり分かるのだが，それを各物質に割り当てるのが難しいのである．ある時点におけるさまざまな都市のサンプルも，ある1つの都市について時系列で見ても，他の条件を一定としたデータを得ることはできない．真偽のほどはともかくとして，表9-1はそうした試みの1つである．

表9–1の数字のいくつかは奇妙であり，研究の方法論もあいまいである．おそらく収集や選別の限界費用は，どの物質がどれだけ既に収集されているかに依存するのだろう．ただし，基本的なポイントは明確である．すなわち，もう1種類追加的にリサイクルをおこなうことの限界費用は，物質ごとに大きく異なる．

物質ごとのリサイクルの限界費用には不確実性があるが，プラスチックのリサイクルは高価であるということだけははっきりとしている．プラスチックはさまざまな樹脂からできており，混ぜることができないために，分別して別々に処理しなければいけない．そのような労働集約的な作業は，アメリカ合衆国のように高賃金の国では高くつく．リサイクルされたプラスチックは，高品質なバージン樹脂と競争しなければならない．つまり，石油価格がリサイクルされたプラスチックの価格に上限を置くことになる．さらに，アメリカではリサイクルされたプラスチックは衛生上の理由から食品や薬品の包装に使ってはいけない．そうした包装材は，すべてのプラスチック包装のほぼ半分にあたる (Leaversuch 1994；Reynolds 1995)．プラスチックのリサイクルには他にも逸話がある．フィラデルフィアがプラスチックの収集をやめたら，年間40万ドルの費用が節約された (Holusha 1993)．ポー

**表 9–1 物質ごとのリサイクル費用の推定値（ドル/トン）**

| 物質 | 収集費用 | リサイクル費用 | 総費用 |
|---|---|---|---|
| 新聞紙 | 72 | 34 | 106 |
| 混合紙 | | 37 | |
| 段ボール箱 | | 43 | |
| 混合色のガラス | | 50 | |
| 透明ガラス | 60 | 73 | 133 |
| 緑色のガラス | | 88 | |
| 茶色のガラス | | 112 | |
| スチール缶 | | 68 | |
| アルミ | 581 | 143 | 724 |
| 鉄類 | 240 | 68 | 308 |
| PET プラスチック[a] | 1,089 | 184 | 1,273 |
| HDPE プラスチック[b] | | 188 | |

注：空白は推定値なし．
*a* PET=ポリエチレンテレフタレート．
*b* HDPE=高密度ポリエチレン．
出所：Miller (1995c); U.S. EPA (1995a). 推定値はサンプルの 10 ヶ所の資源リサイクル施設の平均である．個々の資源リサイクル施設の推定値は，平均から 50%低いものから 50%高いものまであった．調査は，国立ごみ管理協会（National Solid Waste Management）が 1992，1993 年におこない，（おそらく）その年の金額表示である．

トランドがプラスチック・ボトルをリサイクルしはじめたところ，追加的に必要となったコストはトン 706 ドルであった（Engel and Engleson 1998）．第2章で紹介したドイツの DSD，フランスのエコアンバラージュを思い出そう．ずっと安価なフランスのシステムでは，集められたプラスチックのほぼ半分が焼却されていた．高価なドイツのシステムでさえ，プラスチックの焼却はリサイクルであると「計算」してよいことになっていた．

**コラム：最終処分場が希少な国のリサイクル**

日本は都市人口密度が高いため，最終処分場は少なく費用が高い．このため日本の一般廃棄物の約 75%は焼却され，処分場には主に焼却灰が埋め立てられる．焼却への依存度の高さは，日本のリサイクルにどのような影響を与えているのだろうか．

簡単に答えれば，焼却はリサイクルに負の影響を与えている．日本のリサイクル率は 5%以下である．都市によって手順は違うものの，日本では，ごみを「燃えるごみ」と「燃えないごみ」に分別する．燃えるごみには紙やプラスチックなど，他の先進国ではふつうリサイクルされるものも含まれる．燃えないごみとは金属やガラスであり，リサイクルの優等生である．燃えないごみはリサイクル施設に送られ，リサイクル可能物が取り除かれ，残りは埋め立てられる．

ただし，簡単な答えは完全な答えではない．上で挙げたパーセンテージは，自治体が収集する一般廃棄物についてのものであり，自治体の収集車よりも前に民間の収集車が走りまわっているのである．いくつかの民間リサイクルは完全に市場化されている．補助金なしでも廃品回収車が通りを行き，スピーカーから古新聞，雑誌，段ボール，電話帳をトイレットペーパーと交換する旨をアナウンスする声が響く（Kanabayashi 1982）．しかし多くは自治体が補助金を出しており，収集したリサイクル可能物の重量によって支払いを受ける．たとえば平塚市では，リサイクル可能物 1 トンあたり 50 ドル以上の補助金が支給されている．松戸市での研究によると，市のごみの 40%がこうした補助金を受けたリサイクル業者によって収集されている．40%に，残りの 60%の 5%にあたる 3%を足せば，リサイクル率は 43%となる．リサイクルの多くが民間でおこなわれている上に，多くの産業によるリサイクルデータが家計におけるリサイクルデータとひとまとめになっているために，日本における正確なリサイクル率は分からない．ある人は 50%と言い，他の人はその半分であると言う（Hershkowitz and Salerni 1987；OTA 1989b；Cohen 1994）．要するに，日本で焼却がリサイクルを減らしたかどうかははっきりしないのである〔訳注：環境省編『循環型社会白書平成 15 年版』によれば，平成 12 年度（2000 年度）の一般廃棄物リサイクル率（市町村の分別収集や中間処理による資源化量と集団回収によって資源化されるものの，ごみ処理量と集団回収量の合計に対する割合）は 14.3%である．訳者らの見積もりによると，日本の家庭におけるリサイクル率がこの数字を大きく超えることはなさそうである．〕．

## 9.4　おわりに

本章では，基本的な 2 つの問題について考えてきた．リサイクルは費用便益のテストに合格するだろうか？　私たちは，どれくらいリサイクルすべきなのだろうか？　これら 2 つの問題は，相互に関連している．私たちがリサイクルをしすぎたりしなさすぎたりすると，リサイクルはテストに合格しなくなるだろう．

ここから，民間の利潤追求的な業者がリサイクルを事業として成立させていて，一方で公的なリサイクル事業が補助金を必要とする理由も分かる．私的なリサイクル業者はふつう，金属，ガラス，新聞といった数種類の基礎的な物質しか扱わない．しかし公的なリサイクル事業はずっと多くの種類の物質を扱う．もちろん民間のリサイクル事業が損をすることもあるが，それは彼らにとって良いPRになっているという点で十分な利益を感じている場合だろう．公的なリサイクル事業もまた，（近い将来に）操業の範囲を狭めれば，費用便益分析の結果が良くなるかもしれない．

公的なリサイクル事業において問われなければならないのは，いかに社会的利益を最大化するかである．それには，さまざまなリサイクル範囲について社会的限界便益と社会的限界費用を推計し，それらが等しくなるリサイクルの水準を選択することが必要となる．公的精神を持つリサイクル論者は，誤った基準を持ち出すことが多い．たとえば地方自立研究所によるアメリカ環境保護庁への報告書の中で，ナオミ・フリードマンは，「世帯あたりのリサイクル量を最大にしましょう……それは，できる限りたくさんの物質を集めて参加を最大にするということです」と書いている（Glenn 1992からの引用）．

大多数の人が望んでいて，費用を知っていて，それを支払っても良いと考えているのであれば，リサイクルを「しすぎる」のもよい．しかしながら，ほとんどの人々はどれだけ費用がかかるのかも知らない．いつか費用が耐え難いほど高くなったときに揺れ戻しが起きて，意味のあるリサイクルに対してさえ反対が起きる心配もある．「リサイクル・“やればできる”でどこまでもつか」という新聞の見出しは，簡潔にこれを表現している（Booth 2000）．

公平のために書いておくなら，リサイクルを促進することは，リサイクルの基本的問題に対する次善の策となるかもしれない．家庭で十分なリサイクルがおこなわれていないのは，ごみを捨てるのにかかる限界費用が非常に低い（通常の場合ゼロ）からである．本章で扱ったリサイクルが持つ問題の多くは，社会的に適切なごみ有料化が採用されていれば，大いに緩和されていたはずだろう．次章ではこの問題について扱う．

## 補論　アンアーバーにおけるリサイクルの費用便益分析

良い答えとは，止めどきを教えてくれるものである．

イタリアのことわざ

アンアーバーにおけるリサイクルの歴史は典型的なものだ．1970年代に始まったリサイクル・プログラムは，熱心な市民が自主操業の持ち込みセンターに数種類のよく選別されたリサイクル可能物を持ち込むという形態だった．その後，毎週のステーション回収と数百万ドルのリサイクル施設による強制的プログラムに発展し，ガラス，金属，プラスチック，紙だけでなく，繊維，オイルフィルター，廃油，バッテリー，陶磁器，スプレー缶が集められはじめた．アメリカ環境保護庁による17の「ごみ削減トップ自治体」調査では，アンアーバーはリサイクル率が30%で第3位であった（U.S.EPA 1999b）．

本補論は，1997年のアンアーバーにおける住民リサイクルの便益と費用を大ざっぱに見積もろうと試みる（Wu 1998；市の予算書およびブライアン・ワイナートとの私信による）．ここでの分析は住民がおこなっているリサイクルに限定されており，総トン数でははるかに大きい，企業による取組みやコンポスト化〔訳注：ごみを発酵させて肥料にすること．〕については無視している．基本的に，リサイクルの便益と費用は以下の6つである．

- **リサイクル可能な物質を回収することによる収益**　アンアーバーは，1万4000トンのリサイクル可能物を平均37.65ドルで売却し，市とリサイクル施設には51万7000ドルの総収益が生まれた（これはリサイクル可能物売却による全収益である．複雑な公式によって，市はこのうちいくらかを受け取っている．1997年において，市の取り分は4万5000ドルであった）．リサイクル可能物の社会的価値がそれらに対して支払われた金額であったとすると，社会的便益は51万7000ドルとなる．
- **埋立の回避による費用軽減**　廃棄物がリサイクルされたらその分だけ埋立を回避することができ，埋立に必要となる資源が節約される．アンアーバーは自前の埋立地をもはや操業しておらず（第4章補論Aを見よ），付近の民間埋立処分場にトンあたり28ドルを支払って廃棄している．アンアーバーは年間1万1586トンのリサイクル可能物を収集しているので（1人1日あたり300g），リサイクル・プログラムによって年間32万4000ドルが節約されていることになる．しかしこのプログラムの存在によって，市が原因となっている上記とは別の1281トンが追加的にリサイクルされているため，節約額は年間36万ドルほどになる（持ち込みセンターは2000トンを集めているが，そのほぼ半分が市とは関係ない部分からのもので，そもそも市は埋立費用に責任がない）．

- **ごみ収集費用の回避**　リサイクルにまわされた物質は，ごみとして集める必要がなくなる．1997年にアンアーバーは62万6000ドルを使って1万6107トンの家庭ごみを集めたが，そうした収集の平均費用はトン40ドルに相当する．もし社会的費用と私的費用が同じであれば，そしてもし平均費用と限界費用が同じであれば，リサイクルによって家庭ごみを集めるのにかかる社会的費用は45万ドル節約されたことになる．社会的費用と私的費用はおそらく同じくらいであろうが，限界費用は平均費用より低いだろう．それがどの程度低いかを知るのは難しいが，仮に半分だったとすると，社会的便益は22万5000ドルとなる．
- **リサイクル可能物の収集費用**　市は，101万4000ドルで資源収集を外部委託している．契約を交わしている非営利団体「リサイクル・アンアーバー」がこの活動に関して収支が一致しているとすると，トンあたり87ドル，総計101万4000ドルのコストとなる．
- **リサイクル施設の操業費用**　リサイクル施設も外部委託されており，契約者は財政状況についての情報をほとんど開示していない．しかし，ここでも総私的収益が総社会的費用に等しいと仮定すると，施設がリサイクル可能物の売却から得た収益（47万2000ドル）と市が施設に払っている金額（26万7000ドル）とを足した73万9000ドルあるいは加工されたリサイクル可能物トンあたり63ドルが，操業の社会的費用として推計できる．厳密に言えば，施設は既に建設されているのであるから，そのようなサンクコストは費用便益分析において計上すべきではない．市が施設に払っている金額は利子や減価償却を含んでいるものであるので，この分析はこうしたサンクコスト

**表 9–2**　アンアーバーにおけるリサイクルの費用と便益（1 年あたりの費用，1997 年のドル換算）

| 項目 | 便益 (+) または費用 (−) |
|---|---|
| 資源ごみからの収入 | +517,000 |
| 回避された埋立費用 | +360,000 |
| 回避されたごみ収集費用 | +225,000 |
| 資源ごみ回収費用 | −1,014,000 |
| 資源リサイクル施設の運営費用 | −739,000 |
| 回避されたごみ積み替え費用 | +250,000 |
| 総計 | −401,000 |

をあたかもいまだ実行されていなかったものであるかのように計上している．

- **運搬費用の回避**　アンアーバーでは，本文中に言及されなかった追加的な便益が存在する．リサイクルがなければ，アンアーバーのごみはすべて 25 マイル（約 40 km）離れた民間のごみ処分場へ収集車で運び込まなければならない．リサイクルがあることで，すべてのごみは近くのリサイクル施設に運ばれる．リサイクルされない物はそこで圧縮され，さらに低価格で埋立処分場まで運ばれる．結果として，ごみ収集トラックに関して年間 25 万マイル分の運搬を節約することができる．1 マイル 1 ドルとすると，これは 25 万ドルの便益に相当する．もしリサイクルがなかったとしたら，アンアーバーは積み替えステーションを作っただろうか．リサイクル施設における費用から積み替え費用を分離するのが難しいため，これに答えるのは難しい（リサイクル施設の費用には，積み替えステーションにおける圧縮費用とそこからごみを処分場まで持っていく費用が含まれている）．

これら 6 つの費用と便益が表 9–2 に示されている．アンアーバーのリサイクル・プログラムは，現在のところ年間マイナス 40 万ドルの純社会的価値を持っている．アンアーバーは，リサイクルをやめるべきだろうか．答えは否である．上記以外にも 4 つの考慮すべき点がある．

- 数字のいくつかは推計にすぎず，特に 2 つについては疑問点が多い．まず，1997 年におけるリサイクル可能物の価格は歴史的に見て非常に低かった．翌年の 1998 年には，収益は 100 万ドルであった．この種の費用便益分析において重要なのは，リサイクル施設の稼働中におけるリサイクル可能物の平均価格である．次に，分別収集によるごみ収集費用の節約（22万5000ドル）は，限界費用が平均費用の半分であるという仮定の下での計算であった．確実に言えるのは，ゼロから45万ドルの間のいくらかが節約されたということだけである．また1997年に節約された金額がもし正確に分かったとしても，それは長期的に見た場合の年間節約金額の下限推定値にすぎない．収集ルート，労働，トラックは新しい状況に応じて調整され，作業をより安く片づけるような「学習」が起きるのである．

- われわれは，プログラムに取り組む家計にとってのリサイクルの費用や便益を計算に入れていない．ある人にとっては，リサイクルは強制的にやらされるものなので苦痛をともなうだろう．ある人にとっては，より持続可能な社会へ貢献するチャンスが得られるという意味で，楽しみだろう．こうした苦痛や楽しみがどの程度の金額になるかを推計するのは難しい．しかしながら，これらを差し引いてアンアーバーの住民1人平均で4ドルの便益があれば，リサイクル・プログラム全体の便益は費用を上回る．おそらく，アンアーバー住民の多くは，リサイクルをやめて1人あたり4ドル減税するという提案に対しては反対するのではないだろうか（すなわちプログラムの便益は1人あたり4ドル以上ではないだろうか）．
- もし現在時点でリサイクルが費用便益テストに合格しなくとも，学習効果が今後働いて，リサイクルの費用は低下するかもしれない．問題は施設の寿命を通じた費用であり，1997年の費用ではない．
- リサイクルが費用便益テストに合格しないのは，アンアーバーがリサイクルをやりすぎているからかもしれない．こまごまとした物質（陶磁器，繊維，3号プラスチック，バッテリー，オイルフィルター，廃油）のために，施設での選別の手間がかかり，収益以上に費用がかかっているのかもしれない．しかしたとえば，バッテリー，オイルフィルター，廃油といった物質は，リサイクル目的というよりは，不用意に廃棄され地下水を汚染することのないように集めらている．リサイクル・プログラムの便益として，回避されたであろう地下水汚染を加えるべきである．とはいえ，多数のこまごまとした物質をリサイクルに回すことは，費用便益分析の結果をマイナスへ傾けることになるだろう．

最後に，上記４つ目の点について付け加えよう．アンアーバー近辺で民間のごみ収集業とリサイクル業を営んでいるミスター・ラビッシュ社に着目すると，こまごまとした物質に関するリサイクルの限界費用の手がかりを得ることができる．こうした民間のリサイクル業者は，顧客からの要求でリサイクル機会を提供せざるを得ないのかもしれないし，そうした機会の提供がPRになるという理由でおこなっているのかもしれない．いずれにせよ，あまり多くの損をしたくはないだろう（Johnson 2000b）．結果として，ミスター・ラビッシュ社は家庭での詳細な分別を求めた上に，リサイクル可能物（紙，金属，１号・２号プラスチック，アルカリ電池）を１袋あたり料金35セントで集めている．長い間，ミスター・ラビッシュ社はガラス容器を取り扱っていなかったが，現在では分別されていて（他のごみやリサイクル可能物と一緒に集めてしまうとボトルが破損するので），割れておらず，清潔で，キャップ等が取り除かれていれば，透明のガラスを受け付けている（Woods 1992）．

# 第10章　リサイクルのための政策

真実は，不純で複雑である．

オスカー・ワイルド『まじめが肝心』

社会的に最適な水準のリサイクルを促すには，2つの方法がある．価格シグナルを使う政策と使わない政策である．まずは，価格シグナルを使う政策を詳細に取り上げよう．われわれは第3章で，家計が，ごみを減らすか，再利用するか，適正に廃棄するかというとても単純な意思決定に直面している場合について考察した．さらに第6章では，不法投棄の可能性を導入した．いずれの場合でも求められたのは，社会的に正しい廃棄の意思決定を家計にさせるような価格構造であった．本章では，（さまざまな財について）リサイクルの機会がある現代社会における家計の意思決定を考える．

われわれは少しずつ歩を進めるが，本章を読破するには大きな跳躍が必要である．まず，第3章と第6章で取り上げられた，家計にリサイクルの機会がない場合の最適価格構造について概観をおこなう．次に，リサイクルの機会がある場合の価格構造を，不法投棄がほとんど起きないケースと深刻なケースそれぞれについて，検討する．

## 10.1　リサイクルがない場合の価格政策

各家計は常に，「ごみを減らす，あるいは再利用する」か「ごみを捨てる」かを選ばなければならない（第3章）．家計の選択は，収集および焼却・埋立の社会的限界費用に等しい水準でごみ有料化がおこなわれていれば，社会的に見て最適なものになる．図10–1（図3–3と図3–4を合わせたもの）に，こうした社会的限界費用に基づく価格付けについて，2つの方法を示す．「廃棄費用」とは，収集および焼却・埋立の費用のことを指している．実践上の理由でどちらかが選ばれる

図 10–1　不法投棄なし，リサイクルなしの場合の価格政策

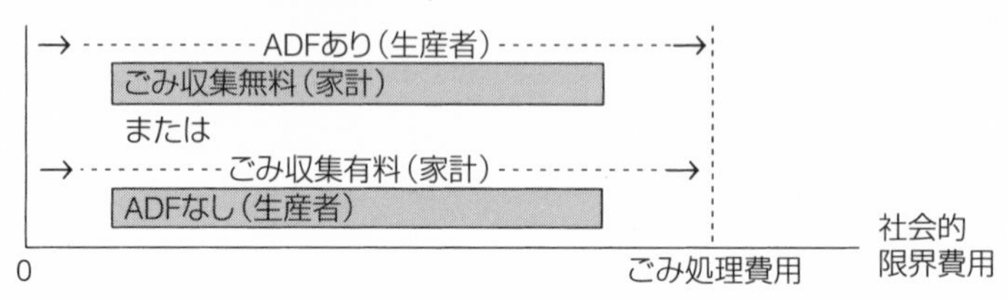


図 10–2　不法投棄あり，リサイクルなしの場合の価格政策

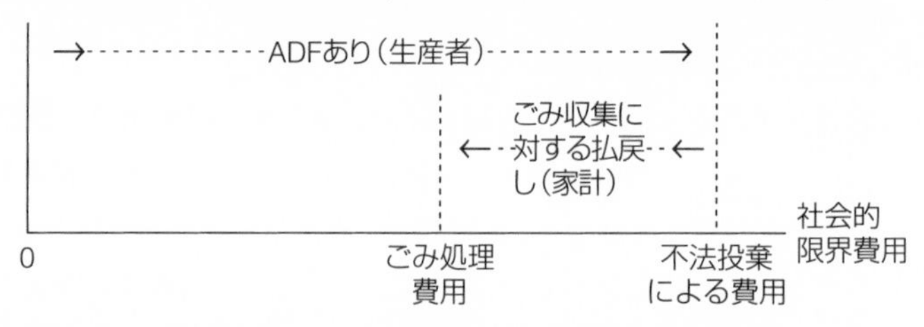


ことになるだろうが，これら2つの課金方法は理論的に等価である．生産者に課されるADFが価格上昇を通じて消費者に受け渡され，家計は廃棄の社会的限界費用をきちんと支払うことになる．

不法投棄が手軽にできるなら，ごみ収集の有料化は逆効果をもたらす．実際のところ，適正廃棄が無料だとしても，不法投棄の水準は過大になるだろう（不法投棄の外部費用が適正廃棄の外部費用よりも大きいため）．理論的には，ADFを課し，適切な廃棄をおこなった家計に対しては社会的費用が小さくなった分，払戻しをするのがよい．図10–2（図6–1に手を加えたもの）に，こうした最適な価格付けの仕組みが示されている．これはあくまで理論的な結論である．しかし，第6章で見たとおり現実的には多くの困難が立ちふさがっており，リサイクルを議論に導入する際にもそれには注意しておく必要がある．

## 10.2　リサイクルはあるが不法投棄はない場合の価格政策

リサイクルを入れて考えると，3つの政策ツールが使えることになる．まず，生産時において生産者に，あるいは購入時において消費者に課されるADFである．次に，容器包装や使用済み製品そのものの廃棄時において家計に課されるごみ収

**図 10–3　不法投棄なし，リサイクルありの場合の価格政策（スキーム 1）**

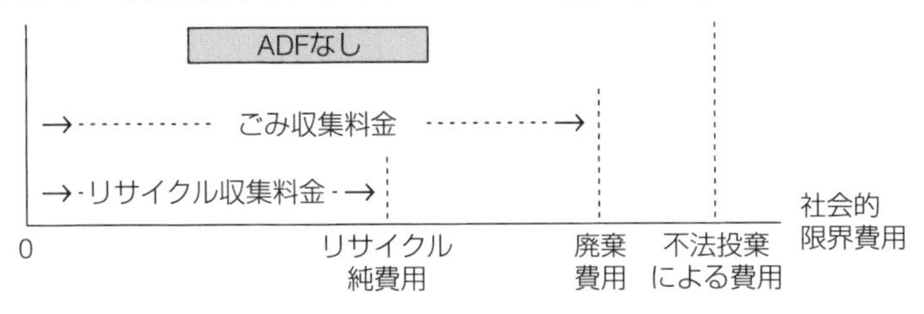


集有料化（あるいは適正廃棄への払戻し）がある．最後に，物がリサイクルに出されたときに，リサイクル収集料金を家計に課すというものがある．

理想的にはこれら 3 つのツールを用いて，家計が適正な量の物を買い，適正な時間だけそれを使い（再利用し），最後にそれを捨てるかリサイクルに回すかについて適切な選択をするよう促さなければならない．家計が適正な量の物を購入するには，その価格に製品や容器包装を生産するのにかかる費用だけではなく，それらの廃棄にともなう社会的限界費用が含まれている必要がある．消費者が適正な時間だけ商品を使い続けるには，消費者にとって製品を（たとえばもう 1 年）再利用することの便益が，廃棄費用の利子分に等しくなっている必要がある（再利用は廃棄費用を 1 年先延ばしにする）．そして消費者が廃棄とリサイクルを適切に選ぶには，2 つの選択肢の間の価格差が，それらの社会的限界費用の差に等しくなっていなければならない．

すべては無理な注文のように思えるかもしれないが，不可能ではない．実際には，ADF をかけずに，収集・廃棄の社会的限界費用を反映したごみ収集の有料化と，リサイクル可能物の収集・選別費用（リサイクル可能物による収益を差し引いたもの．今後これを「リサイクル純費用」と呼ぶ）を反映したリサイクル収集の有料化があればよい．これをスキーム 1 と呼ぼう（Fullerton and Kinnaman 1995）．図 10–3 はスキーム 1 の図示である（参考のために不法投棄の費用が描かれているが，今のところ不法投棄はないものと仮定しているのでこれは無関係である）．図は，リサイクル純費用が廃棄費用よりも低いという前提で描かれている．もしそうでなければ，リサイクルは費用便益テストに合格しないかもしれない（第 9 章を参照．「かもしれない」と書いているのは，リサイクルの楽しみに対する支払意志額を無視しているからである）．いずれにせよ，リサイクル純費用が

図 10–4　不法投棄なし，リサイクルありの場合の価格政策（スキーム 2）

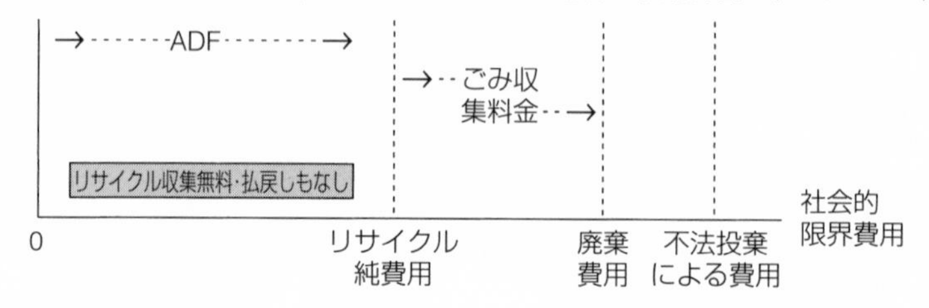


図 10–5　不法投棄なし，リサイクルありの場合の価格政策（スキーム 3）

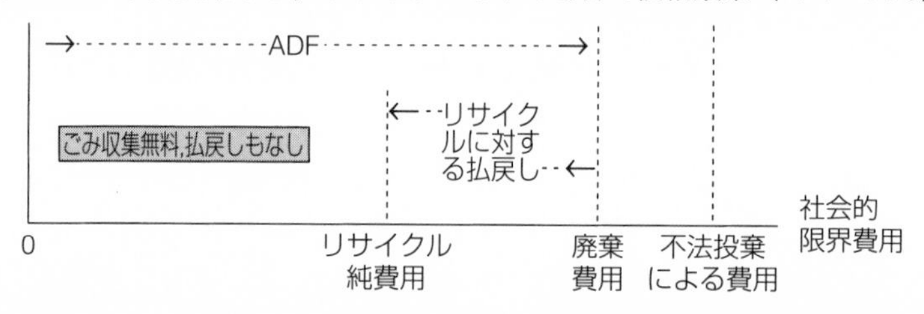


廃棄費用を超えるのであれば，その差がリサイクル収集価格とごみ収集価格の正しい差である（実際のところ，民間業者がごみやリサイクル可能物を集めている多くの自治体では，リサイクル可能物に追加料金が課されている）.

他の 2 つの価格スキームも，家計行動を最適に近いものにする．スキーム 2 と 3 は 3 つの政策手段のうち 2 つしか使わない[1)]．図 10–4 と 10–5 にこれを示す．2 つのスキームが家計行動を最適に「近いもの」にしかしないのは，家計に対して再利用の正しいインセンティブを与えないからである．どちらのスキームでも，家計が再利用によって得る便益は，廃棄の限界費用よりも少ない．特にスキーム 3 では，家計は再利用を拒否して製品をリサイクルに出した方が（リサイクルが正の純社会的費用を持っていたとしても），得するのである[2)].

1)　もちろん，3 つの政策手段すべてを使えば最適な価格付けは無数に存在することになる．最適な価格付けにとって，制約は 2 つだけある．ADF とごみ収集料金の総計は，ごみ処理の社会的限界費用に等しくなければいけない．ADF とリサイクル収集料金の総計は，リサイクル可能物処理の社会的限界費用に等しくなければいけない．本文で 2 つの政策手段の組合せだけを考えているのは，扱いやすさと教えやすさのためである．

2)　リサイクル純費用が廃棄費用を超える場合，価格はどうなるだろうか．スキーム 2 では，ADF が廃棄費用を超えるため，ごみとして出した場合に払戻しが必要になる．ス再び，スキーム 3 に注目しよう（図 10–5）．これはデポジット・リファンド制度に似ている（第 6 章）．購入時に消費者が支払う ADF がデポジットで，リサイクル時の払戻しがリファンドである（Palmer and Walls 1997；Palmer et al. 1997）．もちろん，スキーム 3 のデポジット制度もリサイクル可能物の収集も，生産者や卸業者や小売業者ではなく自治体によって運営されている．スキーム 3 から明らかなとおり，リサイクル純費用がゼロであれば，デポジットされた金額は最終的にすべて戻されなければならない[3]．

税と補助金の組合せであるこれら 3 つのスキームの理論的検討を終えるにあたって，製品のリサイクルが進んだ場合に廃棄料金がどうなるかについて再び問うてみよう．製品の積極的なリサイクルが廃棄の限界費用にもリサイクルの限界費用にも影響しないのであれば，リサイクルは税や払戻金の正しい水準に何ら影響を与えない．しかし，リサイクルの推進がリサイクル純限界費用を下げるのであれば（ありそうな話ではある），スキーム 1 ではリサイクル収集料金の低下，スキーム 2 では ADF の低下（とごみ収集料金の上昇），スキーム 3 ではリサイクル払戻金の上昇が必要となる．したがって上の問いに対する答えは，「はい，リサイクルが進めば製品への課金は引き下げられるかもしれません．ただしそれは単にリサイクル率によるものではなくて，リサイクル純費用の低下によるものです」となる．

あまり重要ではなさそうな再利用のインセンティブという違いを除けば，理論的に 3 つのスキームは同じである．このうちの 1 つを選ぶにあたって，実践上の理由があるだろうか．各スキームについて検討しよう．

- **スキーム 1**　正しい再利用のインセンティブを与えるという理由で，理想的なスキームである．また ADF を使わないので，地域の条件にあったごみ収集料金やリサイクル収集料金を設定できる．しかし，このスキームでは 2 種の料金を家計レベルで徴収しなければならない．家計の数は企業の数よりも多いので，ADF を使わないということは，より手軽な税集金システムが使

キーム 3 では，ADF は廃棄費用に等しいままであるが，リサイクルについては払戻しではなく課金が必要になる．

3)　カリフォルニアの飲料容器に対するデポジット制度が，全額でなく部分的な払戻しを採用しているのは，リサイクル純費用がプラスだからとも言える．

われていないことを意味する．また3つのスキームのうちでごみ収集有料化の水準が一番高いため，不法投棄のインセンティブももっとも大きい．そして最後に，このスキームはリサイクル収集に課金がある（リサイクル純費用が正の場合．ほとんどの商品では今のところそうだろう）．リサイクルが「良いこと」であると感じている多くの家計にとっては，良いことをしているのにお金を取られるのは納得がいかないだろう．さらに理論的な話をすれば，このスキームではリサイクルされる各製品に対して異なるリサイクル料金を課す必要がある．その料金は，それぞれのリサイクル純限界費用に等しくなければいけない．しかし実際にさまざまな製品にさまざまなリサイクル料金を課すのは，とても難しくて費用がかかる．かといって単一の平均料金をかけると，価値の低いリサイクル可能物が過剰にリサイクルされ，価値の高いリサイクル可能物が過小にリサイクルされるだろう．

- スキーム2　このスキームでは，徴収が比較的容易な（リサイクル純費用に等しい）ADFと，家計に対するごみ収集有料化が併用される．ごみ収集料金の水準はスキーム1よりも低いので，不法投棄はより少なくなる．しかし，不法投棄のインセンティブがなくなるわけではない．ADFは各地域で共通のものになり，たとえば国全体での平均のリサイクル純費用に設定されるかもしれない．それは，リサイクルの収集費用が安い都市域や，リサイクル可能物が高く売れる地域では，高すぎるものになってしまうだろう．一方このスキームではリサイクル可能物に対する課金も払戻しもないため，従来の感覚や現行の実態に合っており，運営がしやすいというメリットもある．なおこのスキームの下でのごみ収集料金は，理論的に言うと，焼却・埋立の限界費用とリサイクル純限界費用との差に等しくなければならない．製品ごとに収集料金を変えるのは運営上の費用がかかるので，結局のところ設定されるのは単一の平均ごみ収集料金だろう．その結果，価値の低いリサイクル可能物が過剰にリサイクルされ，価値の高いリサイクル可能物が過小にリサイクルされるだろう[4]．

4)　廃棄の限界費用とリサイクルの純限界費用が近い場合（すなわちリサイクルの社会的利益が小さい場合）には，スキーム2の下でのごみ収集料金も小さくなる．実際，その水準はあまりに小さくて，わざわざ有料化を実施して運営するには値しないかもしれない．もしそうなら，スキーム2はADFという1種類の税に落ち着く．

- スキーム 3　このスキームにおける ADF は非常に高く，国全体の平均的なごみ収集・廃棄の限界費用に等しい．したがってある場所では高すぎ，ある場所では低すぎるものになるだろう．3 つスキームのうち，再利用のインセンティブはこれがもっとも小さい．リサイクルに対して実質的に補助金を出しているからである．実際のところ，リサイクルへの払戻金は製品，場所，時間によって変えなければならないため，運営が非常に難しいだろう．またしても，平均のリサイクル払戻金を用いてしまうと，価値の低いリサイクル可能物の過剰なリサイクルと，価値の高いリサイクル可能物の過小なリサイクルが促されることになる．さらに，ADF は国レベルで集められ，リサイクル補助金は地域レベルで支払われるだろうから，国から地方への莫大な資金移転がなければ，自治体レベルのごみ収集システムに相当の財政的負担が加わるだろう．

実際の経験がなければ，こうしたスキームのさまざまな良い特徴・悪い特徴の程度は分からないし，どのスキームが良いかは判断できない．筆者の好みは，スキーム 2 である．理想的な税・補助金システムに近いように思えるし，運営がしやすいし，一般認識と合致しているし，政治的に受け入れられやすいだろう．さらに，前のパラグラフでは説明しなかったが，このスキームだけが製造業者に製品や包装をよりリサイクルしやすくする直接のインセンティブを与えている．生産者は，明らかに 2 つの方法で ADF の支払いを少なくすることができる．リサイクルのための収集・選別が安く済むような物質を使うことと，リサイクル可能物の市場より高く売れるような物質を使うことである（実際には第 12 章で見るように，リサイクル可能物市場に積極的に参入しそれを育成するという 3 番目の方法もある）．

**コラム：ADF か補助金か**

スキーム 3 には，ADF とリサイクルに対するその一部の払戻しという 2 つの手段が含まれている．どちらか 1 つだけで目標が達成できるかどうか，考察した研究がある（Palmer et al. 1997）．ADF はリデュースを促進するが，リサイクルは促進しない．リサイクル補助金（払戻し）は，リサイクルを促進するが，リデュースは促進しない．どちらも，問題の 1 面しか対処できない．

パーマーらの研究は，政策目標を廃棄物の削減に置き，3 つの政策を用いてアメリカの一般廃棄物を 10%削減するにはそれぞれどの程度の規模で実施する必要があるかを考えた（この研究では紙，ガラス，アルミ，鉄，プラスチックしか扱っていないが，これらはアメリカの一般廃棄物のほぼ半分に相当する）．3 つの政策手段とは，ADF のみ，リサイクル補助金のみ，そして ADF とそれに等しい金額のリサイクル補助金の組合せである．推計された家計の価格弾力性で考えると，答えはこうなった．ADF だけの場合，トンあたり 102 ドルでなければならない．リサイクル補助金だけの場合，トンあたり 118 ドルでなければならない．しかし払戻しのある ADF の場合は，54 ドルでよい．つまり，2 つの政策は同時に用いれば，廃棄物削減により効果的である．

**コラム：「紙パックとアルミ缶」再論**

第 2 章で，使い捨ての無菌紙パックとリサイクルできるアルミ缶について考察し，飲料容器包装においてそれぞれに役割があることを示唆した．ここで，各家計が容器包装の種類についてこだわらないと仮定した上で，本文で示したスキーム 2（ADF ＋ごみ収集有料化）を見てみよう．ADF はリサイクルの純限界費用に等しいため，製品ごとに異なる．アルミ缶はリサイクル費用が安いため（リサイクルされたアルミの価格が高いので），ADF は安く済む．紙パックは，現在のところリサイクルの可能性がないため，ADF も高くなるだろう．ごみ収集において製品は区別されないので，家計に課される単位あたりの料金は同じだろう．しかし紙パックは軽くて圧縮しやすいので，容器あたりのごみ収集料金は，低くなるだろう．

リサイクルが可能な消費者は，紙パックよりも ADF の安いアルミ缶を選ぶだろう．リサイクルが不可能な消費者は，重くてかさばるアルミ缶よりもごみ収集料金の安い紙パックを選ぶだろう．スキーム 2 を用いると，リサイクルがある場所ではアルミ缶が使われ，リサイクルがない場所では紙パックが使われるのである．

しかしながら，リサイクルの純便益について悲観的に考えれば（つまりリサイクルの純社会的費用が，埋立や焼却の費用より相当小さくはならなさそうであれば），スキーム 3 が突然に望ましく思えてくるだろう．この場合，ADF は製品の廃棄費用とも製品・容器包装のリサイクル純費用とも等しい水準になる．ごみやリサイクル可能物の収集は無料となる．運営上，これは思わぬ幸運と言える．単一の税（あるいは補助金）をかけるだけでよいし，しかも家計の数より生産者の数が少ないため，この税は扱いがたやすい．しかし，私はリサイクルの純便益について楽観的である．スキーム 2 はこの楽観主義を分かっており，ごみ収集料金によって家計に明らかなリサイクルのインセンティブを与えている．すべてではないがほとんどの既存研究では，家計のリサイクル量がごみ有料化の水準に依存していることが分かっている（Miranda et al. 1996；Miranda and LaPalme 1997；Jenkins et al. 2000；Kinnaman and Fullerton 2000）．

実践上の難しさを簡単にまとめよう．どんな ADF であれ，その理想的な水準は $a_{ij}$ である．ここで $i$ は製品の種類，$j$ はそれが売られる場所（より正確にはそれが廃棄される場所）を示している．しかし実際には，ADF を場所ごとに変えるのは難しいので，場所ごとには変えずに製品ごとに変える $ai$ が使われる．同じく，ごみ収集有料化の水準は $t_{ij}$，リサイクル収集有料化の水準は $r_{ij}$ と，製品の種類（$i$）や場所（$j$）に応じて金額を変えるべきである．しかしながら製品ごとにそれを変えるには，家計による徹底的な分別や収集者による長々しい検査が必要となり，難しい．結局，$t_j$ や $r_j$ となりがちである[5]．不法投棄がなかったとしても，最善の政策を実現するのは，不可能である．せいぜい，それに近づけることしかできない．

上述のとおり，私はスキーム 2 に一票を投じる．製品ごとに違う全国レベルの ADF と，場所ごとに違う地域レベルのごみ収集有料化を組み合わせ，リサイクル収集料金（や払戻金）はない，というものである．現在のアメリカで現実的なセカンドベストの政策は，スキーム 1 の変種である．ごみ収集料金を廃棄費用に等しくするが，リサイクル収集は（ほとんどのリサイクルではいまだ大きな純費用が発生しているのだが）無料にする．これは家計に過剰なリサイクルを促すであろうが，新しいリサイクル習慣の発展が求められているリサイクル初期の段階では，それほど悪くないアイデアだと思われる．

5)　この点（だけ），強制デポジット制度はごみ収集有料化に比べてずっとよい．デポジット金額は製品ごとにさまざまな水準で課すことが容易にできる．したがって不適正処分の社会的費用が高いほど，高いデポジットを課せばよい．たとえばバッテリーに対するデポジットは，アイスキャンデーに対するデポジットよりも高くなるはずである．しかし，強制デポジットには費用のかかる収集システムが必要となることも忘れてはいけない．

図 10–6　不法投棄あり，リサイクルありの場合の価格政策

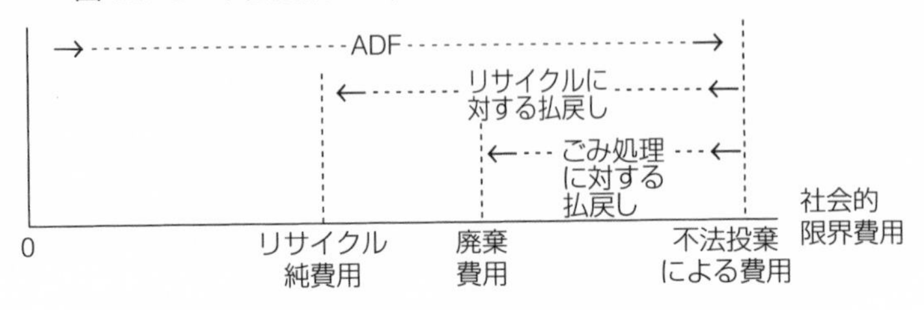


## 10.3　リサイクルも不法投棄もある場合の価格政策

もし不法投棄が現実的にあり得るなら，価格付けはもっと問題になる．本質的に，家計が手間なしで不法投棄できるとなれば，そしてそれをするつもりがあれば，どんな適正な廃棄行為にも料金を課すことはできない．ごみにも，リサイクル可能物にも，料金を課すことはできないのである（Dinan 1993；Fullerton and Kinnaman 1995；Palmer et al. 1995；Palmer and Walls 1994）．

実際，もし家計が私的費用ゼロで不法投棄できるのであれば，補助金を支給して，ごみやリサイクル可能物をより社会的に望ましい形で排出するようさせなければならない．不法投棄の社会的限界費用に等しい水準で ADF を製品に課して，もしごみやリサイクル可能物が適正に廃棄されたら払戻金を支払うようにしなければならない．払戻金額は，適正廃棄の各方法の社会的限界費用と不法投棄の社会的限界費用との差額に等しくなければならない．こうした価格スキームは，図 10–6 に示されている．

この図を一目見れば，その弱点が分かるだろう．このスキームは，再利用しないインセンティブを与えてしまう．また，ごみでないものをごみ袋に入れて払戻金を多く得ようとする行動を促してしまう．さらに，ごみをリサイクル袋の方へわざと入れて払戻金を多く得ようとする行動を促してしまう．国レベルでの巨額な ADF 収入が生まれるが，同じく巨額の払戻しを地方自治体レベルでやらなければならず，その管理費用も大きくなる．ADF は製品ごとに変えられるが，場所ごとには変えられない．しかし，不法投棄のコストは場所ごとに違う．同様に，ごみやリサイクル可能物の適正廃棄に対する払戻金は場所ごとに変えられるが，製品ごとには変えられない．（ごみの廃棄費用はともかく）リサイクル純費用は製

品ごとに異なるだろう．

われわれは，第 6 章の立場に再び戻ることになる．不法投棄を防ぐのに，価格メカニズムを使うのは難しいのである．リサイクルの可能性が導入されたとしても，この難しさは変わらない．この手の問題に対してせいぜいできるのは，不法投棄に相当の罰金を科すことくらいだろう．

多くの自治体が何らかのごみ収集有料化をおこなっているが，不法投棄が深刻な問題となっているかどうかはまだ明らかではない．バージニア州シャーロッツビルにおける研究では，市が 1 袋 0.80 ドルのごみ有料化を導入した後（ただしリサイクルは無料），平均的な家計では以前より 1 週間あたり 694 g 少ないごみを出し，245 g 多くリサイクル可能物を出すようになった（Fullerton and Kinnaman 1996）．差である 449 g は，購買時の削減か再利用，または不法投棄によるものである．この研究では，そのうち 28%が不法投棄によるものだったのではないかと推測している．もしそれが本当であれば，そしてこれを全米に敷衍して考えることができるなら，毎年 50 万トンの不法投棄が追加的に発生している計算になる．

しかしながら，ごみ有料化に関するほとんどの研究では，不法投棄について問題でないとしている（Deisch 1989；Goldberg 1990；*World Wastes* 1993；Bender et al. 1994）．これら「ほとんどの研究」が持つ問題点は，それがごみ有料化にバイアスのかかった人々からの噂に基づいているということである．因果関係の問題もある．ごみ収集を率先して有料化している自治体は遵法精神や環境意識の高いところかもしれず，だからこそ不法投棄も少ないのかもしれない．より多くの実証研究が必要である．しかしながら，たとえ不法投棄が深刻な問題だったとしても，価格政策でそれを解決することはおそらくできないだろう．

## 10.4　リサイクルのための価格政策が持つ他の効果

不法投棄以外にも，リサイクルのための価格付けに副次的効果を持つものがある．リサイクルは焼却場にとっては悪いニュースである（Keeler and Renkow 1994）．というのは，既に建設され操業している焼却場にとっては，廃棄物の総量よりも速いスピードでリサイクル量が増えると，投入物が少なくなり，処理能力を十分に発揮できなくなる．将来計画されている焼却場にとっては，リサイクルが進むと焼却に回せるごみの量が小さくなりすぎて，焼却が経済的に成立しなくなる．

影響は一方向だけではない．リサイクルが焼却の見通しを悪くする一方で，焼却もリサイクルの見通しを悪くする．焼却場の有効活用を維持するために，あるいは民営の焼却場へ契約された量を届けるために，自治体はリサイクルの開始や拡大に及び腰になるかもしれない．たとえ有効活用の議論が怪しげなものであっても，この及び腰には機会費用的な意味で道理がある．リサイクルがおこなわれれば埋立費用が節約されるが，焼却については節約は少ない．エネルギーの売却益によって操業費用は多かれ少なかれ相殺されるため，焼却の純限界費用はほぼゼロとなる．したがって焼却をおこなっている都市では，リサイクルによるごみ関連費用の節約はほとんどあるいはまったくない．

焼却場の存在はまた，自治体が何をリサイクルするかにも影響を与える．金属やガラスなど燃えないものが取り除かれることは，焼却を効率的にする．しかし紙やプラスチックはよく燃えるので，リサイクルを進めると，焼却場への燃料供給からエネルギー集約的な物質を取り除くことになってしまう．

ごみ収集有料化（と低料金あるいは無料でのリサイクル可能物収集）によって家計のリサイクル参加とリサイクル可能物収集総量が増えるのは当然である．しかしごみ収集有料化によって，リデュース（購入時の削減）やリユース（再利用）が進むかは，はっきりしない．いったんリサイクル施設が操業を始めると，リデュースやリユースはその処理能力の有効活用を脅かす．ちょうど，リサイクルが焼却場の有効活用を脅かしたのと同じように．リサイクルをおこなっている都市はリサイクルの方法やその必要性について説明する長大なパンフレットを作っているものであるが，リデュースやリユースの方法やその必要性についてはあまり伝えようとしない．

ごみ有料化，リサイクル，リデュースの関係がなぜ明確でないかを理解するには，ちょっとした理論がいる．まず，リサイクル機会がない町でごみ収集が有料化されようとしている状況を考えよう．ごみ有料化によって，普通の家計はいまや割高となったごみの排出量を減らそうとする．それにはリデュースかリユースするしかないので，どちらもある程度おこなわれる．ここでリサイクルを導入すると，ごみ関連費用を節約するのに手間の少ない手段が現れたということで，リサイクルは増え，リデュースやリユースは減る．ごみ有料化がリサイクルより先に導入されている場合，リサイクルの機会出現によってリデュースやリユースは少なくなるのである．リサイクルが既に存在している町でごみ処理有料化を導入する場合（あるいは両者を同時に導入する場合）にのみ，リサイクル，リデュース，リユースはいずれも増える．

## 10.5　リサイクル目標の設定

本章のこの部分まで，われわれはリサイクルのための価格政策について検討してきた．ごみ有料化をおこなっている（いまだわずかな）自治体を除き，リサイクルのインセンティブを最適化するための価格政策はまだ使われ出していない．ほとんどの場合は，次に検討する「価格を使わない政策」に頼ってきたのである．

リサイクルの開始や拡大にあたって好まれるのが，ごみ総量のある割合でリサイクルの目標を設定することである．アメリカ環境保護庁は，1988 年に当時行政補佐官であったウィンストン・ポーターがスピーチで公表した「1992 年までに 25%」というリサイクル目標を持っていた．その後この目標は，「2005 年までに 35%」へ黙って押し上げられた（Porter 1988）．ほとんどすべての州が目標を持っており，ロードアイランドの最高 70%に至るまで，その値は多様である（Heumann and Egan 1998）．

**コラム：州のリサイクル目標と実際のリサイクル率**

州全体のリサイクル目標を定めるのに根拠があるとすれば，その目標は，州の人口密度が高いほど，そして 1 人あたり所得が高いほど，高くあるべきだろう．人口密度の方はともかく，所得がどうして関係があるのかは，少し分かりにくい．1 人あたり所得が高いほど，リサイクル可能な物質が多く発生するので，収集の平均費用が低くなるのである．実際のところ，図 10–A に見るようにそれらの間には少し関係がある．しかし図の右上の 2 つ（ロードアイランドとニュージャージー）を外すと，相関はほとんどなくなる．

州の実際のリサイクル率と目標のリサイクル率との間に関係はあるだろうか．図 10–B に示すとおり，それらには相関が見られる．ただしこちらの相関も弱い．しかも，目標が実績を決めているのではなく，実績が目標を決めているのではないかという疑いは晴れない．つまり，リサイクルに費用がかからない州は高いリサイクル目標を設定し，リサイクルに費用がかかる州は低い目標を設定しているというわけである．

図 **10–A**　リサイクル率目標と人口密度

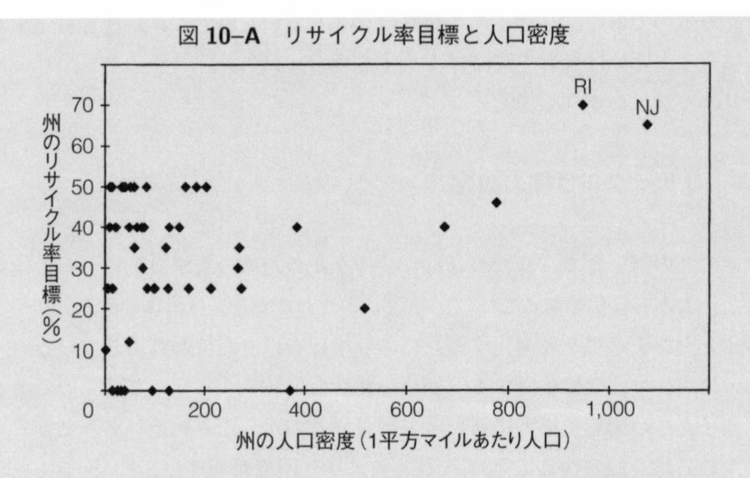


図 **10–B**　実際のリサイクル率とリサイクル率目標

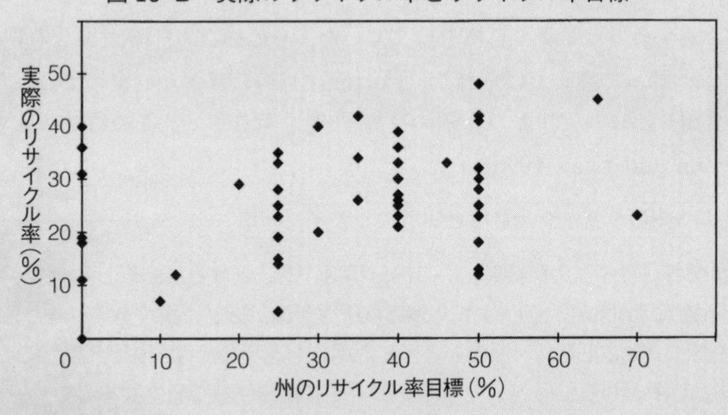


統計学を学んだ人のために注意事項を述べよう．50 州のリサイクル目標を，人口密度の自然対数と 1 人あたり可処分所得の自然対数で回帰したところ，$R^2$ は 0.07 だった（U.S. Bureau of the Census, various years；Heumann and Egan 1998）．図 10–B の $R^2$ は 0.11 である．各州が定める目標には，リサイクル率もあれば，廃棄物削減率もある．これらは以下の式が示すとおり，同じではない（Wenger et al. 1997）．

$$\delta_t = \frac{[(1-\rho_0)Q_0] - [(1-\rho_t)Q_t]}{Q_0} = \{(1-\rho_0) - [(1-\rho_t)(1+g)]\}^t$$

$\rho_t$ は $t$ 時点におけるリサイクル率，$\delta_t$ は $t$ 時点における（0 時点と比べた）廃棄物削減率，$Q_t$ は $t$ 時点における廃棄物発生率，$g$ は廃棄物総量の年間成長率である．理屈は明快だが，$\rho_0$ がゼロで $g$ や $t$ が小さい場合，リサイクル率と廃棄物削減率はほぼ等しい．さらにややこしいことに，4 つの州は廃棄物発生の減量と焼却をリサイクルとカウントし，3 つの州は焼却をリサイクルとカウントしているが廃棄物発生の減量はそうカウントせず，半数の州がコンポストをリサイクルとカウントしていない（Rabasca 1995）．

リサイクル目標を設定することは，もし州がそれに向けて何もしなければ，悪いことではない．多くの州ではリサイクル目標を，市にリサイクル計画を作らせたり最低限のリサイクルを始めさせるためのもの以上には，位置づけていない．特定の期日までに特定の目標達成に失敗した自治体に罰金を設定している州もある．1999 年半ばのカリフォルニアで，埋立される廃棄物量の 50%削減という州の 2000 年目標を達成していたのは 450 のうち 69 の自治体にしかすぎなかった．はたして州は，目標を達成しなかった 381 の市町村に対して 2000 年 12 月 31 日から 1 日 1 万ドルを罰金として科したであろうか．もちろん否である．2006 年まで期限が延長されて，法律を変えたり，期限を再延長したり，分母が再定義されたりする（カリフォルニア州では廃棄物の発生量を計測せずに州の所得と人口等からなる公式で推計している）のに十分な時間が与えられた（Johnson 2000a）．

罰則のない目標でも，真面目な政策を誘発することはある．誤った目標を設定することで，誤ったリサイクル政策がもたらされるかもしれない．どの程度のリサイクルが望ましいかという問題でさえ，答えるには注意深い経済分析が必要となる．州の目標設定にあたって，そのような分析はほとんどなされたことがない．似たような生活水準と人口密度を持つ近隣の州が，大きく異なる目標を設定していることも多い．この場合，そのうち 1 つのあるいは両方の目標は間違っているかもしれない．人口密度の高い州（すなわち埋立やリサイクル収集の費用が高い場所）ではよりリサイクルをすべきだと思われるが，州のリサイクル目標と人口密度との間に相関関係はほとんどない（コラム「州のリサイクル目標と実際のリサイクル率」を参照）．さらに人口密度や地理的条件によって最適なリサイクル率は市町村ごとに違うはずだが，州はこれを忘れて，各市町村に同じ目標を守らせようとする．

リサイクルの促進に真剣に取り組み始めた州にとっては，供給側と需要側という2種類の取組みが考えられる．供給側の政策とは，リサイクル可能物の収集と加工を拡大しようとするものである．これに対して需要側の政策とは，リサイクル可能物やそれによって作られた製品に対する需要を刺激しようとするものである．

## 10.6　供給側の政策

リサイクルに影響を与える市場の失敗は，基本的に供給側の失敗である．すなわち，ごみ収集サービスが無料であるために，家計のごみをリサイクルに出す量が少なくなりすぎてしまうのである．これに対する最良の対応も，供給側のものである．すなわち，ごみ収集を有料化して，家計に他のごみ廃棄方法（リデュース，リユース，リサイクル）を探すインセンティブを与えればよい．

ごみ有料化によってリサイクルを促進するという政策を実施しない場合，他の供給側の政策を導入したとしても，せいぜい部分的にしか有効ではなくなる．よくおこなわれている供給側からのアプローチについて2，3検討してみよう．

- 約半数の州では，自治体のリサイクル事業を奨励するための税控除や補助金支給がおこなわれている（Sparks 1998）．リサイクル施設のための免税公債，関連資産の免税措置，低価格による土地提供，設備購入に対する助成金・低利融資など，アイデアは尽きない（O'Leary and Walsh 1995）．しかし注意すべきは，これらにはリサイクルに対する影響が間接的であるという共通点があるということである．リサイクルとの結びつきが間接的なために，「二階から目薬」になるきらいがある．どの場合でも，投入財価格にゆがみがもたらされ，リサイクル施設が過剰に資本集約的あるいは土地集約的になったり，費用がもっとも安いところではなく税制上もっとも有利な場所に立地してしまう．
- 製品に埋立税が課されたり，極端な場合には埋立が禁止されたりすることもある（Rabasca 1995；コラム「ロードアイランド州のリサイクル可能物埋立禁止」も参照のこと）．こうした製品がリサイクルされれば，それに越したことはない．しかし税や禁止によって喚起されるのは単なるリサイクルではなく，「埋め立てない」というインセンティブである．すなわち不法投棄，輸出，焼却も促されるのである．処分場に届いた廃棄物は計量されるため，埋立の全体量に課税することはさほど難しくないが，その中に含まれる個々の廃棄物に課税するには，高価な検査システムが要る．これまでに税や禁止措置の導入を試みた州は，やがてそれを撤回したり，執行しなかったりした．

- マサチューセッツ州のように，埋立処分場・焼却場の新規建設を禁止するところもある（Johnson and McMullen 2000）．この措置は即時禁止に比べて，処分場や焼却場の耐用余年数にかかわらず，新しい状況へ対応する時間を事業者に与えるという利点がある．しかし，やがてはこれもまた埋立や焼却の禁止に行きつき，リサイクルだけでなく輸出や不法投棄のインセンティブとなる．たとえばマサチューセッツ州では，過去 5 年間に，ごみの州外移出が実質ゼロから 20%へと増大した（Johnson and McMullen 2000；MDEP 1997）．処分場の容量がなくなり，焼却場がフル稼働するにつれて，マサチューセッツ州が処分場・焼却場の新規建設禁止措置の解除を考えるのは当然だろう（Daley 2000）．一見変な話ではあるが，環境保護団体だけでなく，既存処分場・焼却場の所有者も禁止の解除に反対している．
- リサイクルが家計に義務づけられる場合もある．人々は基本的に法律を守るので，金銭的インセンティブのない強制リサイクルも「機能する」かもしれないが，それはほとんどの家計が持つ利己心には反している．（後にも出てくるこの「ほとんど」という言葉から分かるように，ある種の家計にとってはリサイクルの心理的便益が非常に大きく，お金も，強制リサイクルも必要ない）．ほとんどの人はそうしろと言われたからリサイクルしているのであって，得するからとか，したいからという理由でリサイクルをしているわけではない．
- リサイクル不可能な製品の販売を禁止する方法もある．1989 年，ミネアポリスでは地域内でリサイクルできない包装材を使った製品の販売が禁止された．当然ながら，この措置は実行不可能だった．マサチューセッツ州やオレゴン州ではすべての包装材に対して 50%以上のリサイクルを求める住民投票が通りかけた．こうした法律は，リサイクル不可能な包装材が別の重要な目的を持っているということを無視している（か，重視していない）．たとえば，医療品や食品の収縮包装などは（今のところ）リサイクルできないのが普通であるが，それらは衛生上や安全上必要なのである．

第2章で議論したドイツのDSDの話に少し戻ろう．いまや明らかなとおり，これは究極的な供給側の政策だと言える．原則として，すべての生産者は自ら生産したすべての製品と容器包装を物理的に回収しなければならない．もちろんこの背景には，回収させられたらリサイクルするだろうという発想がある．確かにリサイクルが埋立より安ければ，生産者はリサイクルをおこなう．しかし，適切な量のリサイクルが起きる保証はない．DSDの収集プロセスが二重の手間であり高くつくことを思い出そう．多くの製品や容器包装にとって，DSDのような政策は，過剰な収集費用を考慮に入れていないために，非経済的なリサイクルを強制するのである．

現在のところアメリカにはDSDのような制度はないが，生産者回収責任を導入する試みはたくさんある．たとえばカリフォルニア州では，シリコンバレー有害物委員会が，電子機器メーカーに対して使用済み製品を回収するよう求める署名を集めている．この種の回収事業が，古い（そして有害な）電子機器を埋め立てさせない唯一の方法であるならば，社会的に見て意味はあるだろう．しかしながら，そうではない．前章の例にあったように，ユナイテッド・パーセル・サービス〔訳注：アメリカの有名な運送業者〕が電子機器を集めて1つ1つ生産者に届けるより，自治体が収集した方が安いのである．また，アメリカ全土の電子機器リサイクルセンターの最適な数は，コンピュータ，モニター，プリンターの生産者の数よりも小さいはずだろう．

**コラム：ロードアイランド州のリサイクル可能物埋立禁止**

1989年にロードアイランド州は，事業系廃棄物に20%以上リサイクル可能物が含まれている場合，最終処分場がそれを受け入れることを禁止した．禁止項目は，段ボール，紙，木，剪定ごみなどである．入り口で検問がおこなわれ，違反となれば，入場を断られ，罰金が科された．ロードアイランド州には1つしか処分場がないので，事業者はこれに従わざるを得ないと思われた．

ところが，それほど離れていないところにマサチューセッツ州の焼却場があったのである．廃棄物の流入量は減り，リサイクルへの支出は増えた．ロードアイランド州が処分場料金をほぼ2倍のトンあたり50ドルにしても，無駄だった．

収益は急降下した．翌年，料金は引き下げられ，処分場はトラックの検査をやめた（Raymond 1992）．

禁止は，そもそも無理なのだろうか．そうではないが，無限大の税金と言えるこの政策手段を使う際には，抜け道が探され，見つかり，使われる可能性に注意しなければならない．禁止は安価な政策に思えるが，効果を発揮させるには多大な労力が必要なのである．

## 10.7　需要側の政策

リサイクル可能物の価格が高ければ高いほど，つまりリサイクル可能物の価値が購入者にとって高ければ高いほど，リサイクルの最適量は大きくなる．リサイクルを促進するために，リサイクル可能物の価格を人為的に上昇させようとするのが，需要側の政策である．完全競争の世界では，人為的に需要を刺激すると，リサイクルが過剰に刺激される．しかしながらリサイクル可能物の供給が人為的に抑えられている世界では，需要を増大させるのは次善の策として意味があるかもしれない．

いずれにせよ，次は需要側の政策の番である．州，郡，市は，新しい新聞を作る際の古新聞利用のように，製品に最低限のリサイクル物投入率を指定したり，物品調達にあたって OA 用紙，再精製油，再生タイヤなどの再生品を優先したりしている[6]．リサイクル製品の購入に最低限の基準（100%であることが多い）を設定したり，リサイクル製品に 5～10%の価格プレミアムを認めている．価格プレミアム政策は非効率の発生する可能性が小さいので望ましいが，こうした調達上の政策は，あくまで次善のものと言える．市場の失敗とは，本質的にリサイクル可能物の供給側にあるのであって，需要側にはないのだ．

リサイクル含有率指定のどこが悪いのか，少し詳しく見てみよう．バージン素

6) 消費者レベルのリサイクルを促進するため，こうしたリサイクル率指定の多くは，消費段階のリサイクル率を指定している．しかし，生産段階の廃棄物と消費段階の廃棄物のどちらをリサイクルしようが，リサイクルはリサイクルである．実際，あまりに強く消費段階のリサイクルを推し進めれば，生産段階の廃棄物が処分場へ行くのを後押ししてしまうだろう．

材，リサイクル素材，労働からできる製品があるとしよう（Palmer and Walls 1997）．ごみ収集は有料化されておらず，家計のリサイクルは社会的に見て最適な量ではない．結果，企業が得るリサイクル素材は少なすぎ，バージン素材が過大に使用される．リサイクル含有率の設定を高めることでこれを相殺することはできる．企業が直面するリサイクル素材の価格は上昇する．高価格によって市はリサイクルに取り組み，理論的には，リサイクル投入物とバージン投入物の社会的に最適な比率が達成される（リサイクル素材の価格が上がっても，ごみやリサイクルの収集が無料のままであれば，家計の行動は変わらない．ただしスキーム2では，リサイクル素材の市場価値が上昇するとごみ収集料金が上昇し，リサイクルが促進される）．しかし企業にとっての費用も押し上げられ，物質投入よりも労働投入を相対的に安価にする．企業の総生産量は下落するかもしれないし，物質投入よりも労働投入の方が増えるかもしれない．こうした間接的で，好ましくなく，予測できない二次的影響が起き，結果として修正のために生産や労働に対する税（または補助金）が必要となるかもしれない．またしても「二階から目薬」である．

需要側の政策には次善策という性質以外にも，問題がある．購入行動を変えさせられる人は，命令に反抗して，それを迂回する巧みな方法を考えつくかもしれない．政府自身も，より高価なリサイクル製品を自身の購入担当部署に買わせるのに失敗してばかりなのである．しかし第2の問題は，これらすべてが場当たり的であるという点だ．需要を刺激する方法があるリサイクル製品については需要が刺激されるが，そういうのがない製品もある．社会的純便益の点から見て，正しい製品が刺激を得るとは限らないのである．もし国が再生紙を買うのをやめてその金額をリターナブルびんにつぎ込んだら，10年も経たないうちにアメリカはリターナブルびんの世界に戻るだろう．しかし，国は紙の方がお好きなようだ．

もし需要側の政策を使うとするなら，排出許可証取引によるべきだろう．新聞紙の例で考えよう．政府がたとえば40%というリサイクル含有率を指定したとする．新聞社はそれに従う．これは容易な目標で後にもっと数値を上げなければいけなくなるかもしれないし，費用のかかりすぎる措置でリサイクルの効果はほとんどなく，新聞価格が上がるだけになるかもしれない．しかし40%という目標が市場化可能であれば，リサイクル新聞紙の工場が近くにある大都市の新聞社はリサイクル含有率を40%以上に上げて，余った分をバージンパルプを使う工場の近くにある新聞社に売ることができる（Bingham and Chandran 1990）．40%の目標は「平均で」ではあるが，より低い社会的総費用で達成される．さらに，市場化されたリサイクル含有率の価格から，目標を達成するのにかかる限界費用も分かる．

## 10.8　おわりに

短いが，難しい章だった．読者は苦労したことと思う（筆者も書くのに苦労した）[7]．しかし，まとめるのは簡単である．つまり，少ない政策手段で多くの政策目標を追いかけるのはよくない．不法投棄が深刻で，他の手段で止められないのなら，ある種のデポジット制度が適用可能である．もちろん，デポジットを生産者が ADF として支払うか，消費者が購入時に支払うかは，問題ではない（後者の方が，デポジットが返却されるというシグナルとしてより認識しやすいが）．問題は，適正な廃棄に対してデポジットされた金額が払い戻されるかどうかである．しかしデポジット制度は，第 6 章で既に見たとおり，不法投棄をコントロールするには高価な手段である．もし不法投棄を罰金など他の手段でコントロールできるのであれば，ごみ有料化は適切なごみ排出量の達成という目的に使うことができる．

リサイクルはあるが不法投棄はない場合の価格政策には 3 種類あるが，私はスキーム 2（図 10–4）を好む．このスキームの下では，製品に課される ADF が製品と容器包装のリサイクル純限界費用（すなわち収集と処理の費用からリサイクル可能物による収益を差し引いたもの）に等しく，ごみ収集料金は埋立・焼却の限界費用とリサイクル純限界費用との差額に等しい（この場合の費用とはすべて私的費用ではなく社会的費用である）．スキーム 2 では，リデュース，リサイクルに適切なインセンティブが与えられ，リユースのインセンティブも（不十分であるが）いくらかはある．生産者には素材を少なくしたり，リサイクルしやすい素材を使うインセンティブが発生する．一言で説明できるし，運営もしやすいし，

7）本章は，廃棄物とリサイクルの価格政策に関する理論的側面について少し触れただけである．より進んだ議論については，以下の参考文献を参照されたい（Dinan 1993；Fullerton and Wu 1998；Choe and Fraser 1999；Fullerton and Wolverton 2000；Calcott and Walls 2000；Walls and Palmer 2001）．

リサイクルに対する課税も補助金も必要ない．

完全に正しい価格政策は実行不可能である，という事実は残っている．そこで価格政策を忘れ，価格を使わない政策に頼ろうとする誘惑が生じる．価格を使わない政策は，リサイクルが始まったばかりのときには有効なチアリーダー的効果を確かに持つ．しかしすべての非価格政策には，大きな欠点がある．つまりそれは，人々に経済的利益のないことをさせようとするのである．州がリサイクル目標を宣言したとしても，市がそれに反応するのは罰を恐れる場合だけである．同じくリサイクル施設に対する低利融資にはわれ先にと申し込みがあるが，それは市が低利融資を好んでいるからであって，リサイクルを好んでいるからではない．リサイクルされた製品を買うよう購買担当者に求めても，従来品に対抗できるほど安くなければ，ひどい抵抗にあうだろう．

# 第11章　リサイクルの物流

理論と現実の差は，理論より現実の方が大きい．

ジェイ・R・アシュワース

第2部はこれまでのところ，なぜリサイクルをするか，いつリサイクルを始めるか，どれだけリサイクルをするか，リサイクルにどう価格を付けるか，などの大きな話題について議論してきた．ここではより細かな点に話題を移し，リサイクルを実際におこなうときに必要となる，多くの細かい決定事項を明らかにしよう．ただしその前に，なぜそれほど多くの決定が必要かを考えよう．どういうわけか新しい都市が突然に生まれ，あなたはごみ収集システムを構築するよう求められたとする．あなたがどのコンサルタントを雇っても，彼らは同じアドバイスをするだろう．われわれはほぼ1世紀にわたって「現代的な方法」によるごみ収集をおこなってきており，どれが最善の方法かについては，コンセンサスが得られているのである．

ところがリサイクルについてコンサルタントを雇えば，できあがってくる報告書は非常にさまざまだろう．（低賃金の，市場的なくず拾いとは異なる）現代的な意味でのリサイクルについては，やり方に関するコンセンサスはほとんどないのである．おそらく数十年後には（ひょっとすると数年後には)，コンセンサスが得られているかもしれない．そのうちに，次の2つの理由で，リサイクルの私的費用と外部費用は減少し続けるだろう．1つは最良の技術にかかる費用の低下であり，もう1つは劣った技術の淘汰と優れた安価な技術による代替である．リサイクルにまつわる選択肢の数々を見ていこう．

## 11.1　買い取りセンターと持ち込みセンター

歴史的に言えば，1970年代におけるリサイクルの復活は，買い取り (buy-back)

センターと持ち込み（drop-off）センターに始まった．買い取りセンターは私的企業であり，使用済み製品を持ってきた消費者に対して代金を支払い，それを買い取る．対象となる製品の範囲はたいてい狭く，輸送距離はたいてい長く，買い戻し価格はたいてい低い．持ち込みセンター（私営もあれば公営もある）は，たいていボランティアで運営されており，自治体の補助を受けている．持ち込みセンターは，買い取りセンターよりも多くの対象製品を回収するが，回収物品に対する支払いはなく，各家計での分別の徹底を求める．いずれのセンターも，家計の参加率が10～20％を上回ることはめったにないため，あまり多くのリサイクルはできていない（Stevens 1994）．

アメリカの大都市では，持ち込みセンターがなくなりつつある（1997年までに，100のうち83の大都市で，週1回以上のリサイクル可能物のステーション収集がおこなわれている（Ezzet 1997））．しかし小さな町では，いぜんとして持ち込みセンターが唯一のリサイクル手段である．町にとっての私的費用が低く，外部費用は無視されているためである．外部費用はひょっとすると高いかもしれないが，暗黙の社会的便益（リサイクルをすることの楽しみ）によっていくぶん相殺されている．すなわち，労働者がボランティアでセンターに勤務し，家計が自発的にリサイクル可能物を運ぶということは，それらの行動には，労働者や家計にとって費用をかけるに値する楽しみがあると言える．

にもかかわらず，こうした活動の外部費用（特に散乱ごみや自動車関連の汚染）はリサイクルの楽しみを上回るかもしれない．持ち込みセンターは，次回の収集まで無人で，容器があふれたり，吹き飛ばされたりすることがよくある．容器を放置すれば，リサイクル可能物以外のごみもひきつけてしまう．ごみ有料化を実施している地域では，特にそうである．その結果，選別費用が上昇し，再生資源の価値は下がる．また，自動車運転の外部費用も生じる．持ち込みセンターまでリサイクル可能物を持っていく人は，ガソリン代を支払い，時間をかけ，自分の生命をリスクにさらしている．これ以外にも，大気汚染や（ドライバー以外の）他者に対する事故という外部費用があり，それは少なくとも1kmあたり1.8セントに相当する（Porter 1999）．

1.8セントという数字は，どこから出てきたのか．ドライバー以外の人の死を引き起こす事故だけを考えよう．こうした事故死者数は年間約2万人に上る．死者数に確率的生命価値を300万ドルとして（第1章の補論B参照）乗じ，アメリカ人の年間走行距離である 3.2 兆 km で割ると，外部費用は 1 km あたり約 1.88 セントになる．

外部費用の総計はいくらになるだろうか．大ざっぱに，平均的な人は，余分に 7.5 km 運転して 2 週間に 1 回持ち込みセンターに行き，9 kg のリサイクル可能物を運ぶとしよう（これは，典型的なアメリカの家計が 2 週間に出すごみの量である 90 kg に，楽観的に 10%をかけたものである）．つまり交通事故の外部費用だけでも，リサイクル可能物 1 トンあたり 15 ドルはかかっていることになる．しかも持ち込みセンターから処理施設に運ぶ際の費用も計算に入れなければならない．持ち込みセンターを増やし，家庭からの距離を近くすれば，こういった交通の外部性は減るが，居住地域における騒音が大きくなり，散乱ごみが増え，自治体の補助金が増えるというデメリットがある．

## 11.2　混合収集と同時収集

次の段階は，混合収集や同時収集であることが多い．混合収集は，その名のとおりである．つまりリサイクル可能物をごみと一緒に収集し，後で分別する方法である．混合収集では家計の手間が不要になるが，リサイクル可能物の量や価値は大きく下がる．濡れたごみを紙と混ぜると紙の価値は下がるし，ガラスを圧縮すれば再生できない破片が多数発生する．また，家庭から出るごみはすべて選別工程を経なければならないので，選別施設での費用は，リサイクル可能物 1 トンあたりで見て高くなる．

同時収集は，家計がリサイクル可能物をはっきり区別できる袋で出すように求めて，上記の問題を逃れる方法である．リサイクル可能物は，定期的なごみ収集の際に収集され，収集車が埋立地に行く前に，リサイクル施設へ送られる．ガラスはたいてい圧縮されずに分別されているが（圧縮すると再生しにくくなり価値が下がる），同時収集をしているある都市は，入ってくるリサイクル可能物の 4 分の 1 が売り物にならないと報告している（O'Leary and Walsh 1995）．

こうした収集の利点ははっきりしている．家計の手間がはるかに少なくて済むから，参加率は持ち込みセンターの場合よりも当然ずっと高い．しかも，新しい装置や労働はほとんど必要ない（ガラスの扱いについては別として）．一方で，こうした収集の欠点もはっきりしている．参加率は高いが，再生費用も高く，再生される量も少ない．行政や民間の廃棄物収集者が，家計にリサイクル料金を求める場合は特にそうである（Steuteville 1993）．しかし人口密度が低く，最終処分場やリサイクル施設まで距離があり，それらが隣接している場合には，混合収集や同時収集は財政的に必要であったり，社会的に適切でさえあるかもしれない（Miller 1995a）．

## 11.3　ステーション収集

別々の車で収集をおこなえば，家計の参加率は上昇し，リサイクルする量も増えるが，ごみやリサイクル可能物の収集費用の総額も大きく増加する（Jenkins et al. 2000；Kinnaman and Fullerton 2000）．結局のところ，分別収集では，すべての家庭を2倍回らなければならないのである．しかしこの方法で収集すれば，リサイクル施設における選別が容易になり，はるかに多くのものが売り物になる．大都市で人口密度が高い場合（処分費用が高い都市は特にそうだが），ステーション収集への動きは，やむをえない最終手段と言えるのかもしれない．

しかしながら，ステーション収集は「する・しない」という二者択一の決定ではない．どの品目をリサイクルするかを別にしても（特殊なトラックで収集すれば，多種類をいっぺんに収集できる），収集プロセスについてはさまざまな決定をしなければならない．

そうした決定の1つに，収集頻度がある．ステーション収集は，たいてい週1回であり，同じ日にごみとリサイクル可能物を収集するケースもたまにある．これは家計が覚えるには便利だが，トラックの渋滞が起きかねない．隔週の収集だと費用を節約できるのが利点だが，収集日を忘れがちになり，家計でのごみの滞留時間の長期化やリサイクル可能物の容器の重さが増すことによる不便さから，リサイクル量が減るという欠点も指摘されている．実際には，これらはどれも議論の余地がある．いくつかの研究によれば，リサイクル率は収集頻度には依存しない（1例を取り上げれば，リサイクル率は週1回収集の都市では13.1%，2週間に1回の都市では12.8%だった（Stevens 1994））．収集費用は，週1回から隔週になっても，半分にはならない．管理費用はほとんど下がらないし，トラックは各ステーションで2倍積むため早く満杯になるし，各ステーションでの総時間やリサイクル施設までの総運転時間はほとんど減らない．たとえばフィラデルフィアはプラスチックの収集をやめて収集回数を週 1 回から隔週にしたが，総収集費用はトンあたり 160 ドルから 125 ドルにしか減らなかった（Egan 1998）.

## 11.4　分別数

次の決定は，家計に求める分別数である．ごみからリサイクル可能物を分けて，1 つの袋あるいは容器に入れることだけを求めている地域もある．かなりの数の分別を求めている地域もある．たとえばニュージャージー州バーリンでは，リサイクル可能物をすべて，町から与えられた 1 つの容器に入れればよかった．一方，そこから 30 km しか離れていないニュージャージー州ウッドベリーでは，リサイクル可能物を町からの容器の提供もなしに 9 分別せねばなず，家計が正確に分別しなかった場合には厳しい罰則が科されていた（Salimando 1989）[1]．

分別数を増やすほど，家計の負担は大きくなる．分別数を増やすほど，時間や手間や分別容器やスペースが多く必要になる．これらはリサイクルプログラムの実際の費用だが，帰属計算による貨幣評価は難しい．ただし，こうした負担に家計が反応しているのは確かである．家計の費用が高まるほど，収集されるリサイクル可能物の量は減る．体系的で大規模な調査はないが，分別数は収集量に大きな差をもたらすようである（たとえばロサンゼルスでは，紙の分別をやめて 1 つの容器でリサイクル可能物を収集するようにしたところ，リサイクル可能物の量がほぼ 150％増えた（Bader 1999a））．

1 つの容器にすべてのリサイクル可能物を混ぜると，回収量は増え，ごみ収集費用と最終処分費用は減る．ならば，なぜ家計に分別を求めるのか．混合収集ではリサイクル可能物の量が増え，リサイクル可能物の収集費用が増える．リサイクル施設での選別にも費用がかかる．多くのリサイクル可能物がリサイクルでき

---

1)　おそらく 9 分別は最大ではない．ギネスブックには載っていないが，オレゴン州ポートランドのある収集業者は，かつて 10 分別をおこなっていたらしい（新聞，雑誌，段ボール，その他の紙，アルミ缶，スチール缶，プラスチックのミルク容器，緑色ガラス，黄色ガラス，白色ガラス）．また，私はある町で 12 分別がおこなわれているという記事を読んだことがある．〔訳注：「ごみゼロ宣言」をしている徳島県上勝町では，日本最多の 34 分別がおこなわれている．ただし収集サービスはなく，住民による持ち込み方式である．〕

ない状態でリサイクル施設に到着する（濡れた紙や壊れたガラスなど）．混合収集されたリサイクル可能物から得られる平均の収入は，分別されたリサイクル可能物から得られる平均の収入より低いのである（Apotheker 1991）．

自発的リサイクルプログラムについてのある研究では，劇的な家計の反応が見られた．リサイクル可能物の収集が週1回で，収集車がガレージまで取りに来てくれ，1つの容器にまとめて出すときには，1人あたり毎年144 kgのリサイクル可能物が収集された（Judge and Becker 1993）．しかし，リサイクル可能物の収集が隔週になり，家計がステーションまで持っていき，ガラス，プラスチック，新聞，鉄をそれぞれ別々の容器に分別しなければならなくなると，リサイクル可能物の収集量は1人あたり毎年わずか5 kgになった．

ここでもう一度，リサイクルが費用を上昇させることを確認しよう．自発的なプログラムで，家計により多くリサイクルしてもらうには，家計の手間を減らさなければならない．しかし，家計の手間を減らすと，後の工程に費用がかかる（週1回収集や各戸回収やトラック脇の分別をおこなえばより多くのトラックや労働者が必要になるし，リサイクル可能物が混ざったまま収集されるとリサイクル施設においてより多くの資本と労働が必要になる）．収集の総費用は上がるが，収集量は増えるので，トンあたりの費用が上がるか下がるかは自明ではない．前述の研究によれば，リサイクル可能物1トンあたりの収集費用は，隔週のステーション収集で家計に分別を求めた場合が平均713ドルだった（トラックのそばで分別する費用も含む）のに対し，週1回の各戸回収で分別をしない場合は平均わずか59ドルだった（Judge and Becker 1993）．この落差はなぜか．家計あたり収集費用の増大が，リサイクル可能物収集量の増大によって，相殺されたためである（もっとも不便なタイプの収集からもっとも便利なタイプの収集になると，家計あたり収集費用が2倍弱になり，リサイクル可能物の収集量は約30倍に増えたという（Skumatz 1996））．

これは，家計におけるリサイクルをできるだけ便利にすべきだという意味であろうか．そうではない．リサイクルの最適な量を最終的に決めているのは，リサイクル可能物1トンあたりの平均費用ではなく限界費用（ごみ収集費用の削減分を差し引いたもの）である．そして，限界費用はやがて上がりはじめる．たとえば収集を週1回から毎日にすると，家計あたり費用はおよそ7倍になるが，収集されるリサイクル可能物の量はそれほど増えないだろう．

家計に多くの努力を求めると，参加率が下がり，リサイクル可能物の量が減り，分別の効率性が下がるかもしれない．また，家計での分別数の拡大は，収集車の仕事時間を増やす（大ざっぱに言えば，分別を 1 つ増やすと各ステーションで 5 秒の仕事時間が増える）．さらに，家計（あるいは収集トラックの労働者）による分別数を増やすと，収集トラックは分別数に応じた仕切りを備えなければいけないし，どれか一つが満杯になるとリサイクル施設に行かなければならない．仕切りのサイズは平均収集量に合わせるとしても，実際の収集量は週ごとに大きく異なる．要するに，家計の分別数が増えれば増えるほど，リサイクル施設の費用は節約できるが，収集プロセス全体の費用が高くなる．

こうなると，1 容器による分別が一番よいようにも思える．リサイクル施設には，家計にはない特化と規模の経済がある．実際，かつて家計に多数の分別を求めていた都市が分別を 1 つにしたという話もよく聞く．リサイクルの経済学にとっては収集費用と最終処分費用が重要なのであり，分別を 1 つにすると，リサイクル可能物の限界収集費用が大きく減少し，家計のリサイクルへの参加が大きく増えるのである（Truini 2001a）．

**コラム：ヨーロッパにおけるリサイクル物流**

アメリカでは，リサイクル可能物はたいてい 1 台のトラックで 1 度に収集されるが，西欧にはさまざまな収集方法が見られる．紙はふつうパッカー車で収集されるが，ガラスはイグルーと呼ばれる容器で収集されることが多い．ガラスやプラスチックの種類ごとに異なるイグルーがあり，等間隔に公的に設置されている．

収集は，行政がおこなう場合もあるが，多くが営利企業や環境団体に外注されている．外注に出されると，月あたりまたは収集トンあたりで行政から収集費用が支払われる．支払いは収集による処分費用の節約分に基づいてなされ，収集者は，リサイクル可能物の販売収入のほとんどを獲得している．

南欧や東欧では（さらにフランスやイギリスでも），リサイクル容器や，リサイクル可能物の収集プログラムは西欧ほど一般的ではない．都心にはイグルーがいくつかあり，住民向けのリサイクル可能物の収集があるところもあるが，普及はしていない．環境意識の高い都市や，革新的な市長がいる都市でしかステーション収集はないし，あっても収集品目は少ない．飲料業界や包装業界が，買い戻しプログラムをサポートしているところでは，廃品回収業者が，主に鉄や紙を収集し販売している．しかし，こういった活動は散発的である．廃品回収業者は市場価格が低くなるといなくなり，価格が上がると戻ってくる．

**コラム：シアトルにおける 2 種類のリサイクル**

長年，シアトルでは，2 つの異なったリサイクル方式が同居していた（Kamberg 1990）．シアトルは北部と南部に分かれており，それぞれ独自に業者と契約して，リサイクル可能物を収集・処理していたのである．北部では，家計は週 1 回，3 種類の容器に，新聞，その他の紙，固い物（ガラス・鉄・プラスチック）を分けて出す．契約業者は，トンあたりで決まった料金を受け取る．南部では，月 1 回，リサイクル可能物を 1 つの容器に混ぜて出す．契約業者は，リサイクル可能物の過去の価格に基づいた料金をトンあたりで受け取る．超過や不足は，契約業者と市で 2 等分する．

それぞれのシステムには，長所と短所がある．北部は南部よりひんぱんに収集するので，より多くの資源を集める．ごみステーションで分別されるため，資源の質も高い．しかしながら，収集費用は南部よりはるかに高い．北部の収集頻度は南部の 4 倍であり，家計レベルでの 3 分別により収集車はより早く満杯になる（3 つの容器の 1 つが満杯になると，収集車はリサイクル施設や積替施設に行かなければならない）．南部では，混合収集のために収集費用は低いが，壊れたガラスや濡れた新聞が増え，分別はより難しくなる．

リサイクルへの参加率は，どちらの地域も常に高かった．最大の理由は，家計に対するごみ有料化である．参加率は北部の方がやや高く，この原因として北部の所得水準・教育水準の高さが指摘されている．しかし南部には借家人が多く，アパートではたいてい借家人ではなく家主がごみ料金を支払うことも関連しているかもしれない．ごみ料金はもちろん借家人に転嫁されるが，借家人は，自分のごみに対する限界費用をまったく払わず，リサイクルしても何も節約できない．

いずれにせよ，状況はすべて変わった．シアトル全市で方式が統一され，リサイクル可能物のステーション収集は 2 週に 1 回となり，容器は 1 つとなり，リサイクル品目数は大きく拡大したのである（Acohido 2000a, 2000b）．この変化により，毎年 200 万ドル，1 人あたり約 4 ドルが節約されたと言われている．

## 11.5　トラックは 1 台か 2 台か

ごみやリサイクル可能物は，ごみ圧縮装置とリサイクル可能物容器を備えた 1 台のトラックで 1 度に収集することもできるし，2 台別々のトラック（ごみ専用トラックとリサイクル可能物専用トラック）で収集することもできる．一般的には，2 台より 1 台で収集した方が安いと言われている．理由を考えてみよう．方眼紙のような通りと，敷地面積が同じで毎週同じ量の廃棄物を出す家々で構成される，小さな町を考えてみよう．1 台のトラックが収集に回ると，それは各家計の前で $N$ 秒止まる．2 台のトラックだと，各トラックは片方しか集めないので，$N$ 秒の半分の $N/2$ 秒だけ止まる（ここでは費用差はまったくない）．トラック 1 台だと，2 台の場合の 2 倍のスピードで満杯になるので，リサイクル施設や埋立地まで，2 台の場合より 2 倍往復しなければならない（この点でも費用差はまったくない）．しかし，2 台のシステムでは 2 台のトラックが町全体を回らなければならないが，1 台のシステムではそれは 1 回で済む．したがって，1 台のトラックの方が安い．

しかし，結論を急がないでほしい．現実は，上の例ほど単純ではない．まず，トラックや乗員が 1 つの仕事（つまりごみの収集かリサイクル可能物の収集）に特化すると，トラックは安くなり，乗員は収集時間を半分以下に縮小できるかもしれない．第 2 に，ごみとリサイクル可能物の割合は週ごとに変わる．1 台のトラックが備えている区画が平均して正確に割り当てられていたとしても，リサイクル可能物の区画が満杯になる前に，ごみの区画が満杯になる週もあれば，その逆もあるだろう．このことは，トラックがまだ完全に満杯になっていないうちにリサイクル施設や埋立地に行くことを意味し，全体の走行距離は，2 台のトラックのシステムより長くなるかもしれない．第 3 に，すべての家計が毎週リサイクル可能物を出しているわけではないので，リサイクル可能物収集車は，週によっては素通りできる家があり，結果として作業を早めて費用を減らすことができる（収集回数を隔週にするのも，同様の費用節約効果があるだろう）．

トラックの台数について，事実から何か言えればいいのだが，比較できるデータはあまりない．ウィスコンシン州マジソンでの研究は，トラック 2 台のシステムの方が安いと結論付けている（トラック1台の場合に毎年1人あたり9.70ドルかかるのに対し，トラック2台の場合は9.52ドルで済む）が，マジソンは典型的なアメリカの都市とはとても言えない（Anderson et al 1995）．そこでは，リサイクルの導入は総収集費を下げると報告されているのである．

## 11.6　集合住宅

リサイクルは，ふつう一戸建てから始まり，その後，集合住宅に移る．集合住宅の方がリサイクル可能物を効率よく集められそうなので，これは驚くべきことのように思える．しかし，自発的リサイクルに参加する層を調べてみると，この驚きは解消する（Hong et al. 1993）．リサイクルに参加するのは，住居形態では借家より持家，世帯あたり人数が多く，年長の女性の賃金が低い層である．これらの関係は，どれも予想がつく．世帯あたり人数が増えるほど，リサイクルへの参加が容易な子供が多くなる．賃金が低いほど，機会費用は低い．そして借家よりも持家に住む人の方が，リサイクルの費用も便益も自らが負う．また，リサイクルはごみが有料化されている地域で盛んだが，集合住宅では収集料金が家賃に含まれていたり，建物の所有者と共同で負担されていたりする．狭くてガレージのない家では，スペースの問題が大きいかもしれない．

結果として，集合住宅ではリサイクルがあまり進まない．ほとんどの研究では，集合住宅のリサイクル率が一戸建てのそれより低いことが示されている．このため，リサイクル可能物1トンあたりの収集費用はかなり高くなる．集合住宅にリサイクルを提供もしくは強制している40の都市についての研究では，収集費用が集合住宅でトンあたり平均177ドル，1戸建て住宅で127ドルだった（Stevens 1998）．この違いが住居の配置によるものではないことは，ごみ収集1トンあたりの費用が，集合住宅は63ドルで，一戸建ては69ドルであることからも分かる．集合住宅でリサイクルを費用効率的におこなうには，個人が集団の行動に対して責任を持つ方法を見つけなければならない．これは，古典的なフリーライダー（ただ乗り）の問題である．

**コラム：集合住宅でのリサイクルに関する別の見方**

ハイライズ・リサイクル・システム社のマーク・シャンティズ社長は，高層の集合住宅について，違った見方をしている（Bader 1997）．シャンティズ氏は，高層集合住宅ではもっとも効率的にリサイクル可能物を収集できると見ている．1 つの高層住宅には何百もの家庭が居住しているのだから，収集トラックを各家庭まで走らせて，時間や燃料を浪費しなくて済む，というのである．

シャンティズ氏は，集合住宅の住人にリサイクルにより多く参加してもらうシステムを開発した．そのシステムは，既存のダストシュートに圧縮機と回転台を組み合わせたものである．回転台には，さまざまなリサイクル可能物用の容器と，リサイクルできないごみ用の容器が置かれている．住民がごみやリサイクル可能物を各階のダストシュートに持っていき，パネルのボタンを押すと，回転台が回り正しい容器が設置される．リサイクル可能物を保管する必要も，袋に包んでコンテナまで運ぶ必要もない．地下では各容器用の圧縮機が絶えず作動しており，満杯になれば自動的にブザーが鳴る．

## 11.7　自発的リサイクルか強制リサイクルか

自発的リサイクルの利点は，参加者が喜んで参加しているところにある．つまり参加している人がリサイクルから得る私的便益は，私的費用を常に上回っている．自発的リサイクルであれば，参加者にかなりの量の分別を求めることができるし，結果も期待できる．強制リサイクルの場合，求めることのできる分別数は少なくなるし，結果もあまり期待できない．

なぜ，参加したくない人までリサイクルに参加させるのだろうか．答えは量にある．強制リサイクルは，自発的リサイクルより多くの量を，わずかな追加費用で達成できる．ある研究によれば，リサイクル可能物 1 トンあたりの平均収集費用は，家計の参加率が 25%のときには（1997 年のドルで）164 ドル，75%のときには 121 ドルだった（Miller 1995c）．別の研究では，家計あたりのリサイクル可能物の年間収集量は，リサイクルを強制する都市では 248 kg だったのに対し，強制しない都市では 203 kg だった（Miranda and LaPalme 1997）．この差 45 kg を収集し分別することの限界費用が平均費用より低いこと（さらに資源による歳入増）を考えると，強制リサイクルは経済性に勝っているように思われる．

しかし，実はそうではないかもしれない．まず，強制リサイクルによって 45 kg

の増量が実現するかどうかは疑わしい．上述の研究で見られた差は，単に，リサイクル意識が高い都市では熱心な多数派がそうでない少数派を説得でき，リサイクル意識の低い都市では自発的なプログラムが実施されているということを反映しているだけなのかもしれない．住民意識の違いの重要性を示唆する研究例が，2つある．まず，自発的プログラムの都市は，リデュースやリユースを促す政策が何もない強制プログラムの都市と比べて（インセンティブの観点からすれば両者は同じはずである），ごみやリサイクル可能物の総排出量が180 kgほど多い（Miranda and LaPalme 1997）．また，強制リサイクルが実現するリサイクル量は，罰金措置があってもなくてもさほど変わらないという研究もある (Duggal et al. 1991)．

さらに，強制リサイクルによるリサイクル量の増加は，リサイクル可能物の平均収集費用を下げるが，ごみとリサイクル可能物を合わせた総収集費用を増大させる．いやいやリサイクルする人の厚生損失も費用と考えなければならない．最終処分費用の節約やリサイクル可能物の売却収入などの便益は，これらの費用を上回るかもしれないし，下回るかもしれない．

結局のところ，強制リサイクルは，リサイクルを奨励する手段としては切れ味が鈍い．強制リサイクルでは，原則として，常に完璧なリサイクルをしている人以外は罰金を払う義務があるはずだが，ルールを守らない人に「ていねいに」警告する以上のことをしている自治体はほとんどない．強制はごみ収集が無料でリサイクルをするインセンティブがまったくないために，必要となっているのである．もしごみが有料化されれば，リサイクルの決定はうまく調整される．ごみ排出に1 kgあたり$x$セントの費用がかかるとなると，リサイクル可能物を分けて出すことで，家計は1 kgあたり$x$セントを節約できる．リサイクルが非常に面倒で，それに1 kgあたり$x$セントの価値を見いだせない人はリサイクルをしないが，もし$x$セントがリサイクルしないこと（ごみとして捨てること）の社会的コストなら，無理にさせる必要はあるだろうか．ごみを有料化すれば，自発的リサイクルは費用効率性と（各家計はリサイクルの限界費用とごみ収集料金が等しくなるところまでリサイクルするので），適切な量を達成する（ごみ料金が正しい水準で設定されていれば，各家計はリサイクルの限界費用と社会的便益が等しくなるところまでリサイクルする）．強制リサイクルは，費用効率性や最適な量を達成しないかもしれない．にもかかわらず，アメリカでリサイクルをおこなっている都市のほぼ半分では，リサイクルは強制されている．

**コラム：強制リサイクルの施行**

強制リサイクルを実施している都市のほとんどでは，リサイクルをちゃんとしない人に対して与えられるのは，注意のみである．しかし，強制を厳格に施行しようとした自治体もある．これは容易ではなく，大変に高くつく．

よくあるのは，ごみ収集者が，ごみの中にリサイクル可能物がないかどうかを目視で確認する．リサイクル収集者も，リサイクル可能物の中にごみがないかどうか調べる（ごみ有料化を実施している都市ではこの努力が特に必要となる）．このために収集車の仕事は滞ってしまう．

奇妙な努力をしている自治体もある．たとえばマサチューセッツ州ロックランドでは，中身が空でもよいからともかくリサイクル可能物のバケツを出しておかなければ，ごみ収集車が自宅の前に止まってくれない（Gust 2000）．毎週リサイクルバケツを出すことは強制されたが，リサイクル可能物を出すことの強制はなかった．このシステムは，リサイクルしない家計の時間だけでなく，リサイクル可能物収集車の時間も浪費している（バケツのほとんどが空でも止まって中身を確認しなければならないので）．満杯になってからバケツを出しさえすれば，両者の時間は節約されるはずだが，ロックランドのシステムはこれを排除している．空のバケツは吹き飛ばされやすく，取り替えるのに6ドルかかる．家計は毎週バケツを重しで押さえるために，リサイクル可能物を買いはじめるのだろう．変なシステムである．

## 11.8　リサイクル施設の稼動

初期のリサイクル施設は，ほぼ完全に手選別に頼っていた．大型の資本設備は，フォークリフトと梱包機だけだった．量が多くなるとベルトコンベヤが加わったが，ほとんどの分別や梱包は労働集約的なままだった．いまでは，リサイクル施設の最新技術は日々変化し，資本で労働を代替する形で進んでいる（究極の資本集約的なシナリオとしては，バーコードを使ってリサイクル可能物を全自動で分別するというものがある）．

リサイクル可能物が混合収集される地域では，紙製品は，トロンメル（回転式ふるい）によって除去される．磁石で，スチール缶やその他の鉄が分別される．機械によるプラスチック選別もあるが，まだかなり高価である．うず電流によるアルミ選別は，プラスチック選別ほど高くない（Bader 1999a）．ガラスを色で選別する機械は，まだ実現していない（混合ガラスは逆有償になることが多い）．

機械化については，2種類の問題がある．まず，巨大で高価な資本設備が手選別よりも有利になるには，施設にどの程度の規模が必要だろうか．費用効率的なリサイクル施設の最小サイズは，機械選別が進むにしたがって明らかに大きくなっており，結果としてリサイクルは人口密度の低い地域では社会的利益が低い．第2に，リサイクル施設の技術進歩が今後早まることを考えると，どんな投資をしても，すぐに安くて良いものが出てくるかもしれない．いつ投資するかは，科学というより直観の世界の話になる．

しばらくの間，リサイクル施設での分別は労働集約的なままだろう．熟練である必要はないが，ベルトコンベヤのスピードや必要な集中力や事故の危険性は高く，たいてい最低賃金よりかなり高く稼げる．さらに，家庭からリサイクル可能物として出されるもののかなりの部分が，間違って分別されていて（あるリサイクル施設では3分の1に上る），最終処分場まで行くのに回り道した分だけ費用が高くなっている（Stewart 2000b）．異質なリサイクル可能物を，均質な，市場で販売可能な物に分別するのは，安くない．

## 11.9　デポジット制度とリサイクルは共存するか

1970年代に多くの州で飲料容器の強制デポジットが導入された当時，ほとんどの地域にリサイクルプログラムはなく，あっても持ち込みセンターだけだった．実際，リサイクルが導入される際，強制デポジットは，リサイクルを促進する方法ではなく，飲料メーカーに，容器を洗って再利用させたり，ワンウェイ容器の埋立処分に対して支払いをさせるための方法と見られていた．結果として再利用容器の復活はほとんどなかったが，回収されたアルミやガラスのリサイクル市場がすぐに現れた．強制デポジットは，現在大量におこなわれているリサイクルの実行可能性を，思いがけず示したのである．

しかし，強制デポジットは，第6章で見たように，リサイクル可能物を集める方法としては高くつく．費用の低い行政によるリサイクルプログラムが普及している今日において，強制デポジットをおこなうのは果たして賢明だろうか．20年前に強制デポジット導入を主導したリサイクル賛成論者でさえ，行政によるリサイクルプログラムの財政的実行可能性を損なうという理由で，この疑問を呈している（Hawes 1991；Ackerman et al. 1995）．ステーション収集に飲料容器を追加しても，収集費はそれほど上がらないし，高価なアルミを販売することで収入が増加する．実際，強制デポジットをおこなわずリサイクルのみおこなっている地域では，飲料容器のスクラップが，リサイクル施設が得る収入の約半分を占めている（GAO 1990）．

強制デポジットが既存のリサイクル体系に加えられると，総収集費とリサイクル可能物の総収集量は増える．強制デポジット導入の限界便益（リサイクル可能物による収入や回避される埋立費用）は，限界費用（収集費用や処理費用）を上回るだろうか．限界費用については，次のような推定がある．既にリサイクルがおこなわれている場所で強制デポジットを加えることによるリサイクル可能物収集量の増加にともなう費用は，バーモント州でトンあたり 290 ドル（1997 年のドル評価），ニューヨーク州で 790 ドルになる（Franklin Associates 1988）[2)]．量が増加すると，アルミよりもガラスやプラスチックが増えるので，限界便益は限界費用をほぼ確実に下回るだろう．しかしながら，ごみステーションでのリサイクル収集サービスを受けている人口は，アメリカ国民のほぼ半数にすぎない．さらにリサイクル収集サービスがある場合でも，ステーション収集しか選択肢がない場合よりも，飲料容器にデポジットがある場合の方が，飲料容器の回収率はずっと高い．ステーション収集は，すべての飲料容器の半分以下しか収集しないが，デポジットはそれよりはるかに高い回収率を達成するのである（Ackerman 1997）．この結果は，当然である．家計がデポジットの容器を返却して得る額はふつう容器あたり 5 セントであるのに対して，家計がリサイクルして得る額は容器あたり 1 セントにも満たない（収集が無料の場合はゼロである）．

目標が飲料容器のリサイクル量を最大化することなら，デポジットは他の手段よりはるかにうまく機能する．5 セントのデポジットでも十分である．50 セントのデポジットなら，もっとうまくいくだろう．しかし，それは賢明な目標ではな

---

2）強制デポジットを既存のリサイクルに加えるのは，収集トンあたりの総費用を減らすのでよいという議論がたまにある（Franklin Associates 1991）．しかしこれは，リサイクル可能物の増加量をカウントする一方で，強制デポジットによる収集費用の増加をカウントしていない結果である．この理屈では，強制デポジットをすべての品目に課せば，家庭ごみに関する費用（この定義で測った「費用」）はゼロになる．

い．ごみ収集を有料化し，埋立の社会的費用がリサイクルのそれより高いことを料金に反映すれば，最適な容器の数がリサイクルされる（もちろん，この最適性は，エネルギーやバージン資源の市場におけるゆがみがすべて取り除かれていることを前提としている）．

リサイクル普及後の強制デポジット導入について，良い理屈が1つある．強制デポジットは散乱ごみ対策になるが，リサイクルはそうではない．リサイクルもごみ有料化も，（リサイクルに対する支払いがない限り）飲料容器の散乱防止に役立たないのである．ごみ有料化はむしろ逆に，リサイクルとともに不法投棄（つまり散乱ごみ）を促してしまう．飲料容器の散乱ごみが深刻な問題ならば，強制デポジットはリサイクルやごみ有料化よりもはるかに効果的な政策であり，3つの政策の共存は合理的かもしれない[3)]．

しかし，散乱ごみ（特に飲料容器の散乱ごみ）は，今日では20年前ほど深刻な問題ではないし，道路脇の散乱ごみの総量は，デポジット導入州とそうでない州であまり変わらない（Michigan Consultants 1996）．なぜだろうか．散乱ごみ問題の中心が，飲料容器から紙（ガムの包みやファーストフードの容器やパソコン用紙など）に取って代わられてきたからである．またステーション収集式のリサイクルによって，ごみ収集量だけでなく，散乱ごみも減っている．飲料容器は道路脇の散乱ごみのうちごくわずかなので，強制デポジットでそれをゼロに減らしても，散乱ごみの総量は数パーセント減るだけだろう[4)]．

根本的に，強制デポジットとステーション収集式リサイクルの共存には，2つの問題がある．1つ目に，これまで見てきたとおり強制デポジットは散乱ごみを減らすには高くつく政策であるし（第6章），リサイクルが既にある場合はなおさらである．そして，リサイクルの拡大が飲料容器の散乱ごみ問題の軽減につな

3) リサイクルと強制デポジットが共存している場合，それらが違う目的を持った別々の政策であることとに注意すべきだろう．デポジット額は，不法投棄の社会的限界費用に関連づけるべきである．広くリサイクルされている財に対するデポジット額を低くしたり，リフィラブル（詰替可能）容器に対するデポジット額を低くする理屈は，よく指摘されるようにまったくない（Cohen et al. 1988）．

4) デポジット導入州ではポイ捨て行為が減るために清掃回数も減るので，道路脇の散乱ごみのストック量は，デポジットを導入していない州と同じくらい多く見えるかもしれない．これはデポジットの社会的便益だが，観察される散乱ごみのストックの減少には現れない便益である．

がっているなら，飲料の生産者や消費者が負う費用はリサイクルの存在で軽減されていないのだから，強制デポジットの導入は，ますます高い費用をかけてしまうだろう．2 つ目に，強制デポジットが減らすのは散乱ごみや埋立費用だけではない．それはリサイクル施設の収入も減らしてしまうのである．この収入不足によって社会的に利益のあるリサイクルの実施が遅れたり，実施が見送られると，最終的な散乱ごみ対策の費用はさらに上がるだろう（Ackerman and Schatzki 1989, 1991）．これは単なる推測ではない．ある実証研究によれば，強制デポジットが実施されているところでは，ステーション収集式リサイクルを始める割合が18%減った（Kinnaman and Fullerton 2000）．

小売店がよく言うように本当に強制デポジットが嫌なら，実施している州に対して，「強制デポジットを（飲料容器 1 個あたり数セントの）低率の税金に代えて，その歳入でリサイクルや散乱ごみ防止プログラムを助成する」という政策を提案すればよい．たとえばミシガン州では 1 セントの税で，年間 5000 万ドルの歳入が生まれる．この額はおそらく，州のすべての既存のリサイクルプログラムを，「私的」利益が出るようにするのに十分な額だろう（過度なリサイクルにお金を使う誘惑に行政が耐えられるのであれば）．

## 11.10　おわりに

リサイクルが今後数十年でどういう形になるかは，アメリカ全土で実施されている何千ものさまざまなリサイクルシステムから蓄積されつつある実証的情報によるだろう．そのデータ（ここでおこなったような推測ではない）から，どのスキームを最終的に一般に採用すべきかが分かるだろう．もっとも，それは都市の規模によって異なるだろうし，農村部でははっきりと違うだろう．

しかし，確実なことが 1 つだけある．現在，リサイクルの導入を高価にしているのは，リサイクルには 2 台目のトラックが必要だということと，リサイクル用のトラックはリサイクル可能物を圧縮しないという 2 つの事実である．収集技術が進むのもよい．リサイクル可能物市場やリサイクル可能物の価格が好条件になるのもよい（第 12 章で扱う）．しかし，もっともよいのは，2 台目のトラックと圧縮の欠点をなくすことだろう．

これは可能だと思われる．上述したように，リサイクル可能物の同時収集や混合収集は存在する．皮肉にも，これらは大都市ではふつう劣っているとされ捨て去られているが，リサイクル施設で効率的な選別が可能になれば，究極的には低コストの収集技術として復活するかもしれない（Miller 1995a）．リサイクル可能物の圧縮は現在では想像しにくいが，その時代はすぐそこまで来ているのかもしれないのである〔訳注：日本には，資源ごみを圧縮車で収集して費用を抑え，MRF で徹底した手選別をおこなっている自治体もある〕．

収集費用がごみとリサイクル可能物で同じになるということは，何を意味するだろうか．リサイクル施設における選別費用が，埋立費用の回避分とリサイクル可能物による収入の合計以下であれば，リサイクルは効率的になる．今日ではほとんど非合理的な現在のリサイクル目標でさえ，時代遅れになるかもしれない．

# 第12章　リサイクルの市場

> リサイクルが好きな人は多い．ごみ箱からモノをいくつか救って現代の物質主義に対する罪滅ぼしをすることが，強く希求されている．ところが残念ながら，人々は，リサイクルされた素材でできた製品の購入にはあまり関心がない．
>
> ケアンクロス，1993年

リサイクル可能物は収集され分別され処理されるが，それだけでは十分ではない．リサイクルにはさらに2つのステップが必要である．リサイクル施設で処理された素材はそれを有用なモノに変える人に売られなければならないし，そうしてできた有用物を購入して利用する消費者を見つけなければならない．こうしたリサイクル可能物の市場や，リサイクル製品の市場が，本章のテーマである．

これらの市場が，世間の関心をあまり呼ばないブロッコリーの市場と違うのはなぜだろうか．確かに，リサイクルされた素材はすべて「誰か」に売られているのであって，その意味では，収集されたリサイクル可能物にはすべて市場が存在する．ところがよく耳にするように，リサイクルされた素材にはマイナスの価格がつく場合もある．つまり，誰かにお金を払って持っていってもらわなければならない．さらに驚くべきことに，リサイクルのために収集されたモノが結局埋め立てられているという話も聞く．リサイクルすることで大きなマイナスの価格を「稼ぐ」なら，埋立をした方がよい．

リサイクル可能物の市場は，確かに存在する．しかし，その価格はがっかりするほど低いのである．低い価格はリサイクルにとってよくないが，リサイクル可能物の市場では価格が激しく変動し，損益の見通しを難しくする．

## 12.1　リサイクル可能物の市場

リサイクル可能物の価格は，市場が副次的なために，低くて変わりやすい．リサイクル可能物は，安く生産できるバージン資源と代替関係にあり，競合することが多い．バージン資源は豊富にある場合，安くなる．1970年代には地球の資源が枯渇するという予言があったが，その後の30年間，ほとんどの基礎的な資源の実質価値は，ほぼ着実に下がってきている．石油輸出国機構（OPEC）のようなカルテル的動きもあったが，高い価格を形成して維持することはできなかった．

バージン資源の安さの秘密は，豊富な存在量だけではない．多くのバージン資源は，次の2つの理由で，社会的費用が私的費用よりかなり高い．第1に，バージン資源は採掘の際にたいてい外部費用を生む．採掘者に外部費用を支払わせれば（直接規制や被害者補償やピグー税によって），バージン資源の市場価格は高くなるだろうし，リサイクル可能物はバージン資源と競争しやすくなるだろう．第2に，政府は無料のサービスや特別な税控除を与えて，バージン資源の生産者に隠れた補助金をたくさん支給している．

分かりやすくするために例を挙げよう．アメリカのバージン・アルミのほぼ半分は，ボンネビル電力局（Bonneville Power Administration：BPA）の水力発電によって生産されている．水力発電は安い電力源である．もしふつうの市場であれば，ある生産者に競争相手より有利な点があって安く生産できたとしても，製品は市場価格で売られるだろう．しかし，BPAは利潤なしの値段を付けている．さらに，BPAは低いコストで連邦政府融資を受けている．アルミ生産はエネルギー集約的なため，補助金はバージン・アルミ価格の5～12%に達する（Koplow 1994）[1]．

バージン紙の生産は，たとえ人工林であっても，周辺の土地や水や野生生物やレクリエーションに外部費用を課す．バージン紙の生産も，隠れた補助金を受けているのである．ある研究によれば，さまざまな補助金の生産費に占める割合は，木

1)　バージン・アルミの生産には，トンあたり30万kWhのエネルギーが使われるが，リサイクル・アルミは1万5千kWhしか使わない（Williams 1991）．エネルギー以外の補助金も考慮すると，バージン・アルミは価格の23%ほどを優遇されている（Koplow and Dietly 1994）．

材伐採に有利な税政策で 0.59%，国による原価以下の木材販売で 0.32%，社会的費用以下のエネルギー供給で 1.31%，水関連の補助金で 0.02%だった（Koplow and Dietly 1994）[2]．これらの補助金は，アルミほどではないものの，やはりバージン資源の生産に有利である．

連邦や州は，バージン資源生産の外部費用を無視し続けてきた．バージン資源に対する補助金の歴史は古い．鉱物資源の比率償却は 1913 年に始まる．費用償却には，採掘業者が鉱山や鉱泉にかかる初期資本費用を税支払い前に取り戻すという意味がある．しかし，比率償却は訳が違う．それは初期投資の額にかかわらず，課税所得から総所得の数パーセントを控除するのである．

国有林材の原価以下での販売は，1981 年に始まった．それは，詳しく述べるほどでもないさまざまな根拠で守られてきた．採鉱権の原価以下での賃貸はさらに古く，1872 年にさかのぼる．これらの多くは 1986 年の税改革法によってなくなったが，それでもまだ多くが残っている．こういった補助金は，わずかにせよ，リサイクル可能物の市場に何らかの影響を与える．アメリカがこうした財（バージン資源とリサイクル資源）の主要生産者であれば，バージン資源の生産に対する補助金はバージン資源の供給関数の下方シフトをもたらし，価格を下げ，生産量を増やす．バージン資源の価格が下がるほど，それと密接な代替関係にあるリサイクル資源の価格も下がり，収集やリサイクルは阻まれる．

要するに，バージン資源の価格は，その生産にかかる社会的費用を下回ることが多い．これではバージン資源の過度な生産が促され，社会的に有益なはずのリサイクルは抑制されてしまう．現在，バージン資源の優位性に対抗しようと，採算の合わないリサイクルを引き受けたり，高価なリサイクル資源でできた製品の購入を義務付けたりといった取組みがおこなわれている．これらは悪いアイデアではないが，最善とは言いがたい．最善のアイデアは，外部費用に等しいピグー税を課し，補助金や税優遇をやめて，人為的刺激を直接取り除くことである．

リサイクル可能物の価格は，大きく上下する．これは，その市場が副次的なことも一因である．ほとんどの原材料はバージン資源のストックから生み出されていて，このフローの安定的な確保が生産者の基本的関心事となっている．実際，

---

2) 引用元の研究では，高い推計値と低い推計値が述べられている．本文ではそれら 2 つの平均を紹介した．リサイクル紙の生産は，バージン紙よりエネルギーと水の使用がはるかに少ないため，これらに対する補助金は 2 種類の紙の費用に差別的な影響を与える．

図 12–1　古段ボール箱と新段ボール箱の価格指数

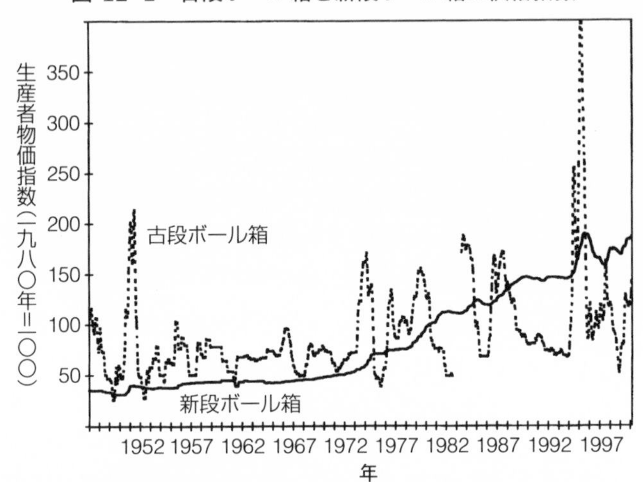


ほとんどの基礎原材料生産者がバージン資源の供給元と垂直統合しているのは，このためである．アルミの生産者はボーキサイト鉱山を所有し，紙の生産者は森林を所有している．リサイクル可能物は必要な場合の補足物として使われている (Ackerman 1997)．したがってある資源に対する需要が上昇すると，リサイクル資源に対する需要はその何倍も上昇する．一方で，ある資源に対する需要が下がると，リサイクル資源に対する需要は大きく減少し，なくなることすらある．

図 12–1 と図 12–2 には，リサイクル可能物の価格変動が示されている．図 12–1 は，過去 50 年の，古段ボール箱と新段ボール箱の価格である[3]．古段ボール箱の方が大きく変動していることが分かる．それからやや分かりにくいが，新段ボール箱に比べて古段ボール箱の価格が下落している．グラフの左半分では古段ボール箱の価格指数が新段ボール箱のそれをほぼ上回っているが，残りの期間ではほ

3)　古段ボール箱の主な用途は，「新しい」段ボールの生産である．古段ボール箱の価格は，労働統計局の生産者価格指数（Producer Price Index：PPI）であり，1947 年から 1986 年までは WPU09120311，1967 年から 2000 年までは WPU091203 を用いている（重複年のデータは同じ）．1981 年から 1983 年までの数ヶ月については，価格指数が記録されていない．新段ボール箱の価格も労働統計局の PPI で，WPU091503 である．どちらも 1980 年を基準年として 100 としている．

**図 12–2　古新聞とバージンの新聞用紙価格指数**

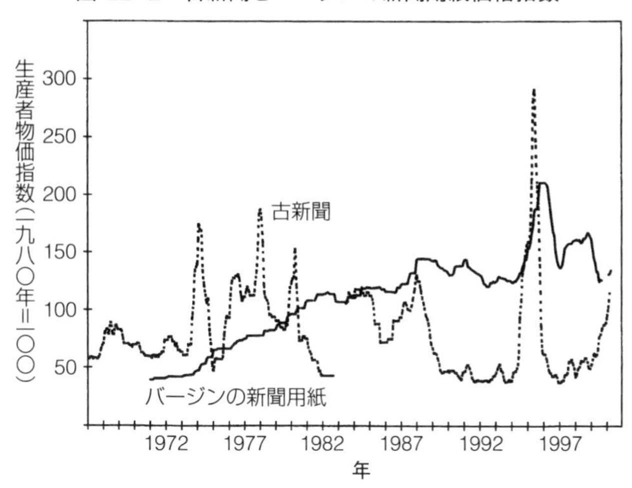


ぼ下回っていることが見てとれるだろう（指数はどちらも 1980 年を 100 としている）.

図 12–2 もよく似た話を物語っている．過去 30 年にわたる古新聞の価格と新しい新聞用紙の価格が示されている[4)]．古新聞の価格は大きく変動しつつ，新しい新聞印刷用紙に比べてこの期間に総じて下落している．

リサイクル可能物の相対価格は，変動しつつ下落する運命にあるのだろうか．そうではない．アルミの使用済み飲料容器は，この呪縛からすでに抜け出している．図 12–3 に，過去 20 年における使用済みアルミ缶の価格とバージン・アルミの価格を示す[5)]．使用済みアルミ缶の価格は，バージン・アルミの価格とかなり

4)　古新聞の主な用途は,「新しい」新聞印刷用紙の生産である．古新聞の価格は，労働統計局の PPI で，WPU091201 である．1981 年から 1983 年までの数ヶ月については，価格指数が記録されていない．新聞印刷用紙の価格は，労働統計局の PPI で，WPU091302 である．いずれの指数も基準年は 1980 年である．

5)　アルミの使用済み飲料容器は，新しいアルミを作るのに使われている．使用済みアルミ飲料容器の価格は，コネチカット金属協会（http://www.recyclemetal.com）とリソース・リサイクリングが蓄積した 2 つのデータを組み合わせて，1 つの指数に変換している（量でウェイト付けしない実際の価格は，全期間平均でトンあたり 955 ドルだった）．価格が 2 つ以上あるときは，その月の中日に近い日の値を使っている．バージン・アルミの

図 12–3　飲料容器に使用されたアルミと一次アルミの価格指数

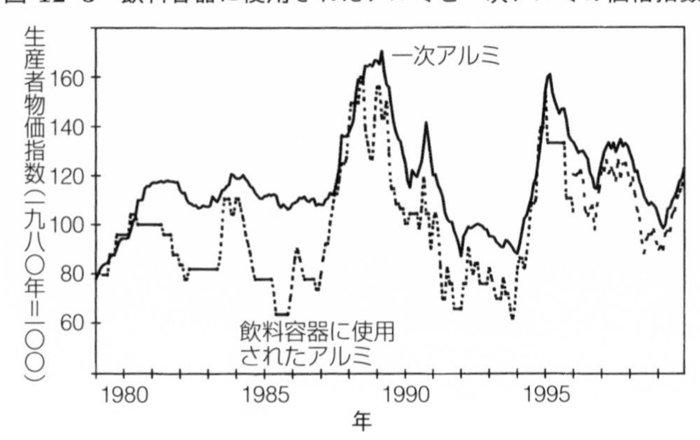


近接して推移しており，1990 年代には特にその傾向が強い．使用済みアルミ缶の市場は，うまく機能する市場へと発展したのである．他のリサイクル可能物の市場も，おそらくそのうち安定するだろう．

1980 年代と 90 年代を振り返ると，リサイクル可能物の価格が大きく変動しつつ低かった理由が，特殊で一時的なものだったことが分かる．リサイクルは全米でブームであり，そのためにリサイクル可能物の市場への供給がかつてないほど多かった．供給が需要を上回れば，価格は下がる．そして，供給（あるいは需要）が価格に対して非弾力的なときに価格は激しく下がる．自治体によるリサイクルには価格による動機付けはあまりないので，研究結果が示しているとおり，リサイクル可能物の供給は価格に対して非常に非弾力的になる（Edwards and Pearce 1978；Edgren and Moreland 1990）．しかし，リサイクルを始めていない自治体は減り，リサイクルを既におこなっている多くの自治体も，費用の節約のためにリサイクル品目を減らしはじめているので，リサイクル財の供給スピードは将来必ず減少するだろう．ここ 20 年の価格変動は，リサイクル立ち上げ時の一時的現象だったとも言える．数が小さいときには，「不可分性の問題（微妙な数量調整が不可能なこと）」が存在する．20 年前には，アメリカに再生紙の工場はほとんどなかった（Alexander 1994）．再生紙工場の需要は，わずかなリサイクルで満たされていた．しかし，リサイクルが増えるにつれ，工場の数が固定されてい

価格は労働統計局の PPI で，PCU3334# である．両指数とも基準年は 1980 年である．

**図 12–4　不法投棄なし，リサイクルありの場合の価格政策（スキーム 2）**

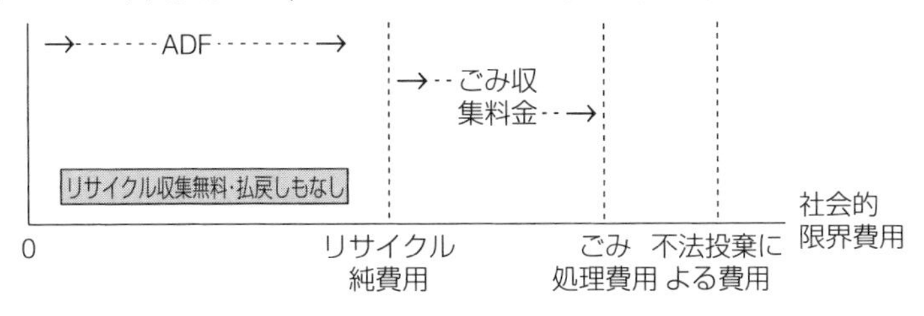


る状態では，古新聞や古段ボールの価格は下落し，工場の利潤が増加していった．やがて新しい工場ができ，需要の後押しで古新聞や古段ボールの価格は徐々に上昇した．しかし，まもなくリサイクルが再度市場を飽和させて……という具合である．

政府介入によって，効率的なリサイクル可能物市場の発展を促すのは可能だろうか．答えは「はい」だが，リスクもある．たとえばリサイクル業者に補助金を支給すれば，補助金が支給される資源の市場を確立し，活性化するインセンティブを与えるはずである．しかし，リサイクル可能物の需要も価格非弾力的なので，補助金は大きな所得移転となるだけで，リサイクル可能物の量はほとんど増加しないかもしれない（Kinkley and Lahiri 1984；Edgren and Moreland 1990）．リスクは，補助金を提供する方法にもある．政府は補助金を，初期資本費用の分担や低利融資といった形態でよく提供しているが，こうした方法は，より多くの資源を購入してリサイクルするインセンティブを間接的にしか与えない．とはいえリサイクル量に基づいた補助金にも，リサイクル可能物市場がより早く成長することが社会的に望ましいことを前提としているというリスクがある．こうした「幼稚産業」への補助金を，市場が成長した後に廃止するのは難しい．

リサイクル可能物市場の発展という観点で，（図 10–4 で見た）スキーム 2 を捉えなおそう．図 12–4 に再掲したスキームをご覧いただきたい．スキーム 2 は，製品や容器包装のリサイクル純費用に基づいた ADF を用いる方法だった．これは，製品や容器包装から生じるリサイクル可能物の市場に参入する（少なくとも奨励する）インセンティブを製造業者に与える．製造業者が自社の使用済み製品や容器包装を買い戻す（第 2 章で議論した生産者回収責任）のは費用がかかるが，製造業者に自社のリサイクル可能物の市場に関心を持たせるのは有用かもしれない．スキーム2はこれを実現する．製造業者が製品設計や容器包装を変更して収集や選別に要する費用を減らしたり，リサイクル可能物の価値を高めることができれば，ADFの額は下がるのである．

リサイクル可能物の市場について議論を終える前に，国際市場についても考えよう．リサイクル可能物はたいてい重いわりに価値が低く，長距離の輸送には向かないが，アメリカのリサイクル可能物に対しかなり途上国の需要はある．たとえば紙である．途上国の多くでは識字率が急上昇し，森林面積が急速に減少している．途上国では賃金が低いため古紙の選別や処理が経済的になり，資本コストが高いため資本集約的でない再生紙工場が有利になる（Cohen et al. 1988）．

次のような成功例がある．1960年代に，当時のアメリカ大統領夫人バード・ジョンソンは，地方に見られる廃自動車の放置をなくそうと改革に取り組んだ．何十年もの間，バージン資源の価格は下がり，潜在的なリサイクル業者の賃金率は上昇してきていたので，いったん自動車の寿命が尽きれば，リサイクルしても利益はなかった．ヨーロッパ諸国（とニューメキシコ州）は，新車に強制デポジットを課し，廃車時に公認の解体業者に適切に引き渡された場合にはリファンドを支払うという制度を始めた（Bohm 1981）．

しかし今日，不法投棄される廃車は全体の5%だけであり，適正に処理される廃車のうち重量で約80%がリサイクルやリユース目的で回収されている（Keoleian et al. 1996；Bigness 1995）．過去30年間でこうした劇的な変化が起きた原因はさまざまだが，1つの理由として，解体業や破砕業や小製鉄所の発展や急増が，リサイクルの効率性を高め，輸送距離を減らしたことが挙げられる．にもかかわらず，不法に廃車される5%のうちの100%，適正に廃車される95%のうち20%は，いまだに道路の清掃費や景観上の被害や最終処分費用の（部分的な）不払いという形で，外部費用を発生させている．ある研究によると，廃自動車の処分に対して間接的に支払われている補助金は，年間40億ドルに上る（Lee 1995）．

自動車のリサイクルは，資源だけでなく，部品の再利用も目的としている．現在，アメリカには，家族経営の自動車中古部品売買所が5000以上ある（Hoffman 2000）．「レモン」の法則とリース期間の終了によって状態の良い車の数は増えており，故障車の修理や部品の再利用が，リサイクルよりもはるかに重要になっている．しなびた小企業が多い他の産業と同様に，廃自動車ビジネスはインターネットを通じて整理統合されてきた．2企業が業界シェアの半分を占め，自動車メーカー自体も関心を示している．フォードは，自動車中古部品売買所を買収しはじめている（Greenwire 1999a；Bailey 2001）〔訳注：日本では 2002 年に自動車リサイクル法が成立した．消費者がリサイクル料金を新車購入時に前払いし，シュレッダーダスト，フロン，エアバッグの 3 品目が回収されることになったが，中古部品市場の活性化は今後の課題となっている〕．

### コラム：リサイクル資源とバージン資源はどの程度代替的か

リサイクル資源とバージン資源の代替性は，資源によって異なるので，上の質問に一般的な答えを与えることはできない．しかし，特定の資源については答えられる．ガラスを考えてみよう（Williams 1991；Truini 2001c）．平均的なガラス容器の 30%は使用済みガラス（カレットと呼ばれる）でできているが，その比率は，技術的な問題が生じるまでは 70%もあった（アルミの生産においては，制約ははるかに小さい）．カレットの方がより低い温度で溶け，燃料費の節約になるので，ガラス製造業者はカレットを好む．しかしカレットの比率を一定にできなければ炉の温度を変化させなければならず，炉を傷めてしまう．つまり，基本的にカレット供給が不安定なため，カレットの使用は限られているのである．

カレットの質も重要である．都市ごみから出る廃ガラスの約 90%は，ビールや清涼飲料水のびんである．これらには緑・茶・透明という 3 色がある．ガラスの色分けは手選別によらなければならない．壊れたガラスは分別にかなり費用を要し，混色のガラスはまったく価値がない．バージン・ガラスは安くて豊富にあることも，分別費用に加えてカレットを不利にする要因である．バージン・ガラスはトンあたり約 50 ドルなので，これがカレット価格の上限となる．

リサイクル資源とバージン資源は，ガラスやアルミについてはかなり代替可能である．しかし，紙に関しては，短期的にはそうではない．製紙工場はバージン・パルプ（木）か再生パルプ（紙）のいずれかを利用するように設計されている．これら 2 つのパルプ原料の相対価格に対応するには，建設する工場の種類を変えるしかないので，2 つの資源は長期的にしか代替的でないのである．

### コラム：1990 年代半ばの古新聞価格の急上昇

古新聞の価格は，1994 年半ばに上昇しはじめたころ，トンあたり約 20 ドルだった．新聞印刷用紙の不足に反応して，新聞印刷用紙の価格は 2 倍弱になったが，古新聞の価格は1995年6月にトンあたり200ドルとピークに達した．その後，1995年10月には100ドル，11月には50ドルまで下がり，1996年には40ドル以下になり，1997年7月には20ドルにまで下がった．この急上昇と急降下の原因については，紙やパルプの価格の変化に対して生産側が遅れつつ過度に反応したことや，紙需要が予想外に変化したことや，非合理的な投機など，多くの説明があるが，どれも事態をうまく説明できていない（Ackerman and Gallagher 2001）．

高い価格は，リサイクルにとっても問題である．1995年のしばらくの間，いくつかの自治体の衛生担当部門は，自治体のトラックに先回りしてリサイクル可能物を盗むスカベンジャーを取り締まるために，人を配置しなければならなかった．価格が急上昇したのは古新聞だけではなかったのである（図12–1，図12–3も参照）．ロサンゼルスでは，ステーションで収集される新聞の3分の2が盗まれたという．これは，リサイクルの歳入において年間200万ドル以上の損失が発生したことを意味する（*Newsweek* 1995）．

コラム：ちり紙交換

リサイクル可能物に支払われる価格は，代替可能なバージン資源の価格と入手可能性に大きく依存している．日本は，バージン木材の多くをカナダやアメリカから輸入し，重さのわりに価値の低い製品を長距離輸送している．このため日本では木材や紙製品の価格は高く，結果として紙のリサイクルが盛んである．

リサイクル可能な紙の市場は，家計の意識の高さに頼っているだけではない．リサイクル可能なあらゆる古紙と新しいトイレットペーパーを交換する「ちり紙交換」が，スピーカーを鳴り響かせながら，住宅街を回っている．東京だけで，6000人がちり紙交換で働いている．彼らはリサイクル可能な紙を古紙業者に販売し，古紙業者はそれを圧縮してリサイクルする．また，古紙業者はちり紙交換にトイレットペーパーを与える．これは翌日の交換用であり，もちろん古紙でできている（Kanabayashi 1982）．

## 12.2　再生品の市場

「再生品」とはリサイクル資源, すなわち以前に使われていた原料を使った製品のことである. 消費者は, 一度利用された原料は劣っていると, 長い間洗脳されてきた. これは何世紀も前にさかのぼり, 再生繊維でできた衣服は「ショディ (shoddy：まがいもの)」と呼ばれ,「再生」という単語は二流と同義だった. 再生品に対する本能的な嫌悪は, 西欧文化に独特のものではない. 日本のある改革的な雑誌は再生紙で印刷されていたが, ページをめくる音がいらいらするという苦情を受け, 新しい紙に変えたという (http://www.wtco.osakawtc.or.jp/market/item/printing.html).

実際, 再生品はバージン資源でできた製品に比べ, たいていの場合, いくぶんかは質が劣る. リサイクル資源を完全にきれいにして均質にするのは, 非常に費用がかかるので, 結果としての製品は非常に高価になり, 市場に出せない. また, ある程度のところできれいにして均質にするのをやめると, 作りや見た目が劣る製品になる. 売れるためには, 再生品は, バージン資源でできた製品を下回る価格でなければならない.

これは難しいことではない. 少なくとも理論的には, リサイクル資源でできた製品は安く生産できるはずである. リサイクル資源は, 工場にも消費者にも近いところで「採掘」されるので, 輸送費用が低い. リサイクル資源はふつう少ないエネルギーで加工でき, 大気汚染や水質汚染もたいていは少ない. しかし, リサイクル資源を使う製造業者は新興であり, 急速に進歩中の技術を学びつつ利用しており, まだかなり小さな工場で働いている. いくら原材料の費用に優位性があるとは言っても, これらの条件が相殺してしまう. 工場から出荷される時点では競争的な価格だったとしても, 小売りの規模は小さく, 高いマークアップ〔訳注：価格を決定する際 (そのような行動ができる場合) に利潤を確保するために費用に上乗せされる部分〕が必要かもしれない. 需要が低いので価格が高くなり, そのために需要はずっと低くとどまる. 再生品は「主流」になるまで (つまり小売店の棚の良い場所に陳列され, 低いマークアップで売られるまで), 不必要に高い価格がついたままだろう.

連邦政府や州政府の多くは, 再生品の購入義務付けを自らに課して, 主流化を早めようとしている．しかし残念ながら，これまでのところは「言うは易し」の結果である．再生コピー用紙や再生プラスチック製品の購入を義務付けている47州のある調査（レイモンド・コミュニケーション社による）では，実際に再生紙を購入しているのは30州だけで，再生プラスチック製品に至ってはわずか4州しか購入していなかった（Leroux 1999）．なぜだろうか．大統領令を出したり法律を通すのにお金はほとんどかからないが，政府自身にさえそれを守らせるには費用がかなりかかるのである．実のところアメリカには，再生品の購入を妨げている法律もある．例をいくつか示そう．半数の州の調達ガイドラインが，再生部品を使った事務機器の購入を制限している（Fishbein et al. 2000）．多くの州は，自動車保険業者に事故車を修理する際に新品の部品のみ使うよう求めている（http://www.insure.com/auto/aftermarket/aftermarketlaw.html）．多くの州は，廃棄物処理のルールを，廃棄物を投入財として利用している産業にもあてはめている．たとえばテネシー州では，「廃棄物処理業者」は操業開始にあたって地方自治体の承認を得なければならない．ある会社が新しい木材から合板を生産していれば承認は要らないが，リサイクルされた木材を使っていれば承認が要るのである．

**コラム：すべての人がリサイクルを望んでいるわけではない**

コンチネンタル・アルミ社は，廃棄物となったドアや窓や道路標識を買い上げ，アルミを取り出して鋳造し，フォードやゼネラル・モーターズに新車用や部品用として販売している．同社は，どの段階についても補助金を受けていない．この企業は称賛に値するだろうか．

そうとも限らない．アルミを溶かすと塩素や塩化水素やフッ化水素が発生し，適切に処理されなければ健康に危険が及ぶ．コンチネンタル・アルミ社の最初のプラントはデトロイトのダウンタウンにあったが，火事や汚染に関する違反があったため，60 km 西にある，人口の少ないリヨン郡区に新しいプラントが建設された（Pearce 2000a, 2000b, 2000c, 2001）．現在，新しいプラントの近隣住民は煙や匂いや毒性ガスについて苦情を訴えており，心身の被害とその結果としての資産価値の減少の両方に関する補償を要求している（原告の言い分が正しければ，2種類の被害のうち1つだけについて補償をすべきである．おそらく資産価値の減少は，被害の発生源が別にあるわけではなく，物的被害と健康被害を合わせたフロー額を現在価値化したものだからである）．皮肉にも，リヨン郡区への移動費用は，公共目的や地方のコミュニティーに貢献する小企業に免税の融資をしている州の機関である，ミシガン開発公社が支出したものだった．リサイクル事業もバージン資源の事業と同様に外部費用を引き起こすことがあり，内部化のためには課税や規制や近隣への住民補償が必要なのだろう．

## 12.3　おわりに

リサイクルを増やす供給サイドや需要サイドの政策は，いずれもセカンドベストの政策であると筆者は第 10 章で主張した（そしてそれらがうまくいくことを願った）．しかしそれらは，リサイクル可能物の供給と需要のいずれにも間違いなく刺激を与えている．結果としてほとんどのアメリカ人の再生品への親しみは増し，再生品に対する受け止められ方も変わりはじめている．企業は製品に再生品を使っていることをもはや隠さず，むしろ売上げを増やすために宣伝している．

しかしながら結局のところ，リサイクルの成功は，いくぶん皮肉ではあるが，リサイクル可能物や再生品が高いことではなく安いことにかかっている．リサイクル可能物の価格が低ければ，その製品は安くなる．再生品が安ければ，高コストのバージン資源を使った製品よりも好まれるようになるだろう．リサイクルを促進するためには（もしそれが目的だとすれば），再生品が良いだけでなく安くなければならない．

**コラム：プラスチック・リサイクルの哀れな状態**

プラスチック包装に賛成する人も反対する人も，アメリカでは消費後のプラスチックのうち 10%以下しかリサイクルされておらず，その比率が近年減少していることは認めざるを得ない（Beck 2000；Denison 1997）．リサイクルに投入されている努力の大きさを考えると，これは一見驚くべきことである．さらに驚くべきことに，ほとんどの「消費前」のプラスチック廃棄物はリサイクルされている．消費前と消費後のプラスチックの違いを記せば，この驚きは消える．

消費前のプラスチックとは，工場から出る廃棄物を意味している．工場は，どの工程でもわずかな種類のプラスチックしか使わないので，廃棄物の分別は容易である．こうした同質な廃棄物が大量にあれば，リサイクルも容易であり，儲けも大きい．消費後のプラスチック廃棄物は，家庭から，少量で大変不均質に発生する．これを収集したり選別したり再加工するには，高い費用がかかってしまう．消費後のポリスチレンの多くは，食料や薬を包むのに使われていたものだが，汚染を完全には除去できないので，食料や薬を包む用途には再利用されない．1999 年には，バージンの PET 樹脂がトンあたり約 3000 ドルで販売され，リサイクルの PET 樹脂はこれを 50%を上回る価格で販売されていたが，リサイクル業者はトンあたり約 140 ドルしか利益を得ていなかった（Toloken 1999；Warren 1999）．

ほとんどのプラスチックは化石燃料からできているが，その化学的形態や生産工程は非常に多様である．（リサイクルのマークと大変まぎらわしい）矢印の内側に書かれた数字（SPI（Society of Plastic Industry：米国プラスチック産業協会）コードと呼ばれる）が示す 6 種類だけではなく，何千ものプラスチックがある．再生プラスチック容器の 99%以上は SPI コードが 1（PET，例：ペプシのボトル）と 2（高密度のポリエチレン，例：牛乳のボトル）のプラスチックである．多くのプラスチック容器は家庭で空になるので，飲料容器の強制デポジットのある州以外では，リサイクルのための回収率は低い．アメリカにおけるプラスチック容器のリサイクル率は低いだけでなく，1995 年の 3 分の 1 以上から 1999 年にはわずか 5 分の 1 へと，急速に下落している（NAPCOR 2000）．

リサイクルには，さらに 2 つの逆流がある．1 つは，最近登場したプラスチックのビールびんである．このびんには酸素を防ぐ特殊なコーティングが施されているため，リサイクルの費用は上昇し，色もキャップもラベルも特別な分別が必要である．2 つ目は，ガーバー・プロダクツ社が赤ん坊の食器を 60 年続いたガラス製からプラスチック製に変えたことである．このプラスチックは 1 号でも 2 号でもなく，ほぼリサイクルされない SPI コードが 7 のプラスチックである．7 番は，多層容器や，1 番から 6 番の樹脂以外でできた容器のためにとっておかれた番号である（Truini 2001b）．ADF はこれら 2 つの企業の決定に影響を及ぼすだろうか．

プラスチック容器はほとんどリサイクルできないだけでなく，おおむねガラス容器に取って代わっていき，ガラスびんを製造する多くのプラントが 1990 年代に閉鎖した．プラント閉鎖によってカレットの需要は減り，カレット価格は急落した．多くのリサイクル業者は，もはやガラスを回収しリサイクルしようとはしない（Truini 2001f）．

# 第III部
# 特殊な廃棄物

# 第13章　有害廃棄物

基準のいいところは，たくさんの中から都合のいいものを選べばいいということだ．

アンドレ・S・テネンバウム

この章では，人間の健康と環境に深刻な脅威を与える有害廃棄物を取り上げる．とはいえ，ここまで有害廃棄物を扱ってこなかったわけではない．処分場や焼却場を規制するのは，廃棄物には少ない割合だが有害なものがあり，それが大気，水，土壌を通じて人間に摂取されるのを防ぐためである．しかし，それはあくまで「少ない割合」のものであった．この章では，高濃度の有害廃棄物について扱う．

有害廃棄物は20年前までほとんど放置されていたが，現在では1976年の資源保全再生法（Resource Conservation and Recovery Act：RCRA）のサブタイトルCおよび，1980年と84年の有害・固形廃棄物改正法（Hazardous and Solid Waste Amendments：HSWA）によって定義され，規制されている[1)]．RCRAは有害廃棄物を以下のように定義している．

> 固形廃棄物，または固形廃棄物の混合物で，量，濃度，物理的・化学的特性または伝染性のために，死亡率の増大や，回復がとうてい不可能なあるいは回復力を奪うような病気の増大を起こす可能性があり，……不適切に処理・保存・輸送・処分すれば，現在や将来において人間の健康や環境に重大な害を及ぼす……

1)　現在ではもちろん，同様の州法も多く存在する．実際，多くの有害廃棄物管理プログラムはEPAの承認後に州によって運営される．EPAがプログラムを直接運営しているのは10州に過ぎない．たとえば1976年の毒性物質管理法，1947年の連邦殺虫剤殺菌剤殺鼠剤法など，他にも毒性物質の製造と使用を規制する法律はある．これらの法律も間接的には廃棄物のフローに入る毒性物質の量と質に影響を与えているが，本章では範囲を絞って有害廃棄物の処理と廃棄の側面だけに着目する．RCRAは有害廃棄物（サブタイトルC）と一般廃棄物（サブタイトルD）の両方を規制している．

(RCRA, セクション 6903(5)；http://www4.law.cornell.edu/uscode/42/6003.html).

RCRA と HSWA は有害廃棄物の定義だけでなく，有害廃棄物の発生，移動，保管，処理，処分をおこなう際の基準も決めている．もっとも重要なのは，有害廃棄物の所在と移動を確認するための追跡システムが定められていることである．

有害廃棄物がアメリカの廃棄物量に占める割合は少なくない．EPA の隔年調査によれば，年間 5000 万トン以上の有害廃棄物が発生している（U.S.EPA 2001a）．このデータによれば，アメリカは西ヨーロッパよりもはるかに多い有害廃棄物を発生しているが，これはおそらくアメリカにおける定義がより厳格なためだろう．管理費などのコストが上昇しているにもかかわらず，アメリカの有害廃棄物量はほとんど減る傾向にない．おそらく，有害と判断される物質の数が着実に増加しているためだろう．実際のところ，多くの有害廃棄物が現場で処理され，RCRA の監視を逃れているために，これらの数はせいぜい推測にすぎない．

ほとんどすべての人が少なからず関わっている一般廃棄物とは異なり，有害廃棄物はわずかな数の企業から発生する．2 万以上あるいわゆる大量排出者（Large-Quantity Generators：LQGs）のうち，上位 50 だけでアメリカの有害廃棄物の 5 分の 4 の量が排出されている（LQG は有害廃棄物を月におよそ 1 トン以上発生する者である）．ほとんどの有害廃棄物は化学・石油工業から排出されていて，上位 17 までの排出者はすべてこの 2 業種に属している（U.S.EPA 2001a）．

確実そうなデータがあるにもかかわらず，アメリカにおける有害廃棄物の発生量ははっきりとは分からない．また，不法投棄の量や，排出の実態，被害の実態についても同様に分かっていない．これらの問題については，非常にわずかで，しかもほとんどあいまいな推測しかない．パブリック・インタレスト・リサーチ・グループの報告書では，いろいろな出所の政府データを積み上げ，1987 年から 96 年までに年間 6 万件の化学工場での事故や漏出があり，毎年 250 人以上が死亡していると推計している（Baumann et al. 1999）．

本章では，何を有害廃棄物と定義するか，どのように有害廃棄物を扱うか，処理や処分にどう価格をつけるか，そして誤った処理をどう罰するかについて見ていこう．これらを考えるにあたって，常に問われるべきは，有害廃棄物を最適な量だけ発生させ，処理が最適におこなわれるような正しいインセンティブが設定されているかどうかである[2)].

## 13.1　有害廃棄物とは何か

どのような廃棄物が有害と呼ばれるのだろうか．RCRA のサブタイトル C は 4 つの基準を規定しており，そのうち 1 つに該当すれば有害廃棄物となる．第 1 に，物質に引火性や腐食性や反応性や有害性が検出されること．第 2 に，アメリカ合衆国で有害と指定されているものが物質に含まれていること．第 3 に，人体や動物の研究で物質が急性毒性を示すこと（「急性毒性」とは，非常に少ない摂取量で人間，あるいは人間のデータがない場合にはほ乳類を死に至らしめること）．そして第 4 に，混合物の一部が有害廃棄物であれば，混合物全体が有害廃棄物として扱われる．要するに，多くの条件があり，さまざまな物質が有害と指定されている．例をいくつか挙げよう．水銀，鉛，カドミウム，下水処理汚泥，使用済みのシアン化合物溶液，めっき槽残液，クロムグリーン（酸化クロムから作る緑色顔料）の生産炉残渣，塩化ベンゼンの蒸留沈殿物，二次鉛精錬の処理汚泥，二酸化窒素，テトラエチル鉛，DDT，ベンゼン，ホルムアルデヒド，などである（U.S. EPA 2001a, Appendix D）．

人体や環境にリスクがある場合には，安全側に立った方がよさそうなので，これらの条件には合理的なように思われる．とはいえ，サブタイトル C のアプローチには多くの問題がある．

第 1 の問題は，物質が有害廃棄物か非有害廃棄物のどちらかに分類され，二者択一の決定となることである．この決定では，毒性の程度は問題とならない．他の条件が同じであれば，より有害な物質をより注意深く扱うべきである．さらに，二者択一の決定プロセスにおいては，物質が社会に与える便益の程度，代替物質にかかる費用（または毒性），影響を受ける可能性のある集団の大きさやそれへの近接性などは問題にされない．ある物質を有害廃棄物であると宣言すれば，取り扱いと処理プロセスにかかる費用は高くなり，結果としてその物質の発生は減る

---

2)　有害廃棄物の最適量はゼロだろうか．有害廃棄物は生産プロセスの副産物であり，その生産プロセスは有用な製品を生産している．有害廃棄物をゼロにするとは，そうした製品の製造をやめるか，高いコストをかけて有害な原料の代わりに無害な原料を使用するかの，どちらかを意味する．

だろう．有害廃棄物の発生抑制は，危険な物質の発生に関する真の社会的費用を発生者に負担させせることによる望ましい効果ではある．しかし，その発生をどの程度削減すべきかは，便益あるいは毒性がより低い代替物の費用に依存するところがあり，現在の二者択一的な決定プロセスにはこれらの基準はどちらも入っていないのである[3)]．実際のところ RCRA の条文そのものに，費用とリスクのバランスは見あたらない．

二者択一的な決定が持つ第 2 の問題点は，毒性の強さを考慮していないことである．「多すぎれば何でも毒になる」という格言を思い出そう．薬は少量であれば病気の治療に有効であるが，大量に摂取すれば死に至る．ある物質を有害であると断じてしまうのは，この違いを無視している．有害という判断は，処分費用を上昇させ，使用量を削減する．有益な使用も，致死的な使用も両方である．毒性の程度を考慮しないのは，毒物には閾値がなく，百万滴が有害なら一滴でも有害であると盲目的に信じ込むという点で誤りなのである．

閾値がないとすると，二者択一の決定に第 3 の問題点が加わる．ほぼすべての物質は，試験をすれば，摂取量によっては何らかの動物に何らかの害を与える場合がある．有害廃棄物を指定する担当者は，ほぼすべての物質を有害とするか，それともサブタイトル C の基準を無視するかという，政治的に難しい決断を迫られることになる．前者は政治・経済的に好ましくないので（あまりに多くの害の少ない廃棄物まで，発生や処理に費用がかかりすぎる），EPA はサブタイトル C 基準を無視するという困難な道を模索せざるを得ない．したがって，サブタイトル C では許されていないとしても，費用便益分析に近いものが入ってくる．いわく，「最低限許容可能な（de minimis）」廃棄物や廃棄物発生者は法律の適用を除外され得る[4)]．「適切な」計画があれば問題はない．申し立てがあれば，特定の有害廃

3)　実際，これまでの EPA の解釈では，有害廃棄物の削減とは「有害廃棄物の最小化」だった．EPA は，「有害廃棄物の最小化」や「有害廃棄物最小化のための優先事項」という報告書を発行している（U.S.EPA 1986a, 1994b）．これらの報告書では，時折ではあるが，EPA は「有害性以外の要素も重要かもしれないと認識している」と触れられ，それには「廃棄物最小化策の経済的可能性」も含まれている（U.S.EPA 1994b, 3-25）．

4)　EPA の規制では，無視し得るという意味の「de minimis」という言葉が用いられる場合が 3 つある．生涯発がん確率が $10^{-4}$（1 万人に 1 人）より小さい廃棄物は，規制する必要がない．発がん物質を非常に小さな割合（0.1%以下）しか含んでいない廃棄物は，規制する必要がない．また，有害廃棄物の発生量が比較的少ない者（少量発生者ま

棄物は「リストから除外」される（http://www.epa.gov/earth1r6/6pd/rcra_c/pd-o/delist.html）.

「EPA が費用と経済影響の分析をおこなう」と言うと，まるで RCRA では禁じられている費用便益分析をするように聞こえるが，実際はそれにほど遠い．たとえばコークス副産物生産プロセスで発生する廃棄物を有害と判断する際におこなわれた分析をよく見てみよう（U.S.EPA 1992）．EPA がこれらの物質を有害廃棄物と指定した後ではじめて，HSWA の下で「これらの変化に伴う費用や経済的影響」に関する分析が許される（U.S.EPA 1992, 1）．しかもそこで費用とされているのは，なんと社会的費用ではなく私的費用なのである（その証拠に，運営・維持費用と閉鎖費用はすべて（1− 企業の税率）で乗じられ，費用を政府が支払っていてもカウントされない）.

費用分析の目的は，有害指定の社会的便益が社会的費用を上回るかではなく，私的費用が売上高の 1%以上になるかどうかを調べることにある．それは，「工場が価格上昇や閉鎖に追い込まれて失う収益性を回復できるかどうかを調べる，追加的分析の必要性を示唆するきっかけ」になるかもしれないらしい（U.S.EPA 1992, IV-16）．この場合は研究の結果，「法遵守の費用が生産価値の 1%以下であるため，価格上昇がないと仮定すれば，廃棄物の有害指定によるコークス産業への大きな影響はない．1%の半分より小さな価格上昇であれば，収益性は法遵守前の状態まで回復するだろう」（EPA 1992, IV-24）ということが分かったと，「費用と経済影響の分析」は締めくくっている（年費用が 10 億ドルを超えなかったため，規制影響分析（Regulatory Impact Analysis）は要求されておらず，おこなわれていない．規制影響分析では費用だけでなく便益も推計される）．有害廃棄物指定からはずれるのは，産業への費用が相当大きい場合のみである．しかし，これは大衆の健康をリスクにさらす理由としては不適切だろう．放火魔が放火を相当好きだからといって，それを許すべきだろうか.

EPA が法的義務を全うして，ほんの少しでも毒性を示すものを有害廃棄物として指定しようとすれば，そこには科学が立ちふさがるだろう．最新の分析技術と高精度の装置を用いれば，どんな小さな毒性でも検知でき，有害指定しなければならない物質は次々に増えてしまう．法律が費用とリスクのバランスを考慮しな

---

たは微量発生者と呼ぶ）は除外されたり，緩い規制が適用される.

い限り，問題は悪化していく．

要するに，物質が持つ潜在的な健康リスクについて知るのは比較的簡単である．潜在的な健康リスクがあると思われるかどうかだけ分かれば十分な場合は，特に簡単である．実際の健康リスクについて知るのは，ずっと難しい．そして，高価な処理や廃棄を施すに値するほど物質のもたらすリスクが高いかどうかを決めるのは，もっと難しい．たとえこれらがたやすい仕事だったとしても，RCRA のサブタイトル C は，有害指定の判断にそうした考えを用いるのを許さないだろう．

RCRA の基本姿勢は，「100 の予防は 1 の治療に勝る」というものである．次の文章を見よう．

> EPA は，RCRA の規制を遵守して有害廃棄物を処理するのにかかる平均費用をトンあたり約 90 ドルと推計している．不法投棄された廃棄物の除去費用に関する EPA 推計は，トンあたり 2000 ドルである（1997 年のドルに換算するとこれらの値はほぼ倍になる）（OTA 1983, 6）．

この文章は 2 つの数値を並記して，2000 ドル費やすよりも 90 ドルの方がよいと暗示している．それはそうだろう．2000 ドルに比べれば，1990 ドル費やすのだってまだましである．しかし，上の 90 ドルはすべての有害廃棄物のトンあたりにかかるのに対し，2000 ドルは問題を起こした廃棄物のトンあたりにしかかからない．RCRA からすれば，有害廃棄物によって地下水汚染が起き，健康に影響を及ぼす可能性がどの程度あるのかを EPA が問うことは許されない．「予防と治療」のトレードオフに関する研究はほとんどないものの，地下水汚染予防の便益は必ずしも予防にかかる費用を上回らないことを示唆する研究もある（Raucher 1986）．

政治家にも公平を期しておくと，ゼロリスクの空売りをはっきり禁ずる法律を作るのは，簡単な話ではない．しかしもしそんな法律ができれば，EPA の分析を拡大して，よりまともな決定へと到達できるだろう．必要なステップを考えてみよう．(a) 特定の物質を通常の廃棄物として処理することで起こり得る，さまざまな人体および環境への曝露の特定，(b) 曝露と健康影響の関係の特定，(c) 現在および将来において曝露のリスクにさらされる集団の列挙，(d) 死亡，疾病，その他の環境被害の（割引）期待値の推定，(e) 被害の貨幣換算（および現在価値化），(f) 特定の廃棄物を軽率に扱ったことによるこれらの費用と，注意深く扱った場合の追加的費用との比較．(a) から (d) に至るほぼすべてのデータは現在のEPA における意思決定プロセスから分かるし，(e) と (f) についてもすぐに付け加えることができるだろう（EPA がこれらの最後の段階を加えたがっている気配すらある；EPA 2000, 2001b）．

## 13.2　有害廃棄物の扱い方

有害廃棄物は，もちろん有害である．有害廃棄物は，監視し，通常の廃棄物よりも慎重に扱わなければならない．しかし，有害廃棄物はもっとも監視が難しい汚染物質である．多くの汚染物質は大量に発生し，観察しやすい形で観察しやすい場所に存在する．逆に有害廃棄物は少量しか発生せず，監視しにくい[5]．ここにはジレンマがある．毒性が強いために費用のかかる処理が必要だが，費用が高いために不法な処理が誘発されているのである．計量経済学的研究からもおとり捜査からも，RCRA の下で不法投棄が増えていることが分かっている（Sigman 1998a；Barbanel 1992）．

RCRA ができる 1976 年以前には，有害廃棄物規制は州に任されていた．多くの有害廃棄物は現地で「処理」され，ドラム缶，プール，池などを使って埋立処分された（OTA 1983）．RCRA によって，廃棄物の発生から最終処理・処分に至る，「ゆりかごから墓場まで」の有害廃棄物追跡システムが始まった．EPA は各段階で予防措置を規定し，最終処分には安全対策を講じた．前段階で命令統制型の規制が用いられた．有害廃棄物を誤って取り扱えば非常に危険だという見地から，経済的インセンティブはほとんど使われなかった．とはいえ，規制は経済的な効果を持っている．

有害廃棄物の最終処分に関する規制が厳しくなり，設置や運営の費用が高くなった．多くの処分場は新しい規制に合致せずに閉鎖され，埋め立てられる有害廃棄物の平均輸送距離が増加した．有害廃棄物の輸送は，理論上は厳しく規制されているが，実際にはそれほどの規制はなく，輸送事故がたびたび起こっている（Aizenman

5)　急性毒性物質について考えてみよう．1997 年においてこのカテゴリーにあてはまる物質は 205 種類あり，アメリカ全体で 8 万 451 トンの排出があった（U.S.EPA 2001a）．各物質の年間平均排出量は 392 トンで，全 205 物質では人口 1 人あたり年間 255 g になる．

1997)．結局，環境被害の潜在的責任を反映して，最終処分料金は保険やリスクを十分にカバーするくらい上昇した．RCRA が引き起こした価格上昇により，有害廃棄物の埋立処理は減りはじめ，1984 年の HSWA では埋立はほぼ全面的に禁止された．計画は成功し，1990 年までに大半の処分場が閉鎖された．

**コラム：なぜ鉱業廃棄物は有害廃棄物ではないのか**

有害廃棄物規制は厳しく，費用がかかる．鉱業廃棄物は，アメリカにおける廃棄物総量のほぼ半分を占めている．この 2 つの事実と，鉱業界による激しいロビー活動の結果，1980 年に成立した RCRA のベビル改正法によって，EPA が適切な取り扱いに関する報告書をまとめるまで有害廃棄物規制から採掘廃棄物は除外された．報告書は 5 年後に提出され，ほとんどの鉱業廃棄物は引き続き一般廃棄物として処理されることになった．

EPA は，この結論についていくつかの理由を示している．1）鉱業廃棄物は大量なため有害廃棄物としての処理が財政的に難しい，2）鉱業廃棄物は輸送されたり処理されることなく現地に留まっていることが多い，3）多くの鉱山は人口密度の高い地域から離れた乾燥地域にある，4）鉱業廃棄物は多くの廃棄物よりも危険であるが，多くの有害廃棄物よりは危険でない（Tilton 1994）．

（RCRA のサブタイトル C では，他にも 2 つの大きな項目が有害廃棄物から除外されている．それは農業廃棄物と家庭系有害廃棄物であるが，これらが除外されている理由は鉱業廃棄物とは異なる．第 2 章で論じたように，農業では汚染がどの農家の肥料や農薬によって生じたのかを判断するのが難しいことが多い．また，家庭から出る一般廃棄物への有害物の混入を防ごうとすると，監視や執行に費用がかかりすぎると思われる．家庭系有害廃棄物については本章でも議論する．）

EPA の理由は正しいものだろうか．まず，産業界が汚染削減の費用負担をする能力は，規制の決定要素とすべきではない．生産にともなう外部費用があるなら，それを内部化すればよいのであって，もし消費者がその分を支払いたくなければ，製品は生産されないだろう．あるいは鉱石の代替物を見つけるか，採取の外部費用が小さい地域や周辺住民がリスクに寛容な地域から輸入されるだろう．第 2 の理由である廃棄物の移動や処理は，外部費用の大きさにとってせいぜい小さな要因でしかない．第 3 の理由は賢明なもので，EPA は正しい．損害があるかどうかではなく，損害がどの程度かが重要である．第 4 の理由は，またもサブタイトル C（有害廃棄物）対サブタイトル D（一般廃棄物）という不適切な廃棄物の二分法を示唆するものである．危険性の程度と影響を受ける人数に応じた管理をすべきだろう．

HSWA による有害廃棄物の埋立禁止をくわしく見てみよう．EPA による埋立終結への動きが遅すぎることを危惧して，議会は，健康や環境の見地から埋立禁止は必要ないという結論を EPA が下さない限り，法成立後の何ヶ月か後に自動的に埋立を禁止する物質を列挙した（U.S.EPA 1986b）．このいわゆる「ハンマー条項」は，時に扱いにくい官僚主義を後押しする方法としては魅力的だが，理想からはほど遠い．それは EPA が常に決められた期間内で正しい決定に到達できると仮定しているが，この仮定が誤っていれば，特定物質の誤った処分が推し進められてしまう．

有害廃棄物処分場を閉鎖する目的は，安全な処理手段の促進にある．これはある程度まで達成された．1999 年までに，埋立や人工池の水面で処理される有害廃棄物は，全体の 4%以下になった（U.S.EPA 2001a）．1999 年までに，有害廃棄物のほぼ 4 分の 3 が深い井戸や地下の洞窟に注入されるようになった．最終処分料金が上昇し，禁止が増えると，HSWA が意図したとおり有害廃棄物の発生抑制にもつながった（Peretz et al. 1997）．しかし，意図せざる望ましくない事態が 2 つ起こった．第 1 に，いくらかの廃棄物埋立が続いたことである．これは，埋立が廃棄のもっとも安価な方法だったこと，新しい処理技術がなかなか確立しないこと，新しい処理施設が利用できるようになるまで処分場を閉鎖できないこと，安価な処分場の利用が再び許可されたこと等が理由である（Mazmanian and Morell 1992）．第 2 に，埋め立てられ続けた廃棄物がほとんど既存の処分場に行っていたことである．HSWA の可決前に作られたこうした処分場に対する基準は新しいものよりも緩く，したがって費用も価格も管理のレベルも低かった（Ujihara and Gough 1989）．

**コラム：有害廃棄物のトレードオフ**

政府は，蛍光灯の使用を奨励したいと考えている．蛍光灯が普通の電球に比べて，エネルギー効率に優れているからである．しかし蛍光灯には数 mg の水銀が含まれており，水銀が食物連鎖に混入すれば妊婦や乳幼児に健康リスクを引き起こすことになる（Deutsch 1997；Warrick 1998）．最近まで EPA は，廃棄されるすべての蛍光灯を有害廃棄物と分類しており，事業系排出者が寿命を終えた蛍光灯を近隣の一般廃棄物最終処分場へ持って行くことはできなかった．排出者は，蛍光灯 1 本あたり約 1 ドルを費やして有害廃棄物最終処分場に持って行かなければならなかった．これは私的費用である．しかし，長い距離を運べば壊れる蛍光灯も多くなるので，有害廃棄物の埋立に厳しい予防措置をとれば，輸送段階でより多くの蛍光灯が壊れて水銀が排出されてしまう．トレードオフである．

蛍光灯業界のビッグ 3 であるフィリップス社，ゼネラルエレクトリック社，シルバニア社のうち，EPA の試験に十分に合格する低水銀の蛍光灯を持っているのは現在のところフィリップスだけであるが，他社もじきに追いつくだろう（ゼネラルエレクトリックも現在，EPA の試験を通った蛍光灯を販売しようとしている．それは以前同様に水銀を含んでいるが，ビタミン C を添加して水銀を中和している．埋立場で中和されるかはまだ分からない）．こうした水銀の許容量や試験に関する議論がある一方で，別のトレードオフが見過ごされている．蛍光灯の使用においては，エネルギーと健康のトレードオフだけではなく，水銀と水銀のトレードオフが存在する．蛍光灯は電気を節約するが，発電所の石炭燃焼は，環境中の水銀の主な人為的排出源なのである．石炭発電所からの水銀排出量はアメリカ全体の 20%で，蛍光灯からは 1%以下である（U.S.EPA 1997b）．

有害廃棄物は埋立が禁止されただけでなく，深い井戸への注入も非常に困難になった．注入された有害廃棄物が 1 万年以内に地下水に移ることがないか，移った時点にはすでに無害化しているかを管理者が証明できる場合にのみ許可されたからである（Russell 1990）．にもかかわらず，ほぼ 4 分の 3 の有害廃棄物はいまだに深い井戸や洞窟に廃棄されている．しかし最終的には，RCRA と HSWA の下ですべての有害廃棄物は発生抑制，リサイクル，焼却によって処理されるようになるだろう．

有害廃棄物の焼却には，良い話と悪い話がある．焼却は，複雑で毒性のある有機物を分子レベルまで分解し，無毒化する．そのプロセスでは，二酸化炭素，水，炭素の灰，塩，金属，新たな有機化合物が発生する．新しい化合物は「不完全燃焼の産物」であり，非常に毒性の強いダイオキシンとジベンゾフランである．有害廃棄物焼却場は，99.99%の「分解および除去効率」（フォーナインと呼ばれる）が求められ，多くの有害廃棄物については 99.9999%（シックスナインと呼ばれる）を達成しなければならない．

安全は後悔に勝る．しかし，行きすぎた安全も問題ではないだろうか．これらの排出基準は，「最大曝露者（Maximally Exposed Individual)」の生涯発がんリスクが $1 \times 10^{-5}$（つまり 0.00001）より大きくならないことに基づいている．最大曝露者は風下の最大曝露地点に毎日，24 時間，70 年間住んでいる人のことである．もしすべてのアメリカ人がこの地点に毎日，24 時間，70 年間住み続ければ，毎年 37 人が曝露によって死亡する（これは非常に粗い計算であり，だいたいの大きさを把握するためのものである．2 億 6000 万人のアメリカ人に 0.00001 を乗じて 70 年で除せば 37 が得られる）．比較のために書くと，アメリカ人が高速道路で死亡する生涯リスクは $1 \times 10^{-2}$（つまり 0.01）以上であり，毎年 4 万人が死亡している．しかもこれは平均値であり，高速道路「曝露」の最大値ではない（Porter 1999)．

「後悔よりも安全」というアプローチを受け入れるとしても，採用せざるを得ない RCRA の規制は理想にほど遠い．それは以下の 5 つの理由による．

- 有害物削減の便益は，影響を受ける人数に比例する．焼却場周辺の人口密度は大きく異なる．EPA の研究によれば，焼却場の周辺人口は 4000 人のところもあれば，100 万人を超えるところもある（Dower 1990)．経済的効率性から言っても，常識で考えても，人口が多いところでより多く削減した方がよい．しかし EPA の規制は，有害廃棄物焼却場の立地や周辺人口密度にかかわらず，すべてに等しく適用される．
- 毒性には程度の差がある．EPA の研究によると，サンプル中でもっとも毒性の高かった焼却場はもっとも低いものと比べて 1 億倍も毒性が高かった（Dower 1990)．しかし，EPA の基準は何が焼却されるかにかかわらず，等しく適用される．
- EPA の焼却場基準が等しく適用されていない場合もある．小規模の有害廃棄物焼却場には，もっと緩い基準が適用されている．しかし規模自体が基準にとって重要だという根拠はない．もし小規模焼却場が高い基準を満たすのに費用が多くかかるのであれば，費用便益的見地からも緩い基準は合理的と言えるが，限界便益が限界費用に等しくなる経済的効率性に向けた歩みであることを明確にすべきだろう．もしかしたら同じ規制を適用して，より危険な小規模焼却場の運転を止める方がよいかもしれない.

- 最大曝露者への配慮は不適切である. 平均的に曝露している個人を配慮すべきである. 予想発がん数は, 平均曝露者ががんになる確率に, 曝露を受ける人数を乗じたものになる. 最大曝露者への配慮は, 誤った決定を導くかもしれない (コラム「ダイオキシン処理とがん死」を参照).
- EPA が決めているのは, 排出基準だけではない. EPA は基準達成にあたってどのような技術的手段を用いるべきかも指定している. このことで焼却場の管理者は, 安価で優れた基準達成方法を探さなくなってしまう (Russell 1988).

アメリカにおける有害廃棄物処理・処分へのアプローチが持つ欠点について述べてきた. おそらく何千もの現地施設や数百ヶ所の有害廃棄物処理施設のそれぞれに費用便益分析をおこなって異なったルールで運営するのは, 費用も時間もかかるし, さらに時間と費用がかかる訴訟を招くかもしれない. 同一の基準は実際にはやむを得ないのかもしれないし, ほとんどの施設にとって過度に安全な基準は適切なのかもしれない. もし人々が有害廃棄物を, 特にその焼却を石油化学工場よりも恐れているのなら,「有害廃棄物焼却場は基準をたまにわずかに外れるものもあるが, それでさえ石油化学精製所の近くに住むよりはずっと安全である」という現状は正しいのかもしれない (Kopel 1993).

ではなぜ, 法的, 政治的, 文化的理由から実行不可能なベストの政策についてわざわざあら探しするのだろうか. セカンドベストをさまようわれわれは, さらに遠くへ離れすぎないように, ベストの政策を常に心に留めておくべきなのである.

**コラム：有害廃棄物規制の EPA による評価**

1986 年から 90 年にかけて EPA は, 有害廃棄物の埋立処分規制について「規制影響分析」を何度かおこなった. 規制による費用と発がん回避件数を合計すると, 年間費用 (1997 年ドル換算) は 20 億ドル, 期待救命数は年間 44 人だった. この規制による期待救命あたり費用は 4600 万ドルで, 許容可能な政策費用より 1 ケタ大きかった (Sigman 2000).

期待救命あたり 4600 万ドルという数値は過度な規制を示唆しているが, 次のことに注意すべきである. まず EPA の調査は, 規制対象企業が負担を減らすために投入や産出における短期的調整をしないと仮定しており, 費用を過大に見積もっている．また規制そのものにも，企業が長期的に規制費用を削減できるような新しい調査を促す仕組みが欠けている．さらに EPA の調査は，救われた人命と回避された曝露だけを取り上げ，年間数千件におよぶ非発がん性有害物質の曝露防止と曝露人口の福祉向上という，規制による他の環境便益を無視している．

コラム：ダイオキシン処理とがん死

ダイオキシン処理の規制影響分析で，EPA は 2 つの処理方法，埋立と焼却を取り上げた（U.S.EPA 1986b）．埋立については処理費用と輸送費用をカウントし，社会的費用は私的費用に等しいと仮定して，トンあたり 325 ドルという結果を得た．ダイオキシンをほぼ完全に分解するような焼却処理は，トンあたり 1800 ドルかかる．

焼却には費用がかかるが，最大曝露者の生涯リスクは 0.01 だけ減るだろう．これは，高速道路で死亡する可能性が生涯でゼロになるのに等しいくらいの，大きな削減である．しかし，この研究はまた，焼却によって平均的な曝露を受ける個人の発がんリスクは増加すると言う．どういうことだろうか．焼却は非常に小さなリスクしか発生させないが，風下の住民すべてにそれぞれ小さなリスクを与える．埋立による地下水への浸出は，浸出液を含んだ井戸水を飲んでいるわずかな人数に深刻な影響を与える．このために，費用のかかる焼却で確率的がん死数が増加するのである．最大曝露者だけを問題にすると，誤った決定を導くことがあり得る．

コラム：自動車バッテリーの中の鉛

鉛は，特に成長期の児童にとって強い毒性を持つ物質であり，主に自動車のバッテリーに使用されている．古い自動車バッテリーは現在 95%がリサイクルされているが，残りは埋め立てられて鉛が地下水に混入したり，焼却されて空中に放出されたりする（Whitford 2001）．リサイクルを奨励し，おそらくは義務化すべきであるというのが大勢の意見である．ほとんどの州が自動車バッテリーの埋立を禁止しているが，いまだに埋立をおこなっている州も多い．

ある研究は，自動車バッテリー生産の削減と古いバッテリー中の鉛のリサイクル増加という，廃棄を削減する 2 つの手段について調べた（Sigman 1996a）．4

つの政策が検討された．(a) バージン鉛の採取に対する課税．これによって産出量を減らし，鉛価格を上昇させ，バッテリーのリサイクルを奨励し，バッテリー価格を上昇させ，バッテリーの消費を減少させる．(b) 自動車バッテリーのデポジット・リファンド制度．これは上と同じ効果を持つ（第 6 章参照．デポジット・リファンド制度とは，製品購入時にデポジット（預託金）を預け，使用済み製品を返却するとデポジット（返却金）が払い戻される仕組みである．アメリカでは 12 州で自動車バッテリーの強制デポジットがおこなわれており，残りの州では使用済みバッテリーが有価で取引され民間企業が自発的デポジット制度を構築している；U.S.EPA 2001b）．(c) 鉛リサイクル業者への補助金．バージン鉛の産出を減らしてリサイクルを増加させるが，バッテリー価格を低下させるため，バッテリーの消費は増える．(d) バッテリーのリサイクル基準設定（選ばれたリサイクル率を最小費用で達成するよう含有量取引システムを用いる）．バージン鉛の産出を減らし，リサイクルを奨励するが，バッテリーの価格を下げて消費を奨励する．すべての目的を達成するため（バージン鉛の生産減少，リサイクル率の増加，バッテリーの消費減少，バッテリーの埋立減少），最初の 2 つの政策が望ましい．

鉛バッテリーのリサイクルが 1 パーセントポイント増加すると，バージン鉛溶鉱炉からの空中への鉛放出が年間 10 トン減少し，一般廃棄物焼却炉から空中への鉛排出が 45 トン減少する．同時に起きるリサイクル鉛溶鉱炉からの大気への鉛排出の増加は，年間 6 トンのみである（Walker and Wiener 1995）．

しかし，結論にはまだ早い．アメリカのバージン鉛溶鉱炉はモンタナ州とミズーリ州にある 2 つで，多くの子ども達からは遠く離れている．50 あまりの二次溶鉱炉は，アメリカ東部やカリフォルニア州やテキサス州といった人口密度の高い地域にある．鉛のトン数と曝露人口密度を考慮して，EPA はバッテリーのリサイクル率を上昇させるとより多くの子どもが被害を受けると推計している．したがって，EPA はリサイクル促進を決定しなかった．EPA が子どもの最大曝露ではなく平均曝露に注目したのは称賛に値する．さらに進んで，バッテリーのリサイクルを減らすことの効果について考えても有益だったかもしれない．

## 13.3　有害廃棄物処理の価格

有害廃棄物の処理に関する規制の多さを考えれば，有害廃棄物の発生に関する規制は驚くほど少ない（Russell 1988）．もちろん，適正処分の価格が高いことは，発生に対する税と考えられる．1976 年から 94 年にかけて国内の物価水準は 2 倍になり，有害廃棄物の埋立費用はトンあたり 10 ドルから 250 ドルに，焼却費用は物質によってはトンあたり 2000 ドルにもなった（Ujihara and Gough 1989；Gerrard 1994；Sigman 2000）．

利潤を追求する企業が，なぜ費用の高い焼却を採用するのか疑問に思う人もいるだろう．第 1 に，有害廃棄物焼却場の数は増え，埋立処分場の数は減りつつあるので，大差はなくなるだろうということ，第 2 に，埋立地はスーパーファンド対象サイトになり，排出者が高い浄化費用を負担しなければならないかもしれないが，焼却場には未来のリスクがない（スーパーファンドについては次章で論ずる）．

埋立と焼却の費用上昇が外部費用の内部化を反映している限り，結果としての有害廃棄物の減少は有益である．企業が有害廃棄物の発生をリデュース，リユース，リサイクル，代替物の発見で削減していることを示す例は多々ある（Peretz et al. 1997）．ある計量経済学的研究は，処理費用に関する有害廃棄物発生の弾力性を 15 と推計している．これは，有害廃棄物の廃棄費用が 1%増加すると有害廃棄物の発生量が 15%減少することを意味する（Sigman 1996b）．

もし処理施設で最適な予防措置が講じられ，発生者に予防措置の費用負担義務が課されたら，有害廃棄物の発生には正しいインセンティブが与えられるだろう．それ以上何もする必要はない[6]．しかしながら，実際には多くの州がもっと進んだ活動をしている．1995 年までに，32 の州が有害廃棄物の発生や廃棄に課税をしていた（Levinson 1999a）．多くは外部費用の高さを反映して焼却よりも埋立

6)　ただし以下の点に注意すべきである（Watabe 1992）．有害廃棄物を発生させて現地で処理する企業は，「どれだけの量を発生させるか」と「それをどれだけ慎重に処理するか」という 2 つの選択をおこなう．法的責任の増加にともなって処理費用が上昇すれば，有害廃棄物の発生量は減る．しかし，これは予防手段に悪い効果をもたらすかもしれない．廃棄物の発生量が減ることで，環境被害の責任を問われるリスクが減り，利益最大化の考え方からすれば予防手段の水準も減らされるかもしれないのである．

に高く課税し，焼却へと向かう EPA のインセンティブを後押ししていた[7].

州税は大きく異なる．たとえば，塩素溶媒廃棄物に対する課税はトンあたり 1 ドルから 157.50 ドルまでさまざまである．州外からの廃棄物について，8 つの州ではより高い税を課し，1 つの州（ニューハンプシャー州）ではより低い税を課している．ある州では排出州と同じ税率を課しているため，排出州によって税率が異なる．EPA 規制が採用された後に残る外部費用が，州によって大きく異なるとは思えない．外部費用が残っているとしても，廃棄物の排出州にかかわらず同じだろう[8].

州内のものであれ移入したものであれ，有害廃棄物の処分に対する州税は，全国的視点から見れば高くなりすぎるだろう．課税する州にとっては，税は（部分的に）州外の事業者から集められるので，そうした企業の利益減少は州の目的関数に入らず，税収だけがカウントされる．また，税の存在は他の州での処理を促進するが，州内の汚染削減と違って，他州での汚染増加は州の目的関数にあまりカウントされない．これら 2 つの理由から，州税は過剰に高く設定されるだろう (Levinson 1999a).

いずれにせよ，州税によって有害廃棄物の費用が大きく増えることはない．焼却費用がトンあたり 700 ドル以上であるのに対し，州税は平均でわずか 12 ドルである．もちろん，処理費用に関する有害廃棄物発生の弾力性は 15 であるから，州税が少し増えただけでも大きな影響はある．州税を総処理費用の 2%としよう．ここで州税を 2 倍にすれば，総費用にはさらに 2%が加算される．価格弾力性を 15 とすると有害廃棄物は 30%減少する（0.02 に 15 を乗じる）．実証研究もこの

7)　たとえばカリフォルニア州などでは有害廃棄物に累進的な課税を導入しており，大量に発生した有害廃棄物には高い税をかけている（U.S.EPA 2001b）．これは理解に苦しむ措置である．有害廃棄物 1 単位について発生する外部費用の大きさは，同時に発生する有害廃棄物の量にかかわらず同じはずである．

8)　こうした差別的な税は憲法違反になる可能性がある．アメリカ最高裁は，アラバマの州内廃棄物に対する税がトンあたり 40 ドルで，移入された有害廃棄物に対する税がトンあたり 112 ドルであることを違憲とした．しかし，他の州では差別的な税が存在し続けており，最高裁による違憲判決とのいたちごっこになるだろう．州内・州外にかかわらずすべての有害廃棄物について支払わなければならない，高率の輸送税に切り替えた州もある．このような税は有害廃棄物の移出を阻止することはなかったが，移入は阻んだ（Levinson 1999a).

結果を支持しており，州の有害廃棄物税は発生と移出入に確かに影響を与えている（Walters 1991；Levinson 1999a, 1999b）．しかし，再び疑問が頭をもたげる．有害廃棄物の処理に対する直接規制が外部費用を是正するのに十分なほど強力なものであれば，はたしてピグー的課税は必要だろうか．

## 13.4　有害廃棄物の輸送

有害廃棄物の輸送は，1976 年の有害物質輸送法（Hazardous Materials Transportation Act）によって管理されている．規制は，トラックや包装など無数の点について管理しているが，経路については管理していない．民間のトラック運転手に任せれば，おそらく費用は最小となる（彼らが収益を最大化する）だろうが，これでは人口密度の高い地域を通ることになり，ひとたび事故や有害廃棄物の放出があれば，多くの人がリスクにさらされる．

リスクはどれくらい深刻だろうか．この疑問に答えようとした研究がある（Glickman and Sontag 1995）．無作為に州都を何組か選び，それらを結ぶ 2 つの経路，最小費用経路と最小リスク経路を考える．最小リスク経路は，輸送中の事故による放出に曝露される人口を最小化するような経路である．それぞれの都市の組合せと経路の組合せについて，移動時間と曝露人口が計算された．平均すると，最小リスク経路では 1 人の影響を避けるのに 670 時間余分に運転する必要があった．最小リスク経路ではトラックは平均毎時 68.8 km で走り，1 km あたり 0.68 ドルの経費がかかると仮定すると，1 人の影響を避けるための 670 時間は 3 万 1691 ドルに換算される．影響のうち 1～5%が生命に関わるとすると，1 人の生命を救うのに 60 万ドルから 320 万ドルがかかることになる．これは，社会が 1 人の期待救命に対して通常支払ってもよいと考える金額とほぼ同程度である[9]．

これらはすべて仮説であるが，示唆的なことが 2 つある．第 1 に，有害廃棄物の輸送も，注意の必要な外部費用を発生させるということである．そして第 2 に，有害廃棄物の現地処理には気づかれていない便益があるということである．

9)　最小リスク経路は距離が長くなるので運転手への危険が増すが，大型トラックの運転手が事故で負傷することはまれである．理論的には，運転手へのリスク増加を一般住民への曝露減少と相殺すべきだろうか．答えはノーで，運転手のリスクはおそらく既に運転手の賃金に含まれており，トラックの運転費用としてカウントされている．

## 13.5　不注意な処理や不法投棄の防止

有害廃棄物に対する慎重な処理の必要性が認識されるにしたがって，処理費用は上昇してきた．今日では，適切な有害廃棄物処理施設の費用は，一般廃棄物の埋立費用の10倍にもなる[10)]．違法ではあるが費用の安い処理方法をとる誘惑に屈してしまう有害廃棄物発生者が，正確な数はともかく多数いることは確かである．EPAはかつて，有害廃棄物発生者全体の7分の1が廃棄物を不法投棄していたと推定している（U.S.EPA 1983；Sullivan 1987からの引用）．

ベストの政策は（いつものように理論上の，ではあるが），不法投棄に対して限界外部損害に等しい税を課すことである．残念ながらそれは実際には不可能で，セカンドベストの方法を検討しなければならない．以下にその4つを記す．

- **法的責任**　不法投棄の発見は，2種類の費用を発生させる．外部被害を最適な水準まで浄化するための費用と，修復されない外部被害によって影響を受け続ける近隣住民にとっての費用である（次章で詳しく述べるとおり，原則として，追加的浄化の便益，つまり近隣住民が受ける外部費用の削減分が浄化の限界費用を上回る限り，浄化作業をおこなうべきである）．これら費用のすべてについて不法投棄の加害者に法的責任を持たせれば，すべての違法行為が検知され，すべての加害者が判明でき，すべての費用が測定でき，すべての被害額を徴収できる場合に，理論的には潜在的加害者は適切に自制する（Calabresi 1961；Shavell 1980；Alberini and Austin 1999）．上のように列挙しただけでも，有害廃棄物の不法投棄を責任ルールと法廷での補償のみで対処できないのは明らかだろう．
- **適正処分に対する補助金**　こうした補助金は不法投棄の誘惑を減らすが，コストもともなう．まず考えられるのが，補助金を調達するのに必要な課税

10)　一般廃棄物焼却場に有害廃棄物が送られることもある（Lipton 1998）．焼却場はある程度の能力で運転する必要があることと，リサイクルが増加して廃棄物量が不足していることを思い出してほしい．焼却場のいくつかは産業廃棄物を誘致しはじめており，それには一般廃棄物焼却場で燃やすべきではない有害廃棄物が混入していることが多い．焼却場は，不法投棄に関して埋立よりも有利である．証拠が煙となって消えてしまうからだ．

が生む死加重損失（または資金調達のために他の政策プログラムが切りつめられることによる便益の減少）である．しかしそれ以上に，有害廃棄物にまつわる私的費用の削減は，発生の増加を奨励してしまう（Sullivan 1987）．生産プロセスの投入物としての有害廃棄物が，労働，資本，有害でない原料のいずれかと代替関係が高ければ，補助金は有害廃棄物の発生（および廃棄）を大きく，かつ誤った方向へ増加させるかもしれない．

- **デポジット・リファンド制度**　飲料容器とごみ散乱防止の問題では，話は簡単だった（第 6 章を参照）．有害廃棄物では，「ごみ散乱」は単なる美観の問題ではなく，深刻な健康への危険事となる．デポジット制度の問題点は，既存のごみ収集システムと大きく重複する第 2 のシステムが必要なことである．しかし多くの有害廃棄物にとっては，第 2 の独立した収集（および処理）システムは望ましく，廃棄物サービスが重複しても非効率ではないかもしれない．とはいえ他にも問題はある．多くの有害廃棄物は化学変化の結果として発生するので，何にデポジットを課すかは明白ではない．デポジットを免れてリファンドが集められるとなると，補助金の問題に戻ることになる．
- **監視と法執行と処罰**　これらの議論も簡単でよく知られている（Becker 1968）．適切な法執行と罰金があれば，政府は投棄の外部費用に等しい金額を，不法投棄者から徴収できる．原則として，真のコスト（資源）を必要とする法施行労力は小さく，また真のコストが不必要な罰金は高くなるはずである．しかし罰金を高くすると，莫大な罰金を法廷で逃れられてしまうリスク，罰金を集める法的費用が過剰になるリスク，有罪となった企業が破産して逃げてしまうリスクが発生する．このアプローチについての実証的論文では，必ずというわけではないが，法執行が厳しいほど廃棄物処理規制の遵守へつながっていることが示されている（Magat and Viscusi 1990；Gray and Deily 1996；Laplante and Rilstone 1996；Helland 1998；Stafford 2000）．

EPA のアプローチは，これらのうち法執行にほぼ落ち着きつつある．有害廃棄物の発生者は EPA への通知義務があり，EPA は法遵守を確保するために定期的な査察を実施する．このアプローチでは，通知漏れや不法投棄を防ぐ手だては，発生者の倫理と内部告発者への恐れ以外にはほとんどない．発生者にはどんな不

**表 13–1　有害廃棄物処理の検査と違反**

| 期間 | 検査回数（年平均） | 違反回数（年平均） | 検査あたり違反（%） |
|---|---|---|---|
| 1986–90 | 22,554 | 8,781 | 39 |
| 1991–95 | 28,764 | 16,682 | 58 |

出所：Stafford 2000.

測の違反についても自己申告することが期待されている．

1980 年代には，EPA による違反者への罰則は低くて矛盾しているという指摘が多々あり，政策は 1990 年に改訂された．罰則は以前の 10 倍から 20 倍になり，害の可能性，規制からの逸脱の程度，当該企業の過去の遵守記録に依存することになった（Stafford 2000）．査察と違反の数は変化しつつある（表 13–1）．

政策変更後の 5 年間で，平均査察数は 25%増加し，平均違反数は約 2 倍になった．ただしデータの解釈には注意が必要である．違反は政策に関係なく増加したのかもしれない．また，これまでは見逃されていた違反が注意深い査察によって発見されており，真の総違反数は厳しい政策の結果として減少しているのかもしれない．

EPA はどの程度の査察をすべきなのだろうか．もし EPA が査察をほとんどしなければ，利己的な企業は法を遵守せず，不法投棄の外部費用は非常に高くなるだろう．一方，もし EPA がすべての企業をひんぱんに査察すれば，不法投棄は少なくなるだろうが，査察に必要な費用は非常に高くなるだろう（Stafford 2000）．最適点は，明らかに 0 と 1 の間に存在する．

**コラム：ドライクリーニングはドライじゃない**

アメリカには 3 万のドライクリーニング業者が存在し，有害な液体であるパークロロエチレンを毎年 15 万トン使用し，多くはクリーニングの過程で大気中や下水中に排出されている（Montagu 1995, Papenhagen 1995）．パークロロエチレンは神経系障害，不妊症，がんを起こす可能性がある．ドライクリーニングの代替技術には，水，石けん，蒸気，熱しか使わないマルチプロセス・ウェット・クリーニングがある．残念ながら私的利益からすれば，パークロロエチレンを用いるドライクリーニングの方が安い．

パークロロエチレンの外部費用に等しいピグー税をかけるとどうなるだろう．大規模な設備の入れ替えが必要となり，ドライクリーニング業者の大勢を占める小規模事業者にとっては大きな負担になるだろう．最善の政策はおそらく将来的な増税を予告しつつまずは低い税率で税を導入し，やがてパークロロエチレンの使用を禁止することだろう（高額の税は効果の点では禁止と同じであるが）．

しかしながら，EPA は規制の道を選んだ．ドライクリーニング規制は EPA が「ドライ・ドライ」サイクルを要求する 1996 年まで，徐々に厳しくなっていった．「ドライ・ドライ」サイクルでは衣類が入ってから出るまでドライの状態で，ほぼすべてのパークロロエチレンが回収される（回収されない部分のほとんどはフィルターに染み込んだ分であり，当初は一般廃棄物として処理されていたが，現在では約 2 倍の費用をかけて有害廃棄物として処理しなければならなくなった）．

現在では費用が高くなったために，多くのクリーニング業者はすでにパークロロエチレンをやめつつあるが，代わりに登場したのはマルチプロセス・ウェット・クリーニングではなく，パークロロエチレンより以前に使用されていた石油系溶剤だった．石油には発がん性はないが，スモッグの元となる粒子を排出し，衣類が燃えやすくなる．さらに，設備費用がマルチプロセス・ウェット・クリーニングよりも高くつく．では，なぜそれが選ばれるのだろうか．ウェット・クリーニングでは衣類にアイロンをかけなければならず，賃金が大幅に増大するからである（Kravetz 1998b）．もしウェット・クリーニングが社会的費用のもっとも低い技術であるならば，石油系溶剤にかけるピグー税も必要となる．

## 13.6　少量発生者

有害廃棄物は誰が発生させようと有害であるが，少量発生者がたくさんいる場合の監視はやっかいで費用がかかるため，EPA はいつも及び腰である．そこで 1 月あたり約 1 トンを境に，大量発生者と少量発生者には区別が設けられている．1984 年の HSWA まで，少量発生者はまったく規制されていなかった．

少量発生者が発生させている有害廃棄物は国内全体のわずか 1%であるが，それが引き起こす問題は小さくはない．アメリカには 25 万社の少量発生者がおり，そのほとんどが自動車修理工場である（Abt Associates 1985）．多くは都市部の人口密集地にあり，高濃度の有害廃棄物を生み出している．しかし監視が難しいために，これら少量発生者に対する規制は緩い（U.S.EPA 1995c）．

最後に取り上げる有害廃棄物発生源は，数百万の家庭から年間平均 2.3 kg 排出され，そのほとんどが一般廃棄物ルートに混入する「有害家庭ごみ」である（Glaub 1993）．有害家庭ごみは，そのほとんどが電池，使用済み自動車オイル，ペンキ，洗剤，研磨剤，殺虫剤のような家庭用品である（Duston 1993）．家庭あたりの排出量は少ないが，世帯数の多さと，一般廃棄物の収集ルートに混入して埋立や焼却がおこなわれる懸念の大きさとから考えて，トータルの影響は大きい．

現在，多くの自治体ではせいぜい有害家庭ごみの持ち込みセンターを提供するくらいであるが，年に 1 度か 2 度程度とはいえ，ステーション収集を始める自治体も増えている．ステーション収集の頻度が低い理由は，家庭の参加率が通常 10%以下と低く，収集費用が高くつくからである．費用の推計には，1 家庭あたり 100 ドルや，有害家庭ごみ 1 トンあたり 1 万 8000 ドルといったものがある（U.S.EPA 1986c；Duxbury 1992；Miller 1995b）．

ステーション収集以外に，有害家庭ごみを収集する方法はあるだろうか．強制デポジットは明らかに可能性があるが，著者の知る限り，これを有害家庭ごみで試みている州はない．近いことをしているところはある．カリフォルニア州とロードアイランド州は有害家庭ごみとなる製品に課税していて，その税収を有害家庭ごみの削減やリサイクルに使っている（Temple et al. 1989；Merrill 1996）．ただし，デポジット制度それ自体に費用がかかることに留意すべきだろう．

有害家庭ごみの有害な処理を減らす方法としてまだ試されていないが興味深いものに，有害家庭ごみの副産物を取引する企業の財務力とノウハウを用いるアイデアがある．たとえば，現在約 30%がリサイクルされている使用済みオイルで考えてみよう．大手の精油業者が年間 2%で今後 10 年間リサイクルすることを義務づけられたら，リサイクル・オイルは 50%となり，さらに重要なことに多くのオイルを一般廃棄物から取り除くことができる．そこでオイルを収集して再生する専門業者に EPA がクーポンを発行し，それを大手精製業者に販売できるようにするのである．大手業者は，それを 2%の義務割当量に充当することができる．家庭は，リサイクル率が高くなることで十分に報われる[11)]．

---

11)　クーポンと義務の効果について細かく見てみよう．$P_{newoil}$ を新しいオイルの価格として，単純化のためクーポンが導入されても変わらないものと仮定する．すると，新しいオイルとリサイクル・オイルは代替関係となり，新しいオイルの価格は，リサイクル業者が家庭から使用済みオイルを買う価格（$P_{wasteoil}$）にリサイクルの費用（$C_{recycoil}$）を加

有害家庭ごみの危険な廃棄を防止する代わりに，家庭に届く有害物質の量を減らす方法もある．水銀体温計について考えてみよう．水銀体温計については有害物質管理センターに年間 1 万 8000 本の電話がかかってくるだけでなく，廃棄によってアメリカの最終処分場に年間 4 トンの水銀が送り込まれている（Neus 2000）．ニューハンプシャー州やいくつかの都市ではこれに対応して，水銀体温計の販売を禁止している（McMullen 2000c）．サンフランシスコはさらに一歩進んでいて，古い水銀体温計を新しいデジタル体温計に無償で交換している．多くの安売り店と薬局チェーンは水銀体温計の販売を中止し，多くの病院と医院も水銀ゼロにすると確約した．確かに素晴らしいことだが，ちょっと待ってほしい．これらの体温計は埋め立てられる水銀のわずか 1%にすぎない上に，水銀体温計の 3.5 ドルに対して新しいデジタル体温計には通常 8 ドル以上の費用がかかるのである（http://www.epa.gov/glnpo/bnsdocs/hg/thermfaq.html）．もちろん，デジタル体温計の費用はやがて下がるだろうし，生産量も増えるだろう（Goodstain and Hodges 1997；Harrington et al. 1999）．それでもやはり，少量発生者からの有害廃棄物の削減には高い費用がかかるという事実は変わらない．

**コラム：ニッカド電池の収集プログラム**

家庭用電池市場の中でももっとも急増しているのが充電可能なニッカド（Ni-Cd）電池である．家庭ごみ中のカドミウムのほとんどは，この電池に由来する．カドミウムの環境への放出は，深刻で潜在的な健康への脅威となる．処分場の浸出水や焼却場の灰や食物連鎖を通して，腎臓，肺，血液，生殖能力への障害を起こし，人間の健康に影響を与える可能性がある．

---

え，付随するクーポン券の価値（$V_{coupon}$）を減じたものとなる（$P_{newoil} = P_{wasteoil} + C_{recycoil} - V_{coupon}$）．$C_{recycoil}$ が上昇して，リサイクルが妨げられたと考えてみよう．クーポン制度がなければ，$P_{wasteoil}$ は低下し，家庭はリサイクルに回すオイルの量を減らすだろう．しかし，より多くのリサイクルを強制する法律があれば，代わりに $V_{coupon}$ が上昇し，$P_{wasteoil}$ をリサイクル率達成まで上昇させる．このシステムは，リサイクル・オイルの収集をもっとも安価におこなえる人に任せる点で効率的である．しかし，全員が得をするわけではない．オイルの収集とリサイクルは環境にとっては価値があるかもしれないが，バージン・オイルに比べるとまだ高価である．実際，$V_{coupon}$ の大きさから，リサイクル・オイルの生産がバージン・オイルの生産に比べてどのくらい高いかが分かる．

しかしながら，トンあたり 2000 ドルから 5000 ドルという高コストのために，自治体は電池のリサイクル収集に尻込みをしていた（Miller 1995b）．そこで連邦政府は，生産者にニッカド電池を回収して適正廃棄するよう求めた．費用を抑えつつ義務を果たすために，多数の業界企業が集まって，1995 年に充電電池リサイクル協会（Rechargeable Battery Recycling Corporation：RBRC，http://www.rbrc.com を参照）を組織した．この非営利団体は，会員企業が国内での電池売上げに自ら課金して集めた資金で運営されており，廃棄されたニッカド電池の収集，輸送，リサイクルをおこなっている．RBRC に参加する小売店や自治体は，費用のかかる特別収集手順を整えなければならないが，電池の出荷や通常の廃棄で生じた健康問題に関する支出に補助を受けられる（Fishbein 1997）．

RBRC は 1 年以内に廃棄されたニッカド電池の 4 分の 1 を収集しており，残りの 4 分の 3 も 5 年以内に収集する予定である．初年度の平均費用は電池 1 トンあたり 2000 ドルと高額ではあったが，有害廃棄物としては理不尽な額ではない（第 2 章の製造者回収責任に関する分析からすれば，これは高価であるが，非常に有害な廃棄物だということを考慮すると，それに見合う便益があるかもしれない．紙やプラスチックとは訳が違うのである）．有害家庭ごみを収集している自治体のトンあたり費用は，これと同程度である．もし消費者が協力的であれば（何の経済的インセンティブもないためはなはだ怪しい仮定ではあるが），RBRC システムの平均費用は下がっていくだろう．ともあれ納税者ではなく，電池購入者が費用を支払うようになったのは大きな前進である．

### コラム：医療廃棄物

これまで，医療廃棄物は通常のごみとして扱われてきた．しかしながら，注射器がニュージャージーの浜辺に打ち上げられ，肝炎とエイズの脅威が増大しつつあった 1988 年に，医療廃棄物追跡法（RCRA のサブタイトル J）が制定された（U.S. EPA 1990）．この影響で，多くの病院が焼却炉を設置した．焼却により廃棄物は滅菌されるが，ダイオキシンと有毒金属の脅威も浮上してきた．

多くの病院の焼却炉は（ごみ発電用の焼却炉と比較して）小規模だったため，新しく高価な汚染防止装置を導入するよりも焼却炉を閉鎖する計画するところがほとんどだった．汚染防止装置を更新した病院の多くも，近隣住民から閉鎖するよう圧力を受けていた（Acohido 2000c；Mcmullen 2000a）．焼却炉の閉鎖後，病院から出るごみは滅菌され，細断され，埋め立てられるようになった（「オートクレーブ」と呼ばれる）．これは焼却より費用がかかり，焼却炉から発生する電気や蒸気熱を利用できず，埋立容量も大きく増えた．EPA の推測では，全米で処理される廃棄物 1 トンあたり 150 ドルから 300 ドルの費用増となった（http://www/epa.gov/ttnuatw1/factsns.html）．

衛生性と利便性のために使い捨て医療器具が使用されるようになって数十年が経過したが，病院の管理者は改めてリデュース，リユース，リサイクルを検討しつつある．アメリカの大きな病院では，2006 年までに全体の廃棄物を 50%削減することを EPA と約束している．

## 13.7 環境的公正

アメリカでは過去 10 年の間，貧困層が有害廃棄物施設の付近で居住や労働を余儀なくされていることの不公平さを訴える声が増えている．「環境的公正（environmental justice）」に関わるこの問題については，2 つの大きく異なる論点がある．第 1 に，有害廃棄物施設はほんとうに貧困層の居住地域の近くにあるのか．第 2 に，もしそれが真実であれば，何をすべきか．それぞれについて見ていこう．

第 1 の論点については，多くの研究がなされている[12)]．残念ながら研究の結果は，「百聞は一見にしかず（Seeing is believing）」ではなく「信ずれば一見にしかり（Believing is seeing）」とでも言うべき状況である．2 例を紹介しよう（GAO 1995）．全米黒人地位向上協会と合同キリスト教会人種公正委員会は，530 の民間有害廃棄物処理施設をサンプルとして，少数民族は非少数民族よりもこのよう

12) 環境的公正への懸念は，一般廃棄物処分場のように危険の少ない領域にまで拡大している．しかし政府の研究によると，「有害でない一般廃棄物処分場から 1 マイル以内に住む少数民族と低所得者の割合は，多くの場合，他の地域よりも低い（GAO 1995, 20）」．これは考えてみれば理にかなっている．一般廃棄物の埋立はもともと，土地が安く住民も少ない，街の外でおこなわれてきた．こうした処理が現在の形に進歩する中で，中流階級や裕福な人々は街を出て，新しい郊外の開発地へ移住した．これらの開発には，処分場の近辺や元は処分場だった場所でおこなわれるものもあった．多くの貧困層はこのスプロール現象（郊外に宅地が無秩序に広がっていく現象）に参加できなかった結果，一般廃棄物最終処分場の近くに住まずに済んでいる．

な施設と同じ郵便番号の場所に住む傾向が高いとしている．廃棄物管理法人と化学廃棄物管理研究所がおこなった別の研究では，454 の民間有害廃棄物処理施設をサンプルとして，施設の場所と近隣住民の少数民族比率には一貫した関係がないとしている．

とはいえ多数の研究は，有害廃棄物処理施設と少数民族の居住地は一致する傾向があると結論づけている（Michaels and Smith 1989；Hamilton 1995；GAO 1995；Gayer 2000）．次に「ではなぜ？」ということになるが，これについては 2 つの妥当な答えがある．第 1 に，少数民族は貧しい傾向があり，貧しい人々は安い土地に住む傾向がある．有害廃棄物処理施設は安価な土地に立地されるので，結果としてそのような施設は少数民族が住んでいるところに建設される傾向がある．言い換えれば，有害廃棄物処理施設は近隣住民が貧しく，進出を防ぐ政治力もない場所に設置される（Hamilton 1995）．

第 2 に，有害廃棄物処理施設は最初ある程度無作為に建設されるが，それによって周辺地価が下がり，裕福な人々はリスクを避けてそこから逃げ出し，貧しい人々が安い土地に住むために集まったとも考えられる．有害廃棄物が近くにあれば住宅価格は当然安くなりそうだが，実証的な証拠は明確ではなく，この仮説を支持する研究もあれば，そうでないものもある（Adler et al. 1982；Schulze et al. 1986；Michaels et al. 1987；McClelland et al. 1990）．

場合によって両方の答えとも正しい，のかもしれない（GAO 1983；Bullard 1983；Been 1994）．だとすると政策決定にとっては具合が悪い．第 1 の因果関係の範囲では，周辺住民に貧困層や少数民族が多い場所における有害廃棄物処理施設の建設を法律で禁止すれば，環境上の不公正を防げる．しかし第 2 の因果関係が存在する範囲では，どこに有害廃棄物処理施設を作ろうと，貧困層は居住地を求めて集まって来ることになるだろう．立地に関する法律でこうした市場の力を食い止めるのは難しい．しかし，「住民補償」を十分に支払うことなら可能である．そのような住民補償は富裕層が当該地域から出て行くのを和らげ，地代の低下を防ぎ，貧困層の流入を緩やかにするだろう．

これは第 2 の論点につながる．有害廃棄物と少数民族の接近を防ぐべきなのだろうか．これに対する公式な回答はイエスである．クリントン大統領（当時）は，連邦政府各関係機関は「そのプログラムや政策や活動が，アメリカの少数民族や低所得者層に，健康や環境に関する非常に不均衡で有害な効果を及ぼしていないか検討し，これに取り組む」という大統領命令を 1994 年に発効している (http://www.epa.gov/civilrights/docs/eo12898.html)．結果として，有害廃棄物処理施設を新たに建設する際には，立地場所が少数民族居住地域に近接していないことを EPA に対して証明しなければならなくなった．

一方，答えはノーだという 2 つの異なった議論がある．第 1 に，自由主義論者の立場からすれば，市場の妨げになることをする理由がここにはない（実はどこだってない）．確かにそうかもしれない．貧者は，市場の見えざる手からひどい扱いを受けている．だからこそ，貧しいのである．貧者の食べるブロッコリーの数が富者より少ないからといって，政府にブロッコリーの再分配をせよと主張する人はいない．とはいえ，健康とブロッコリーは違う．健康や教育や家族の問題になると，貧しい人々の不利益を改善するように公共介入がおこなわれるのがふつうである．

第 2 のノーは驚くべきことに，有害廃棄物処理施設の近くに住む（あるいは住む可能性のある）住民からのものである．こうした施設は地域にリスクを持ち込むだけでなく，資産税，雇用，時にはかなり大きな住民補償をもたらす．このような便益がリスクを上回ると思われているなら，施設建設を妨げる法律は歓迎されないかもしれない．実は，環境的公正を求める運動は，すでにこうした法律の責務を果たしていると言えるかもしれない．健康リスクを発生させる大企業は，たとえ歓迎されたとしても都市の中心部には立地したがらないだろう．こうした地域にはアフリカ系アメリカ人が多く住んでいて，企業は人種差別主義のレッテルを貼られるのを恐れるからである．

## 13.8　おわりに

長い章だったが，深刻で重要な課題を扱った．RCRA の有害廃棄物システムは，所得税法に次いで，除外と例外に満ちあふれたもっとも複雑な規制プログラムとなっている．筆者のたどり着いた結論は次のようなものである．RCRA のサブタイトル C が複雑なのは，費用効率的に人命を救うような有害廃棄物の扱いについて考える能力や意欲のなさを隠しているだけだ．

# 第14章　スーパーファンド法

うまくいかないことはみんな分かっていた．スーパーファンド法は，大失敗だった．お金はすべて弁護士に流れてしまい，本来の目的である汚染浄化にはまったく使われなかった．

1993年2月11日，ホワイトハウスにて，クリントン大統領によるビジネスリーダー向けのスピーチ

資源保全再生法ができるまで，有害廃棄物の取り扱いに関する規制はほとんどなかった．無知のためか強欲のためか，そうした廃棄物はむきだしのラグーンに捨てられるか，容器に入れて浅い場所に埋められた．幸運なことに，いいかげんに処分されたものの大半は健康に長期的な危険を与えてはいない．しかし，健康にとって危険なものも多い．資源保全再生法のサブタイトルCによって現在と将来の有害廃棄物が規制されることになり，現在と将来の健康や環境に危害をおよぼす過去の有害廃棄物が発見されるようになった．

議会は1980年，包括的環境対応・補償・責任法（Comprehensive Environmental Response, Compensation, and Liability Act：CERCLA）を制定した．この法律はスーパーファンド法として知られており，有害廃棄物で汚染された土地について対処する権限をEPAに与えるものである（CERCLAはスーパーファンド改正・再授権法（Superfund Amendments and Reauthorization Act：SARA）によって改正された．CERCLAとSARAについてはhttp://www.cnie.org/nle/leg-8/j.html#_1_8とhttp://www.epa.gov/superfund/action/law/sara.htmで要約を読むことができる）．CERCLAは汚染除去に必要な財源の一部を生み出すための新税も作ったが，基本的な財源はそもそもの汚染を発生させた企業，つまり「責任者（Responsible Parties)」としている．

CERCLAは，有害廃棄物の存在が疑われる場所（サイト）を調査し，実際に汚染があればそれを「優先浄化リスト」(National Priorities List：NPL）に掲載す

る権限を EPA に与えた．その後，EPA は必要な汚染除去をすぐに開始し，最終的な汚染除去費用を負担させるために「潜在的責任者」(Potentially Responsible Parties：PRP）を見つけ出す．NPL に掲載されるサイトは多数あり，汚染除去には時間と費用がかかる（州によるスーパーファンド法に似たプログラムもある．この種のプログラムは，NPL に掲載されていないサイトを対象としている．対象となるサイトは多いが，ほとんどの汚染除去費用は NPL 掲載サイトに比べてとても安い）．

NPL 対象サイトが最終的にどれくらいの数になるかは，誰も分からない．EPA はこれを約 4 万ヶ所と見込んでおり，すでに 1300 ヶ所が記載されているが，アメリカ会計検査院は 4 万ヶ所以上と見積もっている（GAO 1987)．（近所にある NPL サイトについて詳しく知りたいなら，http://www.epa.gov/superfund/sites/query/queryhtm/nplfin.htm を見よ．NPL サイトの場所と汚染の内容，これまでの対応と今後の計画に関する情報がある.）

汚染除去には時間がかかる．平均的には，汚染発見から NPL に指定されるまで 4 年ほどかかる．NPL に指定されてから対策の確定までにさらに 2 年ほどかかる．そこから汚染除去の決定にもう 3 年かかる．そして，汚染除去が完了し，リストから削除されるまでさらに 4 年近くかかる．というわけで，全部で平均 12 年かかることになる（Acton 1989)．そのため，NPL サイトのうち汚染除去が完了しているのは半分しかない．

汚染除去費用は高くつく．スーパーファンド法における平均的な浄化費用は，訴訟費用や管理費用を除くと，公的・私的費用をあわせてだいたい 3000 万ドルである（Viscusi and Hamilton 1996)．そして，PRP が負担責任をめぐって争うために，訴訟に関する費用も高くつく．このため CERCLA は，規制者・コンサルタント・弁護士の包括的雇用法（Comprehensive Employment for Regulators, Consultants, and Lawyers Act：CERCLA）と呼ばれることもある（Ray and Guzzo 1993)．

この章では，スーパーファンド法の主要な課題を探っていく．すなわち（a）どのサイトを浄化すべきか，（b）どの程度まで浄化すべきか，（c）いつ浄化すべきか，（d）誰が費用を支払うべきか，である．これらの課題に対する EPA の従来の回答（(a）すべて（b）完全に（c）いま（d） PRP）は，正しいとはとても思えない．

**コラム：ラブキャナル事件**

1 世紀以上前，ウィリアム・ラブ氏がニューヨーク州ナイアガラフォールズの南東部に，運河の造成を始めた．その目的は，水力発電所と船舶用バイパスを建設することだった．少し掘ったところで計画は中止された．1920 年には，その土地は主にフッカーケミカル社の化学系廃棄物の埋立地となった．1953 年にフッカー社は廃棄物に土をかぶせて，化学系廃棄物が地中にあると警告し，化学物質に関する責任も引き受けるという条件付きで，市の教育委員会に 1 ドルで売った．その後すぐに委員会は学校を建設し，住宅開発業者に売却した．地域住民の増加に対応するため，業者は下水道を整備し，地下を掘った．1978 年までには，1000 世帯以上の家族が化学物質の埋立地やその周辺に住むようになった．

同じ年にはラブキャナル付近で疑われている有害廃棄物問題に関する連載記事が『ナイアガラ・ガゼット』紙に掲載され，この場所は有名になった．事例証拠と予備的な疫学研究から，妊娠中の女性と年齢の低い子供に対する危険性が示唆された．ジミー・カーター大統領はラブキャナル一帯を緊急地域に指定し，埋立地付近の家族には資金を与え，完全に移住させた．その後も一時退去する家族の数は増え，最終的には 1000 以上の家族が連邦政府とフッカー（現オキシデンタル）ケミカル社からお金をもらって転居した．ラブキャナルの危機は，1980 年のスーパーファンド法成立のきっかけともなった．

健康危機がどれだけ深刻だったのかは，本当のところ分かっていない．数多くの研究や，研究の研究がおこなわれた．最近のある詳細な研究は，「ラブキャナルについての科学的研究は，真実の探求というよりは賞争いのように見える」と結論づけている（Mazur 1998, 192）．ラブキャナル事件は，過去の有害廃棄物に遅ればせながらの対策をとるきっかけになったのだろうか．それとも，有害廃棄物に必要以上の費用をかけた過剰な対応をするきっかけになったのだろうか．ラブキャナル事件から 20 年たった現在でも，意見の一致はない．

その後，ラブキャナルはどうなったのだろうか．1983 年，CERCLA の下でラブキャナルは浄化リストに掲載され，さまざまな対策がすぐに実施された．1988 年には，再居住可能宣言が出され，浄化の際に取り壊されなかった家は再び売りに出された．譲渡には「家の新しい所有者がラブキャナルの廃棄物に曝露して，病気になったり，被害を受けたり，死亡しても，市や州や連邦政府はその責任を負わない」という条件が付けられた．これは皮肉にも，以前に売却された際の「フッカー条項」と似ている．現在，その地域はブラッククリーク村（黒い渓谷の村）という名が付いている.

## 14.1　どのサイトを浄化すべきか

どのサイトを浄化すべきか．この答えが「人間の健康や環境にとって脅威となるものすべてを，しかるべき時に完全に除去すべきだ」と言うだけで済むなら，どんなに楽だろう．実際のところ，それはスーパーファンド法の条文ほぼそのものである．スーパーファンド法は，政府が介入すべき場合を以下のように規定する．

> なんらかの有害物質が放出されるとき……（あるいは）公衆衛生や福祉……や環境に対し，差し迫った重大な危害を与えるような汚染物質の放出があるとき（CERCLA 1980, Section 104a）．

現実には，国土に広がる「すべて」の潜在的な負の遺産を「完全に」浄化するには資源が不足するだろうし，予算も足りないだろう．もしそれを理解し認めるならば，「どのサイトを浄化すべきか」という問題の答えはすぐそこにある．

次の質問は，「どの程度有害な場合であれば，限られた資源を使うに値するか」というものである．潜在的な有害性が見つかったサイトについて，浄化にかかる費用（$C$）と，浄化から得られる便益の現在価値（$B$）を推定できるだろう．浄化を実行に移した段階で予測されていなかった費用の変化が起きることもあるが，費用推定はたいてい簡単である．たいていのサイトでは浄化水準を選べるが，どの程度まで浄化すべきかについては後で扱うことにしよう．ところで，費用便益分析において関係のある費用は，まだ実施されていない費用であることに注意してほしい．サイト調査の費用は既に使用されており，そうした埋没費用は考慮すべきでない．浄化の便益は，主に将来における確率的な救命の現在価値である．環境上の便益や死亡以外の健康上の便益もあるが，そうした便益は相対的に見て小さいことが多い．

浄化による期待救命の推定は，簡単ではない．たいていの潜在的に有害なサイトでは毒性の異なる多種類の化学物質が存在するが，とりいそぎ化学物質は 1 種類しかないことにする．多くの物質の過剰がんリスクは曝露量の蓄積によるが，とりいそぎリスクは単純な確率とする．一般的に曝露の程度は年齢や住居や職業によって異なるが，各個人が曝露するリスクはとりいそぎ同じとする．影響を受ける近隣住民の数は時間を通じて変化するが，とりいそぎ一定とする．最後に，浄化を完全におこなうことはできないため，ある程度の毒性や曝露のリスクが残ることは避けられないが，とりいそぎ浄化によってすべてのリスクを除去できるとする．

期待救命数の推定には，3 つの推定値が必要である．サイト内に存在する毒性化学物質に曝露することでがんを引き起こす確率（$p$），サイトが浄化されない場合に近隣住民が有害物質に曝露する確率（$q$），過剰がんリスクを受けるサイト近隣住民の数（$N$），である．また一人分の期待救命に対する支払い意思額である「生命の価値」（$V_L$）と，適切な（実質）割引率（$i$）については政治的な合意が必要となる．ようやく，救命による便益の現在価値を浄化費用と比較することができる．記号で表すと以下のようになる．

$$pqNV_L/i \gtrless C \tag{14.1}$$

（便益のフローは毎年ずっと一定であり，これを $1/i$ 倍すれば現在価値が得られる）．式 (14.1) の両辺に $i$ をかけると，「浄化による毎年の便益は浄化費用を年価値化したものに比べて高いか低いか」という表現になる．

$$pqNV_L \gtrless iC \tag{14.2}$$

明らかに，式 (14.1) と (14.2) は，まったく同じ質問を異なる形で表現したものである．さらに 3 つ目の表現がまだある．式 (14.1) の両辺を期待救命の現在価値（$pqN/i$）で割ると，以下の不等式が得られる．

$$V_L \gtrless \frac{C}{\left(\frac{pqN}{i}\right)} \tag{14.3}$$

式 (14.3) の右辺は浄化費用を期待救命の現在価値で割ったもの，もしくは期待救命あたり費用である．すなわちこの式は，「政策決定者が考える生命の価値が，期待救命あたり費用を超えるかどうか」を表している．次節では，これについて考える（現在価値，割引，費用の年価値化，生命価値といった概念になじみがなければ，第 1 章の補論 B に戻ること）．

生命の価値と割引率がどんなものであれ，式 (14.1) から，化学物質の毒性が強いほど，近隣住民の曝露する機会が多いほど，リスクを受ける住民の数が増えるほど，浄化費用が低いほど，潜在的な有害サイトを浄化すべきだということが分かる．「どのサイトを浄化すべきか」という問題に関して考慮すべき複雑な要因は多いが，式 (14.1) は単純な形で，この問題に答える方法を示してくれているのである．

**コラム：スーパーファンド法の用語と手順**

経済学にのめりこむ前に，スーパーファンド法に関する用語，手順，数値について解説しておこう．

サイトが潜在的に有害であると判断されると，まずリスクについて予備調査（Preliminary Assessment：PA）がおこなわれる．PA で深刻なリスクが予想されたら，入念なサイト検査（Site Inspection：SI）が実施され，そのいくつかでは有害ランクスコア（Hazardous Ranking Score：HRS）の数値が推定される．HRS が十分に高ければ，汚染を最終的に除去するため，サイトは優先浄化リストに掲載される（サイトが切迫した健康影響をもたらす場合は，いつでも緊急の除去活動が実施される）．

すべての NPL サイトでは，次に汚染除去調査と実行可能性調査（Remedial Investigation and Feasibility Studies：RI/FS）があり，詳細なリスク評価と実行可能な浄化手段の分析がおこなわれる．RI/FS に対する意見を一般から募集した後，EPA は浄化措置の選択とその理由を説明する決定記録（Record of Decision：ROD）を発行する．選択された浄化措置について，詳細な改善計画（Remedial Design：RD）が策定され，実際に改善措置（Remedial Action：RA）がおこなわれる．浄化完了後，サイトは NPL から削除される．

どれだけのサイトがこれらの手順に該当するのだろうか．何万というサイトが PA を受けている．1300 以上のサイトが NPL に掲載されている．NPL サイトのうち RD と RA が終了し，リストから削除されたのは，そのうち半数程度である．

## 14.2　EPA が実際におこなっていること

EPA は実際に式 (14.1) に従って行動を開始する．まず，前節で述べた $p$, $q$, $N$ の各要素を推定する．ただし推定は 4 つの毒性経路（地下水，地表水，土壌，大気）ごとにおこなわれる．次に経路ごとの $p$, $q$, $N$ に「得点」が与えられ，経路ごとにそれが足し合わされ，最後に以下の公式でそれらを有害ランクスコア（Hazardous Ranking Score：HRS）にまとめる．

$$HRS = 0.5(S_{gw}^2 + S_{sw}^2 + S_{se}^2 + s_{am}^2)^{1/2} \tag{14.4}$$

$S_i$ とは $i$ 番目の経路における得点で，経路は地下水（$gw$），地表水（$sw$），土壌（$se$），大気（$am$）がある．$S_i$ も HRS も 0 から 100 の値をとる．もし HRS が 28.5 以上ならば，そのサイトは危険とされ，NPL に掲載され，汚染が除去される．

分別のあるところから始めたはずが，浄化による期待救命の推定からはかけ離れてしまっている．最終的にたどり着いた HRS について，まっとうな解釈をすることは不可能である．HRS は基数的な意味を持たないばかりか（HRS が 57 のサイトは 28.5 のサイトの 2 倍危険であるとは言えない），順序づけの機能さえ疑われている．あるサイトについて見れば，HRS の高さは有害性の高さを示すかもしれないが，HRS を異なるサイト間の毒性比較に用いるのは論理的に不可能なのである．

HRS をあるサイトのおおよその毒性を示す指標として使用することについても，多くの問題点がある．中でも次の 2 点に注意すべきだろう．1 つ目は，ある経路の毒性を計算するとき，EPA が毒性のもっとも高い物質の情報しか使用しないことである．したがって，毒性の弱い多数の物質を含む経路が，適正に評価すればずっと有害であるにもかかわらず，毒性の強い物質を 1 つだけ含む経路よりも危険度を低く評価されてしまうかもしれない．2 つ目に，HRS は毒性の情報を観察されるすべての潜在的な有害経路から積み上げるので，その値はサイト調査に費やされる時間やお金が増えればたいてい上昇する（ただし後の調査で，初期の調査による毒性の過大評価が判明し，HRS が下方修正される場合もたまにある）．HRS が NPL 掲載の基準である 28.5 を超えた時点で調査が打ち切りになる場合もあるが，調査が続いた場合の結果については分からない．

EPA にとって，決定を左右する HRS の値は 28.5 である．HRS=28.49 ならばサイトは危険でなく，HRS=28.50 ならばサイトは危険である（たとえ HRS<28.50 であっても，何もおこなわれないわけではない．州のスーパーファンド・リストに掲載されるかもしれない）．なぜ 28.5 なのだろうか．CERCLA には，EPA が少なくとも 400 ヶ所の NPL サイトを見つけるべきであると明記されている（こ

れは奇しくも下院選挙区の数に近い）．HRS の基準を 28.5 にすれば，406 ヶ所のサイトが引っかかる．400 サイト見つけるという要件は 1986 年の SARA によってなくなっていたが，28.5 はそのまま残された．

浄化による期待救命数を推定するには，近隣住民の有害物質への平均的な曝露と曝露による平均的な過剰がん死亡率が必要になる（原則として，浄化後の平均的な曝露と平均的な過剰がん死亡率を推定する必要もあるが，EPA はそのような推定をほとんどおこなっていない（あるいは少なくともほとんど公表していない））．ある研究がスーパーファンド法による汚染浄化の決定を 50 件調べたところ，浄化の決定後にそうした推定を報告したのは 6 件だけだった（Doty and Travis 1989）．しかし，HRS の計算とその後の浄化決定において，EPA は最大曝露可能量と最大曝露者という概念に頼ってきた．高めの曝露期間に，高めの摂取率をかけ，高めの汚染物質濃度をかけ，高めの毒性をかけると，信じられないくらい高い過剰がんリスクの推定値が得られる（Burmaster and Harris 1993；Nichols and Zeckhauser 1986）．どれくらい高くなるのだろうか．ある研究は，150 ヶ所の NPL サイトについてがんリスクの平均値を EPA の「控えめな」リスク推定と比較した（Hamilton and Viscusi 1999a）．「平均的な」過剰がんの生涯リスクが 0.00047 であったのに対し，「控えめな」リスク推定値は平均 0.013 と，25 倍ほど高かった．

平均値でなく最大値を使用すると，がん死亡の推定値をゆがめるだけでなく，苦労して EPA 文書を読む近隣住民を不必要に怖がらせる．また EPA は $10^{-4}$ を超える生涯過剰がんリスクが計測されたサイトは必ず浄化するため，不必要な浄化がおこなわれる[1)]．さらに最大リスク値と平均リスク値の比率はふつうサイト間で異なるため，浄化の優先度にゆがみがもたらされるかもしれない．そして EPA がさまざまながん経路の確率を足し合わせる際に，平均の確率でなく最大の確率

1)　生涯過剰がんリスクの EPA による推定値が $10^{-4}$ よりも高ければ，そのサイトは浄化されなければならない．リスクの推定値が $10^{-6}$ から $10^{-4}$ の間ならば，浄化するかどうかは地方の EPA に任される．リスクの推定値が $10^{-6}$ より低ければ，浄化は一般的に認められないが，例外もある（U.S. EPA 1991c）．$10^{-4}$ のがん確率とはどれくらいの大きさだろうか．平均的なアメリカ人が一生涯にがんで死亡するリスクはだいたい 4 人に 1 人，つまり 0.25 である．NPL サイト付近でがんリスクが $10^{-4}$ だけ上昇すれば，その人のがんリスクは 0.2501 となり，0.04%上昇する（Walker et al. 1995）．

を使用すると，おかしな結果が生じる．ある例では，近隣住民のがん確率の総合推定値が 5.1 になった．明らかに EPA は，確率が 1 を超えないことを忘れている（Hamilton and Viscusi 1999a）[2)]．

最後に，平均リスクでなく最大リスクを使用すると，スーパーファンド法を熟知した論者が EPA の調査に対してうがった見方をするようになる．多くの人が，すべてのスーパーファンド法対象サイトのリスクを些細なものと考えてしまっている．サイトには些細でないリスクのものもあるので，これは残念なことである．先ほど紹介した 150 の NPL サイトの調査では，2000 を超える潜在的な発がん物質の経路があると EPA は考えている（Hamilton and Viscui 1999a）．これら経路のうち生涯過剰がん確率が 0.1 を超えるものは 40 あり，0.01 を超えるものはさらに 70 ある．こうした大きなリスクについて，スーパーファンド法で対処するのは有益である．アメリカで 0.01 より高いリスクを持つのは，対策のとれるリスクとしては，たばこと自動車の影響による生涯死亡率だけである．

被害を受ける近隣住民の数についても矛盾がある．確かに EPA は，HRS を計算し NPL へ加えるか判断するにあたって被害住民の規模を考慮している．しかし，その後に汚染浄化を決定する際には，危険な状態にある人口の規模は考慮されていない（Gupta et al. 1995；Travis et al. 1987）．EPA の関心は最大の曝露を十分な水準まで減らすことにあり，曝露する人の数にはない．結果として，付近にほとんど人が住んでいない多くの NPL サイトで，大規模な浄化作業がおこなわれている．先ほど紹介した 150 の NPL サイトの調査では，将来予想されるがんは約 700 件あったが，このうち 90%が 1 つのサイトにおけるものだった（Hamilton and Viscusi 1999a, 1999b）．サイトが浄化されない場合，予想されるがんが 1 件を超えるのは 10 サイトだけである．こうしたサイトでは，近隣住民よりも浄化作業に従事する人の方が危険だろうと著者は結論付けている．

EPA の推定する「浄化で取り除かれるがんリスク」の大半は，将来 NPL サイ

---

2）確率は 1 を超えないはずなのに，どうして 5 になったのだろう．明日，あなたが朝食を食べる確率を 0.80，昼食を食べる確率を 0.70，夕食を食べる確率を 0.90 としよう．EPA は，明日あなたがごはんを食べる確率を 2.40 とするだろう（$0.80+0.70+0.90=2.40$）．実際に明日あなたがごはんを食べる確率は，それぞれの確率を足し合わせたものではない．明日あなたがごはんを食べる本当の確率は，1 から明日あなたがごはんを絶対に食べない確率を引いたものであり，0.994 となる（$1-[1-0.80][1-0.70][1-0.90]$）．

トの付近に移住する人々のもので，これは変えることのできない外生的なものと仮定されている．一方，先述した150ヶ所のNPLサンプルのうち，付近にわずかでも人が住んでいるのはたった18ヶ所である．ここでいくつかの疑問が生まれる．

- ドルを現在価値化したように，救命の現在価値を採用すべきではないだろうか．現在から数十年，数世紀後の救命は今日の救命と同じではない（OTA 1989a）．
- NPLサイト付近の人口増加を防ぐことはできないのか．たとえば住民増加を防ぐゾーニングが可能である．また現在の居住者に対し，他の地域に移住してもらうための補助金を与えることは，「汚染浄化」の最良の方法かもしれない．これは数例とはいえ，実際におこなわれている（Nossiter 1996）．
- サイトの汚染がひどく，人々から避けられている場合，浄化による（人々への）便益は果たしてあるのだろうか．汚染が除去されない場合の居住者数がゼロと思われるなら，移住してきたために救われる生命を，汚染除去の便益として含めるべきではない．
- 常識と政府規制があるにもかかわらず，現在は数少ない被害を受ける人口が今後増えるというのであれば，人口が汚染除去に見合うくらいになるまで浄化開始を延期してもよいのではないか．「いつ」汚染除去をおこなうかという問題は，後で少し触れる．

EPAの決定の意図は，「アメリカ人ひとりひとりが，近隣住民の数の大小にかかわらず，等しく環境を保護される権利を持つ」という環境的公平への配慮にあるのだろう．それは魅力的な信条だが，都会と田舎のリスクに見られる大きな差を無視している．都会の空気を田舎と同じくらいきれいにすべきだと主張する人は誰もいないが，これは実現に必要な費用が莫大（おそらく無限）になるからである．都会の住民と同じくらいの距離で農家が病院に行けるようにすべきだと主張する人もいないが，これも費用のせいである．NPLの浄化に，公平の問題を急に持ち出す理由はどこにもない．

汚染発見と浄化のプロセスにまつわる失敗を挙げつらねて，EPAをまるで唯一の責任者のように取り上げてきた．実際，EPAの官僚の多くはこうした問題をすべて承知している．しかし，CERCLAとSARAはEPAが適切な費用便益分析をおこなうのを妨げている．EPA は，法律に背くわけにはいかないのである．重要なのは，EPA 非難を浴びせることではなく，理想と現実のギャップを指摘することである．

**コラム：EPA の手順と誤り**

あるサイトを NPL に掲載するかどうか判断する手順は，誤りを生む可能性をはらんでいる．調査は完璧とは限らないので，最終的にふさわしくないサイトが NPL に掲載されることもあるし，NPL に掲載されるはずのサイトが無害だと宣言されることもある．EPA の手順が各タイプの誤りにどれくらい影響するか検証してみよう．

最初の 2 つの手順，予備調査（PA）とサイト検査（SI）を見てみよう．PA で「有害性なし」とされたら，それ以上検討されることはない．「潜在的に有害」とされたら，SI がおこなわれる．SI で「有害性なし」とされたら，それ以上検討はない．「潜在的に有害」とされたならば，NPL に掲載される．

サイトが $S$ ヶ所あるとしよう（OTA 1989a）．そのうち $h$ の割合が，実際に有害で，浄化すべきである．各段階で正しい評価をする確率を $c$ とする．PA の段階で，$(1-c)hS$ だけのサイトが誤って NPL から除外される（そして，$c(1-h)S$ だけのサイトが正しくも取り除かれる）．chS だけのサイトが SI の段階に正しくも到達するが，SI の段階で $(1-c)chS$ だけのサイトが誤って NPL から除外される．誤って見落とされる有害サイトの総数は $[(1-c)hS+(1-c)chS]$ で，式を整理すると $(1-c^2)hS$ となる．一方，無害なサイトが NPL に掲載されることもある．PA の段階では $(1-c)(1-h)S$ だけのサイトが誤って通過し，SI の段階では，$(1-c)^2(1-h)S$ が誤って NPL に掲載される．結局，誤って NPL に掲載される無害なサイトの割合は $(1-c)^2$ で，誤って NPL に掲載されない有害なサイトの割合は $(1-c^2)$ である．

$c=0.99$ としよう．誤って NPL に掲載される無害なサイトの割合は 0.01%だが，誤って NPL に掲載されなかった有害なサイトの割合は 1.99%で，200 倍も高い（無害なサイトを誤って掲載する確率と有害なサイトを誤って掲載しない確率が等しいという仮定に異議を唱える人もいるだろう．確かに単純化のためにそう仮定したものの，確率が異なるとしても，割合の非対称性は残る）．常識で考えて，これは良くない．無害なサイトを NPL に掲載したとしても少し余分なお金を使うだけのことだが，有害なサイトをリストに掲載しないと，付近住民には知らされないまま深刻なリスクがもたらされてしまう．

## 14.3 救命あたり費用

EPA は生命を深刻に脅かすような有害廃棄物の負の遺産をいくつか浄化してきたが，リスクに曝されている人間がほとんどいないサイトも数多く浄化してきた．そもそもスーパーファンドは，費用効率的なプログラムなのだろうか．

その質問に答えようと試みた初期の研究がある（OTA 1989a）．研究によると，スーパーファンド法で浄化される NPL サイトの近隣住民の数は，平均 5000 人だった．浄化は平均で生涯過剰がんリスクを $10^{-3}$ から $10^{-6}$（1000 分の 1 から 100 万分の 1）に減少させた．平均的な NPL サイトの浄化費用は約 3000 万ドルだった（1997 年ドル評価）．研究は，3000 万ドルの費用を（おおむね）5 人の期待救命で割り，救命あたり費用を 600 万ドルと推定している[3)]．これらの数字が示すとおり，スーパーファンドは一般的におこなわれている救命プログラムよりもほんの少し費用がかかるが，それほど高くもない．第 1 章の補論 B を思い出してもらいたい．救命政策は，100 万ドル以下の費用がかかる場合はほぼ常に承認され，100 万ドルから 500 万ドルの間ならば時々実行され，500 万ドル以上ならばたいてい却下されている．

**コラム：NPL サイトと浄化と資産価値**

有害廃棄物サイトの浄化による便益について，付近の資産価値が受ける影響から考えてみよう．資産価値とは要するに，ある地域のある家に住むことに対する人々の支払い意志額を資本還元したものである．したがって資産価値の変化から，有害廃棄物の付近に住むことを避けるのに人々がどれだけ支払ってもよいと考えているかについて，何らかの情報が得られるはずである．

実際には，有害廃棄物の場合，資産価値はあまり役に立たない．変化をどの時点から見るべきか，必ずしもはっきりしないのである．サイトが NPL に掲載されるのは，住民や購入予定者がその地域の危険性をすべて知ったずっと後になる

3) より正確には，$(10^{-3}-10^{-6})\times(5,000)=(0.001000-0.000001)\times(5,000)=4.995$ 人の期待救命である．

かもしれない．また NPL に掲載されるということは，EPA が将来そのサイトにおいて何らかの対策をおこなうという予告ともとれるので，NPL 掲載が発表されると資産価値が上がりだすかもしれない．

それでも多くの実証研究では，有害廃棄物が近くにあれば資産価値が減少し，廃棄物が浄化されると資産価値が上昇するという結果が得られている（Kohlhase 1991；Greenberg and Hughes 1992；Hamilton and Viscusi 1999a）．ヒューストン地域のある研究では，平均的な住宅価格は，もし NPL サイトにあれば 14 万ドルだが，NPL サイトから 6 マイル（約 9.6 km）離れたところにあれば 16 万 5000 ドルになると予測している（Kohlhase 1991）（1997 年価格に調整済み．ところで，ヒューストンが位置するハリス郡はアメリカでもっとも NPL サイトが存在する割合が高く，スーパーファンドの研究データが豊富な地域である）．この 2 万 5000 ドルの差を年率 4%の実質利子率で換算すると，NPL サイトから 6 マイル離れたところに引っ越すことに対する家計の支払い意志額は，毎年 1000 ドルとなる．平均的な世帯人数を 3.3 人とすると，1 人あたり毎年 300 ドルの WTP になる．

この 300 ドルは何を意味するだろうか．NPL サイトの付近に住むことによる年間の過剰がんリスクを $10^{-5}$，NPL サイトから 6 マイル離れた場所に住むことによるそれを $10^{-8}$ としよう（これらは浄化していない NPL サイト，浄化した NPL サイトそれぞれにおける，年間過剰がんリスクのおおよその値である；OTA 1989a）．すると 300 ドルという住民の支払い意志額は，3000 万ドル（$= 300 \div [0.00001000 - 0.00000001]$）の生命価値に相当する．

人々は，本当に自らの生命をこれほど高く評価しているのだろうか．他の救命政策に関する研究では，ずっと低い値が出ている（第 1 章補論 B を見よ）．人々は，平均的な NPL リスクの小ささを理解できないのだろうか．あるいは，微少かつ深刻なリスクに関する資産価値の研究を信用しない方がよいだけなのだろうか．

しかし，実は上述の研究には欠陥がある．救命を現在価値化せずに，費用の現在価値と比較しているのである．NPL サイトが浄化されない場合に失われる確率的生命は，長い時間をかけて少しずつ失われていく．前の段落のがん確率を年平均に変換すると，浄化によって年平均のがん確率はおよそ $10^{-6}$ から $10^{-8}$ に減少することがわかる（第 1 章の補論 B を見よ）．人口が 5000 人であれば，約

0.05 件のがん死亡が毎年回避されることになる．0.05 の流列を 4%の割引率で現在価値化すると，約 1.25 となる．現在価値化された救命あたりの現在価値化された費用は，約 2400 万ドル（= 3000 万 ÷1.25）で，一般的に実施される政策よりかなり高い．

長年のスーパーファンド法の経験から，さらに詳細な研究が可能になった．最近の広範な研究として，Hamilton and Viscusi（1999a）がある．彼らの研究から，150 の NPL サイトのうち，救命あたり費用が 500 万ドル以下のサイトで費やされた浄化費用は，スーパーファンドのすべての浄化費用のたった 3%であることが分かった．また救命あたり費用が 1 億ドル以下のサイトで費やされた浄化費用は，スーパーファンドのすべての浄化費用の 29%に過ぎなかった．EPA 自身の保守的ながん確率を使用し，割引しない救命数で計算したとしても，150 サイトにおける救命あたり費用の中央値は，ほぼ 4 億ドルになることが分かった．

したがって，スーパーファンド法による浄化のうちいくつかは社会的に重要かもしれないが，多くの浄化にはとても費用がかかり，生命にほとんど影響を与えていない．Hamilton and Viscusi（1999a）は，これを以下のようにうまく表現している．

> 戦略的に資源を配分すれば（つまり救命あたり費用がもっとも低いものから浄化をおこなえば）……有害廃棄物から予想されるがんの 99.5%を支出のたった 5%で削減できるだろう……EPA は浄化費用の 95%を，全体の 1%以下のリスクを減らすために費やしているのである（Hamilton and Viscusi 1999a, 125）．

**コラム：費用便益分析と環境的公正**

経済学者以外の人はよく，費用便益分析を「貧者を犠牲にして富者を利するだけの方法」と考える．以下の研究は，まったく反対のことを示している（Hamilton and Viscusi 1999a）．

もっとも費用効果的な浄化（救命あたり費用が 500 万ドル以下）においてマイノリティが人口に占める割合は，平均的な NPL の浄化におけるマイノリティの割合よりも高い．言い換えると，救命あたり費用の高い浄化作業は，大半が白人の生命を救うために実施されているのである．政治や官僚ではなく費用便益分析にしたがって浄化を実施すれば，マイノリティのほうが良い処遇を受けるだろう．

これは驚くことではない．浄化の決定にあたって，付近の人口規模は考慮されないのである．マイノリティは貧しく，人口密度が高い地域に住んでいる．浄化費用と廃棄物の毒性を考えると，被害を受ける人々の多い NPL サイトは，優先的に浄化すべきところとなる．費用便益分析はこうした考え方を取り入れているが，アメリカの政策はそうではない．

浄化プロジェクトを費用便益分析で検証しないがために，EPA は政治的圧力を受けやすい（裕福な地域住民にとって政治的圧力をかけるのはたやすい）．ある研究によると，所得の高い人々が住む地域は，浄化が早くおこなわれることはないが，NPL への登録は明らかに早い（Sigman 2001）．別の研究では，所得の高い人々の住む地域では，より徹底的な浄化がおこなわれるという結果が出ており，これが早急に浄化がおこなわれない原因かもしれない（Hamilton and Viscusi 1995；Gupta et al. 1995）．

## 14.4　どの程度まで浄化すべきか

これまでのところ，NPL サイトから完全に汚染が除去されるか，まったく何もされないかのどちらかしか考えてこなかった．実際には「どの程度まで浄化するか」という選択がなされるのが普通である．NPL の各サイトでは，実行できる汚染除去が，EPA の汚染除去調査と実行可能性調査（RI/FS）で詳細に検討され，そのうち 1 つが決定記録（ROD）で選択される（コラム「スーパーファンド法の用語と手順」を参照）．RI/FS 段階の選択肢は低費用なもの（単に有害物質を非浸透性の箱に入れたり，有害廃棄物処理施設に引き渡す）から高費用なもの（土壌や地下水を採取し無害化し，その後再びサイトに戻す）まであるのがふつうである．ハミルトンとビスクシがおこなった 150 の NPL サイトの研究では，汚染除去費用がもっとも低い 30 サイトの平均費用は 400 万ドルを下回り，もっとも高い 30 サイトの平均は 4000 万ドルを超えていた（Hamilton and Viscusi 1999a）．

理論的には，どの程度まで浄化すべきかという質問に答えるのは簡単である．本章のはじめに取り上げた式 (14.1)，$pqNV_L/i \gtrless C$ を思い出してもらいたい．そこではサイトを浄化する手段は 1 つしかなく，浄化すれば曝露の可能性を完全に除去できるという仮定を暗黙のうちに置いていた．ここでは，浄化の程度を選択できるとしよう．EPA は $C_1$ の費用で $q_1$ を行い，有害物質が曝露する可能性を少し低められる．また EPA は，$C_2$（$C_2 > C_1$）の費用で $q_2$（$q_2 > q_1$）をおこない，より徹底した汚染除去を実施することもできる．式 (14.1) によれば，どちらの浄化手段も実行できる．つまり，$pq_1NV_L/i > C_1$ かつ $pq_2NV_L/i > C_2$ である．いまや浄化するかどうかに加えて，どの程度まで浄化するかという新たな問題が出てきた．

決定にあたっては，浄化を徹底することで得られる追加的な便益が，それに必要な追加的費用に見合うかどうかを考慮すべきである．

$$\frac{p(q_2 - q_1)NV_L}{i} \gtrless C_2 - C_1 \tag{14.5}$$

救命の限界価値が限界費用を上回るならば，汚染除去をさらに進めるべきである．これは 2 つの選択肢の比較にとどまらない．式 (14.5) で，1 番目の対策よりも 2 番目の対策の方が望ましいとする．もし 3 番目のさらに徹底した浄化をおこなう手段があるなら，これが 2 番目の対策より望ましいか検証すればよい．つまり，$p(q_3 - q_2)NV_L/i \gtrless (C_3 - C_2)$ である．さらに 4 番目があれば，同様に続ける[4)]．

「どの程度まで浄化すべきか」を経済学的に考えるのは簡単である．悲しいことに，スーパーファンド法はそのような基準を採用しなかった．もっと言えば，採用している基準など一切ないのである（Landy et al. 1994）．CERCLA には汚染除去費用について何も書かれていないし，SARA に至っては「永続的な汚染浄化」（つまりより費用のかかる汚染浄化）が望ましいとしている．NPL サイトの地下水汚染は，1984 年以前にはほぼ放置されていたが，1984 年以後は全体の 4/5 で多額の費用をかけた浄化がおこなわれるようになった．

しかし，お金のない EPA はいったいどうすべきなのか．法律は「最大限実行可能な恒久的解決」と述べているが，解決のための費用には一切触れていない．

4)　もし，$q_1/C_1 > (q_2 - q_1)/(C_2 - C_1) > (q_3 - q_2)/(C_3 > C_2) > \cdots$ が成り立たなければ，このアプローチは行き詰まる．しかし，この不等式は実際の浄化作業においてほぼ常に満たされている．まず，もっとも費用の低い浄化作業では，1 ドルあたりで大きなリスクが削減される．そして追加的な費用あたりの追加的なリスク削減は，浄化作業が進むほど減少していく．いわゆる収穫逓減という法則である．もし上の不等式が成り立たなければ，やや面倒な計算が必要になる．

NPL サイトの近隣住民は完全浄化を求める．住民はそこに住んでいて，浄化にお金を払ってくれない．コンサルタントと請負業者は，汚染除去がより完全で高価なものになれば利益を得る．浄化作業は労働集約的なため，労働者と労働組合は浄化作業が巨大なものになれば利益を得る．官僚の損失関数は非常に非対称である．政府のために数百万ドルを節約しても，EPA 職員は専門家としての名声を得られないどころか，倹約的な浄化決定をする人間と思われて経歴に傷がつくかもしれない．しかし，正しい考えを持った EPA 職員でさえ，費用便益分析では多くの無形の便益や隠れた便益が見過ごされることや，費用便益分析（が許されたとしても）で過小な汚染除去を主張して間違うことを恐れているのである．

法律とそれにともなうインセンティブによって，EPA は過剰に NPL サイトの浄化を実行しようとする．浄化費用がいくらか無駄になっても，「後悔よりは安全の方がよい」という行動をまずとるのである．しかし，それは生命を無駄にしているとも言える．利用できる資源は限られているので，あるサイトに必要以上の費用をかけると，他のサイトが浄化の開始を待たされることになる．多くのサイトは緊急処置を受けるが，恒久的な対策が施されるまでには長い時間がかかる．CERCLA が成立した 10 年後の 1990 年までに 1000 ヶ所以上ある NPL サイトのうち浄化され，確認され，NPL から削除されたのはわずか 29 ヶ所だった (Church and Nakamura 1993)．さらに 10 年後の 2000 年までに半数のサイトが浄化され，リストから削除された．

予算制約と過剰な浄化が，スーパーファンドの各段階に混乱を招いてきた．平均で，EPA がサイトの異常に気づいて NPL に登録するまでに 43 ヶ月かかり，RI/FS の開始にさらに 20 ヶ月かかり，ROD の発行にさらに 38 ヶ月かかり，浄化計画の策定（RD）にさらに 18 ヶ月かかり，浄化完了（RA）までさらに 25 ヶ月かかる．気づいてから汚染除去が完了するまで，平均で 96 ヶ月，つまり 8 年かかる[5]．

5)　注意深く計算をした人は，浄化完了までの平均期間（96 ヶ月）が，各段階の平均期間の合計より少ないことに気づいたかもしれない．これは計算間違いではない．仮想例でその理由を説明しよう．浄化が 36 ヶ月前に開始されたとする．当時，指定されたサイトは 3 つ（1，2，3）だけで，3 つの浄化ステージ（A，B，C）がある．各サイトのステージごとにおける浄化期間（月単位）は，サイト 1 がステージ A=36，ステージ B=18，ステージ C=18 で，サイト 2 がステージ A=18，ステージ B=18，ステージ C= 未完実施時期に関する実態はもっとひどい．有害性の高いサイトには，非常に有害な物質が存在し，修復も複雑なため，作業に時間がかかる．浄化が，有害性の高い場所からではなく，有害性が少ない場所から先におこなわれていることを示す実証研究もある（Church and Nakamura 1993）．浄化速度を上げよという政治的な圧力が増せば，EPA は限られた予算をすぐに浄化できるサイトへ向けるようになる．たいていの場合，そうしたサイトは健康リスクがあまり深刻ではないところである（Hird 1994；Guerrero 1995；Czerwinski 1996）．多くの人が，現行の法律と制度では問題解決は困難だと感じている．連邦政府はスーパーファンドから手を引き，州にお金を回すことだけをして，何をどれだけ浄化するかは州に任せるべきだという人もいる（Landy et al. 1994）．実際のところ，州は NPL の近隣住民にお金を渡すだけで，何をするかは住民に任せるかもしれない（もちろん州の補助金で足りなければ，住民自身が払わなければいけないが）．

**コラム：最後の 10%**

スティーブン・ブレイヤーは，「どの程度まで浄化するか」という課題を「最後の 10%」の問題と呼んだ（Breyer 1993）．90%のお金が，最後の 10%の浄化に使用されることがあまりにも多いというのである．（最高裁判所判事になる以前に）彼が担当した裁判では，当事者のひとりが，浄化のほぼ済んだサイトで，残ったわずかに汚染された土壌を除去して焼却するのに 930 万ドルを使うことをためらった．その裁判は 4 万ページの資料と 10 年の歳月を費やした結果，土壌を焼却してサイトで遊ぶ小さな子供が遊べる日数を年間 70 日から 245 日にすることで，当事者全員が合意した．だが，このサイトは沼地で付近には子供などいなかったし，将来的にもいないと思われた．しかも半数以上の汚染物質は，おそらく数年で蒸発するのである．「いもしない子供が土を食べないようにするのに 930 万ドルを使うことこそ，「最後の 10%」の問題なのである」（Breyer 1993, 11 f）．

---

了で，サイト 3 がステージ A=36，ステージ B= 未完了，ステージ C= 未完了である．浄化が完了したステージについて平均をとると，ステージ A は 22，ステージ B は 15，ステージ C は 12 となる．

各ステージの平均期間を合計すると 49 ヶ月になる．しかし浄化が完了したサイト（サイト 1 のみ）における，浄化完了までの平均期間は 36 ヶ月しかない．つまり，浄化に時間のかかるサイトは，浄化完了までの期間がまだ不明なために，全期間平均には加算されないのである（Church and Nakamura 1993）．

## 14.5　いつ浄化するか

人々は（経済学者でさえ），スーパーファンドにおける決定を，浄化が必要かそうでないかの二者択一と考えやすい．したがって浄化すべきならば，すぐに浄化すべきとなる．実際の選択肢には，いますぐ浄化する，後で浄化する，浄化しない，の 3 つがある．理論は単純である（Porter 1983c）．

いまは何も（もしくはほとんど）しないが，後で浄化をおこなうことが社会的にみて適切な理由は数多くある．将来，リスクに曝される人の数が，浄化を正当化するのに十分なほど増えるかもしれない[6]．将来，リスク削減への支払い意志額が，浄化費用を超えるほど増えるかもしれない．浄化技術は常に改善されているので，延期すれば，より簡単に，より早く，より良く，より安く浄化作業をおこなえるかもしれない．

「最悪な場所を最初に」浄化するというのは良い意見のように聞こえるが，優先順位を付けるにあたって予算制約や労働制約を考慮する必要があるならば，それは間違っているかもしれない．先延ばしをすることの費用と便益を考えてみよう．浄化を延期すると，3 つのことが起こる．まず，健康被害と環境被害という良くないことが延期中に生じるかもしれない．次に浄化費用が先延ばしされ，現在価値が低下するという良いことが起きる．最後に，サイトの浄化費用は後で変化するかも知れない．これが良いか良くないかは，浄化費用が（物価水準と比べて）上昇するか下落するかによる．「最悪を最初に」という基準は，1 つ目だけをみており，残り 2 つを無視しているのである．

---

6)　浄化が正当化されるのはいつだろうか．式 (14.2)：$pqNV_L \gtreqless iC$ を思い出してほしい．そこでは $N$ の値は現在も将来も不変であると仮定されていた．$N$ が $g$ の割合で外生的に増えていくとしよう．現在の人口を $N_0$ とおく．浄化を来年に延期すると，がんによって失われる生命価値分の費用が発生する（$pqN_0V_L$）．今年浄化しないことの便益は，支出をしないことで得られる利子である．もちろん，延期して得られるのは利子率それ自体ではなく，今年の予算を他のプロジェクトにより多く費やすことで得られる便益である（$iC$）．$pqN_0V_L < iC$ であれば，浄化は延期されることになる．延期される期間は，人口増大によって $pqN_0(1+g)^TV_L = iC$ となる時点（$T$）までである．

## 14.6　誰が浄化費用を支払うのか

大気汚染の規制費用よりは少ないものの，スーパーファンドのプログラムはアメリカがおこなった環境保護政策のうちかなり費用のかかるものだった．浄化にかかった総費用は，過去 20 年間で年平均 20 億ドル以上で，最終的には総計 1000 億ドルを超えるだろうと言われている（Acton and Dixon 1992；Dixon et al. 1993；Probst et al. 1995）．一般市民は有害廃棄物の汚染サイトを非常に危険と感じ，多額の費用をかけて浄化すべきと思っているが，議会は，一般市民が増税や他の公的支出を減らしてまで多額の費用を支払いたいわけではないだろうと考えている．

政府予算を大きく増やすことなく，支出を増やすにはどうすればいいのか．これに対する議会の答えは，スーパーファンド対象サイトの原因者が汚染除去にも責任を負うという「汚染者負担原則」である．EPA は NPL サイトを特定する際に潜在的責任者（PRP）も特定し，そこから汚染除去費用を回収するか，それらに適切な汚染除去をおこなわせる．

残念ながら，PRP を特定して浄化をおこなわせるのは，簡単ではない．NPL サイトと言えば，ある化学工場が有害廃棄物の入った錆びた容器を工場裏の排水溝に放り投げていて，これをやめさせるという図が思い浮かぶ．しかし，こんな NPL はあまりない．ある NPL には多くの，ときにはとても多くの原因者が関係しているのである．100 以上の PRP が存在する NPL サイトは，10%を超える (Probst et al. 1995)．PRP を探し出すのは大変なのである．サイトの多くは，廃棄物の排出事業者から遠く離れた場所にある．PRP は除去費用を負担するのに十分な財源を持っていないかもしれない．PRP が既に存在しない場合もある．

PRP の見つからないサイトを浄化するには，結局お金が必要になる．この財源は，連邦政府による一般財源の割り当て，一般法人税，そして NPL サイトを生んだ主な原因である石油・化学業界に対する特別税によって集められる（経済学の論理からすれば変な話だが，スーパーファンド法による輸入石油の税率は，国内で生産される石油の税率よりも高かった）．

## 14.7　潜在的責任者

潜在的責任者（PRP）とは，スーパーファンド対象サイトにおける何らかの有害廃棄物の原因者であると EPA が示すことのできる者である．PRP は選ばれた浄化作業が何であれ，その費用を負わなければいけない．PRP の責任には，重要な特徴が 3 つある．1 つ目は「厳格責任」であり，他者にも過失があっても，あるいは有害物の廃棄が当時は合法だったり，不測の事故だったり，有害性を知らなかったとしても，責任は緩和されない．2 つ目は「連帯責任」であり，NPL サイトの汚染に関するどの原因者も，汚染除去にかかるすべての費用に全面的な責任がある．3 つ目は「遡及責任」であり，排出が過去におこなわれたとしても，あるいは当時それが適法だったとしても，責任が問われる．これらは罪を割り当てるためでも，公平性を達成するためでもなく，単に EPA ができるだけ容易に浄化費用を集めるためのアイデアである[7]．

罪と公平性について少し考えてみよう．PRP の多くは，かつて廉価だったが後に有害となるような廃棄物処理を選択した企業である．この廉価な処理から利益を受けたのは，誰だろうか．基本的にそれは私たちの両親であり，祖父母であり，曾祖父母である．彼らは企業の顧客として，より低い価格を享受していた．株主として，より高い配当を受けていた．経営者として，より高い給料を稼いでいた．労働者として強く団結していたならば，より高い賃金を得ていたかもしれない．わたしたちを犠牲にして，彼らは利益を得ていたのである．公平に扱うのなら，不可能ではあるが，さかのぼって世代間の所得移転をおこなうべきかもしれない[8]．あるいは，過去の世代が資本や技術を残してくれたおかげで高度な生活水準が可能になったのだから，たとえスーパーファンドの費用があっても，世

7)　過去の EPA 長官は，無罪の人間を有罪の人間と同じように処罰する制度に悪いところは何もないと明言している（Connolly 1991）．ある判事は，連邦政府とキャノンズエンジニアリング社が争った裁判で「CERCLA は公平に重きをおいた法律ではない」と指摘した（Clay 1991 から引用）．

8)　石油産業・化学産業に特別税を課してこの世代間の課題に挑んでも，費用がかさむだけである．そうした税は現在の製品価格を上昇させるが，祖先が支払った価格は変わらない．

代間の移転は必要ないかもしれない[9]．罪に関して言えば，利益を得ていた人のうち，不法行為がおこなわれていることを認識していた人はわずかであり，そのわずかな人間もほとんどが今となっては亡くなっている．スーパーファンド法で責任を定めても，罪や公平性について大したことはできないだろう．

スーパーファンド法の責任に関する本当の課題は，浄化費用を集めるのに効果的かどうかである．そこには多くの問題がある．

最大の問題は，ご想像のとおり，PRP がおとなしく責任を受け入れないことである．PRP の責任をめぐっては裁判で争われ，高い訴訟費用がかかった．研究によって大きく異なるが，スーパーファンド関連支出の 4 分の 1 から半分が，有害サイトの浄化ではなく，費用分担をめぐる訴訟に費やされた（Anderson 1989；Dixon 1995）．

EPA はこれに対して，浄化にかかるすべての費用を 1 つの PRP に支払わせることで訴訟費用を引き下げようとしている．もちろんその場合，当該 PRP には十分な資力が必要となる．これで EPA の訴訟費用は減るが，法廷闘争は終わらない．有罪となった大きな PRP は，費用を分け合うために小さな PRP を訴えて，負担を減らしていくことができる．小さな PRP はさらに小さな PRP を訴える（Dixon 1995）．こうしたピラミッド型の裁判それぞれに固定費用がともない，総裁判数と関係して可変費用も発生するため，大きな PRP を狙う EPA の制度は確かに EPA にとっての費用負担を減らすが，あるサイトに関わるすべての PRP を EPA が 1 つの裁判にまとめるよりも多くの費用を全体で費やしてしまう（Tietenberg 1989）．EPA の目標は訴訟費用の最小化でも最大化でもないが，現行の制度は費用最大化に近いものと言える．

PRP は他の PRP を訴えるだけでなく，PRP 自身の保険会社も訴える．CERCLA が厳格責任，連帯責任，遡及責任を導入する以前，ほとんどの大企業は「突

---

9) 有害廃棄物サイトについて「ごみ箱理論」を主張する人もいる．ふつう，家の中で出たごみを逐一ガレージに持っていくことはしない．ごみ箱やバケツに入れて，満杯になったら持っていく．ごみは目ざわりで体に悪いかもしれないが，ガレージまでの往復に時間を使うよりは，生産的な活動や，興味のある活動を楽しむ方がよい．この議論は有毒廃棄物にも適用できるが，逆に，適切な処分をしていれば現在の NPL サイトの浄化費用よりずっと安く済んだかもしれない．祖先がわずかな対策でも取ってくれていれば，費用のかかる浄化作業はもう少しましだったろう．

然の，予期しない」有害物質の流出による被害に対してのみ保険をかけていた（Revesz and Stewart 1995）．CERCLA の規定によって，PRP の責任をどの程度まで保険会社（スーパーファンドの汚染原因となった排出がおこなわれた時点での保険会社）が支払うべきかは不明確になった．スーパーファンドは「環境損害責任」の保険市場を消し去る要因となるかもしれない．保険産業はリスクを予想し緩和する能力に頼っているが，スーパーファンドの制度ではそれは不可能である．保険会社は，EPA がいつどんな新しい責任を突如として宣言するか予想できない．さらに，保険会社は保証対象でない企業を監督できないが，その企業が起こす環境損害について，連帯責任の下で責任を負わされるかもしれないのである（Katzman 1989）．

CERCLA における責任規定は，浄化がおこなわれる時期や程度や費用にも影響を与える．訴訟が起きれば，たいてい浄化作業は遅れる．EPA が自分で浄化した後に PRP から費用を回収しようとしても完全な回収はほとんどできないため，EPA は浄化時期を延期して PRP を探そうとする（Sigman 1998a）．PRP が浄化費用を支払わねばならない場合，EPA に対して直接・間接に交渉圧力をかけて，最適な浄化水準以下で済ませようとするかもしれない．また EPA は，予算が残っていれば，最適水準以上に汚染を除去しようとするかもしれない．ある研究では，PRP が費用の大部分を負担することが見込まれるとき，EPA は少なめの汚染除去を選択することが分かっている（Sigman 1998a）[10]．費用に関して言えば，より費用効果的な汚染浄化を可能にする情報やインセンティブを PRP は持っていると言えるかもしれない．

最後に，CERCLA の枠組みではインセンティブに関する問題がある（一見，なさそうに思えるが）．なぜ，遠い過去にたまたま起きてしまった行為の責任が，将来の企業行動に影響を与えるのだろうか．3 種類の影響があり得る．

1. 一度痛い目にあえば，企業は現在の有害廃棄物処理をいっそう慎重におこなうかもしれない．これは良いことのように思えるが，RCRA によって有害廃棄物が適正に処理されているならば，それ以上の手間は過剰なものとなる．

10）NPL サイトを過剰に浄化したがる EPA の力は CERCLA の責任システムを強化する方向に作用するが，PRP の影響で浄化水準は最適な方に押し戻される．しかしそれは，浄化を遅らせる力にもなる．PRP が浄化に関わる場合，NPL の浄化完了まで平均で 2 年余分にかかる（Sigman 2001）．

2. 企業の有害廃棄物に対する責任の限度は，総資産額となる．したがって，大きな企業は大きなリスクを冒し，小さな企業は小さなリスクしか冒さない．責任が無制限になると，非効率に小さい企業が成長したり，捕まっても失う資産がわずかなために RCRA の規制を遵守しない無責任で小さな企業に，大企業が有害廃棄物の処理を下請けさせるかもしれない[11]．政府は，すべての企業に一定の銀行残高維持や保険加入を求めて環境責任を回避できないようにすることで，こうしたインセンティブをある程度は減じられる．
3. スーパーファンド法は PRP の資本費用を増加させたため，投資家は資産の減少や将来責任を問われるリスクの増大を感じた（Garber and Hammitt 1998）．これは投資を減少させ，製品価格を上昇させる．しかし，過去に環境被害を起こしたという理由は，製品価格をいま上昇させる正当な根拠にはならない．企業がいま外部費用を最適に削減しており，その費用が製品価格に組み込まれているならばそれでよいのであって，過去の消費者が低い価格で製品を購入できたからという理由で将来の消費者に高く支払わせるのは変である（Katzman 1989）．理論上はこうした心配があったものの，ほとんどの実証研究によると，スーパーファンド法の責任による価格上昇はほんのわずかだった（Probst et al. 1995）．

こうした問題や，訴訟費用が浪費されていることを考えると，遡及責任をやめて，政府予算をスーパーファンド関連活動に使うよう検討すべきかもしれない．

**コラム：ブラウンフィールド**

EPA は，「環境汚染が実際にあるか予想されるために拡張や再開発が困難で，放棄されたり，使用されていないかったり，低利用な状態にある産業地や商業

11) 無限責任が小さな企業に与える影響は，多くの分野で検証されてきた．有害廃棄物汚染について厳格責任が定められている州では，小さな企業が有害物質流出の大きな要因となっている（Alberini and Austin 1999）．労働者の病気に対する責任が拡大されると，労働者が病気にかかりやすい産業で小さな企業が急速に成長した（Ringleb and Wiggins 1990）．石油流出の責任を大幅に拡大した 1990 年の石油汚染法から 1 年以内に，外洋渡航するアメリカ向けタンカーの約半数が 1 台しか船を持たない会社に所有されることになり，多くの大荷主が，アメリカの海域に入る前に，所有者のそれぞれ異なる小さなフェリーに石油を移し変えていた（Sullivan 1990；Ketkar 1995）．

地」を，「ブラウンフィールド」と定義している（U.S.EPA 1999a, 3）．汚染発生がかなり前だとしても，土地を購入した企業はPRPに指定され，いつか将来に環境を浄化する責任を負わされる危険をはらんでいる．結果として，都市には褐色の土地（ブラウンフィールド），つまり企業が新たな施設を作ろうとしない空地が点在する．こうしたブラウンフィールドの数は，推定45万ヶ所にも上る（Reisch 2001）．新しい施設はそれを踏まえて未開発な郊外の土地，つまりグリーンフィールドに作られるために，都市部では失業が発生する．

ブラウンフィールドの価格が十分に低ければ，買い手の環境責任を補ってあまりあるのではないだろうか．3つの理由のため，価格はそこまで低くならない．まず，売り手の責任がそのままであれば，取引で全体のリスクは増す．2つ目に，たとえ売ることで責任が転嫁できるとしても，買い手は「売り手の方が汚染の程度をよく知っている」と恐れ，情報の非対称性から最悪の状況を想定してしまう．3つ目に，取引そのものとその後の再開発を通じて，汚染の発見確率が増えるかもしれない（Segerson 1993；Boyd et al. 1996）．

大都市の首長であれば，インフラ改善や低利融資や職業支援など，ブラウンフィールドの開発に補助金を出すこともできる．しかし潜在的に発生し得る環境責任は，こうした補助金によるインセンティブを打ち消すほど大きい．ブラウンフィールドを開発すれば「無実の購入者」として免責措置や責任限度を設けると提案している州もあるが（Whitman and Skoultchi 2000），政府が遡及責任を適用すると既に表明しているので，確約は難しい．

## 14.8　浄化に対する政府の責任

もし政府が今後のNPL浄化に責任を持てば，スーパーファンドにまつわる訴訟費用と取引費用の問題はすぐに解決する．CERCLAの予算はすべて，NPLサイトの特定と浄化に使われるようになる．素晴らしいことである．しかし政府が完全に責任を持つこと自身に問題がないわけではない（Probst and Portney 1992；Probst et al. 1995）．

最初の問題は責任の移行である．1980年に戻って，PRPと政府のどちらが責任を負う方がよいかという議論をすることはできない．PRPが責任を負う形で，既に20年が経過した．いまこれを変更すると，責任をまっとうしたPRPが多く存在する一方で，まだ特定されていなかったり時間稼ぎをしている PRP が支払いから逃れることになる．これは不公平なだけでなく，今後のすべての廃棄物規制について，変更を期待した訴訟やロビー活動をおこなうインセンティブが発生してしまう．これに対処するため，PRP の責任を廃止する提案の多くには，税還付によって PRP の支出を払い戻すという内容が含まれている（Probst and Portney 1992；Probst 1995）．もちろんこれは 1980 年に戻って，政府がスーパーファンドの費用をはじめから支払うのに等しい．しかし，大規模な予算が必要なために当時の議会は拒否しただろうし，スーパーファンドにかかる費用が予想よりも高いことが分かった今となっては，税還付はなおさら考えられない．

政府に責任を負わせるのは浄化のスピードを上げるためである．訴訟費用がなくなれば，EPA が自由に使える予算は増える．反面，EPA は PRP のお金を浄化に使えなくなる．このために失われる金額は，回避できる訴訟費用を大きく上回る．ある詳細な研究では，PRP の責任を廃止すると，EPA の支出が 2 倍になると推定されている（Probst et al. 1995）．

そのとき議会が EPA の予算を増やさなければ，スーパーファンドの浄化は現在の半分のペースでしか進まないだろう．浄化には，平均で約 2 倍の期間がかかるだろう．もちろん，今おこなっているより（もしくは PRP にやらせているより）小さな程度の浄化をおこなえば，この事態は避けられる．前述したとおり，現行のほとんどの浄化は過剰なため，サイトあたり費用の削減はおそらく良いことだと思われる．しかし，過剰な浄化を求める同じような政治的・官僚的圧力があるため，CERCLA のインセンティブの仕組みが根本的に変わらない限り，状況は変わらないだろう．たとえインセンティブに変化があったとしても，影響はゆっくりとしか現れない．多くの NPL サイトにとって，汚染除去は既に選ばれたものであり，突然減らすのは難しい．

NPL サイトにおける汚染除去レベルの低下自体は良いことだと思われるが（特にスーパーファンドによる浄化費用の総額が減るならば），責任を PRP から政府へ移行させることで，過剰で費用のかかる浄化が抑えられるとは限らない．専門的知識やコスト意識に欠ける「キャデラック的浄化」に，EPA が陥る可能性もある（Probst and Portney 1992）．現在，民間部門の浄化は政府の 5 分の 1 の費用で済み，EPA に現存する NPL サイトの浄化をすべて任せると総費用はさらに 36 億ドル（1997 年ドルによる評価）必要になるという研究もある．興味深いことに，これは PRP の責任を廃止することで節約される訴訟費用にほぼ等しい．訴訟費用が減少して浄化費用が増大する結果，スーパーファンドの民間による浄化責任をすべて免除しても，総社会費用は 4%しか節約されないだろう（Probst 1995）．

## 14.9　おわりに

クリントン大統領はスーパーファンド法を大失敗と評価したが，それは間違いである．「すべての」お金が弁護士に行ったわけではない．実際に効果はあったし，おそらく多くのアメリカ人の生命と健康を守った．問題は，莫大な費用がかかったことである．理由ははっきりしている．EPA は「すべてを今すぐ完全にきれいにしろ」と言われたが，その予算がほとんどなかった．予算が限られているのも当然だろう．すべてをきれいにするには数兆ドルという国民総生産から見ても相当規模の金額が必要であり，それを喜んで支出しようという市民や議員はまずいない．不可能なことをやれと言われた EPA には，先延ばしして時間を稼ぐか，やったふりをするかの 2 つの選択肢しかなかった．EPA はそれぞれをある程度おこなった．

EPA や一般市民は，「すべてを今すぐ完全にきれいに」はできないことを理解すべきだろう．われわれは，優先順位をつける必要がある．限られた予算は，最大の効果を生むよう，もっとも多くの生命が救われるよう使うべきである．浄化が延期される（場合によっては中止される）サイトもあるだろうが，多くの場合は延期することで救命あたり費用を低くできるだろう．部分的な浄化で，危険にさらされている生命のほとんどが救えるような NPL サイトもあるだろう．

これらすべては，EPA が救命あたり費用という概念を素直に受け入れることが前提である．そのような概念を公にすることで，「どこを浄化するか」「どの程度まで浄化するか」「いつ浄化するか」といった課題について，EPA は理にかなった判断ができるようになるはずである．

# 補論　ミシガン州におけるスーパーファンド浄化作業の社会的費用便益分析

現実世界はたいてい特殊ケースである．

ホーングレンの観測結果

本文中で，スーパーファンド法による浄化について費用便益分析をおこなう手順を説明した．ここでは，ミシガン州における 2 つの応用例を示す．1 つは費用便益テストに合格であり，1 つは微妙な判定となる．以下の費用便益分析は簡単なものだが，浄化の社会的な緊急性について何らかの示唆を与えている．HRS が高く，影響を受ける人が多く，浄化費用の低いサイトには浄化する価値があるが，これらサイトでは両方とも完全浄化がおこなわれた（こうしたサイトに関する決定記録（ROD）の要約版が http://www.epa.gov/superfund/sites/rodsites にあり，完全版もここから注文できる）．

以下の分析も，完全浄化について検討した．詳細を述べる前に，注意をしておこう．たとえ完全浄化が費用便益テストをパスしたとしても，完全ではないような浄化の方が望ましいサイトもある．また，たとえ完全浄化が費用便益テストをパスしなかったとしても，完全ではないような浄化の方が望ましいサイトもある．

## ローズ郡区のサイト

1960 年代，タッカー・フォードというごみ収集業者が，相当量の溶剤，塗料，電池，PCB，油，油脂をハワード・ウィルソンが所有する 4.8 ha の土地に許可をもらって捨てた．いくらかはドラム缶に入れて埋められたが，大半はそのまま穴やラグーンに捨てられるか，地面にばらまかれた（Kafka 1997）．サイト付近に住む人はわずかだったが，ローズ郡区周辺には 4600 人が住んでおり，ほとんどすべての人が井戸水を飲んでいた．

ごみは 1971 年まで捨てられ，1980 年にミシガン州が 5000 個のドラム缶を撤去した．1983 年にサイトは NPL に記載された．HRS は 50.92 だった．1985 年にこの地域は囲いで覆われ，ドラム缶が抜き取り検査され，土壌の一部が撤去された．PRP が特定され，1988 年にはそのうち 12 の PRP が浄化の実施と費用負担に同意した．浄化作業では，1 万 9000 $m^3$ の土壌が掘削され，焼却され，埋め戻された．地下水を採取して処理する設備が導入され，運転された．その後 30 年間にわたりサイトや周辺地域の地下水を監視することになった．EPA と PRP は一時的な浄化技術の採用を考えていたが，最終的にはもっとも費用のかかる，そして「恒久的」と言える浄化技術が選ばれた．総費用の現在価値は 4740 万ドルだった（1997 年ドルによる評価であり，州による浄化費用は含まれていない）．このサイトにはさまざまな発がん物質が存在し，地下水か土壌のどちらかが接触経路となる．ROD では，サイトが浄化されない場合の生涯過剰がん確率が，ローズ郡区の各住民について推定された．推定値には 0.01 から 0.70 までの幅があった．これは年平均の過剰がん確率で 0.00013 から 0.01494 に相当する．ROD の推定はここまでだが，もう少し続けてみよう．ローズ郡区の住民が 4600 人で一定だとすると，サイトを浄化すれば将来にわたって毎年 0.6 人から 68.7 人の命が救われることになる．1 人あたりの救命価値を 300 万ドルとすると（第 1 章の補論 B を見よ），年あたり浄化便益は 186 万ドルから 2 億 610 万ドルとなる．4%の割引率を使用すると，年あたり浄化費用は $0.04 \times 4740$ 万ドル =190 万ドルである．推定値には広い幅があるが，年あたりの便益は費用をほとんどの場合で上回っている．

（本章で見てきたように，EPA の手法ではがんの死亡確率が過大に推定されてしまい，結果として浄化の便益も過大になる．しかし，われわれはローズ郡区の浄化による他の多くの便益（子供への曝露の減少や，レクリエーションの改善）を無視しており，過小評価も発生していると考えられる．）

### スピーゲルバーグのサイト

1966 年から 77 年にかけて，フォード自動車の子会社が塗料汚泥やその他の廃棄物をスピーゲルバーグにある閉鎖された砂利採取場に捨て，土壌を汚染し，地下水を広範囲にわたって脅かした．サイトの 3 マイル（約 4.8 km）以内に住む 1 万 8000 人が，地下水から飲料水を得ていた．塗料による汚染は，発がんやその他の健康リスクを引き起こしたのである（Drucker 1997）．

1983 年にスピーゲルバーグは NPL に掲載された．HRS は 53.61 だった．唯一の PRP であるフォード自動車は塗料汚泥を取り除いてサイト外で焼却すること，さらに地下水を揚水して処理した上で元に戻すことに合意した．浄化作業は 1997 年に終了し，2730 万ドルの費用がかかった（1997 年評価）．

汚染除去によって近隣住民のがんリスクは取り除かれ，ROD の推定によると，生涯過剰がん確率は 1 人あたり 0.00036 から 0.00190 になった．これは年平均の過剰がん確率で 0.000005 から 0.000024 に相当する．曝露する住民の数を 1 万 8000 人のままとすると，サイトを完全に浄化すれば将来にわたって毎年 0.08 人から 0.43 人の生命が救われることになる．確率的生命価値を 300 万ドルとすると，救命による年あたりの便益は 20 万ドルから 130 万ドルとなる．4%の割引率を使用すると，年あたり費用は 110 万ドルである．これは便益の推定幅のうち，やや高い方に位置している．

どちらの方向でも議論は可能である．潜在的に影響を受ける人は多いが，確率は低く，費用は高い．高めの割引率を使用すれば，費用便益テストには合格しにくくなるだろう．高めの確率的生命価値を採用すれば，あるいは悪臭や高血圧や出生異常の減少を便益に含めれば，費用便益テストには合格しやすくなるだろう．

# 第15章　放射性廃棄物

たまごを全部1つのかごに入れてごらん．・・・どうなった？

マーク・トウェイン『まぬけのウィルソン』1894年

人類が出すごみの中でもっとも危険なもの，放射性廃棄物の章へやってきた．ほとんどの人々にとってそれは，完全に経済学の範囲を超えた問題かもしれない．必要なのは科学や政治による解決であり，いくら費用をかけても処分すべきものなのかもしれない．後述するように，ある程度はこれに私も同意する．しかし放射性廃棄物には危険の程度がある．そのほとんどはいわゆる低レベル放射性廃棄物（low-level radioactive waste）であり，経済学はその解決に重要な役割を果たすものと思われる．

低レベル放射性廃棄物とは基本的に，発電所の使用済み核燃料や武器製造の副産物として発生する核廃棄物以外のすべての核廃棄物である．多くは発電部門から発生するが，医学などの研究，医療サービス，産業の研究部門，製造工程などからも発生する[1)]．放射性廃棄物の「低レベル」という分類は，安全性を意味するのではなく，単にリスクが高レベル廃棄物よりもはるかに低いことを表しているにすぎない．

低レベル放射性廃棄物には経済分析に適した領域がかなりある．アメリカ原

1)　低レベル放射性廃棄物とは，汚染された防護用靴カバー，衣類，ぼろきれ，モップ，フィルター，下水処理残滓，設備，器具，発光盤，医療チューブ，消毒綿，注射器，実験用動物の死骸，ティッシュなどである．もっとも強力な放射性廃棄物は，下水処理残滓，原子炉の廃棄部品，放射性物質を含んだ計量器具である．低レベル放射性廃棄物は，内容物の放射能によってA，B，Cのクラスに分類される．低レベル放射性廃棄物のほぼ90%はAクラスであり，非常に短い半減期を持ち，100年以内で安全な水準まで崩壊する（数時間，数日のものも多い）．Bクラスはより厳しい廃棄物管理が必要で，300年かかる．Cクラスは全体の2%にすぎないが，放射能はもっとも高く，500年は安全な水準まで崩壊しない（Vari et al. 1994；MILLRWC 1985；OTA 1989c）．

子力規制委員会（Nuclear Regulatory Commission：NRC）は，「貯蔵は暫定処置として短期的には安全と思われるが，長期的には貯蔵より処分の方が望ましい」としている（http://www.nrc.gov/NRC/NUREGS/BR0216/BR0216.html#_1_16）．であれば，アメリカにおける低レベル放射性廃棄物処分場の最適な数と最適な配置が問われなければならない．「最適」とは，低レベル放射性廃棄物を貯蔵し，輸送し，埋め立てて，（少なくとも1世紀にわたって）監視するのにかかる社会的費用の現在価値を最小化する計画を意味する（「最適」をカギカッコに入れているのは，ここで考えられているのが，既存の低レベル放射性廃棄物のフローを費用効果的に扱うことだからである．真の最適性という意味では，低レベル放射性廃棄物をどの程度発生させるべきかが問われるべきである）．

処分場の最適数と最適配置については，2つの対立する費用要素がある．一方では，処分地には莫大な規模の経済性があるのだから，大規模な処分場を少しだけ建設した方がよいかもしれない．他方で，輸送には費用がかかるのだから，小規模で分散した処分場をたくさん建設した方がよいかもしれない．本章ではこうした低レベル放射性廃棄物処理にまつわる課題を学んだ後に，簡潔にではあるが，高レベル核廃棄物の処分というはるかに困難な問題に注目する．

## 15.1　低レベル放射性廃棄物

図15–1は受入れが開始された1962年以降の，民間処分場による低レベル放射性廃棄物の年間受入量を示している（図15–1に示されているのは発生者から民間処分場までの総運搬量であり，発生のデータは存在しない（DOE 1995, 1998a)．運搬量と発生量は一時的な貯蔵量の変化によって異なり得る）．受入量は，1980年代初頭を境に減少している．これに対して処分料金は1983年の1 $m^3$ あたり700ドル（1997年ドル価値）から上がりはじめ，今日では1 $m^3$ あたり1万7000ドルを上回る．現在の処分料金は州ごとに大きく異なる．低レベル放射性廃棄物の発生者は，低放射性素材の利用，現地貯蔵施設の建設，焼却や圧縮など，さまざまな方法で高い処分費用に対応している（Ring et al. 1995；Berry and Jablonski 1995；Malchman 1995）．

低レベル放射性廃棄物の問題は，もはやそれをどう扱うかではない．現地（発生場所）での永久貯蔵が不適切なことについては以前から合意があり，海洋投棄

図 15–1　低レベル放射性廃棄物の容積（1962〜1997 年）

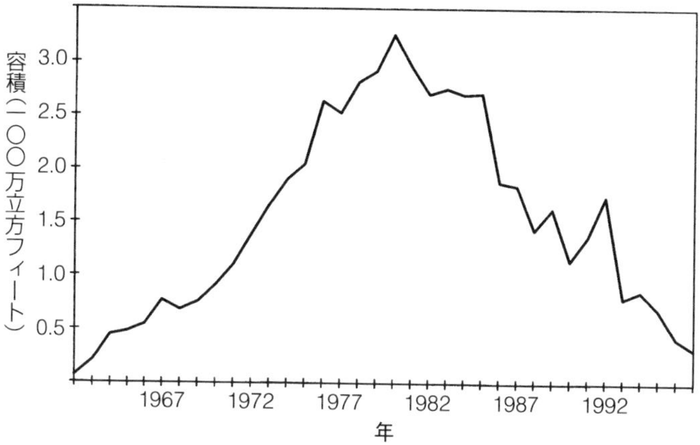

や再資源化（リサイクル）も最近では拒否されている．現在では，地下に埋めて数百年間厳重に監視することにコンセンサスが得られている．過去 20 年にわたって政策決定者が悩んでいるのは，低レベル放射性廃棄物の処分場をどれだけ，そしてどこに建設するかである．

処分場の数について，理論的な解決策はない．もし輸送費が高ければ，地域ごとにたくさん建設した方がよい．もし処分場の規模に関係なく認可や建設に莫大な固定費用が存在するなら，少しあるいは 1 ヶ所だけ建設した方がよい．これらの費用の大きさを見る必要がある．

## 15.2　低レベル放射性廃棄物の輸送費用

低レベル放射性廃棄物の総輸送費用は，運搬量，距離あたり費用，平均輸送距離に乗数的に依存する．まず距離を見てみよう．すべての発生場所に関するデータはないが，運搬される低レベル放射性廃棄物がどの州からどの州にどれだけ運ばれたかというデータはある．大まかな距離を測るために 2 つの仮定を置く．ある州の低レベル放射性廃棄物はすべてそのもっとも大きな都市で発生するという仮定と，ある州に処分場があればそれはそのもっとも大きな都市に位置しているという仮定である．1992 年から 96 年の 5 年間における各州からの平均輸送量

**表 15–1　低レベル放射性廃棄物処理施設の所在と平均距離**

| 処分場の数 | 平均距離（km） | 受入れ州 |
|---|---|---|
| 1 | 1,437 | アーカンソー |
| 2 | 837 | ケンタッキー |
| | | オレゴン |
| 3 | 568 | オレゴン |
| | | ペンシルバニア |
| | | テネシー |
| 4 | 450 | イリノイ |
| | | オレゴン |
| | | ペンシルバニア |
| | | テネシー |
| 5 | 374 | コロラド |
| | | ジョージア |
| | | イリノイ |
| | | オレゴン |
| | | ペンシルバニア |

〔訳注〕原著のマイル表示を 1 マイル=1.6 km で改めた．

データを用いて，さまざまな処理サイト数やその配置に応じた低レベル放射性廃棄物の平均移動距離が計算できる（Kearney and Porter 1999）．（単純化のために一番近い処分場までの最短経路を計算しているが，これはもっとも速い経路でも安全な経路でもない．またアラスカ州やハワイ州は計算から除外し，ワシントン DC は含めている．）すると簡単なプログラミングによる計算で，ある与えられた処分地数に対して，総輸送距離を最小化するには処分地をどこに配置すべきかが分かる．最短輸送距離を実現する処分場の場所と平均距離を，表 15–1 に示す．

表 15–1 で重要なのは，処分場の数が増えるにつれて平均輸送距離は減少していくが，処分場数が 3，4 ヶ所に達すると減少がとても緩やかになることである．規模の経済性を考えると，処分場の最適数はそう多くないものと思われる．

低レベル放射性廃棄物の輸送費用は，トラック 1 台・1 km あたり約 2～3 ドルである（Feizollahi et al. 1995；McDaniel et al. 1995）．輸送はたいてい 18 $m^3$ のトラックでおこなわれるので，（表 15–1 の）374～1437 km の平均距離に関する $m^3$ あたりの輸送費用は 240 ドル以下になる．処分場の費用からすれば，これはあまり高くない（輸送や処分に関わる外部費用はしばらくの間，無視する）．

## 15.3　低レベル放射性廃棄物の処分場費用

アメリカでは 25 年以上の間，大きな低レベル放射性廃棄物処分場が建設されていないため，その配置や建設や操業や閉鎖にかかる費用を推計するのに使える最近の確実なデータはない．あるのは，仮説的な推計値だけである．さまざまな文献による費用推計を比較してみよう（DOE 1993, 1994；Coates et al. 1994；Baird et al. 1995）．

基本的に，低レベル放射性廃棄物処分場における主な費用要素は次の 4 つである．

- **操業前**　立地場所の選択，具体化，許認可，土地購入，および施設や関連設備の建設に関わる費用．ふつう，こうした費用は操業開始前の 1〜7 年間に生じる．
- **操業**　低レベル放射性廃棄物の受け入れと処分，汚染の監視，隔離施設，操業設備に関わる費用．処分場の寿命はたいてい 20〜40 年とされる．
- **閉鎖**　処分場の密閉，全建築物の撤去，および通常 5 年間の閉鎖期間における環境保全や維持に関わる費用．
- **閉鎖後**　主に，閉鎖後期間中におけるモニタリングと安全管理．100〜300 年と，文献によって想定する期間は異なる．

表 15–2 は，150 万立方フィート（約 4 万 2500 $m^3$）の容量を持ち，30 年で満杯になる低レベル放射性廃棄物処分場に関する総費用の現在価値（Present Value of Total Cost：PVTC）である．推計された値は，容量 1 $m^3$ あたりで 3250〜7786 ドルと大きく異なる．現在価値のドル（PV）と現在価値でない立方フィートの比ではあるが，輸送費用に比べて高いことは分かる．30 年間にわたるフローと 4%の割引率の場合，1 $m^3$ あたりの PVTC を現在価値化された容量あたりに変換するには，PVTC に 1.73（つまり $30 \times 0.04 \div (1 - 1.04^{-30})$）を掛ければよい．表 15–3 は，同じ年数だけ使用される小さな処分場についての表である．容量 1 $m^3$ あたり PVTC は 4571〜1 万 1393 ドルである．表 15–3 で，表 15–2 よりも 1 $m^3$ あたりの評価額が高いのは，PVTC は容量が増えても比例的に上昇しないことを示している．さらに大きな処分場になると，単位あたり費用はもっ

**表 15–2　耐用年数 30 年，150 万立方フィート（約 4 万 2500 $m^3$）の容量を持つ施設における総費用（PVTC）の現在価値の推定値（1997 年の 100 万ドル換算）**

| PVTC | DOE（1993）推定値[a] | DOE（1994）推定値[a] | Coates et al. (1994)[b] 低い推定値 | 中間の推定値 | 高い推定値 |
|---|---|---|---|---|---|
| 操業前 | 62.8 | 80.3 | 73.5 | 147.0 | 220.5 |
| 操業 | 65.7 | 204.1 | 61.3 | 80.5 | 99.6 |
| 閉鎖 | 5.0 | 9.1 | | | |
| 閉鎖後 | 2.3 | 0.2 | 4.6 | 5.7 | 6.8 |
| 総 PVTC[c] | 135.9 | 293.3 | 139.4 | 233.1 | 326.9 |
| PVTC/$m^3$[d] | 3,250 | 7,000 | 3,321 | 5,536 | 7,786 |

a　DOE=アメリカエネルギー省.
b　Coates et al. (1994) では 3 種類の推定値があり，閉鎖と閉鎖後の費用を分けて推定していない.
c　端数のため，総計は一致しない.
d　施設容量（$m^3$）あたり PVTC（ドル）.
〔訳注〕原著の立方フィート表示を 1 立方フィート ＝ 0.028 $m^3$ で改めた.

**表 15–3　耐用年数 30 年，90 万立方フィート（約 2 万 5200$m^3$）の施設における総費用（PVTC）の現在価値の推定値（1997 年の 100 万ドル換算）**

| PVTC | DOE（1993）推定値[a] | DOE（1994）推定値[a] | Coates et al. (1994)[b] 低い推定値 | 中間の推定値 | 高い推定値 |
|---|---|---|---|---|---|
| 操業前 | 61.7 | 76.7 | 73.5 | 147.0 | 220.5 |
| 操業 | 61.2 | 146.7 | 36.8 | 48.3 | 59.8 |
| 閉鎖 | 5.0 | 7.7 | | | |
| 閉鎖後 | 2.3 | 0.2 | 4.6 | 5.7 | 6.8 |
| 総 PVTC[c] | 130.3 | 231.3 | 114.8 | 201.0 | 287.1 |
| PVTC/$m^3$[d] | 5,179 | 9,179 | 4,571 | 7,964 | 11,393 |

a　DOE=アメリカエネルギー省. DOE (1994) の推定値は年間 35,000 立方フィートのもの.
b　Coates et al. (1994) では 3 種類の推定値があり，閉鎖と閉鎖後の費用を分けて推定していない.
c　端数のため，総計は一致しない.
d　施設容量（$m^3$）あたり PVTC（ドル）.
〔訳注〕原著の立方フィート表示を 1 立方フィート ＝ 0.028 $m^3$ で改めた.

と低くなる（DOE 1994；Coates et al.1994；Baird et al. 1995；Rogers and Associates Engineering 2000）.

## 15.4　輸送費用と施設費用の統合

低レベル放射性廃棄物の輸送費は，あり得そうな距離や距離あたり費用を想定すると，1 $m^3$ あたり 240 ドル以下と低い．一方，処分場施設に関わる費用は高い．大規模処分場では 1 $m^3$ あたり 3000 ドル以上，小規模処分場では 4500 ドル以上にもなる．詳細に検討すれば，費用最小化を達成する処分場数は 1 つになるだろう．輸送費用が現実より数倍高い場合にのみ，2 つ目を作るのが最適になる．

これまで，外部費用は無視してきた．外部費用を考慮に入れても，1 つの処分場が最適であるという結果は変わらないだろうか．もし変わるとすれば，輸送の外部費用が非常に高く，処分場の外部費用が非常に低くなければばならない．

輸送には，周辺住民の健康に影響を与えるような漏出事故の可能性がある．放射能漏れの確率は，距離あたりの事故の発生確率と，事故が起きた場合に漏出が起こる確率と，何らかの漏出が生じたときにそれが有害な放射能漏れである確率を掛け合わせたものである．これら 3 つの確率は，いずれも非常に低い．トラックは安全な乗り物である（少なくとも運転手と積荷にとっては）．1974 年 6 月から 93 年 3 月までに，低レベル放射性廃棄物の道路輸送を巻き込んだ事故は 17 件しか報告されていない．これらの事故のうち放射性物質の漏出があったのはわずか 4 件であり，漏出によって放射線レベルが自然水準を上回ることはなかった (Kearney and Porter 1999)．

処分場の外部費用（近隣住民がこうむり得る被害）は，よりやっかいに思える．処分場がもたらし得る損害を直接的に計測した研究はないものの，間接的な方法は 3 つある．1 つ目は，処分場の公表・操業後における資産価値の下落を調べる方法である．低レベル放射性廃棄物そのものを取り上げた研究はないが，放射性物質に汚染された（あるいはその可能性のある）他の土地についての研究では，住宅価値への影響は示されていない (Gamble and Downing 1982；Payne et al. 1987)．2 つ目は，廃棄物処分場一般によく見られる，近隣住民に対する補償である．これは周辺地域の処分場に対する受入意志額の指標と捉えれば，そこから予想損害額を推計できる．しかし低レベル放射性廃棄物に関する住民補償は（これまでのところ）あまり多くなく，金額も大きく変動する[2]．そして3つ目は，環境被害に満ちた処分場の歴史を振り返ることである．これまでアメリカで操業した6つの処分場のすべてが，何らかの漏出や降雨による汚染水の流出を経験してきた．2つの処分場は，環境被害が続くために閉鎖に追い込まれた[3]．

低レベル放射性廃棄物処分場の最適な数は，1つかもしれない．しかしわれわれが向かっている数は，1つではなく，10以上である．どうしてそうなったかを見てみよう．

**コラム：効率的な処分場数を計算する方法（？）**

ある研究は，低レベル放射性廃棄物処分場の最適数を5つと結論づけた（Coates et al. 1994）．どう計算したのだろうか．まず各処分場の固定費用と，埋立作業にかかる可変費用を推計する．表15–2や表15–3のような数字である．次に，低レベル放射性廃棄物の処分価格について「政治的圧力」が許す限りの最大金額を予想する（1997年価格で1立方フィートあたり約230ドル）．すると，収入が費用を補うという制約下での最大限可能なサイト数を計算できる．それが5である．この研究の著者は，この解を「効率的」だと主張する．しかし利益ゼロ（あるいは損失ゼロ）を達成することのどこが効率的なのだろうか．処分すべき低レベル放射性廃棄物の量を所与とすると，効率的であるためには，処分にかかる社

2)　ペンシルバニア州での調査の結果，低レベル放射性廃棄物処分場の受入れには以下のような住民補償が必要であると分かった．地元雇用のため年400万ドルの出費，地元業者の優先（年間1200万ドルまで），施設から2マイル（約3.2 km）以内の住宅に対する税優遇や販売価格の保証，大学への補助金や奨学金の提供，年間30万～60万ドルの直接支払いである（Burk 1996）．マセチューセッツ州で提案された住民補償は，資産税の支払い，最初3年間における年15万ドルの支払い，操業期間中における年24万ドルの支払い，直接的な「影響」に対する300万ドルの支払いからなる（DOE 1994）．

3)　環境上の問題で閉鎖された2つの処分場は，ニューヨーク州ウェストバリーとケンタッキー州マキシーフラットにある（Gershey et al. 1990；Gerrard 1994；DOE 1996）．1970年代に建設された6つの処分場では，放射性廃棄物の入ったドラム缶をくぼんだ土地や溝に置き，満杯になれば汚染された土で覆うという，非常に簡単な処分方法が採用されていた．漏出やオーバーフローに加えて，処分場から（低レベル放射性廃棄物として受け入れられていた）道具類を取り出し，販売している労働者の存在も発覚した．ウェストバリーの浄化作業には既に10億ドル以上の費用がかかっており，完了までさらに80億の費用が予想されている（Greenwire 1999b）．ここでは「100の予防は1の治療に勝る」が当てはまるかもしれない．

会的費用の最小化が必要なのである．また，この研究の著者は，この解を「公平」だと言う．処分場への近さを心配する市民の人数を 5 倍にすることの，どこが公平なのだろうか．

## 15.5　処分場の設置に関するアメリカの政策

1960 年代と 70 年代に操業を開始した 6 つの低レベル放射性廃棄物処分場のうち，サウスカロライナ州バーンウェルとワシントン州リッチランドにある 2 つの処分場だけが現在も操業している．表 15–1 で，2 つの処分場の場合に最短距離を達成する配置はケンタッキー州とオレゴン州だったが，これはサウスカロライナ州とワシントン州という現存する 2 処分場の実際の配置とそれほど変わらない．つまり，実際の処分場へ運搬される平均距離（各州がもっとも近い処分場に運搬するとして計算したもの）は，最適配置された 2 つの処分場への距離より，104 km 長いだけである．

「市場の見えざる手」がほぼ正しい数の処分場を，ほぼ正しい配置で置くように調整してくれたのだ，とは言い過ぎだろう．しかし，いったん連邦政府や州政府の「見える手」が動きはじめると，いかなる最適性も色あせはじめる．

すべては 1979 年に始まった．ワシントン州とネバダ州の知事は，何度かの事故の後に，安全性の懸念に触れて低レベル放射性廃棄物処分場を一時的に閉鎖した（Peckinpaugh 1988；ネバダ州ビーティの処分場は永久に閉鎖された）．おそらくより重要なことだが，両知事は「自らの州が不当にもアメリカ全土で唯一の永久的な低レベル放射性廃棄物処分地になっている」という懸念を表明したのである．サウスカロライナ州もこれに加わり，同州のバーンウェル処分場が受け入れる廃棄物量を半減させた（こうした感傷は過去 20 年間で劇的に変化した．バーンウェル処分場は，上昇する処分費用に対処するために，新たな排出源を探し求めている（Hayden 1997））．

差し迫った危機に対し，関係主体に受け入れられる解決を求めて，3 つの組織の下にワーキンググループが結成された．全米知事会，エネルギー省，カーター大統領の国家計画委員会である．3 つのワーキンググループのすべてが，州自身の処分責任を強く主張した．

州主体のアプローチが主張されたのは，さまざまな理由による．まず，多くの州が処分場操業の初期に不十分な安全性に悩み，州で規制した方が効果的だと感じていた．2 つ目に，多くの州は，もし連邦政府に強制されなかったら新たな処分場をすすんで建設するだろうと感じていた（Kemp 1992）．3 つ目に，州間で交渉させた方が政治的な公平が実現されそうである（Paton 1997）．

州主体のアプローチを実行するために，議会は 1980 年に低レベル放射性廃棄物政策法（Low-Level Radioactive Waste Policy Act）を可決した．この法律は，商業的に発生した低レベル放射性廃棄物の処分に関わる 3 つの重要な条項を含んでいる．すなわち，各州が州内で商業的に発生した低レベル放射性廃棄物の処分に責任を負うこと，廃棄物処分のための州間協定の形成を進めること，そして 1985 年以降は協定を結んでいない州の廃棄物を拒否する権限が与えられることである（Glicksman 1988）．

1985 年までにほとんどの州が州間協定の形成に向けて進んできたが，新しい処分場の開発については何も進まなかった．この状況に対応して，1985 年に低レベル放射性廃棄物政策改正法が可決された．改正法は 1980 年法よりもはるかに詳細で，6 つの重要な条項を含んでいた．(a) 未決定だった 7 つの協定が採用された．(b) 協定外廃棄物の排除開始時期を 1993 年まで遅らせた．(c) 州が規制を遵守していると思われるために守るべき一連の工程表が作られた．(d) この工程表を満たしていない州には処分料金に追加料金が加算される．(e) 1996 年までに処分場を提供できない州は，州内で発生した低レベル放射性廃棄物に関するすべての責任を負わなければならない（「テイク・タイトル（take title）」と呼ばれる）．(f) 既存の 3 つの処分場における年間受入量に上限が設定された．

こうした一見厳しい条件の下でも，新たな処分場の建設は 1 つしか進展しなかった（DOE 1996；Hayden 1997）．州のこうした消極さは，1992 年に最高裁によって「テイク・タイトル」条項が州の権利への明らかな侵害であり違憲であるとされ，同条項が撤廃されたことも関係している．

新たな処分場の開発が進まないのは，フリーライダーの問題とも言える．協定メンバーの資格は明らかに魅力である．しかしどの州も協定メンバーにはなりたいが，受入側にはなりたくない．

現在，9 つの州が操業中の処分場を持っているか，低レベル放射性廃棄物の「永久」処分場の建設を計画している．4 つの州がバーンウェル処分場を利用できるために計画を中止した．さらにいくつかの州は，発生場所での永久貯蔵（いわゆる現地貯蔵）など，処分場を建設しない方法を検討している．結局，処分場がいくつになるかはまったく分からない．しかしアメリカ政府の最終方針は 1 つ以上，おそらく 10 以上だろう．

**コラム：低レベル放射性廃棄物のリサイクル**

低レベル放射性廃棄物には放射能が非常に低く，1 年間にわたって曝露しても胸部レントゲン写真よりもはるかに害が少ないものもある（「A クラス」と呼ばれる）．ちなみに平均的なアメリカ人は，毎年およそ 30 回の胸部レントゲン写真に等しい自然放射線に曝露する．なぜこうしたわずかな放射性スクラップをリサイクルしないのだろうか（Chen 1996）．

偶然にも，1999 年のスーパーファンド・リサイクル公平法（Superfund Recycling Equity Act）で，議会はリサイクル業者に放射性物質の使用における責任を免除し，この種のリサイクルを奨励した．これは「二階から目薬」的な，非常に間接的なリサイクル促進の一例である．もしリサイクル業者が放射性物質を埋め立てたり，処理したりすればスーパーファンドの下で責任が発生する．したがってそれ以外の方法に利益があろうとなかろうと，リサイクルは責任を回避する良い方法なのである（Greenwire 2000b）．

こうした法律がなくても，リサイクルの根拠は強い．現在，低レベル放射性廃棄物の処分費用は 1 トンあたり 1000 ドルに達している．しかし金属はわずかな放射線を無視すれば，スクラップとしてトンあたり 200 ドルの価値がある．したがって埋め立てずにリサイクルすれば，社会は 1 トンあたり 1200 ドル得する．さらに，もしバージン資源を採取し精錬するのに外部費用が発生するならば，これらはリサイクルによって回避される．これも社会的便益に加算すべきだろう．

リサイクルにはどんな外部費用があるだろうか．放射線は，スクラップを扱う労働者，スクラップを生産物に変える労働者，スクラップから製造された自動車や冷蔵庫やハンマーを最終的に使用する消費者に影響を与える．たとえこれらの影響が低かったとしても，リサイクルは 2 つの理由で受け入れられにくいだろう．第 1 に，自然放射線は避けられないが，放射線を帯びたハンマーの流通は防ぐことができる．第 2 に，胸部レントゲン写真の撮影は自発的であるが，いったん流通すればそれとは知らずに放射性ハンマーをつかんでしまう．ある論者によれば，「鉄鋼産業，労働者，環境主義者のすべてが反対する状況なんて他にはない」（Fialka 1999, A16 の引用）．それでも NRC はリサイクルの許可を考えている（Duff 2001a）．また NRC は，原発から出る低レベル放射性土壌を庭や運動場の盛り土用に販売して「リサイクル」することも考えている（Schneider et al. 2000）．（放射性廃棄物のリサイクルに対する市民の反応については，http://www.citizen.org/cmep/radmetal/radioactive_ recyclingindex.htm を参照．）

コラム：ミッドウェスト協定の失敗

ミッドウェスト協定の歴史を見てみよう．イリノイ州政府はミッドウェスト協定への参加について仮の同意をしていた．しかし，同州が協定処分場の最初の受け入れ先になることが明らかになると，撤回してケンタッキー州とともにセントラル・ミッドウェスト協定を形成し，1 処分場が受け入れる低レベル放射性廃棄物の総量を大幅に削減したのである．

そこでミッドウェスト協定は，ミシガン州を最初の受入れ州にすると決定した．するとミシガン州は厳しい立地基準を作り，同州のいかなる場所にも処分場の立地が事実上できないようにしてしまった．ミッドウェスト協定は投票をおこない，ミシガン州の会員資格を取り消した．

残ったミッドウェスト協定参加州は，オハイオ州を受入れ先に指定した．しかしオハイオ州は処分場の運営に消極的であることを表明しており，立地に向けた歩みは事実上ストップしている（Coates and Munger 1996；Tompkins 1997）．

## 15.6　協定システムの費用

協定のメンバー資格と受入れ州に関する果てしない口論はともかくとして，協定システムは実施されれば非常に費用のかかるものになるだろう．まず，多くの処分場があっても期待されるほど輸送費用は減らないかもしれない．いわゆる地域協定には変なグループ分けがある．もっとも極端なのがテキサス州とバーモント州とメーン州による地域協定である．もし（1999 年時点で）13 の受入処分場がすべて操業し，各州が自らの低レベル放射性廃棄物をもっとも近い処分場に運んだとしたら，平均輸送距離は226 kmまで減少するだろう．これは最適配置で処分場を1つ作る場合の約6分の1である．しかしもし各州が自らの協定処分場にしか運ばないのであれば，平均距離は411 kmになる．これは処分場を1つ作る場合の4分の1以上である．実際のところ，13ある操業中・計画中の協定処分場における平均輸送距離は，最適配置で4つか5つの処分場を作る場合とほぼ同じである．

現在構想されている13の協定処分場では，1026 km（= 1437 − 411）の輸送節約になるだろう．1992～96年の平均廃棄物量と18 m$^3$のトラックを前提にすると，節約額は年間わずか500万ドル以下である．500万ドルの輸送費用を節約するために，処分場を1ヶ所ではなく13ヶ所建設することが求められている．1ヶ所の低レベル放射性廃棄物処分場の固定費用の現在価値は，約8000万ドルである（さらに，容量100万立方フィート（約2万8000 m$^3$）ごとに550万ドルが加わる；Kearney and Porter 1999）．13ヶ所は1ヶ所よりもほぼ10億ドル多く費用がかかってしまう．この10億ドルを年価値化すると，協定システムの費用は年間約7000万ドルになる（処分場の寿命30年，割引率4%を仮定している）．

年500万ドルを節約するために年7000万ドルを費やせというのだろうか．協定システムにかかる費用の現在価値は，これまでに費やされたものを除いても，処分場を1つ作る場合に比べて10億ドル以上かかる．たとえば年間6500万ドルまでの補償金を払って，今後30年間，国の低レベル放射性廃棄物を受け入れるような州や場所を見つけ出すことはできないのだろうか．なおこれらの計算は，低レベル放射性廃棄物の量が1992～96年の年平均で続くことを仮定している．もし国の処分場で価格が上昇すれば，廃棄物の発生量が減って処分場が長持ちするだけでなく，住民補償の大部分（あるいはすべて）を廃棄物の発生者（消費者）が支払うことになるだろう．

## 15.7　高レベル核廃棄物

既存のアメリカの原子力発電所は，操業期間中に8万トンの使用済み核燃料を発生させる．それは1万年にわたって危険性を持つ．使用済み核燃料のほとんどはその場で貯蔵されるが，こうした現地貯蔵は暫定的な手段と考えられている（使用済み燃料の置き場が満杯になると，3つの選択肢がある．使用済み燃料棒を慎重に分離し，再処理する．鉄やコンクリートや鉛の容器に燃料棒を入れ，コンクリートで補強された大きな貯蔵箱で保管する．使用済み燃料を「監視された回収可能な貯蔵施設」に運ぶ)．切迫さが増す中，われわれは高レベル核廃棄物をどこでどのように処理するかについて意思決定をしなければならない[4)]．

国が高レベル核廃棄物の扱いを決定するに至ったのは，どういう経緯だったのだろう．トイレやごみ箱やごみ処理サービスの契約なしに，家を購入して生活を始めるような家族はいない．しかしある専門家が言うように，「核時代の始まりから，政府は廃棄物を極力無視してきた」(Lenssen 1992, 47) のである〔訳注：日本でも 2004 年 7 月現在，高レベル放射性廃棄物の最終処分地は候補地さえ決定していない〕．最初の原発が建設された 1950 年代にもし考えがあったとすれば，産業界や政府は使用済み核燃料の再資源化を期待していた．しかし 1970 年代までには，それが安全でもなく費用効果的でもないことが明らかになり，他の処理手段が模索されたのである[5)]〔訳注：日本ではリサイクルを前提とした原子力政策が続いてきたが，2004

---

4)　過去半世紀にわたる核兵器計画からも，多くの高レベル核廃棄物が発生する．それらは，民間の核廃棄物とは別に扱われている．しかしその扱われ方は，ずさんである．エネルギー省の試算では，武器製造で使用されたプルトニウムのほぼ 3 分の 1 が「もろい容器」で貯蔵されていたために土壌に放出されている (Greenwire 2000a；Wald 2000a)．その他に，政府はニューメキシコ州カールスバッドの地下 655 m に廃棄物隔離施設を開発し，武器製造廃棄物を運びこんでいる (Jensen 1999)．エネルギー省は，武器製造場の浄化費用は最終的に 2500 億ドルになると見積もっている (DOE 2000)．「鉄の壁」で隔離するだけにして浄化作業を減らしたり，あるいは全く浄化しないのであれば，もちろん費用は少なくて済む．しかしそうした結果，「国家犠牲地帯」という不吉なレッテルが貼られているのである (NAS 2000)．

5)　リサイクルが有益なのは，処分に費用がかかったり，バージン資源の採鉱が莫大な外部費用を発生させる場合である．しかし核廃棄物については，以下の 4 つの要因を考える必要がある．第 1 に，再資源化は費用がかかる．適用されているのは，費用がほとんど問題にならないような爆弾製造のみである．第 2 に，ニューヨーク州ウェストバリーの再資源化施設での事故などで，再資源化の安全性は疑問視されている．第 3 に，ウランは安価になって輸入されつつあり，国内のウラン採鉱による外部性への懸念は減っている (Carter 1987)．第 4 に，再資源化は高レベル核廃棄物の量を減らすが，含有熱量を減らしたり核分裂物質を除去することはない．したがって再資源化によって処分場設置問題がなくなるわけではない (NAS 2001)．いずれにせよアメリカでは民間による使用済み燃料の再資源化が 1979 年に禁止されたが，それを奨励し続ける科学者もいて，再資源化は他の場所でおこなわれている (Fialka 2001b)．たとえばフランスでは自国の

**表 15–4　場所の選定と高レベル放射性廃棄物処理場の建設にかかる費用の推定値**

| 費用項目<br>(1997 年の 10 億ドル) | 1982 年<br>推定 | 1986 年<br>推定 | 1989 年<br>推定 |
|---|---|---|---|
| 計画の具体化 | 0.1 | 1.4 | 15.0 |
| 開発・建設 | 1.6 | 12.6 | 32.6 |
| 処分場開設予定年 | 1998 | 2003 | 2010 |

出所：Keeney and von Winterfeldt 1994.

年 1 月に電気事業連合会が再処理コストの試算を発表し，この路線をめぐる経済的な観点から見た是非の議論が高まっている〕.

いくつかの低費用の方法が科学的・政治的な背景から却下されたが，1980 年代までに，世界の科学分野で，高レベル核廃棄物は地下深部の処分場に隔離するのが最善であるというコンセンサスがほぼ得られた．このコンセンサスはすぐには得られなかった．地下深部での処分を科学的に推薦する意見は 1957 年までさかのぼり，ごく最近の 2001 年まで数回繰り返された（NAS 1957, 2001；DOE 1980）．1982 年の放射性廃棄物政策法にはこれが記され，エネルギー省に高レベル核廃棄物を建設するよう求めている．そして，長い長い時が過ぎた．属性調査（科学的な適合性や環境保全や安全性の評価）が各候補地で盛んにおこなわれ，開発と建設の費用見積もりが大きくなるにつれて，実際に処分場を操業しはじめる日は先延ばしになっていった（表 15–4）．多額の費用を費やすほど，いつどこで高レベル核廃棄物を管理するのかという問いの答えは不明瞭になっていった．

この節ではこれまで，経済学の出番はなかった．実際，経済学者が高レベル核廃棄物の処分に何らかの助言をしようと試みた分析は，政治に取り込まれすぎて，経済学からかけ離れたものになった（Porter 1983a）．科学者や政治家が，有益な経済学を遠ざけておこうと企んだわけではない．経済学があまり役に立たない理由が存在するのである．

**コラム：ウランの採鉱くず**

ウラン原鉱 1 トンにつき，2.3 kg のウランが抽出される．残りは細かい「くず

---

使用済み核燃料を再資源化しており，燃料を 1 回使用しただけで永遠に貯蔵するよりも費用がかからないという（Lake 2001）．イングランド北部のイギリス原子燃料公社は使用済み燃料を輸入し，1 トンにつき 100 万ドルの処理価格で再資源化をおこなっている．

鉱」である．これはスラリー（微粉状の金属鉱石が水に混ざってどろどろになったもの）としてくず鉱池に埋められたり，乾燥させて工場付近に積み上げられる．こうしたくず鉱は，ニューメキシコ州，ワイオミング州，コロラド州，ユタ州などに 2 億トン以上存在している．放っておけば，放射性物質が水や風で運ばれるだろう．EPA は，むき出しのまま山積みされたくず鉱の付近に住む人々の生涯過剰肺がんリスクを，0.02 と推計した．これは平均的なアメリカ人が高速道路事故で死亡する生涯リスクよりも大きい．さらに EPA は，もし政策が実行されなければ，来世紀中に 500 人が死亡すると見積もっている（Carter 1987；Diehl 1999）．乾燥されたくず鉱は住宅建設に利用されることもある．EPA の試算では，こうした住宅に住む人々の生涯過剰がん確率は 0.04 である．容認できるレベルではない．

現在は，くず鉱を分厚い層で覆って地下水を監視しているが，山積みになった過去のくず鉱があるために問題は続くだろう．より深刻な場合は，くず鉱をほとんど人の住まない，監視の行き届いた場所へ移動させる必要がある（監視期間を考えると気が遠くなる．ウラン 238 は，50 億年のほぼ半分の寿命を持つ）．既に，5 億立方フィート（約 1416 万 $m^3$）以上のくず鉱が移動された．

将来のくず鉱がアメリカで問題になる可能性は低い．ウラン価格は 1980 年代に下落し，現在たいていのウランは輸入されている．数年前に民営化されたアメリカのウラン増殖施設も，ミサイルの生産減少，原発の閉鎖，改良技術を使ったロシアからの輸入品による価格下落，という三重の不運で倒産しそうである（Wald 2000b）．

## 15.8　経済学の領域は存在するか

経済学は，小さな当座の問題を取り扱うには有益である．時間軸が長くなるにつれて（1 万年は非常に長い），経済学がおこなう割引による異時点間比較は非常に怪しくなってしまう．そして問題がより大きくなるにつれて（8 万トンの放射性物質は非常に大きな問題である），取引への経済学者の信用を基礎にした，整然として（私が思うに）説得力のある部分均衡分析はあまり適用できなくなる．関連する変数が急増し，未知の分野に関数を外挿する必要性が現れ，無知や不確実性や公平性の問題になると，経済分析は立ちゆかなくなる．そして複雑な分析ほど，信用されなかったり論争になったりする．

割引率について考えよう．たとえ非常に低い（実質）利子率を用いたとしても，T 年後に生じる 1 ドルの現在価値は，T が大きくなれば非常に小さくなる．2%の割引率では，100 年後に生じる 1 ドルはわずか 0.14 ドルの価値しかない．500 年ではたったの 0.00005 ドル，1000 年ではわずか 0.000000003 ドルである．もし処分場管理の費用便益分析に単純な割引を適用すれば，いま費用を 1 ドル節約することで 3000 年後に 4000 億ドルの放射性災害が起きることが分かっているとしても，それは望ましいという結論になるだろう．こんな計算に基づいた助言は，冗談にもならないだろう．

経済学者は半世紀にわたって，長期にわたる割引の問題を考えてきた（Strotz 1956）．そのジレンマはこうである．もし将来に重きを置くために 0.0002%のような非常に低い割引率を採用すると，非常に遠い将来の，非常にわずかな便益をもたらす公共投資の多くが利益ありと判断されてしまう．現在世代はそんな投資をしたがらないだろう．短期の投資には高い利子率を用い，長期の投資には低い利子率を用いると，費用便益分析には大きな矛盾が生じてしまう．ある同じことについて「明日それをすべきだ」という結果が今日出たかと思えば，次の日には「すべきでない」と言われるかもしれない．たとえ元の情報が同じでも，助言の内容が変わってしまうのである[6]．

割引の問題を無視しても，今日着手されている活動について，1000 年後の便益や費用をあえて計測するような経済学者はいないだろう．実際，常に 1000 年という期間を扱っている生態史学者は，1 万年を「ほぼ想像不可能な長い期間」と捉えている（Flannery 1994）．人口統計は変化する．1 万年前，現在のアイルランドには誰も住んでいなかった．経済構造も変化する．1 万年前，定住農耕は存

6)　以下の例を考えてみよう．ある投資は最初の年に 1 ドルの費用がかかり，その後の 2 年間で毎年 2 ドルの収益を生む．割引率として来年は 5%，その次の年には 1%を用いる．いま投資することの現在価値は，$[-1 + 2(1.05)^{-1} + 2(1.05)^{-1}(1.01)^{-1}] = [-1 + 0.95 + 0.94] = +0.89$ である．しかし投資を来年に延期することの現在価値は，$[-(1.05)^{-1} + 2(1.05)^{-1}(1.01)^{-1} + 2(1.05)^{-1}(1.01)^{-2}] = [-0.95 + 0.94 + 0.93] = +0.92$ である．したがって投資は延期した方がよいが，来年になればまた同じ理屈で 1 年延期した方がよいことになる．利益を生むはずの投資は，永遠におこなわれないだろう．

在しなかった．技術も変化する．1万年前，石器時代はまだ終わっていなかった．選好も変化する．1万年前，人類はおそらく幸福とはもう1年生き延びることだと考えていただろう．要するに経済学は，高レベル核廃棄物をいつどこでどう処理するかという問題の解決に役に立たないのである．ただし，何らかの助言は提供できる．

## 15.9　核廃棄物に対する課税

1983年以来，連邦政府は原子力で発電された電力1kWhにつき0.1セントの税を徴収し，税収を核廃棄物基金にプールしていた．これまで集められた総税収は150億ドル以上で，そのうちいくらかは既に使われたが，まもなくさらに多くが費やされることになるだろう．というのも裁判所が，エネルギー省は使用済み核燃料処分場の設置に責任があるという判決を下したからである（Fialka 1998, 2000）．

通常の産業では，ある生産要素に対する課税が導入されれば，その使用が減少し，産出物も減少する．しかし，たいていの電力会社は地域独占である．独占事業者はどんな課税も電力価格にすべり込ますことができるので，原発への直接的な抑制効果はない．いずれにせよ，廃棄物や課税とは関係なく，アメリカでは過去20年間原発はまったく建設されていない．

たとえ課税に事実上の効果がないとしても，その目的について考察することは興味深い．それは明らかに，原子力発電所の外部費用に対するピグー税ではない．外部費用の大きさが分からないからである．税収が高レベル核廃棄物の永久処分場の確保や建設や運営などに充てられるという事実は，課税の目的が処分プロセスにおける隠れた補助金の回避にあることを示している．つまり，原子力によって生産された電力を使用する人々がより高い料金を払うことで，核燃料の最終保管場所の費用が支払われるというわけである．ただしこうした特別税の税収規模は最終的に300億ほどであるのに対して，高レベル核廃棄物の処分にはその2倍以上の費用がかかる（Manning 1998）．

特別原発税が，最終的に高レベル核廃棄物処分に充てられる隠れた補助金を完全に取り除くことはないだろう．これらの処分費用を配分する公正な方法かどうかもあいまいである．電気事業者も消費者も，原子力発電所の建設決定時に，税や処分費用について知らなかった．高レベル核廃棄物処分場の費用をまかなうためにすべての電源に課税すべきだという議論も成り立つし，アメリカではほぼすべての人が電気を使うのだから特別電力税の必要はない（一般財源を使えばよい）という議論もできるだろう．

## 15.10　処分場の設置場所

アメリカにおける高レベル核廃棄物処分場の立地選定は「オーバーレイ方式」に従ってきた（Porter 1983a）．それは次のようなものである．壁にアメリカ地図を貼り付け，その上に透明なプラスチックシートをかぶせる．各シートはある特定の基準を満たさない地域が黒く塗りつぶされている．1 枚目のシートは人口密度の高い地域が黒く塗られ，2 枚目のシートは地下水リスクの高い地域が黒く塗られている．すべてのプラスチックシートをかぶせた後，まだ見えている部分はどんな基準にも引っかからない場所であり，処分場の候補地となる．すべての基準にぎりぎりで合格する場所が選択され，ある 1 つの基準は不合格だがそれ以外は大きくクリアするような場所は却下されてしまうので，この方法は明らかに非効率である．

なぜこのような方法が採られてきたのか．残った場所は絶対安全であるというフィクションを，政府が維持したいからである．だから本当は各基準についてわずかに安全性が低いだけなのに，それが絶対安全であるという宣言がでっち上げられてしまう．たとえば人口密度を考えてみると，絶対安全なのは処分場付近に誰も住んでいない場合だけである．人口密度が 1 $km^2$ 当り $x$ 人以下なら絶対安全であるというのは，でっち上げにほかならない．オーバーレイ方式に従えば，どの基準でも黒く塗られていない地域が絶対安全であると（もちろん誤って）宣言できるのである．

要するに，最良の場所を探すのではなくて，いくつかの独断的な基準にすべて合格する場所を探しているのである．費用が顧みられたことはない．提案されているネバダ州ユッカマウンテン・サイトの調査にはすでに 70 億ドル近くが費やされており，DOE の見積もりでは（2010 年以降に完結する場合の）最終的な総費用は 750 億ドルに達する（Fialka 1998；Grunwald 1998；Grove and Manning 2001）．そして期待救命あたりの追加的な費用は比較にあたって考慮されていない．候補地はすべて絶対安全であるという想定だからである．この仮定（地下処分の長期的なリスクはゼロ）は，最高裁の承認さえも受けている．最高裁は，ボルチモア・ガス電力会社と天然資源保護評議会が争った裁判で，地下処分が安全であるという NRC の宣言を妥当なものと判断している．

1982 年の放射性廃棄物政策法によって，議会は DOE に 3 ヶ所の処分場候補地を探すように求めた．調査が進むにつれて，現在および将来に必要な費用は急速に上昇した．そこで議会は，1987 年の放射性廃棄物政策改正法によってネバダ州のユッカマウンテンを唯一の候補に指定し，調査を終わらせた．これは「スクリュー・ネバダ」法案と呼ばれている[7]．過去数十年におこなわれた研究には，便益が費用を上回るという意味で，ユッカマウンテンが最良の候補地かどうかを判断する手がかりはない（ユッカ研究のリストについては http://www.ymp.gov/doclist.html を，近年の研究については DOE（2001）を参照）．しかし，ユッカマウンテンが良い選択かどうかを考えることはできる．アメリカにおける他の候補地とは違い，ネバダ州はすでに残存放射線によってひどく汚染されているという「利点」を持っている．長年にわたる地下核兵器実験で，上水道への流入を防止する壁もない，放射線で汚染された洞窟が残っているのである（Tsipis 1994）．

ネバダ州の適性について唯一の現実的な問題は，輸送費である．ネバダ州は使用済み核燃料処分場として，最小輸送距離の位置にはない．アメリカのすべての高レベル核廃棄物をユッカマウンテンに運べば，7 州を除くすべての州を通って輸送することになる．ネバダ州住民はこれを，「動くチェルノブイリ」だと警告している[8]．しかし輸送時の危険性は，過去の経験から言って小さいように思われ

7)　このような突然の決定に不平を言っているのは，ネバダ州だけではない．ある著者は，「振り返ってみると，ユッカマウンテンをわが国最初の高レベル核廃棄物処分場に選択したことは，体系だったものでもなければ，最良の場所を見つける組織だった計画の結果でもないだろう．……この選択は……放射能物質を生物圏から隔離する能力とはほとんど関係がない」と結論づけている（Jacob 1990, xv, 172）．ユッカマウンテンの東にリトルスカルマウンテン（小さなガイコツ山）があり西にフューネラルマウンテン（葬式山）があるのは，おもしろくもあり，不吉でもある．ところで「スクリュー・ネバダ」法案は，前評判どおり上院を通過しなかった．採決は 61 対 28 だった．

8)　ラスベガス市はコンサルタント会社に，高レベル核廃棄物がラスベガス付近を 90 マイル（約 144 km）移動する際のリスクを推定するよう依頼した（Sahagun 2000）．試算では，「原子力事故」の確率は 1 マイル（約 1.6 km）あたり 0.000000003 であり，貯

る．過去20年間，総計で1000トン以上の高レベル核廃棄物がアメリカ国内で数千回運搬されたが，事故は8回しか起こらず，放射能漏れは1度も起きていない(Holt 1998；Fialka 2001a)．

ネバダ州住民の多くは，補償額の交渉を考えはじめている(Kanigher and Manning 1998；Fialka 2001a；Sebelius 2001)[9]．ここでの問題は，研究が示唆するように，核廃棄物の受入意志額が住民補償の大きさにあまり影響を受けないことである(Kunreuther et al. 1990)．ネバダ州ビーティにおける地元住民の面接調査をおこなったところ，ユッカマウンテン処分場に求める唯一の住民補償は，そこでの何らかの雇用だった(Kuz 1998)．

**コラム：住民補償による処分場設置**

1987年の放射性廃棄物政策修正法で，大統領直属の核廃棄物交渉者（Nuclear Waste Negotiator：NWN）に，高レベル核廃棄物処分場の受入れについて州知事やアメリカ原住民と交渉する権限が与えられた．1991年に，NWNは知事やアメリカ原住民の部族に対し，施設受入れの条件を調べるための補助金給付への申請を呼びかけた．1年以内に，NWNは20件の申請を受け取った．

最終的に，メスカレロス・アパッチ族が施設の受け入れ意志を表明した．その理由を尋ねられると，酋長はこう言った．「ナバホ族は織物を作る．プエブロ族は陶器を作る．メスカレロス族は金もうけをする」(Hanson 1995)．しかし最終的なNWNの決定はおこなわれていない．1994年に，議会はNWNの予算を廃止した．

---

蔵所が満杯になるまでに4万4250回の運搬がおこなわれる．したがって，ラスベガスでの事故確率は90回に1回である $(1-(1-0.000000003)^{(90)(44250)}=0.011)$．

9)　ロシアもこれを検討中である．ロシアには，数十年にわたる高レベル核廃棄物の無謀な扱いによって，放射性物質にひどく汚染された地域がある．ムスリュモヴォ(Muslyumovo)は，チェルノブイリの20倍以上放射能が強いと言われている(Glasser 2001)．1トンあたり約100万ドルで海外から高レベル核廃棄物を受け入れれば，自身の高レベル核廃棄物を処理して汚染を浄化するための資金が得られるかもしれない．現在のところ，ロシアの高レベル核廃棄物は処理を待ちながら山積みになっているか，アメリカに売られている．なぜ世界各国が核廃棄物を受け入れるのに対価を得ているときに，アメリカはわざわざ代価を支払って核廃棄物を受け入れているのだろうか．撤去された核兵器の放射性物質が，誤った手に渡るのを懸念しているのである(GAO 2000)．

## 15.11　高レベル核廃棄物の運搬時期

原則として，高レベル核廃棄物の処分方法，保管場所，保管期間は同時に決定すべきである．アメリカはこれらの決定を実際には同時におこなってこなかった．1980 年代に地下深部の処分が公式に決定され，次にその場所がユッカマウンテンに（ほぼ）決定した．ただしそこへ移動させる時期はまだ決まっていない．できる限り早い方がよいと考えられているのかもしれないし，すでに遅すぎるという人もいるかもしれない．こうした移動時期の決定が持つ含意を検討しよう．

ユッカマウンテン処分場が操業し，受け入れを始めたとしよう．使用済み核燃料を輸送するのは，今か後のどちらがいいだろうか．あるいは，ずっと移動させないのがよいだろうか（「今」は「まもなく」とした方が正確だろう．実際，使用済み核燃料やその他の高レベル核廃棄物は，放射性同位体が大きく自然崩壊する 10 年の間は処分場に運ぶべきではない．Carter（1987）を参照のこと）．もし答えが「ずっと移動させない」であれば，ユッカマウンテン処分場の属性調査，計画，建設の苦労と出費はいったい何だったのかということになる．決定した最終処分場が 1 つということから言って，輸送時も含めたユッカマウンテンのリスクは，現地で一時的な小規模処分場をたくさん作るリスクよりも小さいのではないだろうか．「今か後か」という疑問にも簡単に答えることができる．もし処分場建設に意味があるのなら，すぐにそれを使った方がよい．これが自明でない場合，コラム「高レベル核廃棄物処分場への運搬時期について」を読まれたい．

こうした議論は，寿命の長い核廃棄物の処分が，少なくとも経済学的には単純な問題であるかのように思わせる．しかし，データの不確実性や割引の問題のために費用の比較が難しいということを除いても，経済学的な問題は存在する．それは技術進歩の問題である．もし技術進歩がすぐ起きそうなら，どんな決定も延期した方がよいだろう．残念ながら，われわれにはそれが起きる可能性や時期を知る術がないし，現地貯蔵を続けるには費用やリスクがある．再資源化技術が社会的に有益になるのなら，回収不可能な地下深部には埋めない方がよいが，やはりそれが起きる可能性や時期を知る術はない（Lake 2001）．不確実性に対処するには，現地貯蔵よりも安全で地下深部への処分よりも柔軟な，監視付きの貯蔵をすればよいという人もいる．

**コラム：高レベル核廃棄物処分場への運搬時期について**

高レベル核廃棄物を処分場に輸送することの社会的費用を $X$，現地貯蔵を続けることの社会的費用を年あたり $Y$，処分場の設計や建設にかかる費用を $F$（単純化のためすべてが 1 年間で終了すると仮定），処分場を操業するのにかかる社会的費用を年あたり $V$ とする．処分場の建設は賢明な行動であり，その社会的費用の現在価値（$PV_{reposit}$）は，現地貯蔵の社会的費用の現在価値（$PV_{on-site}$）より小さいものとする．これら 2 つは以下のように表せる（$i$ は実質割引率，$[1+i]/i$ はいまから永遠に続く 1 というフローの割引現在価値である）．

$$PV_{reposit} = X + F + \frac{(1+i)V}{i} \tag{15.1}$$

$$PV_{on-site} = \frac{(1+i)Y}{i} \tag{15.2}$$

仮定より $PVreposit$ は $PVon\text{-}site$ より小さいので，

$$X + F + \frac{(1+i)V}{i} < \frac{(1+i)Y}{i} \tag{15.3}$$

である．さて問題は，高レベル核廃棄物を処分場にいつ運搬するかである．輸送を 1 年延期する現在価値（$PV_{wait}$）は，3 つの項からなる．1 つ目に，高レベル核廃棄物を処分場へ輸送する社会的費用を 1 年延期することの便益（$+iX/[1+i]$）である（今年の高レベル核廃棄物の輸送費の現在価値が $X$，来年の輸送費の現在価値が $X/[1+i]$，その差は $iX/[1+i]$）．2 つ目に，処分場操業の社会的費用を今年支払わないで済むことの便益（$+V$）である．3 つ目に，今年に高レベル核廃棄物を現地貯蔵する費用（$-Y$）である．延期が社会的に有益なのは，以下の場合である．

$$\frac{iX}{(1+i)} + V - Y > 0 \tag{15.4}$$

しかし (3) 式の両辺に $i/(1+i)$ を乗じれば分かるように，(4) 式は正ではなく負である．つまり延期は不利益である．もし処分場建設に意味があるなら，できる限り早く使った方がよい．

## 15.12　おわりに

放射性廃棄物の処分は，低レベルであれ高レベルであれ，潜在的なリスクが存在する．放射性廃棄物処分に関わる問題の一端は，「よくよく探せば絶対安全な処分場はある」という無茶な仮定にある．永遠に探し続けろというのか．とはいえ低レベル放射性廃棄物をずさんな監視の下で貯蔵したり，閉鎖間近の原発で金属容器に入れて浅い場所に埋めたりといったように，何もしないのも危険である．

リスクへの過剰反応も危険である．エネルギー省の試算によれば，放射性廃棄物の管理による救命あたり費用は約 5 億ドルである（1997 年ドルによる評価．DOE（1979,1982））．ある物理学者の推計では，単純な予防策を施して既存発電所のすべての使用済み核燃料を無作為に埋めたとしても，アメリカ全体で増加すると予測される死亡数は 100 人以下にしかならない（Cohen 1986）．

建設予定の処分場には，約 600 億ドルの費用がかかってしまう．この費用を健康など他の目的ではなく処分場に費やすことで，1 万人以上の生命を救うチャンスが失われる（第 1 章の補論 B を参照）．この処分場が現地貯蔵の 100 倍安全だとしても，救命あたり 5 億ドル以上の費用がかかる．これは，通常の確率的生命に対する支払意志額より 2 倍大きい．しかし，処分場の調査に多くの時間と費用を費やしているのを見る限り，現地貯蔵よりはましな方法なのかもしれない．

いずれにせよ，すべては議論の余地がある．ジェイムズ・ジェフォード議員が共和党を最近離脱したことで，多数派の上院内総務となったトム・ダシュル議員は，50 万ドルの資金集めパーティーへ急いで去る前に，ユッカマウンテンは「死んだ」と発表した（Moller 2001）．では何が「生きている」というのだろうか〔訳注：民主党のダシュル議員はユッカマウンテンの計画に反対しており，民主党が多数派である限り計画は進まないとしている〕．

ごく最近では，2001 年 9 月 11 日のテロ事件によって核燃料の安全性に新たな疑問が投げかけられた．発電所で貯蔵されているたいていの使用済み核燃料は，特別なテロ対策を備えていない普通の建物に保管されている．「憂慮する科学者連合」（Union of Concerned Scientists：社会問題に関心を持つアメリカの科学者による団体）はこれを，「ネオンサインのない K マート〔訳注：アメリカの大手スーパーマーケットチェーン〕」と呼んでいる（Grunwald and Behr 2001, A01）.

# 第IV部
# おわりに

# 第16章　おさらい

人生とは，振り返ってしかし理解できないが，前向きに進むしかないものである．

キルケゴール

経済政策について論ずるときは，「すべて間違っている」と主張するのが最近の流行のようだ．しかしアメリカの廃棄物政策は「すべて間違っている」わけではない．あらゆる廃棄物は，慎重に扱われなければ人知れず長期におよぶ外部費用を発生させるが，最近の政策のおかげで，より慎重な扱いが施されるようになってきた．過去半世紀にわたる政策変化は遅かったとはいえ，正しい方向を向いている．廃棄物政策に関する問題は2つある．まず，政策によって適切に機能する廃棄物市場が生まれてきただろうか．次に，そうした政策は結果を最小の社会的費用で達成してきただろうか．これまで見てきたとおり，どちらに対する答えもたいてい「いいえ」である．

なぜ失敗してきたのだろうか．これまでの議論から，政策的な努力を駄目にする2つの失敗が分かったと思う．1つ目に，廃棄物政策の目標がゼロリスクという不可能なことの達成に置かれてきたことである．2つ目は，適切な価格付けに向けた努力が不十分なことである．

## 16.1　ゼロリスクは達成できない

パラシュート，ハンググライダー，自動車レースなど，生命のリスクを楽しむ人がいる．宝くじや金塊を買ったり，一か八かの職業につくといった，金銭的なリスクを楽しむ人もいる．しかしほとんどの人にとって，リスクは避けるべきものである．道を渡るときは両側をよく見るし，昇進と安定を約束する職業を探すし，災難が起きたときに損失を減らすような保険に加入する．リスクを避けようと多くの努力を払っているのだから，環境が健康に与えるリスクについても最小化すべきだというのは論理的ではないだろうか．特に，こうしたリスクが主に個人のコントロールの余地を超えているのであれば．

いや，そうではない．キーワードは「最小化」である．「リスクを最小化する」とは，いくら費用をかけてもリスクを可能な限りゼロに近づけることを意味する．しかし，われわれは日常生活でこれをしていない．道路を渡るのに 10 回安全を確認して，結局渡らない人がいるだろうか．ピクニックに行くたびに，雷に打たれて死亡する可能性を心配して特別な保険契約を結ぶ人がいるだろうか．

ただしわれわれは，環境リスクについては少し違ったアプローチをする．そこでは，ゼロリスクが公に掲げられている目標である．最終処分場は地下水を汚してはならない．焼却場は大気汚染を排出してはならない．すべては，リサイクルされなければならない．スーパーファンド対象サイトは，風下の最大曝露個人の生涯健康リスクがなくなるまで，浄化しなければならない．高レベル核廃棄物は，1 万年にわたって環境損害の可能性があってはならない．達成できない目標を設定することは，不可能であり偽善であるだけでなく，いつまで環境リスク削減に向けて努力を続けたらいいのかが分からないという問題をはらんでいる．

すべてのリスクが取り除けないといっても，リスクをまったく取り除かないでよいわけではない．ゼロリスクが不可能であるといったん認識すれば，われわれはどこまでリスクを削減するかを真剣に考えはじめる．環境に関する病気や傷害をすべて防ぐことはできないし，すべきでない．そして何より，環境に起因する死をすべて防ぐことはできないし，すべきでない．

環境リスクの削減に関して，費用便益分析や費用効果分析をもっとはっきりおこなう必要がある．廃棄物の問題についての費用便益分析とは，単に取り得る行為の便益を貨幣で表現し，そうした行為の費用と比較することである．便益とは行為によって救われる生命であることが多く，それを貨幣単位で測るためには，不特定の生命を救うのにわれわれ社会がどれだけ支払ってもよいのかを決めなければならない．期待生命が無限の価値を持っているわけではないことを確認すれば，後は簡単だ．費用や曝露人口や曝露確率についてのデータは，政策形成のためにEPA が既に集め，計算し，推計している．それらのデータをまとめて，期待救命の便益と費用を比較すればよい．

明示的な費用便益分析は誰にも都合がよいわけではないし，EPA の計算も，特に大きなリスクと認識されるもののそばに住む人たちから，異議申し立てを受けるかもしれない．しかし，費用便益分析は少なくとも議論の焦点を変える．現在は，便益や費用のデータがほとんど読まれない文書の山に埋もれ，影響を受ける近隣住民やその政治的代理人が完全な浄化を求めて叫んでいるだけの状態である．明示的な費用便益分析があれば，結論に不服な者はデータや計算に反論しなければならない．だからといって政治的な立場の差は消えないが，一度その結果がテーブルの上に載れば，議論はより有益なものになる．

費用便益分析が便益や費用を 1 つに集約している点は，忘れてはいけない．しかし少し拡張すれば，費用便益分析は損をする人にとっての純損失の大きさを明示でき，そこから補償金額について考えることができる．費用便益分析をパスするどんなプロジェクトも，勝者の受ける便益は敗者の受ける損失を補償して余るほど大きい（言い換えれば，勝者が敗者に与えることのできる最大補償金額が補償にとって不十分であれば，そのプロジェクトは費用便益テストをパスしない）．

期待救命の評価だけでは費用便益分析は終わらない．お金で測るのが難しいその他の便益が存在する．より良い健康やきれいな環境のために，われわれはいくら支払う意志があるだろうか．こうした無形の，あるいは評価しにくい便益が非常に重要な廃棄物政策もある．そのような場合，費用便益分析は不適切で，環境問題の解決に役立たないかもしれない．だからといって経済学を忘れて，政治的解決を探すべきだろうか．そうではない．費用効果分析がある．費用効果分析は，目標自体の妥当性を費用便益分析で検討することはせずに，社会的に受け入れられた目標からスタートする．そしてこの目標を達成するさまざまな方法のコスト面にだけ着目し，どれが社会的費用を最小化するかを考えるのである．

## 16.2　EPA の最終処分場規制

正しい費用便益分析と，EPA が実際におこなっていることとのギャップを思い出すために，第 4 章で触れられた最終処分場規制についてもう一度考えよう（U.S. EPA 1991a, 1991b）．EPA は処分場規制に関する「新ルール」が，今後 30 年に 4 億 5000 万ドルの費用をかけて，今後 300 年間にわたって総計で 2.4 人の確率的生命を救うと推計した（金額はすべて 1997 年ドル評価）．それらの数字は単に並べられただけであり，比較が可能な状態ではなかった．われわれは適切な現在価値化をおこない，EPA のデータからすれば，新ルールには救命あたり 320 億ドルの費用がかかることを明らかにした．これは，アメリカでおこなわれている多くの政策がかけている費用と 4 ケタ異なる．

また EPA は，新規制によって深刻な影響を受ける特定のグループがいないかどうかについて分析を多く割き，さまざまな処分場の種類や立地に応じた，家計あたりや自治体あたりの費用増を計算していた．この種の分析に悪いところは何もない．新ルールで大きな損を被る人に対する補助金を考える良いきっかけになるだろう．しかし，そうした分析を根拠にルールを緩和すべきではない．もしある行為が死亡の原因になっていて，その行為をストップすることが救命あたり数百万ドル以下の費用で人の生命を救うのであれば，その行為をおこなっている者が誰であるかにかかわらずストップすべきである．すべての行為に関する期待救命の限界費用が均等化したとき，費用効率性ははじめて達成される．放火を違法とする際に，放火魔が貧しいかとか，建物が燃えるのを見るのがその人の幸福にどれだけ重要かを考慮したりはしない．

## 16.3　低レベル放射性廃棄物処分場

費用効果的な政策について思い出すために，第 15 章で議論した，低レベル放射性廃棄物の処分場計画プロセスについてもう一度考えよう．州間で自発的に形成された「協定」に基づいて，低レベル放射性廃棄物処分場の建設が進みつつある（はずである）．これまでに数十を超える協定が結ばれた．実際の建設例が特に最近では少ないために，こうした施設にかかる費用は不明瞭であるが，処分場をいくつ，どこに作れば社会的費用が最小化されるかという問いが成り立つ．答えはきわめてはっきりしている．作るべき数は 1 つである．

1 つだけではなく 13 個の処分場を建設して操業すれば，10 億ドルの費用がかかるだろう（1997 年ドル評価の現在価値）．13 個の場合は輸送費が減るが，許可や建設にかかる費用は大幅に増える．筆者の知る限り，過去 20 年にわたって協定が義務づけられ形成され（そして解散され）たが，その間に費用効率性に対する関心は誰からも示されていない．

本書では，低レベル放射性廃棄物がアメリカで毎年どれくらい発生すべきかについては考えなかった．政策を全体で最適にするには，それを明らかにする必要があるだろう．しかし，難しい問題である．そこで，われわれは低レベル放射性廃棄物の量については所与として，「それをどう処分すべきか」という答えやすい問題を考えた．費用効果分析は，難しい問題を避け，取り組みやすい変数にまつわる費用最小化を試みる．多くの廃棄物政策のように生命や公平や正義が関わる場合，全体で見て最適な政策を決めるのは無理な場合もあるが，問題の部分部分には費用効率性を考えることのできる課題が常に存在する．何にせよ，費用は少ない方がよい．

## 16.4　外部費用の削減

費用便益分析と費用効果分析にとって重要なのは，私的費用と外部費用を足し合わせた社会的費用である．私的費用の計算は簡単だ．誰かがお金で払っているので，貨幣単位での評価は難しくない．外部費用は，誰かが許可を受けず補償金も払わずに，誰かにこうむらせている費用である．被害者の特定は難しいし，損害の大きさを貨幣評価するのも難しい．だからといって外部費用を無視してよいわけではない．結局のところ，われわれが取り上げてきた廃棄物問題は，騒音，ポイ捨て，大気汚染，地下水汚染，有害廃棄物，放射性廃棄物などの何らかの外部費用を含んでいる．

外部費用を無視したくはない．とはいえ皆無にしたいわけでもない．本書でたびたび取り上げたように，外部費用の削減にはふつう最適な水準というものがあり，それは「ゼロにする」という極端なものではない．最適な削減に向けた模索にあたっては，「限界的な」考えが必要である．

「限界的に考える」とは，まず小さな政策変化から始めて，少しずつ増やしていくのが賢いというものである．それは，変化を政治的に実現する唯一の方法であることが多い．しかしそれは，不確実なこの世界で最適な方向へ進むための理にかなった方法でもある．小さな変化をおこなった後にデータを調べて，結果として生じた便益が費用を超えているかどうか考える．もしOKなら，もう少し変化を先に進めてみよう．

しかし，多くの廃棄物政策にとっては，徐々に進むという選択肢がない．もし環境や健康の被害があまりに大きくて，即座に大規模な行動を必要としたり，後に修正がきかないような巨大な固定資本投資を必要とする場合には，非限界的な政策を採らねばならない．しかし，限界的に考える必要がなくなったわけではない．規制が厳しくなるほど限界費用は上昇し，限界便益は下落するのがふつうである．限界的な費用や便益の観点から政策を見つめることではじめて，規制をいつやめるべきかをまともに考えることができる．

廃棄物政策においては，外部費用削減の手段として規制が主に用いられてきた．こうした規制には，非常に高くつくものもあることが分かっている．EPAがその政策についてある種の費用便益分析をおこなった例があるが，推計された費用は非常に高い．他の研究ではさらに高い見積もりがある．ある経済学者は，1970年代と80年代におけるアメリカ産業の生産性低下のうち30%は，EPAやOSHA（Occupational Safety and Health Administration：労働安全健康局）の規制が原因であると言う（Gray 1987）．ここまで費用が高かったという合意はないものの，ほとんどの経済学者は高すぎたということについては合意している（Goodstein and Hodges 1997）．

## 16.5　正しい価格付け

価格による規制と数量による規制のどちらがよいかという議論は，非常に複雑である．もし政策をおこなうことの限界費用や限界便益が政策に分かっているのであれば，どちらの政策手段を採用してもよい．もちろん実際には，これらを正確に知ることはできないため，価格規制か数量規制のどちらかが良い選択になる．確かなのは，ある行為が外部費用を発生させるのなら，どちらかの手段（あるいは両方の手段）による規制が望ましい，ということだけだ．

ほとんどの製品や包装に関して，生産者も消費者もその廃棄にかかる費用を支払っていない．また生産者や消費者に対して，廃棄物の発生量に関する規制があるわけでもない．結果，廃棄物の量は過大になり，再利用は過小になり，リサイクルも過小になる．こうした失敗によって発生する社会的費用はめんどうな数量規制が必要なほど大きくはないが，適正な価格付けは大きく役に立つだろう．

本書で展開したごみの価格スキームについて思い出そう．生産者には，製品や包装のサイズを小さくし，リサイクルしやすいようにするインセンティブを与えねばならない．これを達成する1つの方法が，製品と包装のリサイクルの純限界費用に等しい処理料金前払制（Advanced Disposal Fee：ADF）である（リサイクル純費用とは，リサイクル施設で資源を回収して加工するのにかかる社会的費用から，その売却益を引いたものである．もしこのリサイクル純費用が，収集して焼却あるいは埋立処分することの社会的限界費用よりも小さければ，リサイクルは社会的に有益である）．

家計には，ごみの発生を抑えて，できるだけリサイクルをするようなインセンティブを与えねばならない．これを達成する 1 つの方法が，焼却・埋立処分の費用とリサイクル純費用の差額に等しい，ごみ収集有料化である．リサイクルされた物質には課金も補助金も必要ない．ADF はふつう製品価格に転嫁され，家計が焼却・埋立処分の社会的限界費用や，リサイクルの純限界費用を支払う結果になる．ごみ収集を有料化することで，家計はリデュース，リユース，リサイクルに取り組むようになる．ADF には，生産者に製品や包装をよりリサイクルしやすくさせる利点がある．

どの価格スキームも完璧ではない．現実的なスキームでは，不法投棄を防ぐことができない．ごみ処理有料化の場合は，不法投棄のインセンティブがむしろ増えてしまう．他にも問題はある．製品がどこで売られるか分からないために，ADF は全国一律になると思われるが，このことでリサイクルが安くつく地域の ADF は高すぎ，リサイクルが高くつく（あるいは不可能な）地域の ADF は低すぎる結果になってしまう．また，ゴミの内容に応じた価格付けをおこなうには高い費用がかかるので，ごみ収集料金はある自治体内で一律になると思われるが，このことでごみ収集料金はリサイクルしにくい品目については高すぎ，リサイクルしやすい品目については安すぎる結果になってしまう．こうした問題にもかかわらず，価格スキームは生産者や消費者に製品や包装の処分費用を認識させる大きな一歩となる．

## 16.6　セカンドベストはせいぜいセカンドベスト

ごみの価格付けに失敗したときは，セカンドベストの政策を用いて，社会的に望ましい量のリサイクルを目指す必要がある．本書では多くのそうしたセカンドベスト政策を取り上げてきた．たいていの場合，それらは意図せざる望ましからぬ副作用を持っていた．

例をいくつか挙げよう．生産者に対する埋立税は外部費用の内部化を達成するが，自治体に対する埋立税はそれを達成しない．自治体はこうした税を，一般会計予算で支払うからである．このため，個々の家計のごみ排出行動を変えるような影響はない．リサイクルに対する補助金は，どんな形であれ，自治体によるリサイクルや，企業のリサイクル資源利用を促す．しかし，そうした補助金が家計に手渡されないのであれば，家計のリサイクル行動は変化しない．さらにリサイクルへの補助金は製品や包装の費用を引き下げ，その量を増大させてしまうかもしれない．生産者回収責任は生産者に処分やリサイクルの費用をはっきりと気付かせるが，ごみ収集システムの効率性を大きく引き下げるという費用がともなう．……ここらへんでやめよう．

ある行為が外部費用を発生する場合，課税をおこなう必要がある．課税の水準は，外部費用の大きさによる．この税は外部費用の発生者に，こうした外部費用を削減するインセンティブを与える．外部費用の発生に「何らかの関係がある」別のものに課税すると，せいぜいセカンドベストにしかならない．さらに良くないのは「何らかの関係がある」別のものに補助金を出すことで，配分の非効率性だけでなく予算の問題が加わってしまう．

「悪い」ことを禁止したり，「良い」ことを義務づけるのは，たいていの場合セカンドベストにしかならない．悪い行為をゼロにするのも，良い行為への参加を全員に義務づけるのも，ふつう最適ではない．そうしたぞんざいな政策手段に頼る前に，価格付けを変えて，人々に社会的に望ましい行為を取ってもらうようにする道を探るべきだろう．

## 16.7　「おわりに」のおわりに

長い道のりだった．これが時間の無駄（waste）でなかったことを祈りたい．過去 30 年でアメリカの廃棄物政策は，自由放任の状態からきわめて厳しい規制へと大きく進展した．この方向性は明らかに正しかった．EPA などの研究によると，費やすお金をもう少し考えれば，さらに多くの救命が可能だったかもしれない．

本当の問題は，現状が「やりすぎ」なのか「足りなさすぎ」なのかである．EPA や他の研究者による費用便益分析では，アメリカの環境規制や EPA の執行は過剰な場合が多いことを示唆している．「示唆している」というのは，法律上，費用便益分析を明示的におこなえる場合が少ないのと，部外者にとって EPA のデータを分析に使えるように整えるのが難しいからである．第 14 章で大きく紹介したスーパーファンドの研究では，1300 ヶ所のスーパーファンド対象サイト（National Priorities Site：NPL）のうち 150 ヶ所の期待救命便益を推計するのに，2 人の主な研究者と「多数の」研究アシスタントによる 3 年にわたる研究が必要だった（Hamilton and Viscusi 1999a；謝辞には 15 名の研究アシスタントが挙がっている）．

他の側面では，環境政策は十分でないことも見てきた．廃棄物の処分やリサイクルにかかる費用は私的費用も外部費用も高いにもかかわらず，廃棄物の発生に対する課金は生産者にも家計にもなされていない．アメリカにおいて ADF やごみ収集有料化を導入する余地は十分にあるだろう．

アメリカ人は廃棄物政策について極端である．おそらくこれは，すぐにゼロか 1 かで議論する騒々しい現代社会の帰結なのかもしれない（Scheuer 1999）．健康は完全に守らなければならない．ごみ収集は無料でおこなうべきである．リサイクルはすべておこなうべきだ．いや，まったくおこなうべきでない．本書で私が指摘しようとしてきたのは，最適な水準はゼロと 1 の間にあるということだ．

最後の最後に，本書のタイトルを繰り返させてほしい．『廃棄物の経済学』．本書は，廃棄物問題を経済学的に考えるよう読者にしつこく促してきた．経済学は，正しい廃棄物政策に何らかの貢献ができると私は思う．ただし「何らかの」であって，それがすべてではない．他の価値基準も重要である．1 つ殺人を犯すことで将来の殺人を 1 つ以上防げることがたとえ証明されたとしても，私はやはり死刑制度には反対である．たとえ武器による自衛で犯罪が防げるとしても，私はやはり銃だらけの社会には住みたくない．他の価値基準は重要である．それを使って考えよう．でも，経済学も忘れないでほしい．

# 参考文献

1つの文献だけを引用すれば剽窃になるが，多数の文献を引用すれば研究となる．

作者不詳

各文献の末尾に付いているカッコ内の数字は，引用されている章を示している．


Aagaard, T. 1995. Secondary Markets for the Reuse of Durable Goods: An Ecologically Friendly Disposal Alternative. Term paper, Economics 471. University of Michigan, Ann Arbor, December. [7]

Abbott, E. 1995. When the Plain Meaning of a Statute Is Not So Plain. *Villanova Environmental Law Journal* 6 (2). http://vls.law.vill.edu/students/orgs/elj/vol06/abbott.htm (accessed 1 November 2001). [5]

Abt Associates. 1985. *National Small Quantity Hazardous Waste Generator Survey*. Prepared for the EPA. EPA-530-SW-85-004. Washington, DC: U.S. EPA. [13]

Ackerman, F. 1997. *Why Do We Recycle? Markets, Values, and Policy*. Washington, DC: Island Press. [2, 4, 6, 8, 9, 11, 12]

Ackerman, F., D. D. Cavander, J. Stutz, and B. Zuckerman. 1995. *Preliminary Analysis: The Costs and Benefits of Bottle Bills*. Prepared for U.S. EPA. Boston: Tellus Institute. [6, 11]

Ackerman, F., and K. Gallagher. 2001. Mixed Signals: Market Incentives, Recycling, and the Price Spike of 1995. Working Paper 01-02. Global Development and Environment Institute, Tufts University. January. http://www.ase.tufts.edu/gdae/publications/WorkingPap.htm (accessed 2 November 2001). [12]

Ackerman, F., and T. Schatzki. 1989. *Bottle Bills and Municipal Recycling: A Preliminary Cost Analysis*. Prepared for U.S. EPA. Boston: Tellus Institute. [11]

———. 1991. Bottle Bills and Curbside Recycling Collection. *Resource Recycling*, June. [11]

Acohido, B. 1999. Calif. Socks Tire Hauler with $100,000 Penalty. *Waste News*, 22 November. [8]

———. 2000a. Seattle Curbside Program Surpasses Expectations. *Waste News*, 1 May. [11]

———. 2000b. Seattle Trims Trash Costs, Revamps Pickup Program. *Waste News*, 14 February. [11]

———. 2000c. Slow Burn. *Waste News*. 24 January. [13]

Acton, J. P. 1989. *Understanding Superfund: A Progress Report*. Santa Monica, CA: Rand Corp. [14]

Acton, J. P., and L. S. Dixon. 1992. *Superfund and Transaction Costs: Experiences of Insurers and Very Large Industrial Firms*. Santa Monica, CA: Rand Institute for Social Justice. [14]

Adams, L. 1999. Turning Chicken "Litter" into Power, with a PEEP. *Washington Post*, 29 July. [2]

Adler, K. J., R. C. Anderson, Z. Cook, R. C. Dower, A. R. Ferguson, and M. J. Vickers. 1982. *The Benefits of Regulating Hazardous Waste Disposal: Land Values as an Estimator*. Research Report. Public Interest Economics Center. Prepared for U.S. EPA. Washington, DC: U.S. EPA. [13]

Aizenman, N. C. 1997. The Case for More Regulation. *Washington Monthly*, October. [13]

Alberini, A., and D. H. Austin. 1999. Strict Liability as a Deterrent in Toxic Waste Management:

Empirical Evidence from Accident and Spill Data. *Journal of Environmental Economics and Management*, July. [13, 14]
Alexander, J. H. 1993. *In Defense of Garbage*. Westport, CT: Praeger. [1, 2, 5]
Alexander, M. 1994. Developing Markets for Old Newspapers. *Resource Recycling*, July. [12]
Alter, H. 1989. The Origins of Municipal Solid Waste: The Relations between Residues from Packaging Materials and Food. *Waste Management and Research*, February. [2]
Andersen, M. S. 1998. Assessing the Effectiveness of Denmark's Waste Tax. *Environment*, May. [3, 4]
Anderson, D. R. 1989. Financing Liabilities under Superfund. *Risk Analysis*, September. [14]
Anderson, P., G. Dreckmann, and J. Reindl. 1995. Debunking the Two-Fleet Myth. *Waste Age*, October. [9, 11]
Apotheker, S. 1991. Mixed-Waste Processing Head-to-Head with Curbside Recycling Collection. *Resource Recycling*, September. [11]
———. 1993. Curbside Recycling Collection Trends in the 40 Largest U.S. Cities. *Resource Recycling*, December. [9]
Armstrong, D. 1999. The Nation's Dirty, Big Secret. *Boston Globe*, 14, 15, 16, and 17 November. [1]
Arner, R., H. L. Hickman, and C. Leavitt. 1999. Dump Now, Pay Later? Landfill Financial-Assurance Mechanisms Are Burying the True Costs. *MSW Management*, December. [4]
Arnold, F. S. 1995. *Economic Analysis of Environmental Policy and Regulation*. New York: Wiley. [2]
Asarch, J., and P. Cort. 1995. The Costs and Benefits of Landfill Gas Recovery—Does It Add Up? Term paper, Economics 471. University of Michigan, Ann Arbor, December. [4]
Augustyniak, C. M. 1998. Asbestos Case Study. In *Economic Analysis at EPA*, edited by R. D. Morgenstern. Washington, DC: Resources for the Future. [4]
Bacot, H., T. Bowen, M. R. Fitzgerald, T. H. Rasmussen, D. Morell, and D. Mazmanian. 1998. *Historical Overview and Policy Issues Regarding Siting of Waste Facilities*. Center for Urban Research and Policy. Columbia University. Background Paper 1 for the New York City Integrated Waste Management Project. New York. [7, 15]
Bader, C. D. 1997. Today's Watchword in Recycling: Efficiency. *MSW Management*, March–April. [11]
———. 1999a. Automating a MRF. *MSW Management*, January–February. [11]
———. 1999b. Trucking Garbage to Ohio. *MSW Management*, July–August. [7]
Bailey, J. 1992. Economics of Trash Shift as Cities Learn Dumps Aren't So Full. *Wall Street Journal*, 2 June. [4]
———. 1993. Fading Garbage Crisis Leaves Incinerators Competing for Trash. *Wall Street Journal*, 11 August. [5]
———. 1995a. Curbside Recycling Comforts the Soul, But Benefits Are Scant. *Wall Street Journal*, 19 January. [8]
———. 1995b. How Can Government Save Money? Consider the L.A. Motor Pool. *Wall Street Journal*, 6 July. [3]
———. 1997. New Yorkers Worry Progress Could Send City Down the Drain. *Wall Street Journal*, 1 October. [3]
———. 1998. Waste Management Agrees to Acquire Eastern Environmental for $1.27 Billion. *Wall Street Journal*, 18 August. [4]

———. 2001. A Successful Salvage Business Has to Know Its Junk. *Wall Street Journal*, 9 January. [12]

Baird, R. D., N. Chau, and C. D. Breeds. 1995. Cost Estimation and Economic Valuations for Conceptual LLRW Disposal Facility Designs. Paper presented at 1995 Low-Level Radioactive Waste Conference, November, Salt Lake City. [15]

Barbanel, J. 1992. Elaborate Sting Operation Brings Arrests in Illegal Dumping of Toxic Wastes by Businesses. *New York Times*, 13 May. [13]

Barbier, E. R. 1999. The Effects of the Uruguay Round Tariff Reduction on the Forest Products Trade: A Partial Equilibrium Analysis. *The World Economy*, January. [8]

Bates, K. L. 1990. This Ain't No Dump. *Ann Arbor News*, 22 July. [7]

Bauer, S., and M. L. Miranda. 1996. *The Urban Performance of Unit Pricing: An Analysis of Variable Rates for Residential Garbage Collection in Urban Areas*. EPA Cooperative Agreement Report #CR822-927-010. April. http://www.epa.gov/epaoswer/non-hw/payt/pdf/upaperf1.pdf (accessed 2 November 2001). [3]

Baumann, J., P. Orum, and R. Puchalsky. 1999. *Accidents Waiting to Happen: Hazardous Chemicals in the U.S. Fifteen Years After Bhopal*. Washington, DC: U.S. Public Interest Research Group (PIRG) Education Fund. [13]

Baumol, W. J., and W. E. Oates. 1988. *The Theory of Environmental Policy*, 2d ed. Cambridge, U.K.: Cambridge University Press. [2]

Beck, R. W., Inc. 2000. *1999 National Post-Consumer PET Container Recycling Activity*. Report to the National Association for PET Container Resources. http://www.mindfully.org/Plastic/Post-Consumer-PET-1999.htm (accessed 2 November 2001). [12]

Becker, G. 1968. Crime and Punishment: An Economic Approach. *Journal of Political Economy*, January–February. [13]

Been, V. 1994. Unpopular Neighbors: Are Dumps and Landfills Sited Equitably? *Resources*, Spring. [13]

Bender, R., W. Briggs, and D. De Witt. 1994. *Toward Statewide Unit Pricing in Massachusetts: Influencing the Policy Cycle*. Master's thesis, Kennedy School of Government, Harvard University, January. [10]

Benenson, A. 1990. *Control of Communicable Diseases in Man*, 15th ed. Washington, DC: American Public Health Association. [3]

Berenyi, E. B., and M. J. Rogoff. 1999. Is the Waste-to-Energy Industry Dead? *MSW Management*, December. [5]

Berry, E. 1964. *You Have to Go Out! The Story of the United States Coast Guard*. New York: David McKay Company. [1]

Berry, R. O., and S. M. Jablonski. 1995. Low-Level Radioactive Waste Management at Texas A&M University. *Radwaste Magazine*, September. [15]

Bershatsky, M. 1996. The Ann Arbor Landfill. Term paper, Economics 471, University of Michigan, Ann Arbor, December. [4]

*Big Apple Garbage Sentinel*. 1998. 2001 and Beyond: A Proposed Plan for Replacing the Fresh Kills Landfill. 3 December. http://garbagesentinel.org/documents/mayorsplan.html#intro (accessed 2 November 2001). [4]

Bigness, J. 1995. As Auto Companies Put More Plastic in Their Cars, Recyclers Can Recycle Less. *Wall Street Journal*, 10 July. [12]

Bingham, T. H., and R. V. Chandran. 1990. *The Old Newspaper Problem: Benefit–Cost Analysis of a Marketable Permit Policy*. Prepared for Economic Analysis Branch. Office of Policy, Planning, and Evaluation, U.S. EPA. Washington. DC: U.S. EPA. [10]

Bingham, T. H., C. C. Chapman, and L. G. Todd. 1989. *National Beverage Container Deposit Legislation: A Review of the Issues*. Research Triangle Institute, report prepared for U.S. EPA. Washington, DC: U.S. EPA. [6]

Bitar, D., and R. C. Porter. 1991. What Does a Landfill Cost? A Case Study of Ann Arbor, Michigan. Discussion Paper 335. Ann Arbor: School of Public Policy, University of Michigan. [4]

Black, H. 1995. Rethinking Recycling. *Environmental Health Perspectives*, November. [8]

Bleich, D. H., M. C. Findlay III, and G. M. Phillips. 1991. An Evaluation of the Impact of a Well-Designed Landfill on Surrounding Property Values. *Appraisal Journal*, April. [4]

Blumenthal, M. 1998. Scrap Tire Market Development: The Impact of State Programs. *Resource Recycling*, March. [8]

Boerner, C., and K. Chilton. 1994. False Economy: The Folly of Demand-Side Recycling. *Environment*, January. [2]

Bohm, P. 1981. *Deposit-Refund Systems: Theory and Applications to Environmental, Conservation, and Consumer Policy*. Washington, DC: Resources for the Future. [12]

———. 1994. *Environment and Taxation: The Cases of the Netherlands, Sweden and the United States*. Paris: Organisation for Economic Co-operation and Development. [6]

Bonomo, L., and A. E. Higginson, eds. 1988. *International Overview on Solid Waste Management*. International Solid Wastes and Public Cleansing Association. San Diego: Academic Press. [5]

Booth, W. 2000. Recycling: How Long Will a Can-Do Feeling Last? As Trend Levels Off, Some Experts Believe Options Are Dwindling. *Washington Post*, 5 January. [8, 9]

*Boston Globe*. 1999. Expensive Trash [editorial]. 20 July. [5]

Boyd, J., W. Harrington, and M. K. Macauley. 1996. The Real Effects of Environmental Liability on Industrial Real Estate Development. *Journal of Real Estate Finance and Economics*, January. [14]

Breyer, S. G. 1993. *Breaking the Vicious Circle: Toward Effective Risk Regulation*. Cambridge, MA: Harvard University Press. [14]

Brisson, I. 1993. Packaging Waste and the Environment: Economics and Policy. *Resources, Conservation and Recycling*, April. [2]

Brooke, J. 1992. The Secret of a Livable City? It's Simplicity Itself. *New York Times*, 18 May. [3]

Brown, B. 1999a. City Narrows Hauling Field. *Waste News*, 11 October. [7]

———. 1999b. City Seeks Injunction: Elizabeth NJ Attempts to Halt NYC Trash. *Waste News*, 22 November. [7]

Brugger, J. 2000. Bottle Bill Faces Many Obstacles. *Louisville Courier-Journal*, 7 February. [6]

Buchholz, R. 1997. Transfrontier Movements of Secondary Materials under the Rules of the Basel Convention. Paper presented at World Conference on Copper Recycling, International Copper Study Group, 3–4 March, Brussels. [7]

Bui, T-N. 1995. How Browning-Ferris Got a Landfill in Salem Township. Term paper, Economics 471, University of Michigan, Ann Arbor, December. [7]

Bullard, R. D. 1983. Solid Waste Sites and the Black Houston Community. *Sociological Inquiry*, Spring. [13]

Burk, J. 1996. Pennsylvania's Community Partnering Plan. *Radwaste Magazine*, September. [15]

Burmaster, D. E., and R. H. Harris. 1993. The Magnitude of Compounding Conservatism in Superfund Risk Assessments. *Risk Analysis*, April. [14]

Burns, J. F. 1998. Profit Rules Indian Shore Where Ships Go to Die. *New York Times*, 9 August. [7]

Cairncross, F. 1993. Waste and the Environment: A Lasting Reminder. *Economist*, 29 May. [4, 5, 12]

Calabresi, G. 1961. Some Thoughts on Risk Distribution and the Law of Torts. *Yale Law Journal*, Issue 1. [13]

Calcott, P., and M. Walls. 2000. Can Downstream Waste Disposal Policies Encourage Upstream "Design for Environment"? *American Economic Review*, May. [10]

Carlton, J. 1999. "Greens" Target WTO's Plan for Lumber. *Wall Street Journal*, 24 November. [8]

Carter, L. J. 1987. *Nuclear Imperatives and Public Trust: Dealing with Radioactive Waste*. Washington, DC: Resources for the Future. [15]

CEQ (Council on Environmental Quality). 1997. *Environmental Quality: 25th Anniversary Report*. Washington, DC: U.S. Government Printing Office. [8]

Chang, N-B. 1992. Econometric Analysis of the Construction and Operating Costs of Materials Recovery Facilities in the U.S.A. *Journal of Solid Waste Technology and Management*, March. [9]

Chen, S. Y. 1996. Recycling Is Better—Even for Slightly Radioactive Metal. *Logos*, Winter. [15]

Choe, C., and I. Fraser. 1999. An Economic Analysis of Household Waste Management. *Journal of Environmental Economics and Management*, September. [10]

Church, T. W., and R. T. Nakamura. 1993. *Cleaning Up the Mess: Implementation Strategies in Superfund*. Washington, DC: Brookings Institution. [14]

Clark, D. R. 1997. Bats, Cyanide, and Gold Mining. *Bats Conservation International*, Fall. [2]

Clay, D. R. 1991. Synthesis of Conference on "Minimizing Environmental Damage: Strategies for Managing Hazardous Waste." *Risk Analysis*, March. [14]

Clines, F. X. 1999. Perdue Offers a Plan to Fight Odor and Pollution. *New York Times*, 19 October. [2]

Clymer, A. 1989. Polls Show Contrasts in How Public and EPA View Environment. *New York Times*, 22 May. [1]

Coase, R. 1960. The Problem of Social Cost. *Journal of Law and Economics*, October. [1]

Coates, D., V. Heid, and M. Munger. 1994. Not Equitable, Not Efficient: U.S. Policy on Low-Level Radioactive Waste Disposal. *Journal of Policy Analysis and Management*, Summer. [15]

Coates, D., and M. C. Munger. 1996. Interstate Compacts Can't Solve Collective Bads Problems: The Case of LLRW. Paper Given at the Annual Meeting of the Public Choice Society, April, Austin. [15]

Cohen, A. S. 1994. Integrated Waste Management in Three Japanese Cities. *Solid Waste Technologies*, July–August. [9]

Cohen, B. L. 1986. Risk Analysis of Buried Waste from Electricity Generation. *American Journal of Physics*, January. [15]

Cohen, N., M. Herz, and J. Ruston. 1988. *Coming Full Circle*. New York: Environmental Defense Fund. [8, 11, 12]

Collins, J. N., and B. T. Downes. 1977. The Effects of Size on the Provision of Public Services: The Case of Solid Waste Collection in Smaller Cities. *Urban Affairs Quarterly*, March. [3]

Connolly, D. 1991. Comments on "Cleanup of Old Waste: Some Thoughts on Rethinking the Fundamentals of Superfund." *Risk Analysis*, March. [14]

Copeland, B. R. 1991. International Trade in Waste Products in the Presence of Illegal Disposal. *Journal of Environmental Economics and Management*, March. [7]

Copeland, C., and J. Zinn. 1998. *Animal Waste Management and the Environment: Background for Current Issues*. Report 98-451, Congressional Research Service. 12 May. [2]

Cowdery, C. 1995. The Bourbon Barrel, Mere Container or Active Partner? *The Malt County Advocate*, Spring. [7]

Criner, G. K., S. L. Jacobs, and S. R. Peavey. 1991. *An Economic and Waste Management Analysis of Maine's Bottle Deposit Legislation*. Miscellaneous Report 358, University of Maine, Agricultural Experiment Station, Orono. April. [6]

Cropper, M. L., S. K. Aydede, and P. R. Portney. 1994. Preferences for Life Saving Programs: How the Public Discounts Time and Age. *Journal of Risk and Uncertainty*, May. [4]

Curlee, T. R., S. M. Schexnayder, D. P. Vogt, A. K. Wolfe, M. P. Kelsay, and D. L. Feldman. 1994. *Waste-to-Energy in the United States: A Social and Economic Assessment*. Westport, CT: Quorum Books. [5, 9]

CWC (Clean Washington Center). 1993. *The Economics of Recycling and Recycled Materials*. Washington, DC: CWC. [9]

Czerwinski, S. J. 1996. *Superfund: More Emphasis Needed on Risk Reduction*. General Accounting Office, GAO/T-RCED-96-168. 8 May. http://www.gao.gov/highrisk/hr97014.txt (accessed 2 November 2001). [14]

Daley, B. 2000. State Plans to Lift Ban on Landfills. *Boston Globe*, 20 December. [10]

Darby, M. R. 1973. Paper Recycling and the Stock of Trees. *Journal of Political Economy*, September–October. [8]

Darmstadter, J. 2000. The Role of Renewable Resources in U.S. Electricity Generation: Experience and Prospects. Climate Change Issues Brief No. 24. Washington, DC: Resources for the Future. [4]

Dasgupta, P., A. K. Sen, and S. Marglin. 1972. *Guidelines for Project Evaluation*. New York: United Nations Industrial Development Organization. [9]

Deisch, M. 1989. Mt. Pleasant "Goes Green": A User Fee Success Story. *Resource Recovery*, December. [10]

Denison, R. A. 1997. *Something to Hide: The Sorry State of Plastics Recycling*. New York: Environmental Defense Fund. [12]

Denison, R. A., and J. F. Ruston. 1996. *Anti-Recycling Myths: Commentary on Recycling Is Garbage*. Environmental Defense Fund. 18 July. http://www.environmentaldefense.org/pubs/Reports/armythfin.html (accessed 2 November 2001). [8]

Denison, R. A., and J. Ruston. 1990. *Recycling and Incineration: Evaluating the Choices*. New York: Island Press. [5, 9]

Deutsch, C. H. 1997. Philips Concession on Bulbs May Have Political Motive. *New York Times*, 19 June. [13]

———. 1998. Second Time Around, and Around. *New York Times*, 14 July. [2]

DeWitt, J. F., and R. W. Butler. 1994. U.S. Supreme Court Rules on Municipal Waste Combustion Ash. *ICLE Focus on Michigan Practice*, July. [5]

Deyle, R. E., and B. F. Schade. 1991. Residential Recycling in Mid-America: The Cost Effectiveness of Curbside Programs in Oklahoma. *Resources, Conservation, and Recycling*, August. [9]

Deyle, R. E., and S. I. Bretschneider. 1995. Spillovers of State Policy Innovations: New York's Hazardous Waste Regulatory Initiatives. *Journal of Policy Analysis and Management*, Winter. [7]

Diaz, L. F., G. M. Savage, L. E. Eggerth, and C. G. Golueke. 1993. *Composting and Recycling Municipal Solid Waste*. Boca Raton, FL: Lewis Publishers. [1]

Dickinson, W. 1995. Landfill Mining Comes of Age. *Solid Waste Technologies*, March–April. [8]

Diehl, P. 1999. *Uranium Mining and Milling Wastes: An Introduction*. http://www.antenna.nl/wise/uranium/uwai.html (accessed 2 November 2001). [15]

Dijkgraf, E., and H. R. J. Vollebergh. 1997. Incineration or Dumping? A Model for Social Cost Comparison of Waste Disposal. Paper prepared for 8th Annual Conference of the European Association of Environmental and Resource Economists, June, Tilborg, Netherlands. [5]

Dillingham, A. E. 1985. The Influence of Risk-Variable Definition on Value-of-Life Estimates. *Economic Inquiry*, April. [1]

Dinan, T. M. 1993. Economic Efficiency Effects of Alternative Policies for Reducing Waste Disposal. *Journal of Environmental Economics and Management*, December. [6, 8, 10]

Dixon, L. S. 1995. The Transaction Costs Generated by Superfund's Liability Approach. In *Analyzing Superfund: Economics, Science, and Law*, edited by R. L. Revesz and R. B. Stewart. Washington, DC: Resources for the Future. [14]

Dixon, L. S., D. S. Drezner, and J. K. Hammitt. 1993. *Private-Sector Cleanup Expenditures and Transaction Costs at 18 Superfund Sites*. Santa Monica, CA: Rand Institute for Social Justice. [14]

Dobbs, I. M. 1991. Litter and Waste Management: Disposal Taxes Versus User Charges. *Canadian Journal of Economics*, February. [6]

DOE (U.S. Department of Energy). 1979. *Final Environmental Impact Statement for Savannah River Plant Long-Term Management of Defense High-Level Radioactive Wastes*. DOE/EIS-0023. Washington, DC: DOE. [15]

———. 1980. *Final Environmental Impact Statement Management of Commercially Generated Radioactive Waste*. DOE/EIS-0046F. Office of Nuclear Waste Management. Washington, DC: DOE. [15]

———. 1982. *Final Environmental Impact Statement for Long-Term Management of Liquid High-Level Radioactive Waste Stored at the Western New York Nuclear Service Center, West Valley*. DOE/EIS-0081. Washington, DC: DOE. [15]

———. 1993. *Economics of a Small-Volume Low-Level Radioactive Waste Disposal Facility*. DOE/LLW-170. Washington, DC: DOE. [15]

———. 1994. *Estimating Costs of Low-Level Radioactive Waste Disposal Alternatives for the Commonwealth of Massachusetts*. EGG-LLW-1140. Washington, DC: DOE. [15]

———. 1995. *Integrated Data Base Report 1994: U.S. Spent Nuclear Fuel and Radioactive Waste Inventories, Projections, and Characteristics*. DOE//RW-0006-Rev. 11. Washington, DC: DOE. [15]

———. 1996. *1995 Annual Report on Low-Level Radioactive Waste Management Progress*. DOE/EM-0292. Washington, DC: DOE. [15]

———. 1998a (and earlier years). *1998 State-by-State Assessment of Low-Level Radioactive Wastes Received by Commercial Disposal Sites*. DOE/LLW-252. May. http://mims.inel.gov/web/owa/mimsrpts. (accessed 2 November 2001) [15]

———. 1998b. *Renewable Energy Annual 1998: With Data for 1997*. Office of Coal, Nuclear,

Electric and Alternate Fuels. Energy Information Administration. DOE/EIA-0603(98)/1. December. http://www.eia.doe.gov/cneaf/solar.renewables/rea_data/html/front-1.html. (accessed 2 November 2001) [5]

———. 2000. *Status Report on Paths to Closure*. Office of Environmental Management. DOE/EM-0526. http://www.em.doe.gov/closure/fy2000/statusrpt.html (accessed 2 November 2001). [15]

———. 2001. *Yucca Mountain Science and Engineering Report*. DOE/RW-0539. Washington, DC: DOE. [15]

Doty, C. B., and C. C. Travis. 1989. The Superfund Remedial Action Decision Process: A Review of Fifty Records of Decision. *Journal of the Air Pollution Control Association*, November. [14]

Dower, R. C. 1990. Hazardous Wastes. In *Public Policies for Environmental Protection,* 1st ed., edited by P. R. Portney. Washington, DC: Resources for the Future. [13]

Drucker, J. 1997. Spiegelberg Landfill: Economic Analysis. Term paper, Economics 471, University of Michigan, Ann Arbor, December. [14]

Dubin, J. A., and P. Navarro. 1988. How Markets for Impure Public Goods Organize: The Case of Household Refuse Collection. *Journal of Law, Economics, and Organization*, Fall. [3]

Duff, S. 2001a. Agency to Review Radioactive Scrap. *Waste News*, 23 July. [15]

———. 2001b. Congress May Consider Credits for LFG Energy. *Waste News*, 26 February. [4]

———. 2001c. Interstate Waste Keeps Crossing the Lines. *Waste News*, 6 August. [7]

———. 2001d. Leasing Aids Recycling, Cuts Costs, Report Says. *Waste News*, 5 February. [2]

———. 2001e. Recyclers Oppose Tax Breaks. *Waste News*, 3 September. [4]

Duggal, V. G., C. Saltzman, and M. L. Williams. 1991. Recycling: An Economic Analysis. *Eastern Economic Journal*, July–September. [11]

Duston, T. E. 1993. *Recycling Solid Waste: The First Choice for Private and Public Sector Management*. Westport, CT: Quorum Books. [13]

Duxbury, D. 1992. Household Hazardous Waste Management. Paper presented at the second Annual Environmental Technology Exposition and Conference, 7–9 February, Washington, DC. [13]

*Economist*. 1992. Let Them Eat Pollution. 8 February. [7]

———. 1993a. Green Behind the Ears. 3 July. [2]

———. 1993b. Take It Back. 1 May. [2]

Edgren, J. A., and K. W. Moreland. 1990. An Econometric Analysis of Paper and Waste Paper Markets. *Resources and Energy*, March. [12]

Edwards, R., and D. Pearce. 1978. The Effect of Prices on Recycling of Waste Materials. *Resources Policy*, December. [12]

Egan, K. 1998. Can Biweekly Recycling Collection Work? *Waste Age*, May. [11]

Engel, S., and B. Engleson. 1998. Time and Cost To Collect All Plastic Bottles. *Resource Recycling*, May. [9]

ENS (Environment News Service). 2000. Backyard Burning Could Be Major Source of Dioxins. 4 January. http://ens.lycos.com/ens/jan2000/2000l%2D01%2D04%2D06test.html (accessed 11 December 2001). [5]

Ezeala-Harrison, F., and N. B. Ridler. 1994. The New Brunswick Beverage Container Act: A Partial Evaluation. Working Paper. Department of Economics, University of New Brunswick, Saint John. October. [6]

Ezzet, L. 1997. Solid Waste Services in the 100 Largest U.S. Cities. *MSW Management*, December. [3, 4, 11]

FAO (Food and Agriculture Organization of the United Nations). 1996. *Forest Products Yearbook, 1996*. Rome. [8]

Feizollahi, F., D. Shropshire, and D. Burton. 1995. *Waste Management Facilities Cost Information for Transportation of Radioactive and Hazardous Waste Materials*. Prepared by Idaho National Engineering Laboratory for DOE, INEL-95/0300, Idaho Falls ID. June. [15]

Fialka, J. J. 1998. States, Utilities, Legislators Battle over New Waste Site. *Wall Street Journal*, 23 November. [15]

———. 1999. Plan to Recycle Nuclear Materials Runs into Flak from Unions, Industry, and Environmentalists. *Wall Street Journal*, 22 December. [15]

———. 2000. Nuclear-Powered Plants Can Sue U.S. over Disposal of Spent Fuel. *Wall Street Journal*, 1 September. [15]

———. 2001a. Nevada Hones Effort to Block Yucca Mountain Nuclear-Waste Dump. *Wall Street Journal*, 5 July. [15]

———. 2001b. Scientists Tout New Method for Reprocessing Nuclear Wastes. *Wall Street Journal*, 21 August. [15]

Fierman, J. 1991. The Big Muddle in Green Marketing. *Fortune*, 3 June. [2]

Fischer, C., and R. C. Porter. 1993. Different Environmental Services for Different Income Groups in LDC Cities: Second-Best Efficiency Arguments. Center for Research on Economic and Social Theory. University of Michigan. [3]

Fishbein, B. K. 1994. *Germany, Garbage, and the Green Dot: Challenging the Throwaway Society*. Prepared for U.S. EPA, EPA600-R-94-179. New York: Inform Inc. [2]

———. 1997. Industry Program to Collect and Recycle Nickel-Cadmium (Ni-Cd) Batteries. In *Extended Product Responsibility: A New Principle for Product-Oriented Pollution Prevention*, edited by G. A. Davis and C. A. Wilt. Chattanooga: Center for Clean Products and Clean Technologies, University of Tennessee. [13]

Fishbein, B. K., and C. Gelb. 1992. *Making Less Garbage: A Planning Guide for Communities*. New York: Inform Inc. [2]

Fishbein, B. K., L. S. McGarry, and P. S. Dillon. 2000. *Leasing: A Step Toward Producer Responsibility*. New York: INFORM Inc. [12]

Fisher, A., L. G. Chestnut, and D. M. Violette. 1989. The Value of Reducing Risks of Death: A Note on New Evidence. *Journal of Policy Analysis and Management*, Winter. [1]

Flannery, T. F. 1994. *The Future Eaters*. New York: George Braziller. [15]

Flynn, C. P. 1999. It's Time to Drop the Bottle Law and Strengthen Recycling Programs. *Boston Globe*, 14 August. [6]

Francis, S. 1991. Greetings from the Central Landfill. *Yankee*, July. [9]

Franklin Associates. 1988. *The Role of Beverage Containers in Recycling and Solid Waste Management: A Perspective for the 1990s*. Prepared for Anheuser-Busch Companies. Prairie Village, KS: Franklin Associates. [11]

———. 1990. *Resources and Environmental Profile Analysis of Foam Polystyrene and Bleached Paperboard Containers*. Prepared for the Council for Solid Waste Solutions. Prairie Village, KS: Franklin Associates. June. [2]

———. 1994. *The Role of Recycling in Integrated Solid Waste Management to the Year 2000*. Prepared for Keep America Beautiful Inc. Prairie Village, KS: Franklin Associates. [5, 9]

———. 1997. *Characterization of Municipal Solid Waste in the United States: 1996 Update*. Prepared for U.S. EPA. EPA530-R-97-015. June. http://www.epa.gov/epaoswer/non-hw/muncpl/msw96.htm (accessed 2 November 2001). [2]

———. 2000. *Characterization of Municipal Solid Waste in the United States: 1999 Update*. Prepared for the EPA. EPA530-F-00-024. April. http://www.epa.gov/epaoswer/non-hw/muncpl/msw99.htm (accessed 2 November 2001). [1, 3, 8]

Franklin, P. F. 1991. Bottle Bill: Litter Control Measure in a New Role? *Solid Waste & Power*, February. [6, 11]

Fullerton, D., and T. C. Kinnaman. 1995. Garbage, Recycling, and Illicit Burning or Dumping. *Journal of Environmental Economics and Management*, July. [6, 8, 10]

———. 1996. Household Responses to Pricing Garbage by the Bag. *American Economic Review*, September. [3, 10]

Fullerton, D., and A. Wolverton. 2000. Two Generalizations of a Deposit-Refund System. *American Economic Review*, May. [6, 10]

Fullerton, D., and W. Wu. 1998. Policies for Green Design. *Journal of Environmental Economics and Management*, September. [10]

Gallagher, K. G. 1994. Exploring the Economic Advantages of Regional Landfills. *Solid Waste Technologies*, September–October. [4]

Gamble, H. B., and R. H. Downing. 1982. Effects of Nuclear Power Plants on Residential Property Values. *Journal of Regional Science*, November. [15]

Gandy, M. 1994. *Recycling and the Politics of Urban Waste*. New York: St. Martin's Press. [8]

GAO (U.S. General Accounting Office). 1983. *Siting of Hazardous Waste Landfills and Their Correlation with Racial and Economic Status of Surrounding Communities*. [13]

———. 1987. *Superfund: Extent of Nation's Potential Hazardous Waste Problem Still Unknown*. GAO/RCED-88-44. Washington, DC: GAO. [14]

———. 1990. *Solid Waste: Trade-Offs Involved in Beverage Container Deposit Legislation*. GAO/RCED-91-25. Washington, DC: GAO. [11]

———. 1995. *Hazardous and Nonhazardous Wastes: Demographics of People Living Near Waste Facilities*. GAO/RCED-95-84. Washington, DC: GAO. [13]

———. 2000. *Nuclear Nonproliferation: Implications of the U.S. Purchase of Russian Highly Enriched Uranium*. GAO-01-148. Washington, DC: GAO. [15]

Garber, S., and J. K. Hammitt. 1998. Risk Premiums for Environmental Liability: Does Superfund Increase the Cost of Capital? *Journal of Environmental Economics and Management*, November. [14]

Garrod, G., and K. Willis. 1998. Estimating Lost Amenity Due to Landfill Waste Disposal. *Resources, Conservation, and Recycling*, March. [4]

Gayer, T. 2000. Neighborhood Demographics and the Distribution of Hazardous Waste Risks: An Instrumental Variables Estimation. *Journal of Regulatory Economics*, March. [13]

Gehring, H. 1993. Address [untitled] at the Institute of Packaging Professionals Conference on Environmental Packaging Legislation, 16 July, Herndon, VA. [2]

Geiger, G. H. 1982. Government Regulations and Their Effect on Metallic Resource Recovery. *Resources and Conservation*, August. [8]

Geiselman, B. 1999. Waste-to-Energy's Future Dims. *Waste News*, 3 May. [5]

———. 2001a. New Jersey Questions Plan. *Waste News*, 9 July. [7]

———. 2001b. Waste Corp. Rockets Up the Ladder. *Waste News*, 25 June. [4]
Genillard, A. 1994. Recycling Has Neighbours Crying Foul: Complaints of Cheap Waste Exports to European Countries. *Financial Times*, 25 January. [2]
Gerrard, M. B. 1994. *Whose Backyard, Whose Risk: Fear and Fairness in Toxic and Nuclear Waste Siting*. Cambridge, MA: MIT Press. [13, 15]
Gershey, E. L., R. C. Klein, E. Party, and A. Wilkerson. 1990. *Low-Level Radioactive Waste: From Cradle to Grave*. New York: Van Nostrand Reinhold. [15]
Glasser, S. B. 2001. Wanted: Windfall in Nuclear Waste. *Washington Post*, 11 February. [15]
Glaub, J. C. 1993. Household Hazardous Wastes. In *The McGraw-Hill Recycling Handbook*, edited by H. F. Lund. New York: McGraw-Hill. [13]
Glebs, R. T. 1988. Landfill Costs Continue to Rise. *Waste Age*, March. [4]
Glenn, J. 1992. Efficiencies and Economics of Curbside Recycling. *BioCycle*, July. [9]
———. 1998. The State of Garbage in America. *BioCycle*, part I, April. [5]
———. 1999. The State of Garbage in America. *BioCycle*, April. [1, 8]
Glickman, T. S., and M. A. Sontag. 1995. The Tradeoffs Associated with Rerouting Highway Shipments of Hazardous Materials to Minimize Risk. *Risk Analysis*, February. [13]
Glicksman, R. L. 1988. Interstate Compacts for Low-Level Radioactive Waste Disposal: A Mechanism for Excluding Out-of-State Waste. In *Low-Level Radioactive Waste Regulation*, edited by M. E. Burns. Boca Raton, FL: Lewis Publishers. [15]
Goddard, H. C. 1994. The Benefits and Costs of Alternative Solid Waste Management Policies. In *Balancing Economic Growth and Environmental Goals*. Washington, DC: American Council for Capital Formation. [3, 5]
Gold, A. R. 1990. New York's Game of Musical Dumps. *New York Times*, 22 March. [4]
Goldberg, D. 1990. The Magic of Volume Reduction. *Waste Age*, February. [10]
Goodstein, E., and H. Hodges. 1997. Polluted Data: Overestimating the Costs of Environmental Regulation. *American Prospect*, November–December. [13, 16]
Graff, G. P. 1989. Green(hous)ing of the Landfill. *Waste Age*, March. [4]
Gray, W., and M. Deily. 1996. Compliance and Enforcement: Air Pollution Regulation in the U.S. Steel Industry. *Journal of Environmental Economics and Management*, July. [13]
Gray, W. B. 1987. The Cost of Regulation: OSHA, EPA and the Productivity Slowdown. *American Economic Review*, December. [16]
Greenberg, M., and J. Hughes. 1992. The Impact of Hazardous Waste Superfund Sites on the Value of Houses Sold in New Jersey. *The Annals of Regional Science*, June. [14]
Greenwire. 1997a. Illinois: Chicago Tribune Examines Recycling Program. 18 December. [1]
———. 1997b. New Jersey: New Waste Options Bring Savings, Problems. 10 November. [7]
———. 1999a. Autos: Ford Plans Recycling Division. 27 April. [12]
———. 1999b. Nuclear Waste: DOE To Discuss West Valley Cleanup More. 4 May. [15]
———. 2000a. Plutonium: DOE Raises Estimate of Material Released into Soil. 23 October. [15]
———. 2000b. Superfund: Interest Groups Remind Senate of Recycling Promise. 27 October. [15]
Grove, B., and M. Manning. 2001. Yucca Could Be Costliest Project in History. *Las Vegas Sun*, 9 March. [15]
Grunwald, M. 1998. Nuclear Waste Disposal Still a Festering Problem. *Washington Post*, 22 November. [15]

Grunwald, M., and P. Behr. 2001. Are Nuclear Plants Still Secure? *Washington Post*, 3 November. [15]

Guerrero, P. F. 1995. *Superfund: The Role of Risk in Setting Priorities*. GAO/T-RCED-95-161. Washington, DC: General Accounting Office. [14]

Gupta, S., G. Van Houtven, and M. L. Cropper. 1995. Do Benefits and Costs Matter in Environmental Regulation? An Analysis of EPA Decisions under Superfund. In *Analyzing Superfund: Economics, Science, and Law*, edited by R. L. Revesz and R. B. Stewart. Washington, DC: Resources for the Future. [14]

Gust, S. 2000. Massachusetts Town's Mandatory Program Has Rocky Debut. *Waste News*, 17 April. [11]

Gynn, A. M. 2000a. Major Haulers Rebuild; Others Take Advantage. *Waste News*, 12 June. [4]

———. 2000b. Waste Corp. Becomes a Player. *Waste News*, 1 May. [4]

———. 2001. New York City Trash Bill To Top $1 Billion. *Waste News*, 19 March. [4]

Hamilton, A. 2001. How Do You Junk Your Computer? *Time*, 12 February. [9]

Hamilton, J. T. 1995. Testing for Environmental Racism: Prejudice, Profits, Political Power? *Journal of Policy Analysis and Management*, Winter. [13]

Hamilton, J. T., and W. K. Viscusi. 1995. The Magnitude and Policy Implications of Health Risks from Hazardous Waste Sites. In *Analyzing Superfund: Economics, Science, and Law*, edited by R. L. Revesz and R. B. Stewart. Washington, DC: Resources for the Future.[14]

———. 1999a. *Calculating Risks? The Spatial and Political Dimensions of Hazardous Waste Policy*. Cambridge, MA: MIT Press. [14, 16]

———. 1999b. How Costly Is "Clean"? An Analysis of the Benefits and Costs of Superfund Remediations. *Journal of Policy Analysis and Management*, Winter. [14]

Hanson, R. D. 1995. Indian Burial Grounds for Nuclear Waste. *Multinational Monitor*. September. [15]

Harrington, W. 1988. Enforcement Leverage When Penalties Are Restricted. *Journal of Public Economics*, October. [6]

Harrington, W., R. D. Morgenstern, and P. Nelson. 1999. On the Accuracy of Regulatory Cost Estimates. Resources for the Future Discussion Paper 99-18. January. [http://www.rff.org/disc_papers/1999.htm (accessed 2 November 2001). [13]

Hartman. 1987. *Introductory Mining Engineering*. New York: Wiley-Interscience. [2]

Havlicek, J., Jr. 1985. Impacts of Solid Waste Disposal Sites on Property Values. In *Environmental Policy: Solid Waste*, vol. 4, edited by G. S. Tolley, J. Havlicek Jr., and R. Favian. Boston: Ballinger Press. [4]

Hawes, C. 1991. Environmentalists Canning Once-Venerated Bottle Bills. *Saint Louis Post-Dispatch*, 5 March. [11]

Hawken, P. 1993. *The Ecology of Commerce: A Declaration of Sustainability*. New York: HarperCollins. [4]

Hayden, G. F. 1997. Excess Capacity for the Disposal of Low-Level Radioactive Waste in the United States Means New Compact Sites Are Not Needed. University of Nebraska, Lincoln. [15]

Hayhurst, T. 2000. Ready to Roll. *Waste News*, 17 January. [5]

Helfand, G. E., and B. W. House. 1995. Regulating Nonpoint Source Pollution under Heterogeneous Conditions. *American Journal of Agricultural Economics*, November. [2]

Helland, E. 1998. The Enforcement of Pollution Control Laws: Inspections, Violations, and

Self-Reporting. *Review of Economics and Statistics*, February. [13]
Hendrickson, C., L. Lave, and F. McMichael. 1995. Time to Dump Recycling? *Issues in Science and Technology*, Spring. [8]
Herfindahl, O. C. 1967. Depletion and Economic Theory. In *Extractive Resources and Taxation*, edited by M. Gaffney. Madison: University of Wisconsin Press. [8]
Hershkowitz, A. 1997. *Too Good To Throw Away: Recycling's Proven Record*. Washington, DC: Natural Resources Defense Council. [2, 8]
Hershkowitz, A., and E. Salerni. 1987. *Garbage Management in Japan: Leading the Way*. New York: Inform Inc. [5, 9]
Heumann, J. M., and K. Egan. 1998. Recycling in 1998: States Moving Forward to Reach Higher Goals. *Waste Age*, August. [10]
Higashi, J. 1990. Moving Mount Overfill. *Ann Arbor Observer*, April. [4]
Highfill, J., and M. McAsey. 1997. Municipal Waste Management: Recycling and Landfill Space Constraints. *Journal of Urban Economics*, January. [8]
Hird, J. A. 1994. *Superfund: The Political Economy of Environmental Risk*. Baltimore: Johns Hopkins University Press. [14]
Hirsch, W. Z. 1965. Cost Functions of an Urban Government Service: Refuse Collection. *Review of Economics and Statistics*, February. [3]
Hocking, M. B. 1991. Paper versus Polystyrene: A Complex Choice. *Science*, 1 February. [2]
Hoffman, B. 2000. Ford Finding Treasure in Trash. *Waste News*, 3 January. [12]
Holt, M. 1998. *Transportation of Spent Nuclear Fuel.*. Congressional Research Service, Report to Congress. 97-403 ENR. 29 May. [15]
Holusha, J. 1993. Who Foots the Bill for Recycling? *New York Times*, 25 April. [9]
Hong, S., R. M. Adams, and H. A. Love. 1993. An Economic Analysis of Household Recycling of Solid Wastes: The Case of Portland, Oregon. *Journal of Environmental Economics and Management*, September. [11]
Houghton, J. T., L. G. Meira Filho, B. A. Callender, N. Harris, A. Kattenberg, and K. Maskell, eds. 1996. *Climate Change 1995: The Science of Climate Change*. Intergovernmental Panel on Climate Change. Cambridge, U.K.: Cambridge University Press. [4]
Hull, P. 2000. Landfill Gases and Leachate: Changing the Schedule. *MSW Management*, July–August. [4]
Humphries, M., and C. H. Vincent. 2001. *Mining on Federal Lands*. Congressional Research Service. 27 March. [2]
ICF Incorporated. 1997. *Greenhouse Gas Emissions from Municipal Waste Management*. Draft Working Paper, prepared for U.S. EPA. EPA530-R-97-010. Washington, DC: U.S. EPA. [5]
Innes, R. 2000. The Economics of Livestock Waste and Its Regulation. *American Journal of Agricultural Economics*, February. [2]
Jacob, G. 1990. *Site Unseen: The Politics of Siting a Nuclear Waste Repository*. Pittsburgh: University of Pittsburgh Press. [15]
Jang, J-W., T-S. Yoo, J-H. Oh, and I. Iwasaki. 1998. Discarded Tire Recycling Practices in the United States, Japan, and Korea. *Resources, Conservation, and Recycling*, March. [8]
Jenkins, R. R. 1993. *The Economics of Solid Waste Reduction: The Impact of User Fees*. Brookfield, VT: Edward Elgar Press. [3]
Jenkins, R. R., S. A. Martonez, K. Palmer, and M. J. Podolsky. 2000. The Determinants of Household Recycling: A Material Specific Analysis of Unit Pricing and Recycling Program Attrib-

utes. Resources for the Future, Working Paper 99-41-REV. April. http://www.rff.org/disc_papers/1999.htm (accessed 2 November 2001). [10, 11]

Jensen, R. C. 1999. Salted Away. *Environmental Protection*, September. [15]

Jeter, J. 1998. Poor Town That Sought Incinerator Finds More Problems, Few Benefits. *Washington Post*, 11 April. [5]

Johnson, J. 1999. Minn. Considers Landfill Ban by 2006. *Waste News*, 27 September. [4]

———. 2000a. California Diversion Rises. *Waste News*, 13 March. [10]

———. 2000b. Waste Giant Sticks with Recycling. *Waste News*, 10 July. [9]

Johnson, J., and C. McMullen. 2000. Mass. Weighs Lifting Landfill, Burner Ban. *Waste News*, 12 June. [10]

Johnson, M., and W. L. Carlson. 1991. Calculating Volume-Based Garbage Fees. *BioCycle*, February. [3]

Judge, R., and A. Becker. 1993. Motivating Recycling: A Marginal Cost Analysis. *Contemporary Policy Issues*, July. [11]

Jung, L. B. 1999. The Conundrum of Computer Recycling. *Resource Recycling*, May. [9]

Kafka, S. 1997. Rose Township Dump. Term paper, Economics 471, University of Michigan, Ann Arbor, December. [14]

Kahlenberg, R. 1992. Garb Go-Round: Recycling of Clothing in Thrift Shops and Elsewhere Keeps Tons and Tons from Taking Up Vital Landfill Space. *Los Angeles Times*, 29 October. [7]

Kamberg, M-L. 1990. Recycling Cuts Disposal Costs in Seattle. *Solid Waste & Power*, August. [11]

———. 1991. Weighing the Options: Paper or Plastic? *Solid Waste & Power*, April. [2]

Kanabayashi, M. 1982. It Isn't Easy to Work Alone in Japan—Ask a Chirigami Kokan. *Wall Street Journal*, 12 February. [9, 12]

Kanigher, S., and M. Manning. 1998. Yucca Mountain: Science vs. Politics. *Las Vegas Sun*, 31 May. [15]

Katzman, M. T. 1989. Financing Liabilities under Superfund: Comment. *Risk Analysis*, September. [14]

Kaufman, M. T. 1992. A Middleman's Ventures in the Can Trade. *New York Times*, 23 September. [6]

Kearney, I. D., and R. C. Porter. 1999. The Economics of Low-Level Radioactive Waste Disposal. Working Paper. University of Michigan, Ann Arbor. [15]

Keeler, A. G., and M. Renkow. 1994. Haul Trash or Haul Ash: Energy Recovery as a Component of Local Solid Waste Management. *Journal of Environmental Economics and Management*, November. [5, 10]

Keeney, R. L. 1990. Mortality Risks Induced by Economic Expenditures. *Risk Analysis*, March. [1]

———. 1997. Estimating Fatalities Induced by the Economic Costs of Regulations. *Journal of Risk and Uncertainty*, January. [1]

Keeney, R. L., and D. von Winterfeldt. 1994. Managing Nuclear Waste from Power Plants. *Risk Analysis*, February. [15]

Kemp, R. 1992. *The Politics of Radioactive Waste Disposal*. Manchester, U.K.: Manchester University Press. [15]

Kemper, P., and J. M. Quigley. 1976. *The Economics of Refuse Collection*. Cambridge, MA: Ballinger Publishing Company. [3]

Keoleian, G. A., M. Manion, J. W. Bulkley, and K. Kar. 1996. Industrial Ecology of the Automobile. White Paper, National Pollution Prevention Center, University of Michigan, Ann Arbor. [12]

Kesler, S. E. 1994. *Mineral Resources, Economics, and the Environment*. New York: Macmillan. [2]

Ketkar, K. W. 1995. Protection of Marine Resources: The U.S. Oil Pollution Act of 1990 and the Future of the Maritime Industry. *Marine Policy*, September. [14]

Kilborn, P. T. 1999. Hurricane Reveals Flaws in Farm Law. *New York Times*, 17 October. [2]

Kilbourn, S., and M. Mandell. 1992. Solid Waste Landfills: Costs and Compensation—A Case Study of the Arbor Hills Landfill. Term paper, Economics 471, University of Michigan, Ann Arbor, December. [7]

Kinkley, C-C., and K. Lahiri. 1984. Testing the Rational Expectations Hypothesis in a Secondary Materials Market. *Journal of Environmental Economics and Management*, September. [12]

Kinnaman, T. C. 1996. The Efficiency of Solid Waste Recycling: A Benefit–Cost Analysis. Working Paper. Lewisburg, PA: Department of Economics, Bushnell University. [9]

———. 2000. Explaining the Growth in Municipal Recycling Programs: The Role of Market and Non-Market Factors. Working Paper. Lewisburg, PA: Department of Economics, Bushnell University. [9]

Kinnaman, T. C., and D. Fullerton. 2000. Garbage and Recycling with Endogenous Local Policy. *Journal of Urban Economics*, November. [6, 10, 11]

Kitchen, H. M. 1976. A Statistical Estimation of an Operating Cost Function for Municipal Refuse Collection. *Public Finance Quarterly*, January. [3]

Kleindorfer, P. R. 1988. Economic Regulation of Solid Waste Collection and Disposal: Comparative Institutional Assessment. Working Paper 88-65, Center for Risk and Decision Processes. Philadelphia: Wharton School, University of Pennsylvania. July. [4]

Kohlhase, J. E. 1991. The Impact of Toxic Waste Sites on Housing Values. *Journal of Urban Economics*, July. [14]

Konheim and Ketcham, Inc. 1991. *Exporting Waste*. Report to New York City. New York: Konheim and Ketcham. [4, 7]

Kopel, D. B. 1993. Burning Mad: The Controversy over Treatment of Hazardous Waste in Incinerators, Boilers, and Industrial Furnaces. *Environmental Law Reporter*, April. [13]

Koplow, D. 1994. Federal Energy Subsidies and Recycling: A Case Study. *Resource Recycling*, November. [8, 12]

Koplow, D., and K. Dietly. 1994. *Federal Disincentives: A Study of Federal Tax Subsidies and Other Programs Affecting Virgin Industries and Recycling*. Office of Policy Analysis. EPA230-R-94-005. Washington, DC: U.S. EPA. [8, 12]

Krakauer, J. 1997. *Into Thin Air*. New York: Random House. [6]

Kravetz, S. 1998a. Allied Waste Is Set to Acquire American Disposal. *Wall Street Journal*, 11 August. [4]

———. 1998b. Dry Cleaners' New Wrinkle: Going Green. *Wall Street Journal*, 3 June. [13]

Krueger, J. 1999. *International Trade and the Basel Convention*. Washington, DC: Earthscan Publications. [7]

Kunreuther, H., D. Easterling, W. Desvouges, and P. Slovic. 1990. Public Attitudes Toward Siting a High-Level Nuclear Waste Repository in Nevada. *Risk Analysis*, December. [15]

Kunreuther, H., P. Kleindorfer, P. J. Knez, and R. Yarsick. 1987. A Compensation Mechanism for Siting Noxious Facilities: Theory and Experimental Design. *Journal of Environmental Economics and Management*, December. [7]

Kuz, M. 1998. Beatty Accepts Its Nuclear Fate. *Las Vegas Sun*, 1 June. [15]

Lake, J. A. 2001. Outdated Thinking Is Holding Us Back. *Washington Post*, 13 May. [15]

Lamb, J., and M. Chertow. 1990. Plastics Collection. *BioCycle*, April. [9]
Landy, M. K., M. J. Roberts, and S. R. Thomas. 1994. *The Environmental Protection Agency: Asking the Wrong Questions, from Nixon to Clinton*. Oxford, U.K.: Oxford University Press. [14]
Langewiesche, W. 2000. The Shipbreakers. *Atlantic Monthly*, August. [7]
Laplante, B., and P. Rilstone. 1996. Environmental Inspections and Emissions of the Pulp and Paper Industry in Quebec. *Journal of Environmental Economics and Management*, July. [13]
Lasdon, D. H. 1988. Bottle-Law Violations Penalize the Homeless [letter]. *New York Times*, 27 September. [6]
Leaversuch, R. D. 1994. Recycling Faces Reality as Bottom Line Looms. *Modern Plastics*, July. [9]
Lee, D. B. 1995. *Full Cost Pricing of Highways*. Volpe National Transport Systems Center. Washington, DC: U.S. Department of Transportation. [12]
Lee, D. R., P. E. Graves, and R. L. Sexton. 1992. Controlling the Abandonment of Automobiles: Mandatory Deposits versus Fines. *Journal of Urban Economics*, January. [6]
Lenssen, N. 1992. Confronting Nuclear Waste. *State of the World, 1992*. Worldwatch Institute. New York: W. W. Norton. [15]
Leroux, K. 1999. Buying into Buy Recycled. *Waste Age*, July. [12]
Levinson, A. 1999a. NIMBY Taxes Matter: The Case of State Hazardous Waste Disposal Taxes. *Journal of Public Economics*, October. [13]
———. 1999b. State Taxes and Interstate Hazardous Waste Shipments. *American Economic Review*, June. [13]
Ley, E., M. Macauley, and S. W. Salant. 2000. Restricting the Trash Trade. *American Economic Review*, May. [7]
———. 2002. Spatially and Intertemporally Efficient Waste Management: The Costs of Interstate Flow Control. *Journal of Environmental Economics and Management*. [7]
Lifset, R. 1998. Extended Producer Responsibility and Leasing: Some Preliminary Thoughts. Paper prepared for the Proceedings on Extended Producer Responsibility as a Policy Instrument, International Institute for Industrial Environmental Economics, 8–9 May, Lund, Sweden. [2]
Lipton, E. 1998. Industrial Waste Rules Go Up in Smoke. *Washington Post*, 13 November. [5, 13]
Little, A. D., Inc. 1990. *Disposable versus Reusable Diapers: Health, Environmental, and Economic Comparisons*. Report to Procter and Gamble. Cambridge, MA: A. D. Little. [3]
———. 1992. *A Report on Advance Disposal Fees*. Environmental Education Associates. Cambridge, MA: A. D. Little. [2]
Little, I. M. D., and J. A. Mirrlees. 1974. *Project Appraisal and Planning for Developing Countries*. New York: Basic Books. [9]
Louis, P. J. 1993. Duales System Deutschland on the Move. *European Packaging Newsletter and World Report*, September. [2]
Luckett, D. G. 1980. *Money and Banking*. New York: McGraw-Hill. [6]
Lyon, R. M., and S. Farrow. 1995. An Economic Analysis of Clean Water Act Issues. *Water Resources Research*, January. [2]
Magat, W. A., and W. K. Viscusi. 1990. Effectiveness of the EPA's Regulatory Enforcements: The Case of Industrial Effluent Standards. *Journal of Law and Economics*, October. [13]
Magnuson, A. 1996. Fresh Kills Landfill. *MSW Management*, July–August. [4]
———. 1997. Disposal. *MSW Management*, October. [5]
Maier, T. J. 1989. Trying a European Import. In *Rush to Burn*. New York: Island Press. [5]

Maillet, L. L. 1990. Hazardous versus Non-Hazardous Disposal of Ash from Detroit's Resource Recovery Facility. Term paper, Economics 573, University of Michigan, Ann Arbor, April. [5]

Malchman, W. 1995. Case Western Reserve University's New "State of the Art" Low-Level Waste Facility. *Radwaste Magazine*, September. [15]

Manning, M. 1998. Study: Yucca Will Cost Taxpayers. *Las Vegas Sun*, 5 May. [15]

Marks, R., and R. Knuffke. 1998. *America's Animal Factories: How States Fail to Prevent Pollution from Livestock Waste*. Washington, DC: Natural Resources Defense Council. [2]

Martin, D., and A. C. Revkin. 1999. As Deadline Looms for Dump, Alternate Plan Proves Elusive. *New York Times*, 30 August. [4]

Martin, G. 1999. Study Finds S.F. Water Pesticide-Free—Many Other Counties' Sources Reported to Be Contaminated. *San Francisco Chronicle*, 27 October. [2]

Mathis, J. C. 2001. Views of Public, Stores at Odds. *Ann Arbor News*, 13 May. [6]

Mazmanian, D., and D. Morell. 1992. *Beyond Superfailure: America's Toxics Policy for the 1990s*. Boulder, CO: Westview Press. [13]

Mazur, A. C. 1998. *A Hazardous Inquiry: The Rashomon Effect at Love Canal*. Cambridge, MA: Harvard University Press. [14]

McBean, E. A., F. A. Rovers, and G. J. Farquhar. 1995. *Solid Waste Landfill Engineering and Design*. Englewood Cliffs, NJ: Prentice-Hall. [4]

McCarthy, J. E. 1993. *Bottle Bills and Curbside Recycling: Are They Compatible?* Congressional Research Service, Report 93-114 ENR. 27 January. [6]

———. 1998. *Interstate Shipment of Municipal Solid Waste: 1998 Update*. Congressional Research Service, Report 98-689 ENR. 6 August. [7]

McClelland, G., W. Schulze, and B. Hurd. 1990. The Effect of Risk Beliefs on Property Values: A Case Study of a Hazardous Waste Site. *Risk Analysis*, December. [13]

McConnell, J. 1998. The Joy of Cloth Diapers. *Mothering*, May. [3]

McCrory, J. 1998. *New York City: The First Regional Government Still Cries for Planning—The Case of Waste Management*. Report 128, Planners Network, March–April. [4]

McDaniel, P. W., G. J. Borden, and M. R. James. 1995. *FUSRAP Experience Transporting LLW and 11e(2) Waste Materials by Rail, Intermodal Container, and Truck (Transportation)*. Prepared by Bechtel National Inc. Washington, DC: U.S. Department of Energy. [15]

McLellan, D. 1994. Weight-Based Rates: Collecting Waste Canadian Style. *World Wastes*, March. [3]

McMullen, C. A. 2000a. Detroit Hospital To Close Burner. *Waste News*, 14 February. [13]

———. 2000b. Foster Wheeler Says It Wants Out. *Waste News*, 14 August. [5]

———. 2000c. New England EPA Wants Mercury Ban. *Waste News*, 11 December. [13]

———. 2001. "Butt Bill" Targets Maine Smokers. *Waste News*, 26 February. [6]

MDEP (Massachusetts Department of Environmental Protection). 1997. *Massachusetts Solid Waste Master Plan, 1997 Update*, vol. 1. Boston: MDEP. [10]

Meade, K. 1989. Connecticut Chooses Combustion. *Waste Age*, June. [5]

Meadows, D. H. 1999. Never Mind Paper vs. Plastic Bags, How Did You Get to the Grocery Store? *The Global Citizen*, 20 May. [2]

Meadows, D. H., D. L. Meadows, J. Randers, and W. H. Behrens III. 1972. *The Limits to Growth*. New York: Universe Books. [8]

Melosi, M. V. 1981. *Garbage in the Cities: Refuse, Reform, and the Environment, 1880–1980*. College Station: Texas A&M University Press. [1]

Menell, P. S. 1995. Structuring a Market-Oriented Federal Eco-Information Policy. *Maryland Law Review* 54 (4). [2]

Merrill, L. 1996. Used Oil Collection Programs. *MSW Management*, September–October. [13]

Michaels, R. G., and V. K. Smith. 1989. Market Segmentation and Valuing Amenities with Hedonic Models: The Case of Hazardous Waste Sites. Discussion Paper QE89-02. Washington, DC: Resources for the Future. [13]

Michaels, R. G., V. K. Smith, and D. Harrison Jr. 1987. *Market Segmentation and Valuing Amenities with Hedonic Models: The Case of Hazardous Waste Sites*. Working Paper. Raleigh: Department of Economics, North Carolina State University. [13]

Michigan Consultants. 1996. *The Michigan Beverage Container Deposit Law Two Decades Later*. Report for Michigan Recycling Partnership. Lansing, MI: Michigan Consultants. [6, 11]

———. 1998. *Analysis of Foreign Containers in the Michigan Deposit Stream*. Report for Michigan Beer and Wine Wholesalers Association. Lansing, MI: Michigan Consultants. [6]

Miller, C. 1992. The Real Price of Processing. *Waste Age*, October. [9]

———. 1993. The Cost of Recycling at the Curb. *Waste Age*, October. [9]

———. 1995a. Co-Collection: Back to the Past. *Waste Age*, October. [11]

———. 1995b. Waste Product Profiles. In*Waste Age/Recycling Times' Recycling Handbook*, edited by J. T. Aquino. Boca Raton, FL: Lewis Publishers. [7, 13]

———. 1995c. What Does Recycling Really Cost? In *Waste Age/Recycling Times' Recycling Handbook*, edited by J. T. Aquino. Boca Raton, FL: Lewis Publishers. [9, 11]

MILLRWC (Midwest Interstate Low-Level Radioactive Waste Commission). 1985. *Generic Host State Incentive Report*, July. [15]

Miranda, M. L., and J. E. Aldy. 1998. Unit Pricing of Residential Municipal Solid Waste: Lessons from Nine Case Study Communities. *Journal of Environmental Management*, January. [3]

Miranda, M. L., S. D. Bauer, and J. E. Aldy. 1996. *Unit Pricing Programs for Residential Municipal Solid Waste: An Assessment of the Literature*. Prepared for U.S. EPA. Washington, DC: U.S. EPA. [3, 6, 10]

Miranda, M. L., J. W. Everett, D. Blume, and B. A. Roy Jr. 1994. Market-Based Incentives and Residential Municipal Solid Waste. *Journal of Policy Analysis and Management*, Fall. [3]

Miranda, M. L., and B. Hale. 1997. Waste Not, Want Not: The Private and Social Costs of Waste-to-Energy Production. *Energy Policy*, May. [5]

Miranda, M. L., and S. LaPalme. 1997. *Unit Pricing of Residential Municipal Solid Waste: A Preliminary Analysis of 212 U.S. Communities*. Prepared for U.S. EPA. Washington, DC: U.S. EPA. [6, 10, 11]

Mishan, E. J. 1988. *Cost–Benefit Analysis: An Informal Introduction*, 4th ed. London: Unwin Hyman. [1]

Moller, J. 2001. Daschle: Switch May Stall Bills That Would Affect Nevada. *Las Vegas Review-Journal*, 1 June. [15]

Montagu, P. 1995. Dry Cleaning: Is Regulation Necessary? *Rachel's Environment and Health Weekly*, 2 March. [13]

Morris, D., and J. Nelson. 1999. *Looking Before We Leap: A Perspective on Public Subsidies for Burning Poultry Manure*. Washington, DC: Institute for Local Self-Reliance. [2]

Morris, G. E., and D. M. Holthausen. 1994. The Economics of Household Solid Waste Generation and Disposal. *Journal of Environmental Economics and Management*, May. [3]

Morris, J. R., P. S. Phillips, and A. D. Read. 1998. The U.K. Landfill Tax: An Analysis of Its Contribution to Sustainable Waste Management. *Resources, Conservation, and Recycling*, September. [4]

Murphy, M. E., and M. J. Rogoff. 1994. Court's Ash Decision Raises Questions; States Have Answers. *Solid Waste Technologies*, September–October. [5]

Mydans, S. 2000. Before Manila's Garbage Hill Collapsed: Living Off Scavenging. *New York Times*, 18 July. [4]

NAPCOR (National Association for PET Container Resources). 2000. *1999 Report on Post Consumer PET Container Recycling Activity*. Charlotte, NC: NAPCOR. [12]

Naquin, D. 1998. Clearing the Air. *Waste Age*, May. [5]

NAS (National Academy of Sciences). 1957. *The Disposal of Radioactive Waste on Land*. Report of the Committee on Waste Disposal. Division of Earth Sciences. Washington, DC: NAS. [15]

———. 2000. *Long-Term Institutional Management of U.S. Department of Energy Legacy Waste Sites*. Washington, DC: NAS. [15]

———. 2001. *Disposition of High-Level Waste and Spent Nuclear Fuel: The Continuing Societal and Technical Challenges*. National Research Council, Board on Radioactive Waste Management. Washington, DC: NAS. [15]

Nelson, A. C., J. Genereux, and M. Genereux. 1992. Price Effects of Landfills on House Values. *Land Economics*, November. [4]

Nestor, D. V., and M. J. Podolsky. 1998. Assessing Incentive-Based Environmental Policies for Reducing Household Solid Waste. *Contemporary Economic Policy*, October. [3]

Neus, E. 2000. Glass Mercury Thermometer Sales Slowly Drying Up. *Detroit News*, 26 October. [13]

*Newsweek*. 1995. Trash Bandits. 19 June. [12]

———. 1998. Perspectives '98: Society. 28 December. [3]

Nichols, A. L., and R. J. Zeckhauser. 1986. The Perils of Prudence. *Regulation*, November–December. [14]

Niemczewski, C. 1977. The History of Solid Waste Management. In *The Organization and Efficiency of Solid Waste Collection*, edited by E. S. Savas. Boston: Lexington Books. [1]

Noronha, F. 1999. Shipbreaking: A Poisonous Job. *Environment News Service*, 23 September. [7]

Nossiter, A. 1996. Villain Is Dioxin. Relocation Is Response. But Judgment Is in Dispute. *New York Times*, 21 October. [14]

NYC, DEP (New York City, Department of Environmental Protection). 1997. *The Impact of Food Waste Disposers in Combined Sewer Areas of New York City*. http://www.ci.nyc.ny.us/html/dep/html/grinders.html (accessed 2 November 2001). [3]

OECD (Organisation for Economic Co-operation and Development). 1997. *Transfrontier Movements of Hazardous Wastes: 1992–93 Statistics*. Paris: OECD. [7]

———1998. *Case Study on the German Packaging Ordinance*. ENV/EPOC/PPC(97)21/REV2. Paris: OECD. [2]

O'Leary, P. R., and P. W. Walsh. 1995. *Decision Maker's Guide to Solid Waste Management*, 2d ed. Prepared for U.S. EPA. EPA 530-R-95-023. Washington, DC: U.S. EPA. [10, 11]

Orwell, G. 1941. The Art of Donald McGill. *Horizon*, September. [1]

OTA (Office of Technology Assessment). 1983. *Technologies and Management Strategies for Hazardous Waste Control*. Washington, DC: OTA. [13]

———. 1989a. *Coming Clean: Superfund's Problems Can Be Solved*. OTA-ITE-433. http://www.wws.princeton.edu/~ota/ns20/year_f.html (accessed 5 November 2001). [14]

———. 1989b. *Facing America's Trash: What Next for Municipal Solid Waste?* OTA-O-424. http://www.wws.princeton.edu/~ota/ns20/year_f.html (accessed 5 November 2001). [1, 2, 4, 5, 9]

———. 1989c. *Partnerships Under Pressure.* OTA-O-426. http://www.wws.princeton.edu/~ota/ns20/year_f.html (accessed 5 November 2001). [15]

———. 1992. *Managing Industrial Solid Wastes.* OTA-BP-O-82. http://www.wws.princeton.edu/~ota/ns20/year_f.html (accessed 5 November 2001). [2]

Paik, A. 1999. Garbage In, Value Out. *Washington Post*, 30 December. [9]

Palli, D. 1997. Gastric Cancer and Helicobacter Pylori: A Critical Evaluation of the Epidemiological Evidence. *Helicobacter* (2 Supp.). [2]

Palmer, K., H. Sigman, and M. Walls. 1997. The Cost of Reducing Municipal Solid Waste. *Journal of Environmental Economics and Management*, June. [10]

Palmer, K., H. Sigman, M. A. Walls, K. Harrison, and S. Puller. 1995. The Cost of Reducing Municipal Solid Waste: Comparing Deposit-Refunds, Advance Disposal Fees, Recycling Subsidies, and Recycling Rate Standards. Discussion Paper 95-33. Washington, DC: Resources for the Future. [10]

Palmer, K., and M. Walls. 1994. Materials Use and Solid Waste Disposal: An Evaluation of Policies. Discussion Paper 95-02. Washington, DC: Resources for the Future. [10]

———. 1997. Optimal Policies for Solid Waste Disposal: Taxes, Subsidies, and Standards. *Journal of Public Economics*, August. [6, 8, 10]

Papenhagen, E. 1995. Environmental and Economic Analysis of Dry Cleaning Solvents. Term paper, Economics 471, University of Michigan, Ann Arbor, December. [13]

Passell, P. 1991. The Garbage Problem: It May Be Politics, Not Nature. *New York Times*, 26 February. [2]

Paton, R. F. 1997. The National Low-Level Radioactive Waste Act: Success or Failure? *Radwaste Magazine*, July. [15]

Patton, G. S. 1947. *War As I Knew It.* Boston: Houghton-Mifflin. [2]

Payne, B. A., S. J. Olshansky, and T. E. Segel. 1987. The Effects on Property Values of Proximity to a Site Contaminated with Radioactive Waste. *Natural Resources Journal*, Summer. [15]

Pearce, D. W., and R. K. Turner. 1992. *Packaging Waste and the Polluter Pays Principle: A Taxation Solution.* Centre for Social and Economic Research on the Global Environment. Discussion Paper WM 92-01. London: University College London and University of East Anglia. [2]

Pearce, J. 2000a. Detroit Polluter Fouling Suburbs. *Detroit News*, 18 February. [12]

———. 2000b. EPA Puts Lyon Firm on Hit List. *Detroit News*, 10 May. [12]

———. 2000c. Oakland Firm Hit as Polluter. *Detroit News*, 9 August. [12]

———. 2001. State to Review Firm's Emissions. *Detroit News*, 5 June. [12]

Peckinpaugh, T. L. 1988. The Politics of Low-Level Radioactive Waste Disposal. In *Low-Level Radioactive Waste Regulation*, edited by M. E. Burns. Boca Raton, FL: Lewis Publishers. [15]

Peretz, J. H., R. A. Bohm, and P. D. Jasienczyk. 1997. Environmental Policy and the Reduction of Hazardous Waste. *Journal of Policy Analysis and Management*, Fall. [13]

Pettit, C. L., and C. Johnson. 1987. The Impact on Property Values of Solid Waste Facilities. *Waste Age*, April. [4]

Pigou, A. C. 1920. *The Economics of Welfare.* New York: Macmillan. [1]

Podolsky, M. J., and M. Spiegel. 1997. *When Interstate Transportation of Municipal Solid Waste*

*Makes Sense and When It Does Not*. Office of Policy, Planning, and Evaluation. Washington, DC: U.S. EPA. [7]

Pogrebin, R. 1996. Now the Working Class, Too, Is Foraging for Empty Cans. *New York Times*, 29 April. [6]

Porter, J. W. 1988. *A National Perspective on Municipal Solid Waste Management*. Speech to 4th Annual Conference on Solid Waste Management and Materials Policy, January, New York City. [10]

Porter, R. C. 1974. The Long-Run Asymmetry of Subsidies and Taxes as Anti-Pollution Policies. *Water Resources Research*, June. [1]

———. 1978. A Social Benefit–Cost Analysis of Mandatory Deposits on Beverage Containers. *Journal of Environmental Economics and Management*, December. [6]

———. 1982. The Public Management of Michigan's Natural Resources. In *Michigan's Fiscal and Economic Structure*, edited by H. E. Brazer. Ann Arbor: University of Michigan Press. [7]

———. 1983a. *High-Level Nuclear Waste Disposal: The Failings of Politicized Benefit/Cost*. Discussion Paper 186. Ann Arbor: Institute of Public Policy Studies, University of Michigan. [15]

———. 1983b. Michigan's Experience with Mandatory Deposits on Beverage Containers. *Land Economics*, May. [6]

———. 1983c. The Optimal Timing of an Exhaustible, Reversible Wilderness Development Project. *Land Economics*, August. [14]

———. 1996. *The Economics of Water and Waste: A Case Study of Jakarta, Indonesia*. Aldershot, U.K.: Avebury Press. [3, 4, 8]

———. 1997. *The Economics of Water and Waste in Three African Capitals*. Aldershot, U.K.: Ashgate Press. [3, 4, 8]

———. 1999. *Economics at the Wheel: The Costs of Cars and Drivers*. San Diego: Academic Press. [1, 11, 13]

Portney, P. R. 1992. Trouble in Happyville. *Journal of Policy Analysis and Management*, Winter. [1]

———. 1993. The Price Is Right: Making Use of Life Cycle Analyses. *Issues in Science and Technology*, Winter. [2]

Powell, J. 1989. Recycling Is Cheaper: The Massachusetts Experience. *Resource Recycling*, October. [9]

Powers, R. W. 1995. The Costs of Curbside Recycling. *Solid Waste Technologies*, May–June. [9]

Probst, K. N. 1995. *The Strengths and Weaknesses of Current Superfund Law*. Remarks Delivered to the U.S. Senate Subcommittee on Superfund, Waste Control and Risk Assessment. Committee on Environment and Public Works, 10 March. [14]

Probst, K. N., D. Fullerton, R. E. Litan, and P. R. Portney. 1995. *Footing the Bill for Superfund Cleanups: Who Pays and How?* Washington, DC: Brookings Institution and Resources for the Future. [14]

Probst, K. N., and P. R. Portney. 1992. *Assigning Liability for Superfund Cleanups: An Analysis of the Policy Options*. Washington, DC: Resources for the Future. [14]

Pyen, C. W. 1992. Importing Garbage Buys County Some Peace of Mind. *Ann Arbor News*, 11 October. [7]

———. 1997. Trash and Treasure. *Ann Arbor News*, 20 July. [7]

———. 1998. Cleanup Questions. *Ann Arbor News*, 21 June. [4]

Rabasca, L. 1995. Recycling and the State and Federal Governments. In *Waste Age/Recycling*

*Times' Recycling Handbook,* edited by J. T. Aquino. Boca Raton, FL: Lewis Publishers. [10]
Rabinovitch, J. 1996. Integrated Transportation and Land Use Planning Channel Curitiba's Growth. In *World Resources 1996–97.* Washington, DC: World Resources Institute. [3]
Rampacek, C. 1982. An Overview of Mining and Mineral Processing Waste as a Resource. *Resources and Conservation,* August. [2]
Ramstad, E. 2000. Where TVs Go When They Die. *Wall Street Journal,* 14 July. [9]
Rasmussen, S. 1998. Municipal Landfill Management. In *Economic Analysis at EPA,* edited by R. D. Morgenstern. Washington, DC: Resources for the Future. [4]
Rathje, W. L. 1989. Rubbish. *The Atlantic,* December. [4]
———. 2000. Parkinson's Law of Garbage. *MSW Management,* May–June. [3]
Raucher, R. L. 1986. The Benefits and Costs of Policies Related to Groundwater Contamination. *Land Economics,* February. [13]
Ray, D. L., and L. Guzzo. 1993. *Environmental Overkill: Whatever Happened to Common Sense?* New York: HarperPerennial. [14]
Raymond, M. 1992. Landfill Bans: Are They Working? *Solid Waste & Power,* October. [10]
Ready, M. J., and R. C. Ready. 1995. Optimal Pricing of Depletable, Replaceable Resources: The Case of Landfill Tipping Fees. *Journal of Environmental Economics and Management,* May. [4]
Reichert, A. K., M. Small, and S. Mohanty. 1992. The Impact of Landfills on Residential Property Values. *Journal of Real Estate Research,* Summer. [4]
Reisch, M. 2001. *Superfund and the Brownfields Issue.* Congressional Research Service, Report 97-731 ENR. January. [14]
Repa, E. W. 1997. Interstate Movement. *Waste Age,* June. [7]
———. 2000. Solid Waste Disposal Trends. *Waste Age,* April. [4, 5]
Repetto, R., R. C. Dower, R. Jenkins, and J. Geoghegan. 1992. *Green Fees: How a Tax Shift Can Work for the Environment and the Economy.* Washington, DC: World Resources Institute. [3, 4]
Reschovsky, J. D., and S. E. Stone. 1994. Market Incentives to Encourage Household Waste Recycling: Paying for What You Throw Away. *Journal of Policy Analysis and Management,* Winter. [3]
Revesz, R. L., and R. B. Stewart, eds. 1995. *Analyzing Superfund: Economics, Science, and Law.* Washington, DC: Resources for the Future. [14]
Reynolds, S. P. 1995. The German Recycling Experiment and Its Lessons for United States Policy. *Villanova Environmental Law Journal* 6 (1). http://vls.law.vill.edu/students/orgs/elj/vol06/reynolds.htm (accessed 22 April 2002). [2, 9]
Rhyner, C. R., L. J. Schwartz, R. B. Wenger, and M. G. Kohrell. 1995. *Waste Management and Resource Recovery.* Boca Raton, FL: Lewis Publishers. [2, 3, 5]
Ring, J. L., O. F. William, and J. Shapiro. 1995. Biomedical Radioactive Waste Management at Harvard University. *Radwaste Magazine,* September. [15]
Ringleb, A. H., and S. N. Wiggins. 1990. Liability and Large-Scale, Long-Term Hazards. *Journal of Political Economy,* June. [14]
Robertson, D. H. 1956. *Economic Commentaries.* London: Staples Press. [1]
Rogers and Associates Engineering. 2000. *Texas Compact Low-Level Radioactive Waste Generation Trends and Management Alternative Study: Technical Report.* RAE-42774-019-5407-2. August. http://www.tnrcc.state.tx.us/permitting/llrw (accessed 5 November 2001). [15]
Russell, C. S. 1988. Economic Incentives in the Management of Hazardous Wastes. *Columbia*

*Journal of Environmental Law,* 13 (2). [13]
———. 1990. Monitoring and Enforcement. In *Public Policies for Environmental Protection,* 1st ed., edited by P. R. Portney. Washington, DC: Resources for the Future.[13]
Ruston, J. F., and R. A. Denison. 1996. *Advantage Recycle: Assessing the Full Costs and Benefits of Curbside Recycling.* Working Paper. New York: Environmental Defense Fund. [8]
Rzepka, M. 1992. Trash Turns to Cash for Salem Township. *Ann Arbor News,* 11 October. [7]
Sahagun, D. 2000. Study Details Effects of Yucca Dump. *Las Vegas Sun,* 19 July. [15]
Salimando, J. 1989. A Tale of Two Towns. *Waste Age,* June. [11]
Salkever, A. 1999. Information Age Byproduct: A Growing Trail of Toxic Trash. *Christian Science Monitor,* 16 November. [9]
*San Francisco Chronicle.* 1999. Recycling Goal Off Mark, But There's Still Time [editorial]. 10 August. [10]
Saphire, D. 1994. *Case Reopened: Reassessing Refillable Bottles.* New York: Inform Inc. [6]
Scarlett, L. 1993. Recycling Costs: Clearing Away Some Smoke. *Solid Waste and Power,* July–August. [9]
———. 1994. Recycling Rubbish. *Reason,* May. [2]
Scarlett, L., R. McCann, R. Anex, and A. Volokh. 1997. Packaging, Recycling, and Solid Waste. Policy Study No. 223. Los Angeles: Reason Public Policy Institute. [2]
Schall, J. 1993. Does the Hierarchy Make Sense? *MSW Management,* January–February. [8]
Schaper, L. T., and R. C. Brockway. 1993. Transfer Stations. In *The McGraw-Hill Recycling Handbook,* edited by H. F. Lund. New York: McGraw-Hill. [3]
Schelling, T. C. 1968. The Life You Save May Be Your Own. In *Problems in Public Expenditure Analysis,* edited by S. B. Chase, Washington, DC: Brookings Institution. [1]
———. 1978. Hockey Helmets, Daylight Savings, and Other Binary Choices. *Micromotives and Macrobehavior.* New York: W. W. Norton. [6]
Scheuer, J. 1999. *The Sound Bite Society: Television and the American Mind.* New York: Four Walls Eight Windows. [16]
Schneider, K., S. McCarthy, M. Pisa, T. Nicholson, C. Daily, J. Peckenpaugh, E. Brummett, G. Gnugnoli, A. Huffert, and R. Tadesse. 2000. *Human Interaction with Reused Soil: A Literature Search.* Division of Risk Analysis and Applications, Office of Nuclear Regulatory Research, Draft Report NUREG-1725. Washington, DC: Nuclear Regulatory Commission. [15]
Schock, J. 1995. WtE Facilities: Are They Worth the Costs? Term paper, Economics 471, University of Michigan, Ann Arbor, November. [5]
Schulze, W., G. McClelland, B. Hurd, and J. Smith. 1986. *Improving Accuracy and Reducing Costs of Environmental Benefit Assessments.* Prepared for U.S. EPA. Washington, DC: U.S. EPA. [13]
Schuman, M. 2001. How Big Mining Lost a Fortune in Indonesia: The Locals Moved In. *Wall Street Journal,* 16 May. [2]
Sebelius, S. 2001. Governor Lists New Client. *Las Vegas Review-Journal,* 16 August. [15]
Sedjo, R. A., and R. D. Simpson. 1999. Tariff Liberalization, Wood Trade Flows, and Global Forests. Discussion Paper 00-05, Resources for the Future. November. http://www.rff.org/disc_papers/1999.htm (accessed 1 November 2001). [8]
Segerson, K. 1988. Uncertainty and Incentives for Nonpoint Pollution Control. *Journal of Environmental Economics and Management,* March. [2]
———. 1993. Liability Transfers: An Economic Assessment of Buyer and Lender Liability. *Journal of Environmental Economics and Management,* July. [14]

Serumgard, J. R., and M. H. Blumenthal. 1993. A Practical Approach to Managing Scrap Tires. *MSW Management*, September–October. [8]

Shavell, S. 1980. Strict Liability Versus Negligence. *Journal of Legal Studies*, January. [13]

Shea, C. P., and K. Struve. 1992. Package Recycling Laws. *BioCycle*, June. [2]

Shore, M. 1997. Solid Waste Management: True Costs and Benefits. *Resource Recycling*, July. [9]

Sicular, D. T. 1992. *Scavengers, Recyclers, and Solutions for Solid Waste Management in Indonesia*. Center for Southeast Asia Studies. Monograph 32. Berkeley: University of California. [8]

Sigman, H. 1996a. A Comparison of Public Policies for Lead Recycling. *Rand Journal of Economics*, Autumn. [6, 13]

———. 1996b. The Effects of Hazardous Waste Taxes on Waste Generation and Disposal. *Journal of Environmental Economics and Management*, March. [13]

———. 1998a. Liability Funding and Superfund Clean-Up Remedies. *Journal of Environmental Economics and Management*, May. [13, 14]

———. 1998b. Midnight Dumping: Public Policies and Illegal Disposal of Used Oil. *Rand Journal of Economics*, Spring. [6]

———. 2000. Hazardous Waste and Toxic Substance Policies. In *Public Policies for Environmental Protection*, 2d ed., edited by P. R. Portney and R. N. Stavins. Washington, DC: Resources for the Future. [13]

———. 2001. The Pace of Progress at Superfund Sites: Policy Goals and Interest Group Influence. *Journal of Law and Economics*, April. [14]

Simon, J. L. 1981. *The Ultimate Resource*. Princeton NJ: Princeton University Press. [8]

Simon, R. 1990. Yes, In My Backyard. *Forbes*, 3 September. [7]

Skaburskis, A. 1989. Impact Attenuation in Conflict Situations: The Price Effects of a Nuisance Land-Use. *Environment and Planning A*, March. [4]

Skumatz, L. A. 1990. *Volume-Based Rates in Solid Waste: Seattle's Experience*. Report for the Seattle Solid Waste Utility. Seattle. [3]

———. 1996. *Nationwide Diversion Rate Study: Quantitative Effects of Program Choices on Recycling and Green Waste Diversion*. Seattle: Skumatz Economic Research Associates. [11]

Skumatz, L. A., E. Truitt, and J. L. Green. 1998. Recycling Programs. *Resource Recycling*, January. [9]

Skumatz, L. A., H. Van Dusen, and J. Carton. 1994. Garbage by the Pound: Ready to Roll with Weight-Based Fees. *BioCycle*, November. [3]

Small, W. E. 1971. *Third Pollution: The National Problem of Solid Waste Disposal*. New York: Praeger. [1]

Smith, V. K., and W. H. Desvouges. 1986. The Value of Avoiding a LULU: Hazardous Waste Disposal Sites. *Review of Economics and Statistics*, May. [13]

Smothers, R. 1997. New Jersey's Trash Disposal Fragmented by Court Ruling. *New York Times*, 6 October. [7]

Snyder, D. 2001. Poultry-Fueled Power Sparking Interest. *Washington Post*, 13 February. [2]

Sparks, K. 1998. Tax Credits: An Incentive to Recycling? *Resource Recycling*, July. [10]

Specter, M. 1992. Dinkins' Role in Sanitation Faulted. *New York Times*, 18 January. [9]

Stafford, S. L. 2000. The Effect of Punishment on Firm Compliance with Hazardous Waste Regulations. Working Paper. Williamsburg, VA: Department of Economics, William and Mary College. [13]

Steuteville, R. 1993. Early Results with Co-Collection. *BioCycle*, February. [11]

Stevens, B. 1977. Pricing Schemes for Refuse Collection Services: The Impact of Refuse Generation. Research Paper 154. New York: Graduate School of Business, Columbia University. [3]

———. 1978. Scale, Market Structure, and the Cost of Refuse Collection. *Review of Economics and Statistics*, August. [3]

———. 1989. How to Finance Curbside Recycling. *BioCycle*. February. [3]

———. 1994. Recycling Collection Costs by the Numbers: A National Survey. *Resource Recycling*, September. [3, 9, 11]

———. 1998. Multi-Family Recycling: The Data Are In. *Resource Recycling*, April. [11]

Stewart, B. 2000a. Impact of Trucking Garbage across Hudson Challenged. *New York Times*, 1 February. [4]

———. 2000b. Workers Pick Up Where New Yorkers' Recycling Leaves Off. *New York Times*, 27 June. [11]

Strathman, J. G., A. M. Rufolo, and G. C. S. Mildner. 1995. The Demand for Solid Waste Disposal. *Land Economics*, February. [3]

Strotz, R. H. 1956. Myopia and Inconsistency in Dynamic Utility Maximization. *Review of Economic Studies*, July. [15]

Sullivan, A. 1990. Oil Firms, Shippers Seek to Circumvent Laws Setting No Liability Limit for Spills. *Wall Street Journal*, 26 July. [14]

Sullivan, A. M. 1987. Policy Options for Toxics Disposal: Laissez-Faire, Subsidization, and Enforcement. *Journal of Environmental Economics and Management*, March. [6, 13]

Sullivan, P., and G. A. Stege. 2000. An Evaluation of Air and Greenhouse Gas Emissions and Methane-Recovery Potential From Bioreactor Landfills. *MSW Management*, September–October. [4]

Tawil, N. 1996. *Essays on Economics, Government, and the Environment*. Ph.D. dissertation, Massachusetts Institute of Technology, Cambridge, MA, February. [3, 9]

Temple, Barker, and Sloane, Inc. 1989. *Discussion and Summary of Economic Incentives to Promote Recycling and Source Reduction*. Prepared for U.S. EPA. Washington, DC: U.S. EPA. [13]

Tenenbaum, D. 1998. Garbage Man. *Isthmus*, 26 June. [4]

Tengs, T. O., and J. D. Graham. 1996. The Opportunity Costs of Haphazard Social Investments in Life-Saving. In *Risks, Costs, and Lives Saved: Getting Better Results from Regulation*, edited by R. W. Hahn. Oxford, U.K.: Oxford University Press. [1]

Thompson, E. S. 2000. Farm Scene: Study Says Hog Industry Can Afford Lagoon Elimination. *San Francisco Chronicle*, 22 November. [2]

Tickner, G., and J. C. McDavid. 1986. Effects of Scale and Market Structure on the Costs of Residential Solid Waste Collection in Canadian Cities. *Public Finance Quarterly*, October. [3]

Tierney, J. 1996. Recycling Is Garbage. *New York Times Magazine*, 30 June. [8, 9]

Tietenberg, T. H. 1989. Indivisible Toxic Torts: The Economics of Joint and Several Liability. *Land Economics*, November. [14]

Tilton, J. E. 1994. Mining Waste and the Polluter-Pays Principle in the United States. In *Mining and the Environment*, edited by R. G. Eggert. Washington, DC: Resources for the Future. [13]

Timberg, C. 1999. Va. Hopes Barge Ban Would Deter, Not Just Reroute, Trash Loads. *Washington Post*, 25 January. [7]

Todd, D. 1993. From Rags to Riches: Clothing Donated to Western Charities Is Flooding the Third World and Being Sold for Profit. *Montreal Gazette*, 13 November. [7]

Toloken, S. 1999. PET Recycling Rate Continues to Drop. *Waste News*, 11 October. [12]

Tompkins, B. 1997. House Committee Okays Texas/Maine/Vermont Compact. *Nuclear News*, August. [15]

Toy, V. S. 1996a. Giuliani Assails Recycling Goals in Law. *New York Times*, 3 July. [1]

———. 1996b. Giuliani Says Recycling Goals Have Been Met. *New York Times*, 4 July. [1]

Travis, C., S. Richter, E. Crouch, R. Wilson, and E. Klema. 1987. Cancer Risk Management: A Review of 132 Federal Regulatory Decisions. *Environmental Science and Technology*, April. [14]

Truini, J. 1999. Mont. Firm to Sub Glass in Cement Mixture in Vast State. *Waste News*, 22 November. [9]

———. 2000a. British Columbia Bottle Fee Draws Flak. *Waste News*, 13 March. [6]

———. 2000b. IBM To Accept Old Computers. *Waste News*, 20 November. [9]

———. 2000c. Rhode Island To Recycle Computers. *Waste News*, 11 December. [9]

———. 2000d. Tennessee Bill Aids Recycler. *Waste News*, 12 June. [12]

———. 2001a. Cities, Companies Lean Toward One Bin. *Waste News*, 19 February. [11]

———. 2001b. Gerber Packaging Move Spurs Recycling Outcry. *Waste News*, 25 June. [12]

———. 2001c. Glass Makers Bend, But Don't Break. *Waste News*, 26 February. [12]

———. 2001d. Hewlett-Packard Unveils Computer Recycling Plan. *Waste News*, 28 May. [9]

———. 2001e. Michigan Mulls Bottle Ban. *Waste News*, 12 March. [7]

———. 2001f. Poor Recycling Habits Hurt Glass Quality, Prices. *Waste News*, 6 August. [12]

———. 2001g. Recycling in Bits and Bytes. *Waste News*, 30 April. [9]

Tryens, J. 1990. *Review of Arthur D. Little, Inc.'s Disposable Versus Reusable Diapers*. Washington, DC: Center for Policy Alternatives. 6 August. [3]

Tsipis, K. 1994. 1,000 Tests, 1,000 Poisoned Craters. *New York Times*, 3 October. [15]

Ujihara, A. M., and M. Gough. 1989. *Managing Ash from Municipal Waste Incinerators: A Report*. Center for Risk Management. Washington, DC: Resources for the Future. [5, 13]

UNIDO (United Nations Industrial Development Organization). 1997. *High Impact Programme: Introducing New Technologies for Abatement of Global Mercury Pollution Deriving from Artisanal Gold Mining*. Expert Group Meeting. Project No. US/INT/96/171. New York: United Nations. [2]

U.S. Bureau of the Census. Various years. *Statistical Abstract of the United States*. U.S. Dept. of Commerce. Washington, DC: U.S. Government Printing Office. [1, 10]

U.S. EPA (U.S. Environmental Protection Agency). 1983. *Experiences of Hazardous Waste Generators with EPA's Phase I RCRA Program*. Washington, DC: U.S. EPA. [13]

———. 1985. *Report to Congress on Solid Wastes from Mineral Extraction and Beneficiation*. EPA-530-SW-85-033. Washington, DC: U.S. EPA. [2]

———. 1986a. *Minimization of Hazardous Wastes*. Report to Congress. EPA-530-SW-86-033. Washington, DC: U.S. EPA. [13]

———. 1986b. *Regulatory Analysis of Restrictions on Land Disposal of Certain Dioxin-Containing Wastes*. Prepared by Industrial Economics, Inc. Washington, DC: U.S. EPA. [13]

———. 1986c. *A Survey of Household Hazardous Wastes and Related Collection Programs*. EPA-530-SW-86-038. Washington, DC: U.S. EPA. [13]

———. 1987. *Municipal Waste Combustion Study*. Report to Congress. EPA-530-SW-87-021a. Washington, DC: U.S. EPA. [4, 5]

———. 1988. *The Solid Waste Dilemma: An Agenda for Action*. EPA-530-SW-88-054A. September. Washington, DC: U.S. EPA. [4, 5]

———. 1990. *Medical Waste Management in the United States: First Interim Report to Congress.* EPA-530-SW-90-015a. Washington, DC: U.S. EPA. [13]

———. 1991a. *Addendum to the Regulatory Impact Analysis for the Final Criteria for Municipal Solid Waste Landfills.* EPA-530-SW-91-073b. Washington, DC: U.S. EPA. [4, 16]

———. 1991b. *Regulatory Impact Analysis for the Final Criteria for Municipal Solid Waste Landfills.* EPA-530-SW-91-073a. Washington, DC: U.S. EPA. [4, 16]

———. 1991c. *Role of the Baseline Risk Assessment in Superfund Remedy Selection Decisions.* Directive 9355-0-30. Washington, DC: U.S. EPA. [14]

———. 1992. *Cost and Economic Impact Analysis of Listing Hazardous Wastes K141-K145, K147, and K148 from the Coke By-Products Industry.* Prepared by DPRA Incorporated. Washington, DC: U.S. EPA. [13]

——. 1993. *State Scrap Tire Programs: A Quick Reference Guide.* EPA-530-B-93-001. April. http:// www.epa.gov/epaoswer/non-hw/tires/scrapti.pdf (accessed 2 November 2001). [8]

———. 1994a. *Jobs through Recycling Initiative.* EPA-530-F-94-026. Washington, DC: U.S. EPA. [8]

———. 1994b. *Setting Priorities for Hazardous Waste Minimization.* EPA-530-R-94-015. Washington, DC: U.S. EPA. [13]

———. 1995a. *Recycling Means Business.* EPA-530-K-95-004. September. http://www.epa.gov/enviroed/oeecat/docs/1150.html (accessed 2 November 2001). [8, 9]

———. 1995b. *Report to Congress on Flow Control and Municipal Solid Waste.* EPA-530-R-95-008. March. http://www.epa.gov/epaoswer/non-hw/muncpl/flowctrl/metarcfl.txt (accessed 2 November 2001). [5, 7]

———. 1995c. *Understanding the Hazardous Waste Rules.* EPA-530-K-95-001. April. http://www.epa.gov/epaoswer/hazwaste/sqg/sqghand.htm (accessed 2 November 2001). [13]

———. 1997a. *Jobs through Recycling Program.* EPA-530-F-98-001. December. http://www.epa.gov/epaoswer/non-hw/recycle/jtr (accessed 2 November 2001). [8]

———. 1997b. *Mercury Emissions from the Disposal of Fluorescent Lamps.* Office of Solid Waste. http://www.epa.gov/epaoswer/hazwaste/id/merc-emi/merc-emi.htm (accessed 2 November 2001). [13]

———. 1998a. *Greenhouse Gas Emissions from Management of Selected Materials in Municipal Solid Waste.* EPA-530-R-98-013. September. http://www.epa.gov/epaoswer/non-hw/muncpl/ghg/greengas.pdf (accessed 2 November 2001). [8]

———. 1998b. *Illegal Dumping Prevention Guidebook.* EPA-905-B-97-001. March. http://www.epa.gov/region5/dmpguide.htm (accessed 2 November 2001). [6]

———. 1998c. *Inventory of U.S. Greenhouse Gas Emissions and Sinks: 1990-1996.* EPA-236-R-98-006. March. http://www.epa.gov/globalwarming/publications/emissions/us2000 (accessed 2 November 2001). [4, 5]

———. 1998d. *Mining and Mineral Processing Sites on the NPL.* EPA RCRA Docket # F-97-2P4P-FFFFF. April. http://www.epa.gov/OSWRCRA/hazwaste/ldr/mining/docs/npl.pdf (accessed 2 November 2001). [2]

———. 1999a. *The Brownfields Economic Redevelopment Initiative.* EPA-500-F-99-001. http://www.epa.gov/swerosps/bf/pdf/rlfguide.pdf (accessed 2 November 2001). [14]

———. 1999b. *Cutting the Waste Stream in Half: Community Record-Setters Show How.* EPA-530-R-99-013. June. http://www.epa.gov/epaoswer/non-hw/reduce/f99017.pdf (accessed 2 November 2001). [7, 9]

———. 2000. *Guidelines for Preparing Economic Analyses*. EPA-240-R-00-003. September. http://www.epa.gov/economics/ (accessed 2 November 2001). [13]

———. 2001a. *National Analysis: The Preliminary Biennial RCRA Hazardous Waste Report (Based on 1999 Data)*. 5305W. February. http://www.epa.gov/epaoswer/hazwaste/data/brs99/index.htm (accessed 2 November 2001). [13]

———. 2001b. *The U.S. Experience with Economic Incentives for Protecting the Environment*. EPA-240-R-01-001. January. http://www.epa.gov/economics/ (accessed 2 November 2001). [6, 13]

Van Houtven, G. L., and M. L. Cropper. 1996. When Is a Life Too Costly to Save? The Evidence from U.S. Environmental Regulations. *Journal of Environmental Economics and Management*, May. [1]

Van Houtven, G. L., and G. E. Morris. 1999. Household Behavior Under Alternative Pay-As-You-Throw Systems for Solid Waste Disposal. *Land Economics*, November. [3]

Vari, A., P. Reagan-Cirincione, and J. L. Mumpower. 1994. *LLRW Disposal Siting: Success and Failure in Six Countries*. Boston: Kluwer Academic Publishers. [15]

Vesilind, P. A. 1997. *Introduction to Environmental Engineering*. Boston: PWS Publishing. [4]

Viscusi, W. K. 1996. The Dangers of Unbounded Commitments to Regulate Risk. In *Risks, Costs, and Lives Saved: Getting Better Results from Regulation*, edited by R. W. Hahn. Oxford, U.K.: Oxford University Press. [1]

Viscusi, W. K., and J. T. Hamilton. 1996. Cleaning Up Superfund. *The Public Interest*, Summer. [14]

Viscusi, W. K., J. M. Vernon, and J. E. Harrington. 1992. *Economics of Regulation and Antitrust*. Lexington, MA: D. C. Heath and Co. [3]

Walby, N. A. 1999. Reinventing a Definition for Competition. *MSW Management*. January–February. [4]

Wald, M. L. 2000a. Deal for Radioactive Waste Clean-up Hits Snag. *New York Times*, 27 April. [15]

———. 2000b. These Are Hard Times for Uranium Enrichment. *New York Times*, 20 June. [15]

Walker, K., and J. B. Wiener. 1995. Recycling Lead. In *Risk versus Risk: Tradeoffs in Protecting Health and the Environment.*, edited by J. D. Graham and J. B. Wiener. Cambridge, MA: Harvard University Press. [13]

Walker, K. D., M. Sadowitz, and J. D. Graham. 1995. Confronting Superfund Mythology: The Case of Risk Assessment and Management. In *Analyzing Superfund: Economics, Science, and Law*, edited by R. L. Revesz and R. B. Stewart. Washington, DC: Resources for the Future. [14]

Walls, M. A., and B. L. Marcus. 1993. Should Congress Allow States to Restrict Waste Imports? *Resources*, Winter. [7]

Walls, M. A., and K. Palmer. 2001. Upstream Pollution, Downstream Waste Disposal, and the Design of Comprehensive Environmental Policies. *Journal of Environmental Economics and Management*, January. [10]

Walsh, D. C. 1989. Solid Wastes in New York City: A History. *Waste Age*, April. [4]

Walsh, J. 1990a. More on Sanitary Landfill Costs. *Waste Age*, April. [4]

———. 1990b. Sanitary Landfill Costs, Estimated. *Waste Age*, March. [4]

Walters, J. 1991. The Poisonous War Over Hazardous Waste. *Governing*, November. [13]

Warren, S. 1999. Recycler's Nightmare: Beer in Plastic. *Wall Street Journal*, 16 November. [12]

Warrick, J. 1998. "Battle of the Bulbs" Hits a Flash Point. *Washington Post*, 24 January. [13]

Warrick, J., and P. Stith. 1995. Boss Hog: North Carolina's Pork Revolution. *News and Observer*, 19–26 February. [2]

Watabe, A. 1992. On Economic Incentives for Reducing Hazardous Waste Generation. *Journal of Environmental Economics and Management*, September. [13]

Weck-Hannemann, H., and B. S. Frey. 1995. Are Economic Incentives as Good as Economists Believe? Some New Considerations. In *Public Economics and the Environment in an Imperfect World*, edited by L. Bovenberg and S. Cnossen. Boston: Kluwer Academic Publishers. [1]

Weddle, B. R. 1989. Description of the EPA's Municipal Solid Waste Strategy. In *Book of Papers: Disposing of Disposables*. Cary, NC: INDA, Association of the Nonwoven Fabrics Industry. [1]

Wenger, R. B., C. R. Rhyner, and E. E. Wagoner. 1997. Relating Disposal-Based Solid Waste Reduction Rates to Recycling Rates. *Resources, Conservation, and Recycling*, August. [10]

Wertz, K. L. 1976. Economic Factors Influencing Households' Production of Refuse. *Journal of Environmental Economics and Management*, April. [3]

Whitford, M. 2001. Battery Makers Look to Get the Lead Out. *Waste News*, 5 March. [13]

Whitman, I. L., and B. Skoultchi. 2000. Putting the Development in Brownfield Redevelopment. *Environmental Protection*, August. [14]

Wildavsky, A. 1979. No Risk Is the Highest Risk of All. *American Scientist*, January–February. [1]

Williams, S. 1991. *Trash to Cash*. Washington, DC: Investor Responsibility Research Center. [9, 12]

Wiseman, C. 1993. Increased U.S. Wastepaper Recycling: The Effect on Timber Demand. *Resources, Conservation, and Recycling*, January. [8]

Woods, R. 1992. Mr. Rubbish's No-Frills Recycling. *Waste Age*, August. [9]

World Bank. 1989. *Ghana: Urban Sector Review*. Report 7384-GH. Washington, DC: World Bank. [4]

———. 1993. *Indonesia: Urban Public Service Provision*. Discussion Paper. Washington, DC: World Bank. [4]

———. 1998. *World Resources: A Guide to the Global Environment*. New York: Oxford University Press. [1]

*World Wastes*. 1993. New Jersey Town Weighs in on Trash by the Pound. February. [10]

Wu, T. H. 1998. Benefit–Cost Analysis of Ann Arbor Recycling. Term paper, Economics 471, University of Michigan, Ann Arbor, August. [9]

Zielbauer, P. 2000. States and Cities Flout Law on Underground Fuel Tanks. *New York Times*, 8 August. [1]

Zisman, T. 1995. Would Ann Arbor's Municipal Solid Waste Disposal Be Cheaper by Incinerator? Term paper, Economics 471, University of Michigan, November. [5]

参考文献のうち，日本語訳が存在するもの

**Hawken** (1993)（ポール・ホーケン『サステナビリティ革命：ビジネスが環境を救う』ジャパンタイムズ，1995 年（田栄作訳））

**Houghton** (1996)（気象庁編『地球温暖化の実態と見通し：世界の第一線の科学者による最新の報告 IPCC 第二次報告書』大蔵省印刷局，1996 年）

**Lenssen** (1992)（レスター・ブラウン編著『ワールドウォッチ地球白書 1992–1993』ダイヤモンド社，1992 年（加藤三郎監訳））

**Meadows** (1972)（ドネラ・H・メドウズ他著『成長の限界：ローマ・クラブ「人類の危機」レポート』ダイヤモンド社，1972 年（大来佐武郎監訳））

**Pigou** (1920)（A・C・ピグウ『ピグウ厚生経済学』東洋経済新報社，1953 年–1955 年（気賀健三他訳））

**Repetto** (1992)（R・レペット他著，世界資源研究所編『緑の料金：税制変更によってどれほど環境と経済に影響を与えられるか』中央法規出版，1994 年（飯野靖四監訳））

# 訳者あとがき

本書は，Richard C. Porter, *The Economics of Waste*, RFF Press, 2002の邦訳である．

経済学を用いて廃棄物の問題を考えたら，どのようなことが言えるか．本書のテーマを簡単にまとめるとそのようなものになるだろう．本書で扱われている廃棄物の問題は，家庭ごみから放射性廃棄物まで多種多様であるが，問題を切り取る経済学的な視点は，常に一貫している．この一貫性によって，ともすればややこしそうに思えてしまう廃棄物の問題が，すっきりと整理されていく．論理はすこぶる明快である．

論理の明快さを支えるキーワードの１つが，「インセンティブ」である．すなわち著者は，廃棄物の抑制やリサイクルの促進にあたって，経済的動機を利用した政策手段を重視している．単に「ごみを減らしましょう」という呼びかけをするだけではなく，「ごみを減らした方が得になる（減らさないと損をする）」仕組みをつくることで，政策の実効性を増そうというのである．一方で本書は，こうした価格インセンティブを用いた政策手段の実施面での難しさや注意点についてもきちんと触れている．

「コストとベネフィット（費用と便益）」は，もう１つの重要なキーワードである．あらゆる行為には費用がかかる．ある行為をおこなうにあたっては，それに要する費用と，それによって得られる便益を比較考量しなければならない．廃棄物の抑制にしろ，リサイクルの推進にしろ，やりすぎては費用が便益を大きく上回ってしまうだろう．全くやらないという選択肢は出費がかからないが，得られるはずの便益を失ってしまうという別の費用が発生してしまう．ものごとには，適切な水準というものがあるはずである．本書を読めば，「ごみゼロ」という考え方も「リサイクルしてはいけない」という考え方も，どちらも怪しいということを理解していただけるのではないだろうか．

本書の視点は，経済学的なものにかなり偏っている．この点で，経済学になじみのない読者には違和感を感じる部分もあるだろうし，特定の問題に関心のある読者には不満が残る部分もあるかもしれない．著者も述べているとおり，「経済学はすべてではない」．本書で提案されている経済学的なアプローチがどこまで説得力を持つかは，課題によって異なってくるはずである．実際，高レベル放射性廃棄物の議論については経済学があまり役に立たないことを著者も認めている．ただしどのような問題であれ，コストやベネフィットはついてまわるし，インセンティブを無視した対策は長続きしないだろう．

本書で取り上げられている事例はアメリカのものに偏っているという点にも，注意が必要である．廃棄物にまつわる課題や事情は国によってさまざまに異なっている．日本は，国土の狭さから最終処分のコストは他国と比べても高く，多岐にわたるリサイクルの制度が整備されており，独自の課題も多数存在する．日本独自の『廃棄物の経済学』研究を，今後いっそう進め，世界に発信していく必要がある．

なお全体のボリュームを抑えるため，原著では第13章に相当する剪定ごみについて論じた部分を，著者の了解を得た上で削除した．また，フィートやポンドなど，日本人にとってなじみの薄い数量の単位はできるだけ分かりやすい単位に修正するようにした．ただし，法律の条文に関わる部分や文脈を損ねる部分では原文のままにしてある．

訳出にあたっては，神戸大学大学院経済学研究科院生の碓井健寛（現在は北星学園大学専任講師），今井聡，長谷川良二，沼田大輔，寺澤秀司の諸氏から多大なる協力を得た．また，神戸大学経済学部生の河東絵梨佳，酒井麻紀子，高松良樹の諸氏にも，本書を読みやすくするためのコメントを多数いただいた．記して感謝を申し上げる次第である．

2004年11月

石川　雅紀
竹内　憲司

# 索 引

## A〜Z



## ア 行



## カ 行



## サ 行

## タ　行



## ナ　行



## ハ　行



## マ　行

## ヤ 行



## ラ 行



## ワ 行

## 訳者紹介

石川雅紀（いしかわ　まさのぶ）
神戸大学大学院経済学研究科教授．
主著・主要論文："Predicting future emissions based on characteristics of stocks," (co-author) *Ecological Economics*, 41(2), 222-234, 2002.『新しい産業技術と社会システム』（共著）日科技連出版，1996.

竹内憲司（たけうち　けんじ）
神戸大学大学院経済学研究科助教授．
主著・主要論文："Economic valuation of road injuries by Standard Gamble in Japan," (co-author) *Environmental Economics and Policy Studies*, 6(2), 119-146, 2004.『環境評価の政策利用』勁草書房，1999.

入門 廃棄物の経済学

2005年2月17日　発行

訳者　石川雅紀／竹内憲司
発行者　高橋　宏

〒103-8345
発行所　東京都中央区日本橋本石町1-2-1　東洋経済新報社
電話　編集03(3246)5661・販売03(3246)5467　振替00130-5-6518
印刷・製本　三美印刷(株)


Printed in Japan　ISBN 4-492-31344-3　http://www.toyokeizai.co.jp/